Das Buch

Anne und ihr Mann Harald erleben den Albtraum aller Eltern: Während eines Toscana-Urlaubs verschwindet ihr Kind beim Spielen spurlos, und sie müssen zwei Wochen später unverrichteter Dinge nach Hause fahren. Zehn Jahre danach kehrt Anne an den Ort des Geschehens zurück, um herauszufinden, was damals passiert ist. In einem einsamen Tal kauft sie eine romantische Wassermühle von einem charismatischen Deutschen. Der Mann fasziniert sie, und sie vertraut ihm bereits nach kurzer Zeit blind. Sie weiß nicht, dass dieser charmante, freundliche Mann ein Massenmörder ist, der sowohl in Deutschland als auch in Italien mehrere Kinder getötet hat und sich seit Jahren unbehelligt in den toscanischen Bergen versteckt hält.

Die Autorin

Sabine Thiesler, geboren und aufgewachsen in Berlin, studierte Germanistik und Theaterwissenschaften. Sie arbeitete einige Jahre als Schauspielerin im Fernsehen und auf der Bühne und war Ensemblemitglied der Berliner »Stachelschweine«. Außerdem schrieb sie erfolgreich Theaterstücke und zahlreiche Drehbücher fürs Fernsehen (u. a. *Das Haus am Watt, Der Mörder und sein Kind* und mehrere Folgen für die Reihen *Tatort* und *Polizeiruf 110*). *Der Kindersammler* ist ihr erster Roman.

Lieferbare Titel

Hexenkind

SABINE THIESLER

DER KINDERSAMMLER

Roman

WILHELM HEYNE VERLAG
MÜNCHEN

FSC

Mix
Produktgruppe aus vorbildlich
bewirtschafteten Wäldern und
anderen kontrollierten Herkünften

Zert.-Nr. SGS-COC-1940
www.fsc.org
© 1996 Forest Stewardship Council

Verlagsgruppe Random House
FSC-DEU-0100
Das für dieses Buch verwendete
FSC-zertifizierte Papier *München Super*
liefert Mochenwangen Papier.

14. Auflage
Vollständige Taschenbuchausgabe 10/2006
Copyright © 2006 by Sabine Thiesler
Copyright © 2006 by Wilhelm Heyne Verlag, München,
in der Verlagsgruppe Random House GmbH
Printed in Germany 2007
Umschlagillustration: © Yellow Dog Productions/Image Bank/
Getty Images
Umschlaggestaltung: Eisele Grafik-Design, München
Satz: Leingärtner, Nabburg
Druck und Bindung: GGP Media GmbH, Pößneck
ISBN: 978-3-453-02454-0

http://www.heyne.de

Danke,
Klaus,
für deinen Rat
und deine Liebe.

PROLOG

Toscana 1994

Die Atmosphäre im Tal war eigentümlich. Alle Fenster und Türen der beiden Häuser waren geschlossen, was Allora noch nie erlebt hatte. Weder der Mann noch die Frau waren zu sehen. Aber als sie ganz still war und den Atem anhielt, hörte sie ein leises Wimmern, beinah wie das Jaulen einer Katze.

Allora bohrte in der Nase und wartete ab. Das Jaulen verstummte manchmal für wenige Minuten, setzte aber immer wieder ein. Als sie ein hohes, schrilles Quietschen hörte, zuckte sie zusammen und fing an zu zittern. Angst kroch ihr langsam den Nacken empor. Was war da los? Sollte sie einfach hingehen und anklopfen? Aber sie wagte es nicht. Der Engel war kein Mensch, bei dem man einfach auftauchen und »allora« sagen konnte. Der Engel hatte etwas an sich, vor dem sie zurückschreckte. Als wäre er mit einem unsichtbaren Stacheldraht umwickelt, der einen verletzte und einem die Haut aufschlitzte, wenn man zu nahe kam.

Und zum ersten Mal kam ihr der Gedanke, dass der Engel vielleicht gar kein Engel war.

Die Sonne war längst untergegangen, und die Nacht brach herein. Im Wald wurde es schnell dunkel, viel schneller als auf freiem Feld. Allora dachte noch nicht an den Rückweg, sie starrte unverwandt in Richtung Mühle. Die Laternen links und rechts neben der Tür brannten nicht, und auch im Haus war alles dunkel.

Als Allora das Haus kaum noch erkennen konnte, wurde ihr klar, dass sie die Zeit vergessen hatte, jetzt konnte sie nicht mehr zurück. Sie würde im Wald übernachten müssen.

Plötzlich hörte sie einen Schrei. Einen lang anhaltenden Schrei, der gar nicht mehr enden wollte. Und in diesem Moment wusste Allora, dass das keine Katze war, sondern ein Mensch.

Allora hielt sich die Ohren zu, bis der Schrei verstummte. Danach war es totenstill. Kein Laut drang mehr aus der Mühle zu ihr herüber. Sie rieb sich die Augen, die brannten, als hätte sie zu nahe am Feuer gesessen und zu lange in die Flammen gestarrt.

Sie war wie gelähmt. Saß in ihrem Erdloch, unfähig, sich zu bewegen. Langsam kroch ihr die Kälte in die nackten Füße und die Beine hinauf. Allora wühlte sich noch tiefer in ihr Erdloch und häufte Zweige, Blätter und Moos um sich herum, alles, was sie erreichen konnte, ohne ihre Kuhle zu verlassen. Dann umschlang sie ihre Beine mit den Armen, legte ihr Kinn auf die Knie und wartete weiter. Ihr Atem ging gleichmäßig, ihr Herz schlug jetzt langsamer. Aber sie war hellwach, konzentrierte all ihre Sinne auf die stille Mühle. Doch da war nichts mehr. Kein Laut. Kein Ton. Fenster und Türen blieben geschlossen, der Mann kam nicht mehr aus dem Haus.

Das Käuzchen schrie. So wie das Käuzchen in der Nacht geschrien hatte, als die alte Giulietta gestorben war. Ihre geliebte Nonna.

Allora wusste am nächsten Morgen nicht, ob sie die ganze Nacht so gesessen und gewacht oder ob sie geschlafen hatte.

Im Morgengrauen hörte sie, wie die hölzerne Küchentür in den Angeln quietschte. Die Sonne kam gerade mit den ersten Strahlen über die Bergkuppe, als der Mann aus dem Haus trat. In seinen Armen trug er einen leblosen Jungen, genau so, wie sie ihre Nonna getragen hatte. Der Kopf des Jungen hing weit nach hinten gekippt über dem linken Unterarm des Mannes, der Mund stand offen. Seine blonden Haare bewegten sich leise im Wind. Den rechten Unterarm hatte der Mann unter den Knien des toten Kindes, die Beine baumelten schlaff hin und her, als er mit ihm zum ausgetrockneten Teich ging und es behutsam hineinlegte.

Wenig später begann die Betonmischmaschine mit ohrenbetäubendem Krach zu rotieren, sodass Allora die Flucht ergriff. Der Mann, den sie von nun an nie wieder Engel nannte, hatte sie nicht bemerkt.

Alloras Glieder waren steif und kalt, ihr Atem ging flach, sie musste so viel denken, dass ihr das Laufen schwer fiel. Sie brauchte drei Stunden bis nach San Vincenti. Niemand fragte sie, wo sie in der Nacht gewesen war.

Sie ging in ihr Zimmer und kroch in ihr Bett, ohne sich die Erde von den Armen und Beinen zu waschen. Sie zog sich die Decke über die Ohren und versuchte zu verstehen, was sie gesehen hatte, aber es gelang ihr nicht.

ALFRED

1

Berlin/Neukölln, November 1986

Er war nicht auf der Jagd und hatte nicht vor, sich an diesem nebligen und ungewöhnlich kalten Novembertag sein nächstes Opfer zu suchen. Es passierte einfach, auch für ihn völlig unerwartet. Vielleicht war es schicksalhafte Fügung oder einfach nur ein dummer Zufall, dass er an diesem Morgen verschlafen hatte und anderthalb Stunden später aus dem Haus ging als gewöhnlich.

Ein eisiger Wind fegte durch die Straßen, und es nieselte leicht. Alfred fröstelte und schlug den Kragen seines Mantels hoch. Handschuhe, Schal oder Mütze hatte er nie dabei. Kleidung empfand er als Belastung, den schlichten grauen Pullover und die dunkelblaue Cordhose trug er das ganze Jahr über. Sie waren im Sommer zu dick und im Winter zu dünn und schützten ihn auch jetzt nicht vor dem kalten Wind, der ihm in die Mantelärmel fuhr.

Alfred lebte seit drei Jahren zurückgezogen und vollkommen unerkannt im Berliner Kiez. Er hatte keine Freunde und vermied engere Kontakte, er lehnte Zerstreuung und Unterhaltung jeglicher Art ab, ging nie ins Kino oder Theater und hatte in seiner kargen Hinterhofwohnung auch keinen Fernseher.

Obwohl er erst Anfang dreißig war, zogen sich durch sein volles, leicht gewelltes Haar bereits die ersten grauen Strähnen, was seinem markanten Gesicht einen interessanten Ausdruck verlieh. Auf den ersten Blick war er ein gut aussehender, sympathischer Mann. Seine blassblauen, glasklaren Augen fixierten sein Gegenüber stets sanft und eindringlich und signalisierten großes Interesse. In Wahrheit war eher das Gegenteil der Fall.

Nachdem er kurz überlegt hatte, bog er die nächste kleine Nebenstraße rechts ab, in Richtung Kanal. Es war wenig Betrieb um diese Zeit, die Kinder waren längst in der Schule, und wer nicht unbedingt musste, ging bei diesem Wetter nicht aus dem Haus. Eine Dönerbude, eine Kneipe, ein Bäcker, mehr gab es nicht in dieser Straße. Ein Friseur, ein Zeitungsladen und ein kleiner türkischer Gemüseladen hatten letztes Jahr Pleite gemacht, die Läden waren nicht wieder vermietet worden. Einmal in der Woche kam die Müllabfuhr, das war alles. Die alten Leute waren weggestorben, neue Familien zogen nicht hierher. Nicht in diese Gegend. Viele Wohnungen standen leer, eingeworfene Scheiben wurden nicht mehr erneuert, Tauben nisteten in verdreckten, heruntergekommenen Zimmern und Hausfluren.

In seinen Schläfen begann es dumpf zu pochen. Er wusste, dass dies der Vorbote einer Migräne sein konnte. Gestern Abend hatte er am Küchenfenster gesessen und stundenlang auf die ockergelbe, fleckige Fassade des Quergebäudes und eine graue Mauer gestarrt, die den Hinterhof vom Nachbargrundstück trennte. Der Hof war asphaltiert, irgendjemand hatte einen Blumentopf mit einem verkümmerten Gummibaum neben die Mülltonnen gestellt. Sicher, um ihn loszuwerden, und nicht, um den Hinterhof zu begrünen. Jetzt welkte diese kümmerliche Pflanze schon seit Wochen vor sich hin und war für die Mieter des Hauses die einzige Natur weit und breit.

In der einen Hand hielt er den Brief, den er immer wieder las, und in der anderen das Rotweinglas, aus dem er immer wieder trank. Seine beiden unerträglichen Schwestern, die Zwillinge Lene und Luise, teilten ihm lapidar mit, dass ihre Mutter von einer Nachbarin gefunden worden war. Tot. In ihrer Badewanne. Erst nach der Beerdigung hatten die Zwillinge beim Sichten des Nachlasses die Nummer seines Postfachs gefunden und ihn benachrichtigen können. Sie hatten die Habseligkeiten ihrer Mutter verbrannt und das Haus verkauft. Sein Einverständnis voraussetzend.

Grüße.

Natürlich mussten sie sie irgendwann finden. Er hatte schon lange damit gerechnet.

Im Oktober, als er eine Woche freigehabt und sich gelangweilt hatte, war er zu ihr gefahren. Sie lebte in einem kleinen Haus am Rande eines Dorfes in Niedersachsen. Er hatte seit drei Jahren nichts mehr von seiner Mutter Edith gehört und wollte sehen, wie es ihr ging.

Als er mit seinem weißen Honda auf den Hof fuhr und hupte, regte sich nichts. Es war totenstill. Früher hatte immer der Hund gebellt, wenn jemand kam, und seine Mutter war augenblicklich aus der Tür getreten, mit einer misstrauischen Zornesfalte auf der Stirn, da sie nie etwas Gutes vermutete, wenn unangemeldet jemand vor dem Haus stand.

Doch diesmal kam kein Laut. Nirgends rührte sich etwas. Er hatte das Gefühl, als hielte selbst der Wind einen Moment den Atem an, denn kein Blatt bewegte sich. Keine Katze schlich vorsichtig um die Hausecke.

Es hatte den ganzen Morgen geregnet, aber jetzt kam die Sonne zwischen den Wolken hervor und machte deutlich, wie schmierig und verstaubt die Fensterscheiben des Hauses waren, die seit Jahren niemand mehr geputzt hatte. Das Unkraut zwischen den Pflastersteinen, das seine Mutter immer penibel entfernt hatte, war jetzt kniehoch und überwucherte fast den gesamten Hof, in den Blumenkästen steckten die Strünke von Geranien, die schon vor mehreren Wintern vertrocknet waren.

Der Anblick seines Elternhauses erfüllte ihn mit Entsetzen. Er näherte sich langsam. Leise, um die Grabesstille nicht zu stören, und auch in Erwartung von etwas Schrecklichem.

Er ging an der Hinterseite des Stalls vorbei über ein Beet, auf dem die Brennnesseln ihm bis zur Hüfte reichten. Früher war das ihr Erdbeerbeet gewesen.

Als er um die Stallecke bog, sah er ihn. Ringo, einen Schnauzer-

Schäferhund-Mischling, der seiner Mutter immer ein treuer Freund gewesen war. Seine Mutter hatte ihm ihre Zuneigung nur dadurch gezeigt, dass sie ihm abends seinen Fressnapf füllte, aber Ringo liebte sie trotzdem. Er kannte es nicht anders.

Ringo war immer noch angekettet und lag auf der Seite. Seine mageren, steifen Beine sahen aus wie überstreckt. Dort, wo einmal seine Augen gewesen waren, klafften tiefe blutverkrustete Löcher, Krähen hatte die Augen und die größten Teile seines Gehirns herausgepickt. Anschließend hatten sich Würmer in Ringos Schädel eingenistet.

Alfred beugte sich hinunter und strich über das verfilzte Fell, das sich über dem skelettartigen, völlig abgemagerten Körper spannte.

»Du bist verhungert, mein Alter«, flüsterte er. »Sie hat dich doch wahrhaftig verhungern lassen.« Alfred atmete tief durch. Er würde sich später um Ringo kümmern. Jetzt musste er erst mal ins Haus und fürchtete sich vor dem, was ihn erwartete.

Die Haustür war abgeschlossen, einen Schlüssel besaß er schon lange nicht mehr. Er klingelte lange und ausdauernd, aber nichts rührte sich. Auch auf sein Rufen antwortete niemand. Das kleine Flurfenster neben der Tür, das früher immer nur angelehnt gewesen und durch das er als Junge geklettert war, wenn er seinen Schlüssel vergessen hatte, war ebenfalls fest verschlossen. Alfred holte einen Stein, schlug das Fenster ein und stieg ins Haus. Anschließend klopfte er sich die Splitter vom Pullover, durchquerte den Flur und öffnete die Tür zum Wohnzimmer.

Edith Heinrich saß in einem Sessel am Fenster hinter einer zugezogenen Gardine und war nur noch ein Schatten ihrer selbst. Ein magerer kleiner Mensch mit einer derart schmalen Silhouette, dass sie sich kaum von der Rückenlehne des Sessels abhob.

Als ihr Sohn hereinkam, rührte sie sich nicht, zuckte mit keiner Wimper und schien keineswegs überrascht. Als wäre er nur eben mal draußen gewesen, um Petersilie zu holen.

»Ich bin's, Mama«, sagte Alfred. »Wie geht's?«

»Blendend«, antwortete sie. Ihr Zynismus war ungebrochen, und ihr Ton war immer noch hart und kalt, obwohl ihre Stimme schwach geworden war. Ihr Blickfeld war stark eingeengt, und auch den Kopf konnte sie nur mit Mühe bewegen. So musste sie den ganzen Oberkörper drehen, um ihm hinterherzuschauen, als er durchs Zimmer ging und die dunklen Vorhänge aufzog. Tageslicht durchflutete den Raum und machte den Staub sichtbar, der wie ein dicker Brei im Zimmer hing.

»Draußen scheint die Sonne«, sagte er.

»Das ist mir egal«, erwiderte sie und schloss geblendet die Augen.

Alfred schaltete die Deckenbeleuchtung aus und öffnete die Fenster, denn im Zimmer roch es muffig wie in einem feuchten Keller, in dem Kartoffeln faulen.

Edith fing augenblicklich an zu zittern und rutschte noch tiefer in ihren Sessel. Er nahm eine klamme Decke vom Sofa und legte sie ihr über. Edith ließ es kommentarlos geschehen und sah ihn mit matten Augen an, die schon lange ihren Glanz verloren hatten.

Dann ging er in die Küche. Seine Mutter musste schon ewig nichts mehr gegessen haben, die Essensreste, die herumstanden, und auch die, die er im Kühlschrank fand, waren uralt und verschimmelt. Unter der Spüle fand er eine Plastiktüte, fegte die Essensreste hinein und ging nach draußen, um sie wegzuwerfen.

Danach öffnete er mit Mühe die schwere morsche Stalltür, die ihm fast entgegenfiel, als er sie vorsichtig aufzog. Das eine Schwein, das noch lebte, lag apathisch auf der Erde und war so mager wie seine Mutter. Er nahm ein Messer und schnitt ihm die Kehle durch. Es quiekte nur kläglich, als es sein einsames, armseliges Leben aushauchte.

Zu ernten gab es nichts. Auch der Apfelbaum, von dem er als Kind gefallen war, hatte eine merkwürdige Krankheit, alle Äpfel waren verschrumpelt und mit schwarzem Schorf bedeckt.

»Du musst ins Heim«, sagte er zu seiner Mutter. »Du kommst allein nicht mehr klar.«

»Gar nichts muss ich«, erwiderte sie.

»Aber allein verhungerst du! Du stehst ja noch nicht einmal auf und gehst in die Küche, um dir was zu essen zu holen!«

»Na und?«

»Ich kann dich doch nicht einfach hier verrecken lassen!«

In Ediths Augen kam für einen Moment Leben zurück, denn sie funkelten wütend. »Wenn der Teufel kommt, um mich zu holen, dann ist das in Ordnung. Halt du dich da raus!«

Alfred wunderte sich, wie viel Kraft noch in dieser abgemagerten kleinen Person steckte.

»Du hast den Hund verhungern lassen. Und das Schwein.«

Sie zuckte nur die Achseln.

»Du hast ihm ja nicht mal Wasser gegeben, dem armen Kerl!«

»Erst hat er tagelang gebellt. Und dann war er still. Also ist er ganz friedlich eingeschlafen.«

Alfred sagte nichts mehr, denn er sah, wie erschöpft seine Mutter war. Wahrscheinlich hatte sie schon jahrelang mit niemandem mehr gesprochen. Er sah, wie ihr Kopf zur Seite sackte, sich ihr Mund leicht öffnete und sie leise zu schnarchen begann.

In der Nähe des Apfelbaumes hob er eine tiefe Grube für den Hund und das Schwein aus. Als er die beiden Tiere beerdigt hatte, fegte er den Hof und säuberte die Küche. Danach ging er zu seiner Mutter, hob sie aus dem Sessel und fing an, sie zu entkleiden. Edith riss erschrocken die Augen auf und schrie. Hoch und schrill wie ein Fasan in der Schnauze des Fuchses. Er achtete nicht darauf und zog sie weiter aus. Pullover für Pullover, Bluse für Bluse, Hemd für Hemd. Edith trug zwiebelartig fast alles übereinander, was sie besaß.

»Was machen die Zwillinge?«, fragte er.

Edith antwortete nicht, sondern schrie weiter wie am Spieß.

Die Badewanne hatte er zuvor geschrubbt und von Jahre altem Dreck und Rost befreit. Das lauwarme Badewasser war dennoch hellbraun und trüb. Widerwillig hielt er den alten, faltigen, aber federleichten Körper in seinen Armen. Seine Mutter zappelte und schlitzte ihm mit ihren ungeschnittenen scharfen Fingernägeln die Wangen auf. Sie wehrte sich mit all ihren Kräften, berührt, getragen, gehoben und gebadet zu werden. Wie eine Wilde schlug sie um sich und schrie ohne Unterlass. Alfred spürte, wie ihm das Blut von den Wangen den Hals hinunterlief und in seinem Pullover versickerte. Seine Mutter kam ihm vor wie ein widerwärtiges Insekt, das er Lust hatte zu zerquetschen.

Immer hatte sie sich gewehrt. Ihr Leben lang. Gegen jede Berührung, jede Liebkosung. Sie war nie in der Lage gewesen, ihre Kinder in den Arm zu nehmen. Und in diesem Moment besaß sie übermenschliche Kräfte und strampelte immer noch, als er ihren winzigen Körper in die trübe Brühe gleiten ließ.

Sie lag in der Wanne, schlapp wie eine Libelle, die mit nassen, schweren Flügeln nie wieder von der Wasseroberfläche starten kann. Ihre dünnen, weißen Zöpfe schwammen auf dem Wasser, ihre Augenlider waren flammend rot, als hätte sie tagelang geweint.

»Du Dreckskerl«, schimpfte sie, »hol mich sofort hier raus!«

Alfred reagierte nicht. Er starrte auf ihre spitzen Knie, die aus dem Wasser ragten. Versuchte zu begreifen, dass dieses hilflos in der Wanne treibende Skelett seine Mutter war, aber es gelang ihm nicht. Mit der Hand verursachte er eine Wellenbewegung, und ihr Körper schlingerte hin und her.

»Du hattest grünes Fruchtwasser«, kreischte sie. »Du bist eine Missgeburt!«

»Ich weiß, Mama«, sagte er leise und lächelte. Dann verließ er das Badezimmer und versuchte die Hilferufe seiner Mutter zu überhören, als er im Wohnzimmer seinen Autoschlüssel suchte.

Sie würde aus eigener Kraft nie mehr aus der Wanne kommen. Das war ihm bewusst, als er das Haus verließ. Und bereits eine Viertelstunde später hatte er sie vergessen.

Als er die dritte Flasche Wein geleert hatte, zerriss er den Brief. Er hatte nicht vor, sich bei seinen Schwestern zu melden. Außerdem würde er sich um ein neues Postfach kümmern.

Betrunken fühlte er sich nicht. Er schaltete die Küchenbeleuchtung aus, blieb in absoluter Dunkelheit sitzen und versuchte im Kopf alle Zahlen von eins bis tausend miteinander zu addieren, um sein Gehirn zu trainieren. Er schaffte es noch nicht einmal bis zwanzig.

Alfred steckte die Hände in die Hosentaschen und ging vornübergebeugt, der Wind blies ihm direkt ins Gesicht und nahm ihm den Atem. Sein Kopfschmerz wurde stechend. Er brauchte dringend ein paar Aspirin und einen heißen Kaffee.

Nur wenige Schritte weiter war die Kneipe »Der Fußballtreff«. Alfred sah durchs Fenster. Zwei Männer saßen an der Bar. Der eine hatte schlohweißes Haar und einen langen Mozartzopf, das war Werner. Natürlich war er um diese Zeit schon da. Werner hatte geerbt, konnte keine großen Sprünge machen, aber wenn er in seiner billigen Wohnung blieb, würde sein Geld reichen, bis er fünfundneunzig war. Werner war davon überzeugt, nicht so alt zu werden und früher zu sterben, und sah dementsprechend hoffnungsvoll in die Zukunft. Zwischen neun und zehn Uhr kam er jeden Morgen in den »Fußballtreff«, begann mit zwei Kännchen starkem Kaffee, Rührei und Brötchen und ging dann allmählich zum Bier über. Er trank langsam, aber kontinuierlich den ganzen Tag, blieb an der Theke sitzen, redete mit den Leuten, die hereinkamen, wusste alles über alle im Kiez und malte ab und zu ein Bild von einem der Gäste.

Um Mitternacht ging er immer nach Hause. Aufrechten Ganges, mit festem Schritt und nie betrunken. Werner gehörte zum festen Inventar des »Fußballtreff«, hier in dieser Kneipe würde ihn der Schlag treffen, hier würde er irgendwann vom Barhocker fallen und mit den Füßen voran hinausgetragen werden.

Seit er Werner kennen gelernt hatte, mied Alfred den »Fußballtreff«, obwohl er dort noch vor kurzem relativ regelmäßig gefrühstückt oder zu Mittag Buletten gegessen hatte. Er hatte Verlangen und Begeisterung in Werners Augen gesehen, als sie sich einmal gegenübersaßen. Werner war von ihm fasziniert, und Alfred wusste, dass er ihn unbedingt malen wollte. Und das wollte Alfred vermeiden.

Eine halbe Stunde noch, dann machte Milli ihren Imbissstand auf. Bei Milli gab es einen großen, heißen Milchkaffee, die besten Currywürste der Stadt und Aspirin gratis. Bis zum Neuköllner Schifffahrtskanal war es nicht mehr weit, er beschloss, noch einen Spaziergang zu machen und danach bei Milli zu frühstücken.

Es hatte aufgehört zu regnen, der starke Wind trieb die Wolken vor sich her und riss ab und zu eine Lücke in die dichte Wolkendecke. Bis zum Kanal waren es nur noch wenige Meter. Ein schmaler Fußweg führte am Ufer entlang. Alfred wandte sich nach rechts, Richtung Britz. Morgens zwischen acht und zehn führten hier viele Hundebesitzer ihre Hunde spazieren, aber um diese Zeit war kaum jemand unterwegs.

Die stillen Spaziergänge am Kanal waren zurzeit in seinem Leben die einzigen Momente, die er wirklich genoss. Er ging langsam und hatte das wunderbare Gefühl, an gar nichts zu denken. Hin und wieder zog ein Lastkahn oder ein Schubverband an ihm vorbei, die meisten aus Polen oder Russland, wahrscheinlich auf dem Weg nach Hamburg oder nach Holland und Frankreich. Er hob jedes Mal grüßend die Hand, und die Kapitäne fassten sich ebenfalls grüßend an die Mütze. Er überlegte seit Tagen, ob er nicht vielleicht versuchen sollte, auf einem Binnenschiff anzuheuern, aber das waren meist Familienbetriebe, und mehr als drei Personen arbeiteten auf so einem Schiff nicht. Der Kapitän, seine Frau und ein Maschinist, der meist Bruder oder Schwager war. Da hatte er als Außenstehender kaum eine Chance. Und mehr als Deckschrubben konnte er nicht. Wenn er wirklich Ernst machen und zur See fahren wollte, musste er nach Hamburg und dort versuchen, auf irgendeinem Containerschiff mitzufahren, um endlich einmal über den großen Teich zu kommen.

Was ihn allerdings davon abhielt, war der Gedanke, über Wochen auf einem Schiff gefangen zu sein, ohne Chance, sich zu separieren, an Land zu gehen oder abzuhauen. Er wollte nicht noch einmal auf engstem Raum mit anderen zusammengepfercht sein und deren Gestank und Macken aushalten müssen. Das hatte er gehabt. Das wollte er nie wieder erleben.

In diesem Moment hörte er den gellenden Schrei eines Kindes, der sofort erstickt wurde. Wie elektrisiert blieb er stehen und drehte sich um. In einiger Entfernung sah er einen kleinen blonden Jungen, der gerade von zwei Jugendlichen, die mindestens fünf bis sechs Jahre älter waren, überfallen und mit einem Messer bedroht wurde.

Alfred rannte los. Es war der 12. November 1986, zehn Minuten vor halb zwölf.

2

Benjamin Wagner gammelte seit heute Morgen um Viertel vor acht in der Stadt herum. Sein blondes Haar lockte sich durch die Nässe, einzelne Regentropfen liefen an seinem Pony herunter und kitzelten ihn an der Nase. Seine Turnschuhe waren völlig durchnässt. Merkwürdigerweise waren beide an den Innenseiten aufgerissen, sodass er zwischen Sohle und Oberleder ein Lineal schieben konnte. Das tat er auch häufig und gerne in der Schule, wenn er sich langweilte, wodurch die Schuhe immer weiter aufrissen. Und es war sein einziges Paar Turnschuhe. Die Stiefel, die ihm sein

Vater gekauft hatte und die ihm seine Mutter jeden Morgen aufdrängen wollte, konnte er nicht ausstehen, weil sie an den Fersen scheuerten.

Er fror mittlerweile entsetzlich. Durch seinen Anorak drang zwar kein Wasser, aber der Regen war ihm durch den Halsausschnitt hinten den Rücken hinuntergelaufen, das T-Shirt klebte am Körper und hatte den gleichen Effekt wie ein eiskalter Umschlag. Benjamins Zähne klapperten. Er wusste, dass es ein Fehler gewesen war, die Kapuze nicht aufzusetzen, aber er hasste Kapuzen. Sie schränkten das Blickfeld ein, und wenn er den Kopf drehte, rutschte ihm die Kapuze über die Augen. Außerdem konnte er unter dem imprägnierten Kapuzenstoff auch nicht richtig hören. Was in der Stadt gefährlich war. Man musste immer auf der Hut sein.

In seiner Schultasche, die er seit heute Morgen mit sich herumschleppte, waren zwei Klassenarbeiten, die von seinen Eltern unterschrieben werden sollten. Eine Mathearbeit mit einer Sechs und ein Diktat mit einer Fünf. Er würde die fünfte Klasse nicht schaffen, und dann kam er ins Heim. Davon war er überzeugt, denn ein Junge aus seiner Klasse, der letztes Jahr sitzen geblieben war, war auch ins Heim gekommen. Und Benjamin wollte nicht ins Heim. Alles, aber nicht ins Heim.

Am vorigen Abend hatte er sich in seinem Zimmer verkrochen, hatte den Walkman auf den Ohren und stand am Fenster. »Bitte, Papa, komm. Bitte, bitte, Papa komm doch!« Ab und zu setzte er sich aufs Bett und blätterte in der Bravo, die er sich von seinem Freund Andi geliehen hatte, und las immer und immer wieder einen Bericht übers Küssen. Er konnte kaum glauben, was da stand. Dass sich Menschen gegenseitig die Zunge in den Mund schoben, wenn sie sich mochten, war für ihn unvorstellbar. Aber er hielt das ruhige Sitzen immer nur wenige Minuten aus. Dann schob er die Bravo wieder unter die Matratze, falls seine Mutter hereinkommen sollte, und ging ans Fenster, um dasselbe Stoßgebet noch einmal zum Himmel zu schicken.

»Bitte, Papa, komm doch endlich! Bitte, lieber Gott, mach, dass Papa nach Hause kommt!«

Aber Papa kam nicht.

Seine Mutter Marianne saß unterdessen in ihrem Rollstuhl vor dem Fernseher und sah sich eine Vorabendserie im Fernsehen an. Bis vor drei Jahren war sie eine sportliche junge Frau gewesen, aber dann war sie eines Abends im Bad einfach umgefallen, weil sie ihre Beine nicht mehr spürte. Die Taubheitsgefühle und das ständige Kribbeln in Armen und Beinen hatte sie nicht ernst genommen und ihrem Mann verschwiegen. Bei Marianne Wagner wurde Multiple Sklerose diagnostiziert. Trotz Physiotherapie und starker Medikamente kamen die Schübe immer häufiger, bis der Rollstuhl nicht mehr zu vermeiden war, denn die Tage, an denen sie normal laufen konnte und wieder etwas Gefühl in den Beinen hatte, wurden immer seltener. Depressionen waren die Folge. Marianne litt darunter, ihrem Kind keine vollwertige Mutter und ihrem Mann keine vollwertige Ehefrau mehr sein zu können. Sie weinte viel und fing an zu rauchen, obwohl das ihren Zustand noch verschlechterte.

Benjamin hatte ständig Angst, seine Mutter zu enttäuschen. Er fühlte sich sofort schuldig, wenn sie in Tränen ausbrach, und konnte es überhaupt nicht aushalten, seine geliebte Mutter weinen zu sehen. Er wusste, wie sehr sie darunter litt, dass er so große Probleme in der Schule hatte, weil sie sich ihrerseits Vorwürfe machte, versagt zu haben. Auf keinen Fall durfte sie von den verhauenen Klassenarbeiten erfahren. Denn immer, wenn sie sich sehr aufregte, bekam sie einen neuen Schub und war hinterher noch viel kränker als vorher.

An diesem Abend vor dem Fernseher rauchte sie wieder Kette. An der Art, wie sie die Zigaretten ausdrückte, konnte Benjamin erkennen, wie es ihr ging. Ihre Hände zitterten, sie war fahrig und nervös, ihre Augen waren gerötet. Offensichtlich hatte sie schon geweint und machte sich Sorgen, weil ihr Mann Peter wieder mal nicht nach Hause kam.

Benjamin starrte auf die Straße und hypnotisierte die Straßenecke mit dem orangefarbenen Haus, das erst im letzten Sommer frisch angestrichen worden war. Um diese Ecke bog sein Vater gewöhnlich, wenn er von der Arbeit kam, meist mit so schnellen Schritten, dass man ihn leicht verpasste, wenn man nicht unentwegt auf dieselbe Stelle starrte. Peter Wagner arbeitete bei Siemens am Band und hatte um siebzehn Uhr Feierabend. Er stieg dann am Siemensdamm in die U7 und konnte durchfahren bis zur Karl-Marx-Straße oder zum U-Bahnhof Neukölln. Beides war gleich weit, das Mietshaus im schlichten Baustil der sechziger Jahre, in dem sie seit fünf Jahren wohnten, lag direkt dazwischen. Es war zwar eine verdammt lange U-Bahn-Fahrt, zwanzig Stationen, aber wenn ihm die U-Bahn nicht direkt vor der Nase wegfuhr und alles glatt ging, war er oft schon vor sechs zu Hause. Allerdings ging er in letzter Zeit relativ häufig noch mit seinem Kollegen Ewald, der in der Herrmannstraße wohnte, einen trinken. Ewald stieg dann mit ihm zusammen am Bahnhof Neukölln aus, ersparte sich das Umsteigen und ging anschließend die nur unwesentlich weitere Strecke zu Fuß nach Hause.

Marianne war dieser Ewald ein Dorn im Auge. Sie war wütend über jeden Abend, den ihr Mann in der Kneipe verbrachte und das knappe Geld die Kehle hinunterspülte. Außerdem war sie auch traurig über jeden Abend, den sie nicht mit ihrem Mann verbringen konnte, denn sie sah ihre Zeit inzwischen sehr begrenzt, sie glaubte nicht mehr daran, Benjamins Volljährigkeit zu erleben.

Dabei war Peter nie aggressiv, wenn er volltrunken nach Hause kam. Er tastete sich dann an den Wänden entlang und lächelte dümmlich, als amüsiere er sich selbst über seinen schwankenden Schritt, konzentrierte sich auf das Schlafzimmer, fiel ins Bett und sofort in Tiefschlaf. In diesem Zustand redete er nicht, beantwortete keine Fragen und ließ sich nicht provozieren, sondern winkte nur ständig ab. Nichts konnte ihn dann erreichen. Kein noch so großes Problem dieser Welt.

Benjamin lag abends oft lange wach und belauschte die Gespräche seiner Eltern. Sie gaben sich gar keine Mühe, leise zu reden, weil sie davon ausgingen, dass Benjamin fest schlief. Dabei hatte er gehört, wie sein Vater ihn seiner Mutter gegenüber verteidigte. Er meinte, schlechte Zensuren seien nichts Ungewöhnliches bei kleinen Jungen, und meist sei es nur eine faule Phase, die nach ein, zwei Jahren wieder ausgestanden sei. Seine Mutter hatte da ihre Zweifel, und auch er glaubte nicht so recht an das, was sein Vater sagte, denn er machte sich ja selbst Sorgen um sich. Seine Lehrerin hatte gesagt, nur noch ein Wunder könne ihn vor dem Sitzenbleiben retten.

»Wenn du die Rechtschreibung nicht lernst«, sagte Frau Blau, »wirst du auch in allen anderen Fächern einbrechen, weil du automatisch immer eine Zensur tiefer rutschst. Man muss ja raten, was da steht, was du meinst und was das überhaupt heißen soll. Lies Bücher, dann siehst du, wie die Worte geschrieben werden.«

Benjamin verstand die ganze Rechtschreibung nicht. Warum wurde »Bohne« mit »h« geschrieben? »Weil man das ›O‹ lang spricht«, sagte Frau Blau, aber das »o« in »Kanone« wurde auch lang gesprochen, und die Kanone schrieb man ohne »h«. Das konnte ihm Frau Blau auch nicht erklären. Und dann beim Diktat brachte Benjamin alles durcheinander. Schrieb man den »Wal« nun mit »h« oder mit zwei »a« oder einfach mit einem »a«? Und wie war das mit dem »Saal« und dem »Pfahl« und der »Qual«? Benjamin überlegte und überlegte, wurde immer unsicherer, brachte alles durcheinander und machte dadurch noch jede Menge Flüchtigkeitsfehler. Letztendlich bekam er jedes Mal eine Fünf. Er konnte es einfach nicht. Es ging alles nicht in seinen Kopf.

Die Mathearbeit hatte er verhauen, weil er das Einmaleins nicht gelernt hatte. Klar, das war seine Schuld, aber auch diese Zahlen gingen nicht in seinen Kopf. Er konnte sich einfach nicht merken, dass zwei mal siebzehn vierunddreißig war und sieben mal acht sechsundfünfzig. Keine Zahl hatte für ihn eine Bedeutung, nach drei Sekunden hatte er sie wieder vergessen.

Benjamin war fest entschlossen, die missratenen Arbeiten seinem Vater zu zeigen und ihm alles zu erklären. Sicher war er genauso enttäuscht wie seine Mutter, aber er würde ihn sicher verstehen, und er weinte wenigstens nicht. Er würde unendlich traurig gucken, aber die Arbeiten unterschreiben. Und wahrscheinlich diesen fürchterlichen Satz sagen, der Benjamin immer zu Tode erschreckte: »Wir müssen eine Lösung finden, mein Sohn.«

Kurz vor acht hörte er auf, aus dem Fenster zu gucken. Die Hoffnung, dass sein Vater nüchtern nach Hause kam und er noch mit ihm sprechen konnte, wurde immer geringer. Er setzte sich ins Wohnzimmer zu seiner Mutter, um mit ihr gemeinsam die Tagesschau anzusehen. Seine Mutter freute sich, wenn er sich für die Nachrichten interessierte.

Er saß ganz still. Ab und zu sah ihn seine Mutter an und lächelte. Als die Nachrichten zu Ende waren, sagte Benjamin: »Papa kommt sicher gleich. Mach dir keine Sorgen.«

Marianne nickte tapfer und streichelte Benjamins Hand. »Was hältst du von einer Leberwurststulle?«

Benjamin strahlte. »Au ja, ich mach uns welche.« Er rannte in die Küche.

Als er mit zwei Leberwurstbroten und zwei Gläsern Milch zurück ins Wohnzimmer kam, war seine Mutter eingeschlafen. Aber als er versuchte, das kleine Tablett, auf dem eine sonnige Gebirgslandschaft zu sehen war, leise auf dem Couchtisch abzustellen, wachte sie auf und nahm ihn in den Arm.

»Mein großer Junge«, flüsterte sie, »wenn du wüsstest, wie lieb ich dich hab.«

»Ich dich auch, Mama«, flüsterte Benjamin ebenfalls, »ich dich auch.« Er war vollkommen glücklich in diesem Moment und drückte seine Mutter ganz fest. Aber gleichzeitig war ihm zum Heulen zumute. Er hätte ihr so gern sein Herz ausgeschüttet, aber er traute sich nicht.

Um neun Uhr schickte ihn seine Mutter ins Bett. Benjamin verschwand ohne Protest in seinem Zimmer. Aber schlafen konnte er nicht. Immer wieder sprang er aus dem Bett und sah auf die Straße. Immer wieder kamen wildfremde Menschen um die Ecke – sein Vater war nicht dabei. Um elf war er einfach zu müde, um noch länger wach zu bleiben. Er beschloss, am nächsten Tag die Schule zu schwänzen, um ein bisschen Zeit zu gewinnen, denn Frau Blau würde sicher nach den Unterschriften fragen. Kurz darauf schlief er, mit seinem Teddy im Arm, erschöpft ein.

Als Benjamin wie immer um sieben Uhr fünfzehn in die Küche kam, schmierte ihm seine Mutter gerade die Schulbrote zum Mitnehmen. Sie war blass und sah müde aus. Ihre langen Haare hingen ungekämmt über die Schultern, sie hatte sie noch nicht hochgesteckt, aber Benjamin fand sie dennoch wunderschön.

»Ist Papa da?«, fragte Benjamin.

»Ja.«

»Wann ist er denn gekommen?«

»Um drei. Möchtest du Kakao?«

Benjamin nickte. »Und jetzt bist du froh?«, fragte er seine Mutter.

»Ich bin erleichtert. Na klar.«

Benjamin entspannte sich. Dann war ja alles in Ordnung. Heute Nachmittag würde er mit seinem Vater reden.

»Geht er heute zur Arbeit?«

»Nein«, sagte Marianne, »er hat frei und schläft seinen Rausch aus. Und jetzt beeil dich, es ist gleich halb.«

Benjamin hatte es nicht so eilig, weil er wusste, dass er nicht zu spät kommen konnte, wenn er gar nicht in die Schule ging, aber das durfte er sich nicht anmerken lassen. Daher schlang er sein Marmeladenbrot hinunter wie gewöhnlich und kippte den Kakao hinterher. Dann nahm er seine Tasche, in der er sicherheitshalber die Bravo und beide Klassenarbeitshefte verstaut hatte, packte seine Schulbrote ein, hauchte seiner Mutter einen Abschiedskuss auf die Wange, riss im Vorübergehen im Flur seine Jacke vom Haken und raste die Treppe hinunter.

Marianne Wagner hatte sich aus dem Rollstuhl erhoben und stand am Fenster. Ihre Beine erlaubten es ihr, einen Moment zu stehen, und sie genoss diesen Moment. Ich habe einen wunderbaren Sohn, dachte sie, und die Probleme mit der Schule kriegen wir auch noch in den Griff. Gemeinsam schaffen wir das.

Sie sah, wie er aus dem Haus kam und die Straße mehr entlanghüpfte als -lief. Dieses Kind ist ein Geschenk, sagte sie sich, zumal ich nie wieder eins bekommen werde.

Ihr wurde ganz leicht ums Herz, und sie winkte ihm hinterher, obwohl er es nicht sehen konnte. Dann überlegte sie, ob sie alles im Haus hatte, um ihm sein Lieblingsgericht zu kochen. Hackbraten mit viel brauner Soße und gedrehten Nudeln.

Ein kleines Paket Hackfleisch hatte sie noch in dem Gefrierfach über dem Kühlschrank, die Eier reichten ebenfalls, und alte Brötchen und geriebene Semmeln hatte sie immer vorrätig im Küchenschrank. Dass sie ihre Idee auch in die Tat umsetzen konnte, machte sie ganz euphorisch. Zum ersten Mal seit langer Zeit freute sie sich auf das gemeinsame Mittagessen, denn auch Peter würde dabei sein. Langsam begann sie die Küche aufzuräumen, konzentrierte sich auf jeden Schritt und jede Handbewegung. Aber auch das erschien ihr heute leichter als sonst.

Dann goss sie sich eine frische, heiße Tasse Kaffee ein, setzte sich wieder in ihren Rollstuhl und schaltete das Radio an. »Morning has broken«, sang Cat Stevens. Es war ein Lied ihrer Jugend, und sie summte es leise mit. Draußen wurde der Regen stärker.

3

Bis Karstadt war es nicht mehr weit. Benjamin ging schneller. So ein Schultag war verdammt lang, wenn man nichts zu tun hatte und nicht wusste, wohin. Sein Freund Andi hatte wenigstens eine Oma, bei der Andi jederzeit aufkreuzen konnte. Zweimal hatte Andi bei ihr den Vormittag verbracht, als er die Schule schwänzte, um eine Biologie- und eine Englischarbeit nicht mitschreiben zu müssen. Andis Oma hatte immer Kekse im Haus und spielte stundenlang Mau-Mau, Schafskopf oder Mensch-ärgere-dich-nicht. Andi war total begeistert von seiner Oma. Bei ihr hatte er sogar schon einmal eine Zigarette rauchen dürfen, aber vor allem hatte er ihr heiliges Ehrenwort, dass sie Andis Eltern nichts verraten würde. So eine Oma war Gold wert. Vor allem bei diesem Wetter. Benjamin beschloss, Andi zu fragen, ob er das nächste Mal vielleicht auch zu dieser Oma gehen könnte.

Benjamins Opa, der Vater seiner Mutter, war schon seit einigen Jahren tot, und seine Oma lebte nun allein in einem kleinen Haus mit einem Dackel und ein paar Hühnern in Lübars, am Stadtrand von Berlin. Viel zu weit weg, um den Vormittag dort verbringen zu können. Die Eltern seines Vaters wohnten in der Nähe von München. Benjamin hatte schon zweimal die Sommerferien dort verbracht. Vielleicht konnte er Andi einen Tausch vorschlagen. Andi kam in den Sommerferien mit nach Bayern zu seinen Großeltern, dafür lieh Andi ihm die Oma in Berlin. Das war immerhin eine Möglichkeit.

Die warme Kaufhausluft, die ihm durch das starke Gebläse in der Türschleuse entgegenströmte, tat ungeheuer gut. Benjamin blieb im Eingangsbereich stehen, öffnete seinen Anorak und hoffte, die warme Luft würde auch das Hemd auf seinem Rücken trocknen, aber es klappte nicht. Sein nasses T-Shirt blieb kalt und klamm. Also ging er hinein, durchquerte die Kurzwaren- und die Strumpfabteilung, kam an diversen Ständen mit billigem Modeschmuck vorbei und erreichte die Rolltreppe hinter den Drogerieartikeln. Er fuhr in den vierten Stock, weil er wusste, dass dort die Toiletten waren.

Er hatte Glück. Die Männertoilette war leer. Um diese Zeit war noch nicht viel Betrieb im Kaufhaus, es hatte erst vor einer halben Stunde geöffnet. Hastig zog er Anorak, Pullover und T-Shirt aus, zog den Pullover wieder an, weil er sich mit nacktem Oberkörper furchtbar schämte, und hielt sein T-Shirt unter den elektrischen Händetrockner. Er musste das Gebläse zehnmal neu starten, bis das T-Shirt endlich trocken war. Erleichtert zog er sich wieder an und fühlte sich in den warmen, trockenen Sachen richtig wohl.

In diesem Moment kam ein älterer, dicker Mann herein, der seine wenigen Haare vom Hinterkopf nach vorn gekämmt hatte und geblendet blinzelte, obwohl es in der Toilette überhaupt nicht besonders hell war. Er musterte Benjamin argwöhnisch, sagte aber nichts, sondern verschwand in einer der Kabinen. Als Benjamin hörte, dass der Mann die Toilettentür verriegelte, hielt er noch seinen Kopf und seine nassen Haare unters Gebläse, aber er erreichte mit der warmen Luft nur den Hinterkopf. Also ließ er es bleiben, zog den Anorak wieder an, nahm seine Schultasche und machte sich auf den Weg zur Spielwarenabteilung.

»Pass mal uff, junger Mann, du spielst jetzt schon ne janze Stunde. Ick finde, jetzt is langsam jenuch«, sagte ein junger Verkäufer mit Elvis-Tolle. »Wir sind ja hier keen Kinderjarten. Hast du denn keene Schule?«

»Unsre Lehrerin is krank«, stotterte Benjamin und legte nur widerwillig und schweren Herzens die Fernbedienung für die Auto-rennbahn aus der Hand. »Ich geh ja schon.«

»Na, dann is ja jut«, grummelte der Verkäufer und nahm die Autos von der Bahn.

Benjamin griff seine Sachen. Es war jetzt elf. Er hatte noch über zwei Stunden Zeit und überlegte, was er machen könnte. Von Karstadt hatte er erst mal genug, aber vielleicht regnete es nicht mehr, dann könnte er zum Kanal gehen, Enten füttern. Seine beiden Schulbrote hatte er noch nicht angerührt. Eins für ihn und eins für die Enten. Das war okay. Die armen Viecher fanden ja kaum was zu Fressen bei dem Wetter.

Im vergangenen Frühjahr waren die Bäume gefällt worden, die direkt am Ufer des Kanals standen, weil sie drohten, ins Wasser zu stürzen und die Schifffahrt zu behindern. Das Gartenbauamt hatte die Stämme fein säuberlich zersägt und aufgeschichtet, um sie besser abtransportieren zu können. Dennoch waren einige Holzstücke weggerollt oder liegen geblieben.

Auf einem saß Benjamin, nur zwei Meter vor sich im seichten Uferwasser schwamm eine Schar Enten. Bestimmt zwanzig, dreißig Stück, die blitzschnell und scheinbar aus dem Nichts aufgetaucht waren, als Benjamin einem einzelnen, gemächlich vor sich hin schwimmenden Paar die ersten Brotbrocken zugeworfen hatte.

Als er ein Brot verfüttert hatte, fing es erneut an zu regnen. Er setzte die Kapuze auf, weil er nicht wieder ein nasses Hemd haben wollte, und fing an, auch noch das Schulbrot zu verfüttern, das er eigentlich selber essen wollte. Die Enten wurden immer zutraulicher, immer unverschämter, kamen immer näher an ihn heran. Einige holten sich inzwischen die Krümel direkt bei ihm aus der Hand, da sie dann um die einzelnen Bissen nicht mehr kämpfen mussten.

So lange er denken konnte, hatte sich Benjamin ein eigenes Haustier gewünscht, aber nie eins bekommen. Seine Mutter hatte

Angst vor der Arbeit, vor dem Dreck und vor den Krankheiten, die so ein Tier übertragen konnte. Sein Vater hatte ihm allerdings eine kleine Katze versprochen, falls er die fünfte Klasse doch noch schaffen sollte, aber das würde wohl nicht klappen. Die Katze konnte er abschreiben.

Benjamin war so vertieft ins Füttern und so begeistert, weil immer mehr Enten angeschwommen kamen, dass er die zwei Typen nicht bemerkte, die sich ihm langsam und von hinten näherten. Außerdem sah und hörte er unter seiner Kapuze wenig.

Die beiden sahen aus wie Skins, hatten rasierte Schädel und trugen Bomberjacken. Der Kleinere hatte einen Blitz auf den glatten Kopf tätowiert. Auf Grund ihrer Glatzen war ihr Alter schwer zu schätzen. Sie mochten sechzehn, siebzehn, vielleicht auch älter sein. Erst als ihn jemand am Anorak packte und hochriss, merkte Benjamin, was los war. Er starrte in die zwei Gesichter, die ihm wie widerliche Fratzen vorkamen, und schrie. Die Enten stoben davon. Plötzlich gab es ein kurzes, scharfes Geräusch, ein Springmesser klappte aus der Scheide, und der Größere der beiden setzte es ihm an die Kehle.

»Halt die Schnauze«, zischte er.

Benjamin verstummte.

Der mit dem Blitz zog Benjamin den Anorak aus, der Große hielt ihn fest. »Wo hast du deine Knete?«, fragte er.

»Ich hab keine«, jammerte Benjamin, »ehrlich nich. Ich geh immer ohne Geld in die Schule. Damit's mir nich geklaut wird.«

»Scheiße.«

Der Kleinere nahm Benjamins Schultasche, kippte sie aus und durchwühlte den Inhalt. Ein Portemonnaie war nicht dabei.

»Scheiße.«

Daraufhin boxte der Große ihn in den Magen. »Zeig deine Hosentaschen«, brüllte er. »Du feige Sau wirst doch wohl irgendwo deine Scheißknete haben!«

Benjamin krümmte sich. Ihm blieb die Luft weg, und für einige

Sekunden glaubte er zu ersticken. Wie ein Fisch an Land schnappte er nach Luft, aber als er wieder einigermaßen atmen konnte, kehrte er seine Hosentaschen nach außen. Sie waren bis auf siebzig Pfennig und einen Schlumpf aus einem Überraschungsei leer.

»Mehr hab ich wirklich nich«, flüsterte Benjamin.

Vor Wut verpasste der Große Benjamin einen Kinnhaken, sodass Benjamin zwei Meter durch die Gegend flog, im Matsch landete und seine Hand fest auf den Unterkiefer drückte, der höllisch wehtat. Der mit dem Blitz hatte sich inzwischen das Springmesser des Großen geschnappt, hockte auf Benjamin und hielt ihm das Messer an die Kehle.

»Es is verdammt gefährlich, ohne Knete aus dem Haus zu gehen«, tönte der Große. »So was können wir überhaupt nich leiden!«

»Es ist auch verdammt gefährlich, kleine Kinder zu überfallen«, brüllte völlig unvermittelt eine tiefe, wütende Männerstimme und ließ beide Skins vor Schreck zusammenzucken. »So was kann *ich* nämlich überhaupt nicht leiden!«

Der Kleine sprang sofort auf und versteckte das Messer hinter seinem Rücken.

Vor ihnen stand Alfred und hatte eine Pistole in der Hand, die er auf die beiden Skins richtete.

»Komm her zu mir«, sagte Alfred zu Benjamin. »Und ihr beiden Scheißkerle rührt euch nicht vom Fleck, sonst puste ich euch eure Schwachköpfe weg!«

Benjamin sah sich unsicher um, dann huschte er zu Alfred und stellte sich in dessen Nähe.

»Und jetzt verpisst euch, aber schnell! Und lasst euch hier nie wieder blicken! Ich zähle bis drei, und dann seid ihr verschwunden! Eins – zwei – drei.«

Er schoss ihnen im selben Moment, als er »drei« sagte, mit der Gaspistole direkt in die Gesichter. Der mit dem Blitz heulte laut auf und rannte los, als wäre der Teufel hinter ihm her. Der Größere schnappte nach Luft, versuchte die brennenden Augen aufzube-kommen und ballte die Fäuste.

»Halt dir die Augen zu«, sagte Alfred zu Benjamin und schoss erneut.

Der Große schrie und stürzte zu Boden. Er rieb sich die bren-nenden Augen und rollte sich brüllend im Gras, um den Schmerz zu betäuben.

»Komm«, sagte Alfred. Er steckte die Pistole ein, zog Benjamin, der gerade noch seinen Anorak greifen konnte, mit sich und fing an zu rennen. Benjamin rannte neben ihm her. Nach etwa hundert Metern, hinter einer Kurve, blieb Alfred stehen.

»Zieh deinen Anorak an, du holst dir ja den Tod.«

Benjamin schnatterte vor Kälte. So schnell er konnte zog er sei-nen Anorak über. »Meine Schultasche …«, stammelte er.

»Die holen wir nachher, wenn diese widerlichen Typen weg sind. Jetzt musst du erst mal in die Wärme, damit du dich nicht er-kältest. Und dann brauchst du eine heiße Schokolade mit viel Sahne. Magst du so was?«

Benjamin konnte sich in diesem Moment nichts Besseres vor-stellen.

Alfred trabte weiter, Benjamin lief neben ihm her und hielt locker Schritt.

Alfreds Gedanken überschlugen sich, sein Herz klopfte bis zum Hals. Dass er lief, merkte er gar nicht. Er sah nur diesen kleinen Jungen neben sich, spürte seine Anwesenheit direkt körperlich und wusste nicht, ob er vor Glück schreien sollte oder ob gerade ein neuer Albtraum begann. Seit dem letzten Mal im Hahnenmoor in der Nähe von Braunschweig vor dreieinhalb Jahren hatte er sich nie wieder etwas zu Schulden kommen lassen. Den kleinen Daniel hatte er über die Osterfeiertage zwei Tage in einem Bauwagen ge-fangen gehalten, bevor er ihn tötete. Niemand war ihm auf die Spur gekommen, es blieb ein unaufgeklärter Fall. Er hatte sofort danach alle Kontakte abgebrochen, war nach Berlin gezogen und hatte ein völlig neues Leben angefangen. Jeden Tag arbeitete er an sich und litt wie ein Schwein. Er fühlte sich wie ein Alkoholiker, der rund um die Uhr vor der Whiskyflasche sitzt und darum kämpft, der Versuchung zu widerstehen. Er hatte sich von Schulen, Kindergärten und Spielplätzen fern gehalten, hatte sich im Sommer in seiner Wohnung eingeschlossen, wenn die halbe Welt die Tage und Abende im Park verbrachte und die Kinder auf der Wiese tobten, während die Eltern die Würste grillten. Er hatte die Badeseen gemieden und die Freibäder, er war fast wahnsinnig geworden dabei.

Aber er war verdammt stolz auf sich. Als der Herbst kam und die Tage kühl wurden, war es leichter. Die Kinder spielten nicht mehr auf der Straße, die Parks leerten sich. Er war fest entschlossen, so lange durchzuhalten, bis der Drang vorbei war. Jede Sucht konnte man mit Willenskraft besiegen. Jede. Und er trainierte unaufhörlich. Mal verzichtete er wochenlang auf Bier. Dann auf seinen geliebten Morgenkaffee. Dann zwang er sich eine Zeit lang, Brot ohne Butter zu essen, was ihm sehr schwer fiel. Nachmittags überkam ihn häufig der Heißhunger auf etwas Süßes. Meist genehmigte er sich dann einen Müsliriegel oder ein Stück Kuchen oder eine halbe Tafel Schokolade. Auch das unterließ er eine Weile. Jede Gewohnheit versuchte er zu durchbrechen, indem er auf Liebgewordenes verzichtete.

Als er merkte, dass er sich angewöhnt hatte, jeden Nachmittag eine Stunde zu schlafen, zwang er sich daraufhin, wach zu bleiben. Jede Regelmäßigkeit musste bekämpft werden. Und er schaffte es. Er war ein willensstarker Mensch. Und das bewunderte er an sich. Sein Selbstbewusstsein war stabil, solange er nicht schwach und rückfällig wurde.

Und jetzt lief dieser fremde kleine Junge neben ihm her. Ganz zufällig, ganz freiwillig. Er musste ihn nicht locken, nicht überreden und nicht betäuben, er war einfach da und kam einfach mit. Alfred brach der Schweiß aus. Er war auf dem Weg in die Laubenkolonie. Die Lauben standen im Winter leer. Dort war jetzt kein Mensch.

Seine Beine bewegten sich fast automatisch. Er konnte nichts dagegen tun.

Sie liefen jetzt langsamer. Es gab ja auch keinen Grund mehr, so zu rennen, die Skins waren längst weg. Benjamin sah den Mann neben sich verstohlen an. Er war bestimmt etwas älter als Papa und auch stärker. Und etwas dünner. Durch die monotone und bewegungsarme Arbeit am Band war sein Vater behäbig geworden und hatte einen Bauch angesetzt.

Seine Augen sind so komisch, dachte Benjamin, er guckt so starr geradeaus. Dabei gibt es hier doch gar nichts Besonderes zu sehen. Aber er guckt, als müsste er gleich etwas ganz Kompliziertes machen, ein Flugzeug landen vielleicht, und es ist neblig, und er hat Angst.

Der Mann war irre nett, davon war Benjamin überzeugt. Obwohl er es ein bisschen gruslig fand, dass er eine Pistole dabeihatte. Aber eine Sekunde später dachte er, dass das auch wieder toll war. Wie in Amerika. Wie im Wilden Westen. Keiner konnte einem was tun. Man konnte sich jederzeit verteidigen. Oder einen anderen retten. So wie er ihn gerettet hatte.

»Warum bist du nicht in der Schule?«, fragte Alfred völlig unvermittelt.

»Nur so.« Benjamin schämte sich plötzlich.

»Wie? Nur so? Schwänzt du?«

Benjamin nickte stumm.

»Warum? Drückst du dich vor einer Arbeit?«

Benjamin schüttelte den Kopf und sah zu Boden. »Nee. Ich hab Deutsch und Mathe verhauen.«

»Nun gut. Du hast zwei Arbeiten verhauen. Aber das ist ja schon passiert. Warum bist du dann heute nicht in der Schule?«

»Ich hab die Unterschriften von meinen Eltern nicht.«

»Alles kein Problem. Mach dir keine Sorgen, das kriegen wir hin.«

Benjamin schwieg. Er hatte zwar keine Vorstellung, wie das gehen sollte, aber er wollte nicht zu viele Fragen stellen.

Alfred und Benjamin erreichten die Teupitzer Brücke. Benjamin blieb stehen.

»Ich muss meine Tasche holen. Die Typen sind jetzt bestimmt weg.« Er wollte sich umdrehen und losrennen, aber Alfred hielt ihn mit eisernem Griff fest.

»Mo – ment.« Benjamin zuckte zusammen. »Deine Tasche holen wir später, okay? Die klaut keiner. Außerdem liegt sie im Gebüsch am Ufer, da sieht sie auch keiner, weil kein Mensch bei dem Sauwetter spazieren geht.« Alfred spürte, dass ihm glühend heiß war. Er durfte jetzt keinen Fehler machen. »Sind in deinen Heften schon irgendwelche Unterschriften von deinen Eltern? Unter früheren Arbeiten zum Beispiel?«

Benjamin nickte eingeschüchtert. Der Griff um seinen Oberarm fühlte sich an wie ein Schraubstock.

»Gut. Dann unterschreib ich für deine Eltern. Ich kann das. Ich kann alle Unterschriften nachmachen. Das merken noch nicht mal deine Eltern selbst.«

Benjamin war einen Moment beeindruckt.

»Komm«, sagte Alfred. Er bog nach links ab und zog Benjamin mit sich. Hinter der S-Bahn begannen die Kolonien. Kolonie Rübezahl, Kolonie Stadtbär, Kolonie Kieler Grund, Kolonie Georgina, Kolonie Sorgenfrei und viele andere. Er musste auf Anhieb eine geeignete Laube finden. Nicht zu sehr heruntergekommen, nicht schwer zu knacken, nicht direkt an der Straße. Und er musste schnell und spontan entscheiden. Der Junge durfte auf keinen Fall misstrauisch werden.

»Ich glaub, ich geh jetzt lieber nach Hause«, sagte Benjamin. »Vielen Dank für alles. War echt nett von Ihnen.« Er versuchte sich loszumachen, aber Alfred ließ nicht locker.

»Das ist nicht fair«, sagte er, »ich helfe dir, die großen Jungs loszuwerden, die dir deine Sachen klauen und dich verprügeln wollten …, und du willst nicht mal mit mir einen Kakao trinken. Ich bin immer schrecklich allein. Ich freue mich einfach, wenn ich mal ein bisschen Gesellschaft habe.«

Benjamin bekam augenblicklich ein schlechtes Gewissen. »Wo wohnen Sie denn?«

»Weit weg. Ganz oben im Norden. In Heiligensee. Da habe ich ein schönes großes Haus und zwei Hunde.«

»Was für Hunde?« Benjamins Interesse war sofort geweckt.

»Dalmatiner. Eine Hündin und einen Rüden. Ganz lieb. Ganz süß. Pünktchen und Anton heißen sie.«

»Ist ja irre.« Benjamin lächelte und sah in seiner Vorstellung zwei schwarz-weiß gefleckte Dalmatiner in seinem Bett schlafen.

»Aber meine Tante hat hier eine Laube. Gleich dahinten«, fuhr Alfred fort. »Im Moment muss ich jeden Tag hinfahren und die Meerschweinchen füttern, weil meine Tante im Krankenhaus liegt. Ich dachte, es macht dir vielleicht Spaß, mir kurz dabei zu helfen. Außerdem musst du dich unbedingt aufwärmen. Es ist gar nicht weit von hier.«

Benjamins Verstand arbeitete fieberhaft. Er hatte das Gefühl, dass seine Gedanken kreuz und quer durch seinen Kopf sausten, so schnell, dass er sie nicht fassen und sortieren konnte. Er hörte seine Mutter, die schon zigmal zu ihm gesagt hatte: »Du darfst mit niemandem mitgehen, hörst du? Und wenn der Mann dir sonst was verspricht. Tiere oder Süßigkeiten und Spielzeug oder was weiß ich. Es ist immer eine Lüge. Lass dich auf keine Diskussionen ein, hau einfach ab. Ist das klar?«

Er hatte genickt. Natürlich. Andere Kinder gingen vielleicht mit Fremden mit, er nicht. Niemals! Er war doch nicht doof, er ließ sich nicht locken, da brauchten sich seine Eltern keine Sorgen zu machen.

Und sein Vater hatte immer wieder gesagt: »Zeig niemandem den Weg, wenn dich ein Fremder darum bittet. Und steig niemals in ein fremdes Auto! Geh in keine fremde Wohnung! Du darfst nichts glauben, was man dir erzählt. Vor allem nicht, wenn dir jemand weismachen will, wir hätten dich geschickt. Oder deiner Mutter oder mir sei etwas passiert, und deswegen sollst du schnell ins Auto steigen und mit ins Krankenhaus fahren. Glaub das alles nicht! Du ahnst ja gar nicht, wie viele Tricks diese bösen Männer draufhaben.«

Auch das hatte ihm alles eingeleuchtet. Er war sich völlig sicher, in jeder Situation Bescheid zu wissen. Aber er hatte sich das Abhauen immer ganz einfach vorgestellt, und jetzt war es so verdammt schwer.

Dieser Mann hat mich ja nicht angesprochen, dachte Benjamin, er hat mir geholfen, als ich in einer ganz beschissenen Situation war! Der war ja nicht auf der Suche nach kleinen Kindern, um sie wegzufangen, der war nur zufällig in der Nähe, als ich Hilfe brauchte. Also ist er bestimmt nicht »so einer« von denen, die Mama und Papa meinten.

Benjamin konnte gut verstehen, dass der Mann sich allein fühlte und sich als Gegenleistung für seine Hilfe ein bisschen Gesellschaft und Unterstützung beim Meerschweinchenfüttern wünschte. Wahrscheinlich war das allein auch furchtbar langweilig.

Erst letzte Woche hatte Frau Blau im Religionsunterricht erzählt, dass ganz viele alte Leute schrecklich einsam sind. Die in den Altersheimen hatten es ja noch gut, die konnten mit anderen wenigstens Canasta und Mau-Mau spielen, aber ganz viele lebten irgendwo in ihren Wohnungen und hatten niemanden. Keine Kinder, keine Verwandten und keine Freunde. Niemand wusste, dass sie da wohnten. Gerade in Neukölln gab es eine Menge, die noch nicht mal einen Kanarienvogel hatten, sondern nur einen Fernseher und kaum Geld, um sich genug zu essen zu kaufen.

Benjamin taten alle alten Leute, die so allein waren, furchtbar Leid, obwohl er es immer noch besser fand, einen Fernseher zu haben als einen Kanarienvogel. Aber er hatte immer geglaubt, allein ist man erst, wenn man alt ist. Dieser Mann war ja noch gar nicht so alt, aber trotzdem schon so schrecklich allein. Das fand Benjamin am allerschlimmsten.

Was sollte er denn jetzt tun? Himmel, er hatte doch nicht alle Zeit der Welt, der Mann hielt ihn an der Hand und zog ihn immer weiter in die Kolonie. Sollte er sich losreißen und wegrennen? Und wenn der Mann schneller war? Er sah viel sportlicher aus als sein Vater, und der konnte schneller rennen als er, wenn es darauf ankam. Beim letzten Sommerfest in der Hasenheide hatte er mit seinem Vater Wettrennen gemacht, und sein Vater hatte gewonnen. Deswegen musste seine Mutter eine Runde Zuckerwatte spendieren, denn sie hatte gewettet, dass Benjamin gewinnen würde.

Ja, ich renne weg, sagte sich Benjamin, ich versuch's, da vorne, an der nächsten Abbiegung renne ich weg. So schnell ich kann. Der Mann wird mir sowieso nicht hinterherrennen. Der wird nur traurig sein oder böse, aber das ist ja egal. Ich werde den sowieso nie wieder treffen, denn der wohnt ja gar nicht hier, der wohnt ja ganz weit weg in Heiligensee. Er kickte einen Kieselstein vor sich her. Der Kieselstein rollte schnell und weit vor. Benjamin hatte Lust hinterherzurennen und weiterzukicken, aber der fremde Mann hielt ihn immer noch an der Hand.

Außerdem ist Papa bestimmt stinksauer, wenn ich mit dem Mann in die Laube gehe, fiel Benjamin noch ein, wahrscheinlich saurer als über die Fünf und die Sechs. Ja, es ist besser. Ich muss abhauen. Zehn Meter noch, dann renne ich nach rechts. Ohne was zu sagen. Ganz plötzlich.

»Du bist ein wirklich netter Junge«, sagte der Mann plötzlich und lächelte. »Ich hab dir geholfen, und jetzt hilfst du mir. Das finde ich prima. Und ich denke, wir sollten Freunde werden. Meinst du nicht auch?«

Benjamins Herz machte einen Sprung. Nein, jetzt konnte er nicht wegrennen. Das wäre einfach gemein. Der Mann war so nett, und er vertraute ihm. Er konnte ihn jetzt nicht enttäuschen. Schnell

einen Kakao trinken und dann das bisschen Meerschweinchenfüttern, das ging ja schnell. So viel Zeit hatte er noch, er würde
es auf alle Fälle rechtzeitig nach Hause schaffen und seinen Eltern
gar nichts davon erzählen, damit sein Vater nicht dachte, er wäre
dumm oder ungezogen, weil er nicht auf ihn gehört hatte.

Benjamin schaute auf seine Armbanduhr, die ihm seine Oma
aus Bayern zu Weihnachten geschenkt hatte. Sie war sehr schlicht
und unauffällig, Benjamin gefiel sie nicht. Das war sicher auch der
Grund, warum ihm die Typen vorhin die Uhr nicht geklaut hatten.
Es war beinah eine Mädchenuhr, fand Benjamin. Er hatte sich ein
richtiges Chronometer gewünscht. Mit Sekundenzeiger, Stoppuhr,
Datumsanzeige, Wecker, Weltzeituhr und natürlich wasserfest. So
eine Uhr war sein Traum, aber darauf musste er wohl noch eine
Weile warten.

Es war jetzt fünf nach zwölf. Normalerweise hatte er heute sechs
Stunden, seine Mutter würde erst kurz vor zwei mit ihm rechnen.

Ich hab ja noch Zeit, dachte Benjamin, ich kann dem netten
Mann eigentlich den Gefallen tun.

4

»Mein Gott, was hast du dir für eine Mühe gemacht!«, sagte Peter,
als er in die Küche kam. »Hackbraten, Soße, Nudeln und Porreegemüse! Wahnsinn! Geht es dir denn heute so gut?« Er küsste seine
Frau aufs Haar.

»Es geht mir immer gut, wenn du zu Hause bist.«

Peter hatte die Kritik durchaus verstanden. »Nun mach mir
doch kein schlechtes Gewissen! Lass mir doch diesen einen kleinen
Freiraum!«

»Manchmal schon. Okay. Aber nicht andauernd. Nicht dreimal in der Woche oder mehr. Hast du dir mal überlegt, was uns deine Sauferei kostet?«

Marianne konnte sehen, dass Peter nachdenklich geworden war. Nach einer Pause sagte er: »Gut. Einmal die Woche. Aber dieses eine Mal lass ich mir nicht nehmen. Einverstanden?«

Marianne schenkte ihrem Mann ihr schönstes Lächeln. »Einverstanden.«

»Warum hast du dir denn heute mit dem Essen solche Mühe gemacht? Haben wir was zu feiern?«

»Nein, aber Benny kam mir heute Morgen so traurig vor. Oder lustlos. Vielleicht war er auch einfach nur müde. Jedenfalls dachte ich, er freut sich sicher über sein Lieblingsgericht. Wir hatten ja ewig keinen Hackbraten mehr!«

»Sag ehrlich! Wie viele Stunden hast du gearbeitet?«

Marianne schob sich eine verschwitzte Haarsträhne aus der Stirn. »Ach was, war gar nicht so schlimm.«

Natürlich war es schlimm gewesen. Sie hatte den gesamten Vormittag in der Küche verbracht. Jeder Handgriff war ein Problem und dauerte sehr viel länger als bei gesunden Menschen, jeder kleine Gang in der Küche war eine Anstrengung und musste gut überlegt sein. Und immer wieder musste sie auf einem Stuhl oder im Rollstuhl Pausen einlegen. Allein um das Fleisch zusammenzumischen, brauchte sie jetzt eine Dreiviertelstunde. Früher hatte sie das in zehn Minuten erledigt. Aber Peter sollte das alles gar nicht wissen. Sie redete nicht gern über ihre Krankheit, fühlte sich dann noch hinfälliger. Sie hoffte, dass Peter die Probleme vielleicht sogar ab und zu vergaß, dass er sie dann wieder so sah, wie sie gewesen war, als er sie kennen gelernt hatte und als sie gesund und Benny noch klein gewesen war.

Marianne setzte sich müde auf einen Küchenstuhl und zündete sich eine Zigarette an. Peter nahm sich ein Bier aus dem Kühlschrank und setzte sich dazu. Den fertigen Hackbraten hatte sie auf niedrigster Stufe im Ofen warm gestellt, die Nudeln dampften unter einem Handtuch. Das Porreegemüse war das Unkomplizierteste, das konnte sie jederzeit wieder kurz aufwärmen.

Marianne sah auf die Uhr. »Wo bleibt er denn bloß? Es ist jetzt fünf nach zwei! Normalerweise ist er um Viertel vor hier.«

»Weiß er, dass du für ihn gekocht hast?«

Marianne schüttelte den Kopf.

»Na ja …, dann bummelt er vielleicht noch ein bisschen. Er denkt ja, wir essen abends.« Peter öffnete die Bierflasche und trank sie in einem Zug halb leer. Als er die Flasche wieder absetzte, entfuhr ihm ein tiefer, wohliger Seufzer.

»Schmeckt's schon wieder?«, meinte Marianne vorwurfsvoll.

»Sagen wir mal, jetzt geht's mir besser.« Peter grinste und schlug die Zeitung auf. »Gibt's was Neues?«

»Keine Ahnung, ich hab noch nichts gelesen.«

Marianne rauchte schweigend und wurde mit jeder Zigarette nervöser.

Um halb drei rief sie bei Andi an. Sie hatte ihn sofort am Apparat.

»Hallo, Andi, hier ist die Mutter von Benny. Sag mal, weißt du, wo er steckt? Er ist nämlich noch nicht zu Hause.«

Andi bekam einen Schreck. Benny war heute gar nicht in der Schule gewesen. Er hatte also geschwänzt, und seine Mutter hatte davon keine Ahnung. Er durfte ihn auf keinen Fall verraten.

»Keene Ahnung, wo Benny is«, sagte Andi. »Wir sind nach Hause jejangen wie immer.«

»Wann genau? Um wie viel Uhr?«

»Na …, um halb zwei war Schluss …, und dann sind wir gleich nach Hause. Is ja son Scheißwetter heute.«

»Wart ihr noch kurz bei Milli?«

»Nee, heute nich.«

»Hatte Benny noch was Besonderes vor? Hat er dir was gesagt?«

»Nee. Nischt. Wir haben ooch in Deutsch ne Menge auf. Aufsatz schreiben. Mindestens drei Seiten. Is ne echte Sauerei.«

»Okay, Andi. Vielen Dank erst mal. Tschüss.« Sie legte auf.

Peter stand abwartend in der Tür.

»Du weißt doch, dass die beiden immer zusammen die Sonnenallee runtergehen. Dann biegt Andi ab in die Fuldastraße, und Benny geht allein weiter. Aber das sind dann höchstens noch zehn Minuten. Vielleicht auch weniger. Und so war's heute auch. Er hätte um Viertel vor zwei hier sein müssen.« Sie sah auf die Uhr. »Jetzt ist es zehn nach halb drei. Eine ganze Stunde später!«

»Vielleicht bummelt er wirklich noch irgendwo rum.« Peter war genauso irritiert wie seine Frau, aber er versuchte, sie durch eine möglichst harmlose Erklärung zu beruhigen. Allerdings machte sie das wütend, weil sie den Eindruck hatte, er würde die Sache nicht ernst nehmen.

»Hast du mal rausgeguckt? Es schneit! Son dreckiger, mistiger Schneeregen. Benny hat weder Mütze, noch Schal, noch Handschuhe dabei. Ich hab nachgeguckt. Der ganze Krempel liegt im Flur. Glaubst du, es macht ihm Spaß, bei dem Wetter draußen rumzutrödeln? Und noch dazu allein? Denn Andi ist zu Hause!«

»Das wusste ich ja alles nicht. Was glaubst du denn, wo er ist?«

»Ich glaube gar nichts.« Marianne hatte hektische rote Flecken auf den Wangen, die in ihrem blassen Gesicht unnatürlich, wie aufgemalt wirkten.

Hoffentlich kriegt sie keinen Schub, dachte Peter.

»Was soll ich denn glauben?«, piepste sie. Wenn sie aufgeregt war, rutschte ihre Stimme immer ganz hoch, und dann hörte sie sich an wie ein kleines Mädchen. »Ich kann ja nicht hellsehen! Aber ich habe Angst, Peter, so ein ganz doofes Gefühl! Kannst du nicht irgendwas machen?«

»Okay«, sagte Peter und atmete tief durch. Er war zwischen Zorn und Sorge hin und her gerissen. »Ich geh mal los und gucke, ob ich ihn irgendwo finde. Und du ruf die Klassenlehrerin an. Vielleicht ist heute irgendwas vorgefallen … irgendwas, was Andi dir natürlich nicht gleich auf die Nase bindet.«

»Du meinst, Benny traut sich nicht nach Hause?« Marianne schüttelte energisch den Kopf. »Wir tun ihm doch nichts! Das ist Blödsinn, Peter! Er hat mit uns noch nie richtig Ärger gekriegt!«

»Na, was weiß ich!« Peter wurde lauter. »Wir haben doch beide keine Ahnung, was in seinem Kopf vorgeht!« Er trank sein Bier aus. »Ist ja auch egal, aber ruf die Frau Blau an. Kann jedenfalls nicht schaden!«

Marianne nickte stumm und nahm sich eine Zigarette. Ihre Hände zitterten derart, dass sie fünf Versuche brauchte, um sie anzuzünden. Peter verließ die Wohnung. Der Hackbraten vertrocknete im Ofen.

5

Alfred sah sofort, dass es das Richtige war. Ein schlichtes Holzhaus, eines der wenigen, das nicht weiß, hellblau oder grün gestrichen war, und außerdem eines, das keine Fensterläden vor den Scheiben hatte. Die Holzlackierung hatte sich im Lauf der Zeit grau verfärbt und blätterte großflächig ab. Dennoch strahlte dieses Haus auch jetzt im November eine gewisse Wärme aus. Der Garten machte einen gepflegten Eindruck und war ordnungsgemäß winterfest zurückgelassen worden, empfindliche Pflanzen standen in Töpfen an der hinteren Hausmauer geschützt unter einem Vorsprung, die Hollywood-Schaukel verbarg sich unter einem unansehnlich grünen, aber wetterfesten Plastiküberwurf. Alfred glaubte fest daran, dass die Laube sauber und ordentlich eingerichtet war und dass er in dem Kleingärtnerhaushalt alle Utensilien finden würde, die er brauchte.

An der hohen hölzernen Gartenpforte, über die sich im Sommer Buschwindröschen rankten, stand »Bliese«.

»Heißen Sie so?«, fragte Benjamin, und Alfred nickte. Das war das Einfachste.

Die Pforte war abgeschlossen. Alfred durchwühlte demonstrativ seine Taschen, Benjamin wartete geduldig.

»So was Blödes«, knurrte Alfred, »ich hab' den Schlüssel vergessen.«

»Und die Meerschweinchen?«, fragte Benjamin sofort. »Kriegen die jetzt nichts?«

»Doch. Natürlich. Wir kommen schon rein. Kein Problem.«

Alfred streckte Benjamin die Arme entgegen. »Komm, ich heb dich rüber.« Benjamin trat einen Schritt näher, und Alfred hob ihn mit Schwung in den Garten.

Mein Gott, ist dieses Kind zart, dachte Alfred. Und so leicht!

Dann machte Alfred eine Seitwärtsflanke über den Zaun.

Er konnte es kaum noch abwarten, endlich mit dem kleinen Jungen in der Laube verschwunden zu sein. Er wollte die Angst loswerden, doch noch von einem plötzlich vorbeikommenden Spaziergänger gesehen zu werden, der sich später vielleicht an ihn erinnern würde.

Alfred ging einmal um die Laube herum, auf der Suche nach einem geeigneten Werkzeug. Aber Plattenweg, Terrasse, Beete und sogar die Rasenfläche waren wie leer gefegt, da lag nichts herum, was dort nicht hingehörte, noch nicht mal ein größerer Stein oder ein Stück Holz. Erst recht keine Eisenstange oder ein vergessener Spaten.

Während Alfred suchte, stand Benjamin brav neben der Hollywoodschaukel und wartete. Er ist ein bisschen schüchtern, dachte Alfred, aber so unendlich willig. Ein lieber Junge, einer, der es wahrscheinlich jedem recht machen will und immer bemüht ist, seinen Eltern keinen Kummer zu bereiten. Aber diesmal würde das nicht zu vermeiden sein. Dabei waren Alfred die Eltern des Jungen völlig egal. Er wunderte sich nur, wie einfach alles war. Der Kleine stand da. Still und ruhig. Schob die Hände in die Hosentaschen und versuchte, durch die dichte Hecke zu gucken. Er wartete geduldig, weil er nicht die geringste Ahnung hatte, was auf ihn zukam. Er zappelte nicht, schrie nicht, er kämpfte nicht. Noch nicht. Aber was für ein Unterschied zu Daniel. Der hatte überhaupt nicht mit sich reden lassen, und Alfred hatte ihn bereits im Wald mit einer ätherähnlichen Flüssigkeit betäuben müssen, damit er ihn überhaupt wegschaffen konnte.

Alfred bekam langsam Zustände, weil er nichts fand, aber dann sah er den eisernen Engel, der neben einer ebenfalls eisernen kleinen Gartenlaterne stand. Der Engel war etwa vierzig Zentimeter groß und abgrundtief hässlich. Er war vollkommen schwarz, hatte die Gesichtszüge eines mongoloiden Babys, den Oberkörper eines Jungen, aber ausladende Hüften wie eine Frau. Sein winziger Penis war nur angedeutet und verschwand fast völlig zwischen den üppigen Schenkeln. Alfred schüttelte sich innerlich vor so viel Geschmacklosigkeit, aber für seine Zwecke war der schwere Engel, der zum Glück nicht im Boden verankert war, wie geschaffen.

Er nahm den Engel und schlug mit ihm das einzige Fenster ein, das vom Weg aus nicht einsehbar war. Dann griff er hinein, drehte den Riegel und öffnete es. »Komm her«, sagte er zu Benjamin, »ich heb dich rein!«

Als Benjamin im Inneren der Laube verschwunden war, kletterte er so schnell er konnte hinterher.

Die Laube bestand aus einem einzigen Raum. Unter dem Fenster, das auf den Weg hinausging, stand ein breites Bett, darüber ausgebreitet eine braune Lammfelldecke. In der Mitte des kleinen Zimmers, unmittelbar vor der Eingangstür, stand ein Tisch mit zwei kleinen Sesseln, alles aus Rattan und wenig sorgfältig mit weißer Farbe angestrichen. Offensichtlich saßen die Inhaber der

Laube im Sommer gern vor der weit offen stehenden Tür. Im hinteren Teil des Raumes befand sich eine Küchenzeile mit einer kleinen Theke und zwei Barhockern. Außerdem gab es einen elektrischen Kochherd mit zwei Platten, einen Hängeschrank und ein Regal unter der Theke. Als Spüle dienten zwei Plastikschüsseln, die sauber abgewaschen ineinander standen. In der gesamten Laube roch es feucht und modrig, so wie es riecht, wenn ein Raum wochenlang fest verschlossen ist und nicht gelüftet wird.

»Wo sind denn die Meerschweinchen?«, fragte Benjamin sofort.

»Es gibt keine Meerschweinchen«, erwiderte Alfred und vermied den Blick des Jungen, der ihn jetzt voller Angst anstarrte.

In diesem Moment begriff Benjamin, dass er doch in die Falle gegangen war. Das also war der böse Mann, von dem seine Eltern gesprochen hatten. Das konnte nicht sein, das war nur so ein schlimmer Traum. Wach auf, schrie er innerlich, wach endlich auf! Er sehnte sich danach, in das warme Bett zu seinen Eltern zu kriechen, sich an Papas Rücken zu kuscheln und zu wissen, dass ihm nichts, aber auch gar nichts passieren konnte. Schreckliche Träume kamen immer wieder, aber sie waren ja nicht die Wirklichkeit, sie waren nur Albträume.

Doch Benjamin wachte nicht auf. Dies hier war die Realität. Er war gefangen. Es war ihm wahrhaftig passiert. Das, wovor ihn seine Eltern immer gewarnt hatten. Benjamin wollte und konnte es einfach nicht glauben, dass er verloren hatte. Dass es keinen Ausweg mehr gab.

»Leg dich aufs Bett«, sagte Alfred.

Benjamin war wie versteinert und reagierte nicht.

Alfreds Ton wurde schärfer. »Wenn ich sage, du sollst dich aufs Bett legen, dann legst du dich aufs Bett! Ist das klar?«

Benjamin nickte zaghaft, ging langsam zum Bett und legte sich hin, als warte er auf den Arzt, der gleich kommen und ihm eine Spritze geben würde.

Alfred ging zu einer kleinen Kommode, die dem Bett gegenüber

an der Wand stand, und fand auf Anhieb, was er suchte: Küchenhandtücher, Handtücher, Tischdecken. »Pass auf«, sagte er, während er aus einer Küchenschublade eine Schere nahm, eine Tischdecke einschnitt und in lange Streifen riss, »es ist ganz einfach. Du
schreist nicht, du versuchst nicht abzuhauen, und du tust, was ich
sage. Dann brauche ich dich nicht zu fesseln und zu knebeln, und
wir haben es beide leichter. Wenn du allerdings anfangen solltest
zu brüllen, oder wenn du dich wehrst, dann werde ich sehr, sehr
ungemütlich.«

»Was machen Sie mit mir?«, flüsterte Benjamin, und seine Knie
tanzten auf der Decke. Er konnte sie nicht mehr stillhalten und
kontrollieren, derart schlotterte er vor Angst.

»Das wirst du noch früh genug merken.«

»Tun Sie mir weh?«

»Das kommt darauf an.«

Benjamin dachte, wie dumm er gewesen war. Im Grunde hatte
er doch gar keine Probleme gehabt! Was waren schon zwei verhau-
ene Klassenarbeiten? Es erschien ihm alles so lächerlich im Gegensatz zu der Klemme, in der er jetzt steckte. Warum war er nicht zu
seiner Mutter gegangen und hatte mit ihr geredet? Warum hatte er
bloß die Schule geschwänzt? Die anderen in seiner Klasse hatten
jetzt gerade Musik, und er könnte dort sein. Er würde neben Andi
sitzen und heimlich unter der Bank Autoquartett spielen. Vielleicht würde Herr Finkus auch mit ihnen »Heute hier – morgen
dort« singen. Das Lieblingslied der ganzen Klasse. Alles wäre wie
immer. Alles wäre wie früher. Und er würde weiterleben.

Und dann fiel ihm plötzlich ein, dass er irgendwo gehört hatte,
man sollte mit den Verbrechern reden. Dann lernten sie einen besser kennen, dann fanden sie einen nett, und dann konnten sie
einem nicht mehr wehtun.

»Zieh dich aus«, befahl Alfred, während er den Küchenschrank
und das Regal durchwühlte. Er brauchte jetzt dringend Alkohol.
Egal, in welcher Form. Egal was. Er musste sich betäuben, beruhi-

gen, die Spannung war einfach schon zu groß. Er hatte ja jede Menge Zeit, und das wollte er auch auskosten. Wenn er nichts zu trinken fand, war die ganze Chose innerhalb der nächsten halben Stunde vorbei.

»Sie haben mich ja noch gar nicht nach meinem Namen gefragt.« Benjamin versuchte, ruhig zu sprechen, aber seine Stimme klang dennoch hoch und zittrig.

»Ich will ihn auch nicht wissen«, sagte Alfred. Endlich. In der äußersten Ecke des Regals fand er hinter Konservenbüchsen mit gemischtem Gemüse, geschälten Tomaten und völlig überalterten Gläsern mit Spargelspitzen eine Flasche Kirschlikör, in der aber nicht mal mehr ein Viertel drin war. Alfred goss den Likör in ein Wasserglas und begann zu trinken. Langsam, aber ohne Pause.

»Ich heiße Benjamin Wagner«, sagte Benjamin. »Ich bin elf Jahre alt, gehe in die fünfte Klasse und wohne in der Weserstraße 25. Meine Hobbys sind –«

Alfred schoss hinter dem Tresen hervor und brüllte: »Bist du taub? Ich hab dir gesagt, ich will es nicht wissen! Ich will deinen Scheißnamen nicht wissen! Ich will auch nicht wissen, wie alt du bist und in welche Schule du gehst und ob deine Eltern dick oder dünn, reich oder arm oder gottweißwas sind! Es ist nicht wichtig! Es tut nichts zur Sache! Und wenn du nicht den Mund hältst, dann sorge ich dafür, dass du es tust, verstanden?«

Benjamin nickte eingeschüchtert. Der Mann würde nie sein Freund sein.

»Zieh dich endlich aus, du kleine Kröte! Na los, mach schon!«

Benjamin zog sich langsam den Pullover aus. In der Laube war es nicht viel wärmer als draußen. Das Fenster, durch das der Mann eingestiegen war, stand noch offen. Wie konnte er den Mann nur dazu bringen, die Laube mal für eine Weile zu verlassen? Dann könnte er vielleicht aus dem Fenster klettern und fliehen! Aber ihm fiel überhaupt kein Trick ein. In den Kinderbüchern waren die Kinder auch immer in ausweglosen Situationen, aber sie schafften es dennoch jedes Mal, irgendwie zu entkommen. Im letzten Moment hatten sie immer eine tolle rettende Idee. Benjamin hatte keine.

»Wird's bald?«, fragte Alfred.

Benjamin zog langsam seine Jeans aus, dann seine Strümpfe. Er hatte am ganzen Körper eine Gänsehaut.

»Weiter!«, befahl Alfred. Er saß vor dem Bett, trank und sah Benjamin zu. Die Küchenhandtücher und die in Streifen geschnittene Tischdecke lagen griffbereit.

Benjamin versuchte zu vergessen, was er tat und was hier gerade geschah. Er war in Gedanken bei seinen Eltern. Bei seiner wunderschönen, schrecklich kranken Mutter, die so gut trösten konnte, wenn irgendetwas wehtat. Die so lange, helle Haare hatte und eine so weiche Haut. Die den besten Hackbraten der Welt mit der tollsten braunen Soße überhaupt machte und die ihm schon so manches Mal ins Ohr geflüstert hatte: »Ich liebe dich, kleiner Mann.« Und er dachte an seinen Vater, der ihm schon x-mal das Fahrrad repariert hatte, der auf Geburtstagsfeiern perfekt andere Leute nachmachen konnte, der so gerne Country-Musik hörte und jeden Winter mit ihm auf dem Insulaner rodeln ging. Er wusste nicht, wie er diese Sehnsucht nach seinen Eltern überhaupt noch aushalten sollte.

Langsam zog sich Benjamin das T-Shirt über den Kopf.

»Die Unterhose auch«, sagte Alfred und beugte sich ein Stück weiter vor.

Durch eine Öffnung in der Gardine, die über dem Bett am Fenster hing, konnte Benjamin den Himmel sehen. Er hatte die Unterhose ausgezogen und lag jetzt völlig nackt da.

»Es schneit«, sagte er leise. »Bald ist Weihnachten.« Und dann fing er an zu weinen.

6

Milli war total bestürzt. »Benny is nich nach Hause jekommen? Det jib's doch janich! Gerade Benny! Der is doch son netter Junge!«

Milli war siebenundfünfzig, sah aus wie siebenundfünfzig und stand seit dreißig Jahren mit ihrem Imbisswagen im Berliner Kiez, zweiundzwanzig davon in Neukölln am Wildenbruchplatz. Sie hatte ihr flammend rotes Haar, das sie akribisch jede Woche nachfärbte, zu einem Dutt gesteckt, der auf ihrem Kopf thronte und jedes Jahr einen Zentimeter höher wurde. Wenn im Kiez irgendetwas passierte – Milli wusste es und gab ihr Wissen auch gerne weiter.

»Wann war Benny denn das letzte Mal hier?«, fragte Peter.

Milli überlegte. »Also heute janz bestimmt nich. Jestern? Ja, jetzt erinner ick mich. Jestern war er kurz hier, hat ne Bulette jejessen. Aber sag mal, wo kann denn der Bengel sein?«

»Wenn ich das wüsste.« Peter wirkte erschöpft und resigniert. Es war jetzt halb fünf, er war zwei Stunden durch die Gegend gelaufen, hatte in Kneipen, Döner-Buden und Kiosken nachgefragt, an denen auch Süßigkeiten verkauft werden, hatte sämtliche Karstadt-Abteilungen durchforstet, ohne Erfolg. In der Spielwarenabteilung hatte er auch nach Benjamin gefragt und eine Beschreibung abgegeben, aber niemand konnte sich an den Jungen erinnern. Wie auch. Der Verkäufer mit der Elvis-Frisur arbeitete nur halbtags und war um eins nach Hause gegangen.

Peter wusste die ganze Zeit, wie sinnlos seine Suche war, denn Benjamin war kein Kind, das stundenlang in der Stadt herumlungerte und nicht nach Hause kam. Benjamin hatte Angst um seine Mutter und tat alles, um Kummer, Ärger und Aufregung von ihr fern zu halten. Er wusste, dass sie sich Sorgen machte, wenn er unpünktlich war. Daher hatte er es sich auch zur Angewohnheit gemacht, anzurufen, wenn er noch zu einem Freund ging oder es aus irgendeinem Grund später wurde.

Benjamin war ein liebes und vor allem verlässliches Kind. Ein Kind, das sich sogar entschuldigen konnte. Ein Kind, das »is schon um die Ecke« sagte, wenn seine Eltern einen Fehler gemacht hatten. Ein Kind, das seiner Mutter eine Blume mit nach Hause brachte oder ein Bild malte, wenn es das Gefühl hatte, dass sie traurig war. Ein Kind, das seinen Vater immer noch umarmen konnte.

So ein Kind blieb nicht ohne Grund so lange von zu Hause weg. Peter spürte im tiefsten Inneren seines Herzens, dass etwas passiert war. Etwas Schreckliches. Daher zögerte er es noch hinaus, nach Hause zu gehen. Marianne sah ihm immer an der Nasenspitze an, was los war. Die Hoffnung, die sie brauchte, konnte er nicht vortäuschen.

Milli schenkte ihm einen Schnaps ein. »Hier. Trink det. Dann jeht's dir besser. Wenigstens für zwee Minuten.«

Peter nahm den Schnaps dankbar an und kippte ihn hinunter.

»Hast du unsere Telefonnummer, Milli?«

Milli fasste sich in ihr wüstes Haarnest und wühlte darin herum, ohne es zu zerstören. »Hab ick. Aber frag mich nich, wo.« Sie schob Peter einen Zettel und einen Bleistift über den Tresen. »Schreib mal lieber noch mal uff.«

Peter schrieb eilig die Nummer auf. »Bitte ruf uns an, wenn du ihn siehst oder wenn du was hörst. Ganz egal, was. Du kannst uns jederzeit anrufen. Auch mitten in der Nacht. Ja?«

Milli steckte den Zettel ein. »Na klar, mach ick doch.«

Peter nickte und ging mit gesenktem Kopf davon. Milli hielt ihn auf. »Ach, Peter!«

Peter drehte sich um.

»Kopp hoch«, sagte Milli und versuchte zu lächeln. Peter war ihr dankbar dafür.

7

Bitte, bitte, bitte, bitte, lieber Gott, mach, dass ein Wunder geschieht, betete Benjamin, mach, dass mein Papa mich findet und dass er kommt und mich hier rausholt. Bitte, mach, dass er mir hilft. Bitte, bitte, bitte, lieber Gott!

Benny lag – mit der zerrissenen Tischdecke an Händen und Füßen gefesselt – auf dem Bett, die Arme und Beine gespreizt und die Fesseln an den hölzernen Füßen des Bettes verknotet. Sein Mund war mit einem Küchenhandtuch geknebelt. Er konnte nicht schreien und bekam nur sehr schlecht Luft. Außerdem waren seine Augen mit einem weiteren Küchenhandtuch verbunden, sodass er nicht sehen konnte, was um ihn herum geschah.

Er lag auf dem Rücken, und sein nackter Körper war mit einer kratzigen, karierten Decke zugedeckt, die Alfred ebenfalls in der Kommode gefunden hatte.

Das, was sich Benjamin so sehnlichst gewünscht hatte, war eingetreten, denn der böse Mann hatte für eine Weile die Laube verlassen, um sich weiteren Alkohol zu organisieren. Aber Benny konnte nicht weg. Er hatte keine Chance, die Fesseln zu lösen.

Bitte, bitte, lieber Gott, hilf mir! Ich will auch keine Katze mehr. Ich trage auch jeden Tag den Mülleimer runter. Ein ganzes Jahr lang jeden Tag. Ich mache, was du willst. Bitte, bitte, lieber Gott, du hast doch bestimmt eine Idee, du findest doch einen Ausweg! Oder wenn nicht, dann mach, dass ich tot bin. Aber der böse Mann darf nicht wiederkommen, bitte, bitte, lieber Gott …!

8

Zur gleichen Zeit, als Alfred mit einer Flasche Ballantines unter dem Arm in die Laube zurückkehrte, betrat Peter Wagner das für seinen Wohnbereich zuständige Polizeirevier der Direktion 5, Abschnitt 54, in der Sonnenallee 107.

Er war noch nie hier gewesen, hatte den Kopf voller Klischees und erwartete Betrunkene, die laut herumgrölten, halb nackte Prostituierte, die auf den Fluren rauchten, muskelbepackte Bauarbeiter, die den Polizisten Prügel androhten, minderjährige Taschendiebe, die ihre Lügenmärchen erzählten, vereinsamte alte Frauen, die sich verfolgt fühlten, oder Penner, die zusammengeschlagen worden waren.

Doch der lange Flur des Polizeireviers war leer und totenstill. Die Meldestelle hatte nur vormittags Sprechstunde – Peter Wagner war offenbar der Einzige, der dringend Hilfe brauchte.

»Ja?«, sagte der Pförtner hinter einem vergitterten Fenster anstatt einer Begrüßung, sah ziemlich ungehalten von seiner Bild-Zeitung auf und nahm die Brille ab.

»Ich möchte eine Vermisstenanzeige aufgeben, mein Sohn ist verschwunden.« Peter sprach ungewöhnlich leise, als habe er Angst zu stören.

»Zimmer 18 A, ganz hinten rechts, eine Tür vor den Toiletten.« Der Mann setzte seine Brille auf und nahm die Zeitung wieder zur Hand.

Peter Wagner ging mit schweren Schritten den Flur entlang. Seine Gummisohlen quietschten auf dem gepunkteten Linoleum, und es roch merkwürdig nach Leberwurst. Wie im Krankenhaus auf der Sterbestation, wo er einen Kollegen mit Darmkrebs besucht und danach nie wieder gesehen hatte.

Das Schwein, das meinem kleinen Benny was angetan hat, bring ich um, schwor sich Peter in Gedanken, und er meinte es verdammt ernst.

9

Marianne Wagner war kurz davor, schlappzumachen. Sie saß in ihrem Rollstuhl und war vollkommen konzentriert damit beschäftigt, sich die Haare auszureißen. Der Schmerz betäubte die noch viel schmerzhafteren Gedanken, die Horrorvisionen, die sie einfach nicht loswurde.

Es war kurz vor acht, als Peter nach Hause kam. An der Art, wie er den Schlüssel auf die Flurgarderobe fallen ließ, hörte sie, dass er nichts erreicht hatte. Sie fürchtete sich davor, ihn anzusehen. Seine Trauer war noch schwerer zu ertragen als ihre eigene.

Schweigend kam er in die Küche, wo sie am Fenster saß, ging zum Kühlschrank und nahm sich ein Bier heraus.

»Er war heute gar nicht in der Schule«, sagte sie in die Stille. »Ich habe mit Frau Blau telefoniert. Frau Blau dachte, er wäre krank.«

Peter trank und sagte gar nichts. Marianne fiel es schwer zu sprechen. »Er hat in Deutsch eine Fünf und in Mathe eine Sechs geschrieben. Vielleicht ist er deswegen nicht hingegangen.« Sie hatte sich fest vorgenommen, nicht zu weinen, aber jetzt konnte sie nicht anders. Das war das Unerträglichste. Dass er eventuell in sein Unglück gelaufen war, weil er es nicht gewagt hatte, zu Hause seine schlechten Zensuren zu zeigen. Was auch immer passiert war, es war ihre Schuld. Ihre und Peters.

Peter ließ sie weinen. Es machte ihn nicht aggressiv wie sonst, weil er Tränen immer als weiblichen Erpressungsversuch interpretierte, nein, heute hatte sie einen Grund. Aber ihr Weinen machte ihn noch hilfloser, als er ohnehin schon war. Er war noch nicht einmal in der Lage aufzustehen, zu ihr zu gehen und sie zu trösten. Was sollte er auch sagen? Weine nicht, er wird schon wiederkommen? Wenn etwas passiert wäre, hätten wir schon längst etwas erfahren? Keine Nachricht ist meist eine gute Nachricht? Glaub mir, es wird alles gut, tausende von Kindern verschwinden jedes Jahr und sind innerhalb eines Tages wieder da?

Nein, das waren alles Phrasen, das meinte er nicht, es gab einfach keinen Trost. Und wenn er ehrlich war, hatte er auch nicht die geringste Hoffnung. Denn Benjamin war kein Abenteurer, es würde ihm nicht im Traum einfallen, von zu Hause wegzulaufen. Er hatte eher Angst, in der Welt da draußen allein zu sein.

Das hatte er auch alles dem Polizisten erklärt, während dieser vollkommen unbeteiligt die Vermisstenanzeige in seine vorsintflutliche Schreibmaschine hackte. Er hatte nur mit den Achseln gezuckt, was so viel heißen sollte wie: Das sagen alle.

»Sie fangen erst morgen an zu suchen«, platzte es plötzlich aus ihm heraus. »Diese verdammten Beamtenärsche, diese Sesselpuper, die einem einfach nicht glauben, wenn man ihnen sagt, mein Sohn ist kein Kind, das abhaut! Die nur nach ihren dämlichen Vorschriften gehen, für die Benjamin nur ein neues Aktenzeichen ist, das eben erst nach vierundzwanzig Stunden bearbeitet wird, und basta. Du glaubst gar nicht, was das da für ein mieser, gleichgültiger Sturkopp auf der Wache war! Ich hätte ihm am liebsten in seine gelangweilte Fresse geschlagen.« Peter war krebsrot vor Wut.

»Ich kann es mir vorstellen«, flüsterte sie.

»Sie meinen, er könnte bei einem Freund sein und da übernachten. Bei einem Freund, den wir vielleicht gar nicht kennen. Oder er könnte in irgendeinem Zug sitzen, um zu Oma und Opa zu fahren oder einfach in die große weite Welt. So einen Müll haben die mir erzählt. Und weil eben fünfundneunzig Prozent aller verschwundenen Kinder nach vierundzwanzig Stunden wieder auftauchen, wird auch erst nach vierundzwanzig Stunden eine Fahndung eingeleitet. So ist das in unserem Beamtenstaat.« Peter verschluckte sich fast an seinem Bier und musste husten. »Und dieser Saftsack geht heute Abend nach Hause und schläft den Schlaf des Gerechten. Denn nur, wenn es Hinweise auf ein Gewaltverbrechen gibt, läuft die Maschinerie sofort an. Also wenn sie seine Sachen gefunden hätten oder Ähnliches. Sie haben nicht genug Leute, um jeder Vermisstenanzeige sofort nachgehen zu können, hat der Affe gesagt. Aber um die Falschparker aufzuschreiben, dafür haben sie genug Leute!«

»Ich versteh das nicht«, murmelte Marianne.

»Ich erst recht nicht.«

»Mein Gott, es ist dunkel draußen. Und es schneit.«

Peter knallte die leere Bierflasche auf den Küchentisch und sprang auf. »Ich werde verrückt hier drinnen. Ich kann nicht die ganze Nacht rumsitzen und mir vorstellen, wo er ist und was er macht. Ich halte das nicht aus!«

Marianne flossen lautlos die Tränen übers Gesicht, wie ein Brunnen, der ständig überläuft. »Bitte«, sagte sie, »bitte sag mir irgendetwas, wo er sein könnte. Wo ihm nichts passiert ist. Fällt dir da was ein? Ich brauche etwas, auf das ich hoffen kann.«

Peter schwieg. Anstelle einer Antwort legte er ihr für einen Moment die Hand auf die feuchte Wange.

Bevor er die Wohnung verließ, sagte er nur noch: »Bleib du am Telefon.« Dann fiel die Tür hinter ihm ins Schloss.

Marianne saß in ihrem Rollstuhl, hypnotisierte das Telefon und riss sich weiter die Haare aus.

10

Es war dreiundzwanzig Uhr fünfzig, als Peter den »Fußballtreff« verließ. Der Wirt erinnerte sich später ziemlich genau daran, weil es auch der Moment gewesen war, als Werner sich von den übrigen Gästen mit großer Geste verabschiedet und gesagt hatte: »Kinder, ich gehe jetzt zu Bett, ich wünsche euch allen eine angenehme Nachtruhe, und ich liebe euch alle. Das allein ist der Grund, warum ich auch morgen wiederkehren werde.« Bis auf geringe Änderungen in der Formulierung, war das im Allgemeinen der Wortlaut, mit dem Werner allabendlich seine fünfzehnstündige Kneipensitzung beendete. Der Wirt begrüßte dies immer sehr, weil es die meisten Gäste dazu veranlasste, ebenfalls aufzubrechen, und er dadurch fast immer pünktlich um vierundzwanzig Uhr Feierabend machen konnte.

Peter war nicht betrunken, aber er war ruhiger geworden. »Geleite mich, mein Freund«, sagte Werner und legte seinen Arm um Peters Schulter, »mir ist so schrecklich kalt.«

Peter wurde jetzt erst bewusst, dass er den ganzen Abend in der Kneipe zugebracht hatte, den Abend, den er hätte nutzen müssen, um nach seinem Sohn zu suchen. Erst jetzt in diesem Moment überkam ihn das schlechte Gewissen mit Macht und verursachte ihm eine entsetzliche Übelkeit. Er hatte das Gefühl, in den vergangenen drei Stunden bewusstlos gewesen zu sein.

Vor der Kneipe fasste ihn Werner an den Hintern. »Wo gehst du hin, mein Freund?«

»Auf den Friedhof«, zischte Peter, riss sich los und lief davon. Ohne anzuhalten, ohne einmal Atem zu schöpfen, bis zum Kanal.

An der letzten Straßenecke, direkt vor dem Wasser, stand eine Telefonzelle. Er suchte genügend Münzen zusammen und rief Marianne an.

»Wo bist du?«, fragte sie. »Was machst du?«

»Ich suche ihn«, brüllte er in den Apparat, um sein Gewissen zu übertönen.

»Bitte, komm nach Hause«, flüsterte sie tonlos. »Ich halte das alles nicht mehr aus!«

»Bald«, sagte Peter und legte auf.

Eine kleine Taschenlampe, die locker in seine Jackentasche passte, aber dennoch außergewöhnlich leistungsstark war, hatte er dabei. Am Kanal ging er langsam den Uferstreifen ab, denn er wusste, wie gern Benjamin hier am Wasser saß. Heute Nachmittag war er bereits den gesamten Weg, der am Kanal entlangführt, abgegangen und hatte nichts gefunden, umso absurder war es, nachts weiterzusuchen, aber irgendein unerklärliches Gefühl ließ sein Herz höher schlagen. Meter für Meter leuchtete er das Ufer ab und wurde immer nervöser. Als würde hinter dem nächsten Busch Benjamin auf einem Stein sitzen und sagen: »Hallo Papa, mir is kalt. Was gibt's denn zum Abendbrot?«

Eine Ente schlief im Unterholz und flog schnatternd davon, als Peter beinah auf sie trat. Er zuckte zusammen, schaltete die Lampe aus, stand einen Moment lauschend in der Dunkelheit und suchte dann weiter.

Jetzt in der Nacht war es noch kälter geworden. Peter zog den Reißverschluss seiner gesteppten Jacke höher, sodass sein Hals bis zum Kinn in der Jacke verschwand. Stellenweise lag eine dünne Schneeschicht auf dem Gras, auf der nackten Erde unter Büschen und Bäumen war der Schnee getaut. Peter stolperte, da er nicht darauf achtete, wo er hintrat, und mit der Taschenlampe immer ein paar Meter vorausleuchtete.

Und dann sah er sie. Direkt am Wasser, hinter Sträuchern, für jeden, der den Weg entlangging, völlig verborgen. Die Tasche, deren Leuchtstreifen auf der Verschlussklappe grell aufblinkten, als der Lichtkegel der Taschenlampe sie traf. Bennys rote Schultasche, an den Seiten lila und blau abgesetzt, mit den Schnappverschlüssen, an denen er stundenlang herumspielen konnte, wenn er sich langweilte. Die Halterung des Griffes an der Oberseite hatte er mit einem Kugelschreiber ausgemalt, kurz nachdem er sie bekommen hatte. Marianne war darüber sehr ärgerlich gewesen, und jetzt trieb ihm die kindliche Schmiererei die Tränen in die Augen. In unmittelbarer Umgebung der Tasche lagen im schon fast verfaulten Laub seine Federtasche, einzelne Hefte, ein paar Schulbücher, einige lose Stifte und Bennys Gameboy.

Peter zitterte vor Aufregung. Hier war seine Tasche, und hier musste auch Benny sein. Ganz in der Nähe. Er ließ die Tasche und Bennys übrige Schulsachen liegen und leuchtete die weitere Umgebung ab, ständig darauf gefasst, den Körper seines Kindes hinter einem Strauch oder unter einem Busch liegen zu sehen. Er kroch auf allen vieren durchs Gestrüpp, hielt auf die Erde hängende Zweige hoch und wühlte in alten vermoderten Blätterhaufen, aber da war kein Benny. Nirgends.

Als er einen Moment innehielt, hörte er die Wellen des Kanals leise ans Ufer schlagen. Und weit weg, in der Ferne, bellte ein Hund. Das Wasser, dachte er. Jemand hat ihn in den Kanal geworfen. Benny ist im Kanal. Im schwarzen Wasser des Neuköllner Schifffahrtskanals, das nach totem Fisch und Diesel roch.

Peter sackte zusammen und blieb eine Weile bewegungslos auf der nassen Erde sitzen. Was mache ich bloß, dachte er, um diese Jahreszeit ist es doch viel zu kalt im Wasser. Er drückte beide Handflächen gegen die Schläfen. So fest er nur konnte. Ich muss die Polizei rufen. Sie müssen kommen und Benny im Kanal suchen. Sie müssen Taucher mitbringen. Und Spürhunde. Vielleicht hat er sich nur irgendwo im Gestrüpp verfangen.

Peter Wagner stand langsam auf. Er konnte seine Knie kaum strecken, so steif waren sie nach dem Sitzen in der Kälte. Er wusste, dass es besser und richtig war, aber es fiel ihm schwer, Bennys Tasche und seine Sachen im Dreck liegen zu lassen.

Ein paar Meter weiter oben, auf dem Weg, ging ein Mann vorbei. Er trug einen Mantel, aber keine Mütze, keinen Schal und keine Handschuhe. Er war Anfang dreißig, schlank und durchtrainiert und hatte welliges Haar. Seine Schritte waren nicht eilig, aber zügig. Er bemerkte den Lichtkegel der Taschenlampe in Ufernähe und musste unwillkürlich lächeln. Ach ja, die Schultasche, dachte er, jetzt erst finden sie die Tasche. Nun bin ich doch nicht mehr dazu gekommen zu unterschreiben. Aber egal. Mein Liebling hat jetzt keine Probleme mehr. Nicht mit seinen Eltern und nicht mit seinen Lehrern. In Gedanken warf er eine Kusshand in Richtung Laubenkolonie. Schlaf schön, mein kleiner Prinz!

Dann beschleunigte er seinen Schritt.

Als Peter Wagner im Laufschritt zur Telefonzelle lief, sah er den schwarzen Schatten des Mannes in eine Nebenstraße abbiegen. Er schenkte ihm keine Beachtung.

11

Am nächsten Morgen wachte Alfred pünktlich auf und nahm sich viel Zeit für seine Yogaübungen. Was er gestern verpasst hatte, wollte er heute nachholen. Er spürte, wie mit jeder Übung seine Beweglichkeit größer wurde. Wärme strömte allmählich durch seinen Körper, und er fühlte sich ausgesprochen wohl.

Auch der Blick aus dem Fenster erschien ihm längst nicht so trostlos wie sonst, zumal sich das Wetter erheblich gebessert hatte.

Es schneite nicht mehr, und vielleicht würde gegen Mittag sogar die Sonne rauskommen. Zeit für einen ausgedehnten Spaziergang, dachte Alfred. Einen Spaziergang am Kanal.

Um halb neun trat er aus dem Haus. Werner würde noch nicht da sein, er könnte also auch im »Fußballtreff« seinen Morgenkaffee trinken.

Karl-Heinz, der Wirt des »Fußballtreffs«, hatte die Stühle noch nicht von den Tischen geräumt und wischte die Theke, als Alfred hereinkam.

»Bin gleich so weit«, meinte er als Begrüßung, »Croissants kannste haben, wenn du willst.«

»Wunderbar.« Alfred zog seinen Mantel aus.

»Warst ja lange nich hier«, meinte Karl-Heinz, während er zwei Croissants auf einen Teller legte und die Kaffeekanne aus der Maschine nahm. »Was'n los?«

»Nichts. Viel zu tun.«

Karl-Heinz nickte. »Guten Appetit.«

Alfred liebte diese Croissants, die eine leichte Puddingfüllung hatten und mit einer Zuckerglasur überzogen waren. Sie waren die ideale süße Ergänzung zum Kaffee.

»Warste schon am Kanal?«, fragte Karl-Heinz.

Alfred hatte den Mund voll und schüttelte nur den Kopf.

»Is die Hölle los. Taucher, Polizisten, Hunde und wat weeß ick nich noch allet. Sie suchen einen kleinen Jungen.«

In diesem Moment kam Werner herein. Ein Strahlen ging über sein Gesicht, als er Alfred sah.

»Morgen Alfred, mein Bester! Was für eine Überraschung!«

Alfred grunzte nur und zwang sich zu einem Lächeln.

Werner griff einen Barhocker und schob ihn so dicht wie möglich neben Alfreds. »Ich hab dich vermisst, mein Gutster, ich wollte dich doch unbedingt malen! Hast du ein bisschen Zeit?«

»Leider nicht«, sagte Alfred und stand auf. »Ich muss nach Göttingen. Meine Mutter ist gestorben.«

»Ach Gottchen«, murmelte Werner. Er war enttäuscht. Karl-Heinz schob ihm wortlos den Kaffee über den Tresen.

»Was macht das?«, fragte Alfred.

»Zwei vierzig.«

Alfred hatte es passend und legte die Münzen direkt in die Hand des Wirtes. Dann nahm er seinen Mantel. »Bis zum nächsten Mal, Werner«, sagte er freundlich. »Dann kannst du mich malen. Sogar in Farbe, wenn du willst.«

Werner schlürfte seinen Kaffee laut. »Verarsch mich nicht!«, brummte er.

»Schönen Tag noch«, sagte Alfred zu Karl-Heinz und verließ die Kneipe. Lange hätte er es jetzt sowieso nicht mehr im »Fußballtreff« ausgehalten, er wollte dabei sein, wollte sehen, was am Kanal vor sich ging.

12

Karsten Schwiers war jetzt seit dreißig Jahren im Polizeidienst und hatte von seiner Arbeit, seinem Beruf und zurzeit vom Leben überhaupt die Nase gestrichen voll. Seine Frau Heidi war vor drei Monaten mit einem Koffer, ihrem Beauty-Case und dem Dackel Fritzi zu ihrer Freundin gezogen. In unregelmäßigen Abständen meldete sie sich mit einem obligatorischen »Wie geht's?« und machte nicht die geringsten Anstalten, zurückkehren zu wollen. Mittlerweile war es Karsten egal, aber seine Stimmung blieb gedrückt.

Es war alles so sinnlos. Den ganzen Tag über hatten Taucher im Kanal nach einem kleinen Jungen gesucht, der gestern nicht in der Schule gewesen war und seitdem vermisst wurde. Der eigene Vater hatte in der Nacht die Schultasche am Ufer gefunden. Ein Zufall, der Karsten überhaupt nicht schmeckte. Er hatte ausführlich mit den Eltern gesprochen und war dabei kein Stück weitergekommen. Der Vater war misstrauisch und verschlossen, offensichtlich hielt er nicht viel von der Arbeit der Kripo. Er hatte sich krankschreiben lassen, saß zu Hause und trank sich durch den Tag. Mittags war er bereits zu keinem vernünftigen Gespräch mehr in der Lage gewesen. »Ich weiß wahrscheinlich weniger als ihr«, hatte er mehrmals wiederholt. »Ich weiß nichts, absolut gar nichts. Ich weiß nur, dass Benny nicht abhauen würde. Ihr vergeudet nur Zeit, wenn ihr mir Löcher in den Bauch fragt.«

Marianne Wagner lag seit dem Morgen in der Charité. Sie hatte einen neuen MS-Schub und einen Nervenzusammenbruch erlitten, wurde ruhig gestellt und war noch weniger in der Lage, der Polizei Informationen zu geben.

Hauptkommissar Schwiers hatte heute pünktlich Feierabend gemacht, denn solange sie Benjamin nicht fanden, konnte er nicht viel tun. Er wollte nur noch schlafen. Schon das Halten eines Kugelschreibers empfand er als große Anstrengung.

Er ging langsam nach Hause. Der Schnee, der vor zwei Tagen gefallen war, war längst wieder weggetaut, es war noch kälter geworden, aber es regnete oder schneite wenigstens nicht. Er achtete darauf, tief durchzuatmen, aber den Mund geschlossen zu halten. Hoffentlich werde ich nicht krank, dachte er. Eine Grippe auskurieren zu müssen, wenn niemand da ist, der einen pflegt, war für ihn eine grässliche Vorstellung. Früher hatte Heidi ihm Brühe und Tee gekocht, wenn er mit Fieber im Bett lag, hatte ihm frische Schlafanzüge rausgesucht und das Bett neu bezogen, wenn es durchgeschwitzt war. Sie hatte das Schlafzimmer gelüftet, wenn er im Bad war, und ihm Zeitungen und Illustrierte zum Lesen besorgt. Sie war wie ein guter Geist gewesen, der das Kranksein beinah angenehm machte. Wenn sie aus dem Zimmer ging, hatte sie immer lächelnd gesagt: »Ruf mich, wenn du was brauchst.« Das war ein so wundervoller Satz, den er gern mal wieder hören würde, aber er glaubte nicht mehr daran. Er musste sich einfach an den Gedanken gewöhnen, dass Heidi ihn verlassen hatte.

Heute fiel ihm zum ersten Mal auf, dass in der Straße, durch die er gerade ging, nicht ein einziger Baum stand. Ich werde umziehen, dachte er, wenn Heidi wirklich nicht wiederkommt, ziehe ich um. Irgendwohin, meinetwegen auch in eine kleinere Wohnung, Hauptsache, es ist ein Baum vor dem Fenster.

Er kam am »Fußballtreff« vorbei und überlegte, ob er noch einmal mit dem Wirt sprechen sollte, aber dann ließ er es und ging einfach weiter. Der Wirt hatte Peter Wagners Aussage, dass er bis kurz vor zwölf in der Kneipe gewesen war, bestätigt.

Eine üble Geschichte, fand Karsten, und eine völlig unglaubwürdige. Oder besser: eine unvorstellbare. Da landet ein Vater, der angeblich seinen Sohn suchen wollte, in einer Kneipe und versackt dort fast drei Stunden. Dann erst fällt ihm ein, was er eigentlich vorhatte. Er geht bei absoluter Dunkelheit am Kanal entlang, kraucht dort durchs Gestrüpp und findet die Schultasche seines vermissten Kindes?

Seine Polizeierfahrung und sein Instinkt als Kriminalhauptkommissar sagten ihm, dass dieser Vater auf alle Fälle etwas mit dem Verschwinden und dem Tod seines Sohnes zu tun haben musste. Denn dass Benny nicht mehr lebte, davon war Karsten überzeugt. Das hatte er im Gefühl.

Im Zeitschriftenladen in unmittelbarer Nähe seines Hauses kaufte er die Berliner Morgenpost, den Stern und einen Doppelriegel Mars. Er sehnte sich nach einem heißen Bad, dem süßen Karamell-Schokoladenriegel und dann nur noch nach seinem Bett. Wenn er zwölf Stunden durchschlafen könnte, würde er morgen sicher wieder fit sein und sich besser fühlen.

Wie jeden Abend erschreckte ihn die Stille, als er die Wohnungstür aufschloss, denn Fritzi kam nicht mehr um die Ecke gesaust und brachte die kleine afghanische Brücke ins Rutschen, um sich auf ihn zu stürzen, an ihm hochzuspringen und vor Freude die Hand zu lecken. Fritzi brachte ihm nicht mehr die Leine und bettelte um einen Spaziergang, Fritzi schnarchte auch nicht mehr vor dem Fernseher, sodass er den Ton lauter stellen musste. Fritzi war zusammen mit Heidi aus seinem Leben verschwunden, und oft überlegte er, ob wenigstens der Hund ihn vielleicht manchmal vermisste.

Karsten schnappte erschrocken nach Luft, als er ins heiße Badewasser stieg, und ließ sofort kaltes nachlaufen. Dann sank er in das immer noch etwas zu warme Wasser und schloss die Augen. Was konnte ein zarter, kindlicher, elfjähriger Junge verbrochen haben, dass ihn sein Vater aus dem Weg räumen musste? Karstens Schläfen pulsierten, und er hatte das Gefühl, sein Kopf müsse um einige Zentimeter Umfang angeschwollen sein, dennoch dachte er angestrengt nach. Aber die Antwort auf diese Frage überstieg seine Vorstellungskraft.

»Er war so ein liebevoller, freundlicher Junge. Er hatte so ein großes Herz«, hatte Benjamins Vater gesagt. Bereits auf der Polizeischule vor dreißig Jahren hatte Karsten gelernt, genau auf die Formulierung zu achten. Peter Wagner redete bereits im Imperfekt. »Er war«, »er hatte«. Also war Benny in seinen Gedanken bereits tot. Und wer konnte das besser wissen als er selbst.

Karstens Körper wurde immer schwerer und schlaffer, die Arme hingen über den Wannenrand, sein Kopf kippte zur Seite.

Erst das schrille Klingeln des Telefons holte ihn zurück in die Realität und bewahrte ihn davor, in der Wanne einzuschlafen. Fluchend stieg Karsten aus dem Wasser und tappte nass und nackt in den Flur. Er wollte sich nicht abtrocknen, da er vorhatte, den Anrufer abzuwimmeln und sich sofort wieder in die Wanne zu legen.

»Wir haben eine Kinderleiche gefunden«, sagte sein Kollege Watzki ohne Umschweife. »In einer Laube der Kolonie Sorgenfrei, Parzelle 19. Komm so schnell du kannst, es ist wichtig, dass du das siehst.« Ohne Karstens Antwort abzuwarten, legte Watzki auf.

»Verdammte Scheiße«, fluchte Karsten, rannte vorsichtig zurück ins Bad, um nicht auszurutschen, trocknete sich notdürftig ab und zog sich an. Seine Sachen klebten am Körper. Er steckte sich die Schokoladenriegel in die Tasche und stülpte sich eine graue Strickmütze über die nassen Haare, die er in der untersten Schublade des Kleiderschrankes fand, wo sie vor sich hin gemottet hatte, seit er sie vor Jahren zum letzten Mal getragen hatte.

Dann hastete er die Treppe hinunter und lief zu seinem noch relativ neuen, silbergrauen Golf, in der Hoffnung, dass ihm nicht gerade heute mal wieder einer seiner liebreizenden Nachbarn die Reifen durchstochen hatte.

13

Benjamin saß aufrecht am Tisch. Sein kleiner Körper war derart zwischen Stuhl und Tischplatte geklemmt, dass er nicht umfallen konnte, in seinem Nacken steckte ein Kissen, der Kopf lehnte an der Wand, die Augen waren weit aufgerissen, als könne er immer noch nicht begreifen, was mit ihm geschah. Die Unterarme lagen auf der Tischplatte, die kleinen Hände zu Fäusten geballt und mit Klebeband fixiert, damit sie nicht vom Tisch rutschen konnten. Benny war vollständig bekleidet, seine Haare wirkten wie sorgfältig in die Stirn gekämmt.

Der einzige Schönheitsfehler an dem friedlichen Bild war die Tatsache, dass Benny seit knapp achtzehn Stunden tot war.

Der Tisch war für zwei Personen gedeckt, aber das Geschirr war unbenutzt.

Der Polizeifotograf fotografierte das Innere der Laube und die Leiche aus jedem Winkel und jeder erdenklichen Perspektive, in der Totale, in der Halbtotale und dann jedes Detail aus nächster Nähe. Er hatte das Gefühl, noch keinen Tatort in seinem Leben – und das waren viele gewesen – so ausführlich und genau fotografisch dokumentiert zu haben. Ab und zu wischte er sich den Schweiß von der Stirn, obwohl es in der Laube lausig kalt war, und murmelte Flüche, die keiner verstand und die auch keiner verstehen sollte, die ihn aber davon abhielten, sich in eine Ecke zu setzen und in Tränen auszubrechen.

Die Kollegen der Spurensicherung warteten noch, bis Hauptkommissar Schwiers den Tatort gesehen und der Fotograf seine Arbeit getan hatte. Vorher konnten sie Geschirr, Bettdecke, Kleidung des Jungen und viele andere Kleinigkeiten nicht sicherstellen, um sie mit ins Labor zu nehmen oder an Ort und Stelle spurentechnisch zu behandeln. Auf den Fotografen konnten sie sich verlassen. Er war ein alter Hase, stand wenige Jahre vor der Pensionierung, und es war ihm in Fleisch und Blut übergegangen, nichts zu berühren und nichts zu verändern. Er war auch einer der wenigen, der bei seiner Arbeit die gleiche Schutzkleidung trug wie die Beamten der Spurensicherung. »Aus Respekt vor dem Opfer«, erklärte er gelegentlich, »ist diese kleine Unbequemlichkeit ja wohl das Mindeste.«

Karsten Schwiers stand minutenlang vor dem kleinen Jungen und wartete darauf, dass sein geschultes Polizistenhirn anfangen würde zu arbeiten, aber da war nur eine unerträgliche Leere. Ich habe einen Schock, dachte er, ich alter Zausel habe einen gottverdammten Schock und verstehe die Welt nicht mehr, weil ich diesen Mörder nicht begreife.

Watzki stand am Fenster, beobachtete seinen Chef und ließ ihm Zeit. »Ich hab die Taucher nach Hause geschickt«, sagte er leise.

»Natürlich!«, polterte Karsten. »Ist ja wohl logisch! Oder brauchst du dazu auch noch meinen Segen?«

Watzki nahm ihm den Ton nicht übel, dazu kannte er Karsten schon zu lange. Immer wenn seinem Chef etwas nahe ging, wurde er ungehalten und ungerecht. Auch bei Verhören schlug er gern über die Stränge, aber dann holte ihn Watzki stets zurück auf den Teppich. Er verstand sich als Ausputzer, als Kontrolleur eines zornigen alten Mannes, der den Traum gehabt hatte, mithilfe seines Berufes die Welt zu verbessern, und jetzt, mit Ende fünfzig, einsehen musste, dass er nichts erreicht hatte. Die Welt da draußen war immer brutaler und vor allem hinterhältiger geworden.

»Wer hat ihn gefunden?«, brüllte Schwiers. »Sein Vater bei einem Abendspaziergang?«

»Ein Rentner«, erwiderte Watzki in betont ruhigem Tonfall. »Herbert Klatt. Er hat die Laube in Parzelle 23. Er geht oft durch die Kolonie, um zu sehen, ob alles in Ordnung ist. Ihm ist aufgefallen, dass dieser hässliche Engel neben der Laterne fehlt. Er liegt draußen. Damit wurde offensichtlich die Scheibe eingeschlagen. Und dann hat sich Klatt die Laube mal genauer angesehen und das kaputte Fenster entdeckt. Er dachte an einen ganz gewöhnlichen Einbruch von Pennern, die mal ne Nacht im Trocknen übernachten wollen, und hat die Polizei alarmiert. Und dann haben die Kollegen Benjamin gefunden.«

Karsten nickte. »Wem gehört die Laube?«

»Einem Ehepaar Bliese. Ein Elektriker und seine Frau. Beide Rentner. Sie wohnen in Steglitz. Wir haben versucht sie anzurufen, aber sie waren nicht zu Hause.«

Karsten nickte den Kollegen von der Spurensicherung zu. »Ihr könnt anfangen. Mir reicht's.«

Er ging nach draußen. Watzki folgte ihm, hielt aber angemessenen Abstand, um ihn nicht zu reizen.

In diesem Moment kam der Pathologe durch den Garten. Er war verspätet. »Wenn ich vor einer halben Stunde bereits gewusst hätte, wann der Tod eingetreten und wann er ermordet worden ist, hätte ich den Täter längst festnehmen können«, meinte Karsten vorwurfsvoll.

»Geben Sie mir zwei Minuten, und ich sage Ihnen den Namen, den er während seines letzten Atemzugs geflüstert hat«, konterte der Pathologe und verschwand im Haus.

»Er ist ein unzuverlässiges Arschloch«, sagte Karsten zu Watzki, »aber er gefällt mir. Fahren wir zu den Eltern.«

»Bist du so sicher? Ich meine, die Identifizierung ...«

»Ich bin sicher«, schnauzte Karsten. »Ich hab Bilder gesehen. Dieser Junge ist nicht wie alle anderen. Sein Gesicht werde ich nie mehr vergessen. Dieses Kind ist Benjamin Wagner.«

14

Der Radiowecker zeigte sechs Uhr zwanzig, als das Telefon klingelte. Mareike Koswig stöhnte auf und war ein paar Sekunden lang unfähig, zu reagieren oder sich zu bewegen. Ihre Freundin Bettina schlang den Arm um sie und zog sie an sich. Bettina konnte sogar im Halbschlaf noch ungeahnte Kräfte entwickeln, was Mareike erst nach einer Dusche und zwei Tassen Kaffee möglich war.

»Geh nicht ran«, flüsterte Bettina. »Lass doch dieses blöde Telefon. Du bist eben nicht zu Hause. Basta.«

»Ich muss«, murmelte Mareike und versuchte, sich aus der krakenhaften Umklammerung zu befreien und das Telefon zu erreichen, das neben dem Bett auf der Erde stand.

Mit zwei Fingern stieß sie den Hörer von der Gabel und grunzte aus einem halben Meter Entfernung: »Ja?«

Bettina kroch näher an Mareike heran und versuchte mitzuhören, was ihr aber nicht gelang, denn Mareike war augenblicklich alarmiert und schwang sich aus dem Bett. Die Länge der Telefonschnur erlaubte es ihr, mit dem Telefon in der Hand ein paar Meter im Zimmer hin und her zu gehen. Sie trug ein kurzes, dünnes Nachthemd und strich sich immer wieder die langen Haare aus der Stirn.

Bettina hatte den Kopf auf ihre linke Hand gestützt und sah ihr zu. Bleib bei mir, dachte sie, nächste Woche fliegen wir nach Indonesien, mach jetzt keinen Mist wegen deines Jobs, bleib bei mir, sonst werde ich irre.

»Wenn ich den Zug um acht nehme, kann ich um elf in Berlin auf dem Präsidium sein«, sagte Mareike, und Bettina ließ sich zurück aufs Bett fallen, nahm Mareikes Kissen und drückte es sich aufs Gesicht, um ihrer Verzweiflung Ausdruck zu geben und den Duft ihrer Freundin tief einzuatmen.

»Natürlich«, sagte Mareike, »was ich an Unterlagen habe, bringe ich mit.«

Sie legte auf und sprang zu Bettina ins Bett, legte sich auf sie, nahm ihr das Kissen vom Gesicht und bedeckte es mit Küssen. »Es tut mir so Leid, mia cara, aber ich muss nach Berlin. Informationen austauschen. Ein kleiner Junge ist ermordet worden – fast genauso wie vor drei Jahren Daniel Doll. Vielleicht dauert es ja nicht lange, vielleicht bin ich in zwei Tagen zurück.«

»Ich sterbe ohne dich.« Bettina sah Mareike an und strich ihr sanft übers Haar.

»Ich weiß.« Mareike küsste Bettina lange und leidenschaftlich, und Bettina umklammerte sie so fest, als wolle sie sie nie wieder loslassen. Aber jetzt war Mareike wach und befreite sich problemlos.

»Nicht böse sein, Süße. Ich geh schnell unter die Dusche. Machst du uns einen Kaffee?«

Mareike sprang aus dem Bett und lief ins Bad. Bettina bewunderte ihre Beweglichkeit, die sie sich selbst jetzt mit Ende dreißig noch bewahrt hatte. Sie hatte das Gefühl, wenn man es von ihr verlangen würde, würde Mareike sogar einen Salto von der Bettkante hinkriegen.

Wesentlich schwerfälliger als ihre Freundin stand Bettina auf und schlüpfte in ihren Morgenmantel, um in die Küche zu gehen und das Frühstück zu machen.

Schon zwanzig Minuten später trank Mareike ihren Kaffee. Schwarz, ohne Milch und Zucker und am liebsten kochend heiß. Sie trug Jeans, Bluse und Jackett, war dezent geschminkt und hatte bereits ihre erste Zigarette zwischen den Lippen, während sie sich ein Knäckebrot mit Nutella beschmierte.

»Einerseits hoffe ich, dass es derselbe Mörder ist«, sagte Mareike, »denn dann haben wir hundert Prozent mehr Informationen über ihn und die doppelte Chance, etwas zu finden, wo er einen Fehler gemacht haben könnte. Andererseits hätten wir es in diesem Fall aber auch nicht mit einem Einzel-, sondern mit einem Serientäter zu tun, und dadurch wird die Sache brisant.«

»Dann bleibst du also in Berlin?«

»Weiß ich nicht. Keine Ahnung. Ich muss erst mal sehen, wie sich der Fall entwickelt und was die Kollegen in der Hand haben.« Mareike sah auf die Uhr und trank ihren Kaffee in einem Zug aus. »Ich muss los. Leider.«

»Dieser verdammte Mörder mordet unsere Beziehung«, grummelte Bettina und sah todunglücklich aus.

»Red keinen Stuss.« Mareike ging zu ihr und nahm sie in den Arm. »Aber es könnte der Fall meines Lebens sein, Bettina. Vergiss das nicht und mach mir bitte keinen Stress. Ich komme so schnell wie möglich zurück!« Sie fuhr mit der Hand unter Bettinas Morgenmantel und knetete liebevoll deren linke Brust. »Und ich bin eine ganz, ganz treue alte Seele, Süße.« Sie küsste sie, und Bettina gab sich dem Kuss hin, als wäre es der letzte.

»Ciao, bella«, flüsterte Mareike, nahm ihre Tasche und verließ die Küche. »Ich ruf dich an, sobald ich was weiß«, rief sie noch aus dem Flur, dann fiel die Tür ins Schloss, und Mareike war verschwunden.

»Ciao, bellina«, flüsterte Bettina und schenkte sich Kaffee nach.

15

Als der Zug aus Göttingen im Berliner Bahnhof Zoo einfuhr, hatte er siebzehn Minuten Verspätung. Mareike stand bereits an der Tür und sah gedankenverloren aus dem Fenster, während der Zug langsam an belebten Straßen, aufwändig renovierten Altbauten, kargen Hinterhöfen und Kaufhäusern vorbeirumpelte. Sie fühlte sich wie gerädert und fürchtete sich davor, sich gleich auf die unterschiedlichsten Fakten und Details eines Kindermordes konzentrieren zu müssen. In ihrem Abteil hatte fast während der gesamten Fahrt eine Großmutter versucht, ihrem Enkel den blödsinnigen Spruch »In Ulm und um Ulm und um Ulm herum wachsen Ulmen« beizubringen. Der kleine Junge verstand den Satz nicht, wahrscheinlich wusste er nicht einmal, was Ulm überhaupt ist, und daher konnte er ihn auch nicht behalten. Er murmelte ständig irgendwelche unzusammenhängenden U-Laute, während die Oma den Satz wie ein Automat ununterbrochen wiederholte. Mareike war fast wahnsinnig geworden, aber sie hatte sich nicht eingemischt, weil sie mit der alten Dame keine sinnlose Diskussion führen wollte. Doch in ihrem Hirn ratterte dieser fürchterliche Zungenbrecher, und sie war nicht in der Lage, die Ermittlungsakten über den Mord an Daniel Doll noch einmal durchzulesen und sich Einzelheiten in Erinnerung zu rufen. Jetzt belastete es sie, nicht hundertprozentig vorbereitet zu sein.

Mittlerweile hatte sich der ganze Gang mit Menschen gefüllt, die am Bahnhof Zoo aussteigen wollten. Drei Personen hinter Mareike wartete die Oma mit ihrem Enkel. Als der Zug in den Bahnhof einfuhr, hörte Mareike noch, wie die Oma sagte: »Ach, du weißt nicht, was ›Ulm‹ ist? Ulm ist eine große schöne Stadt, und in Ulm und um Ulm und um Ulm herum wachsen lauter Ulmen.«

Es ist nicht immer die beste Lösung, seine Kinder den Großeltern anzuvertrauen, dachte Mareike entnervt und stieg aus. Bettina wünschte sich Kinder und lag ihr seit zwei Jahren mit der Bitte in den Ohren, ein Baby zu adoptieren. Aber Mareike wollte nicht. Ihr ständig schlechtes Gewissen, weil sie wegen ihres Berufes zu wenig Zeit für Bettina hatte, reichte ihr vollkommen. Wie sollte sie da noch Zeit finden, sich um ein Kind zu kümmern? Allerdings könnte sich Bettina dann ihren Herzenswunsch erfüllen und wäre nicht immer so auf sie fixiert. Bettina arbeitete halbtags als Schulsekretärin, hatte nachmittags und Samstag, Sonntag frei und fühlte sich keineswegs ausgelastet. Mareike seufzte innerlich. Irgendwann mussten sie eine Entscheidung fällen.

Auf dem Bahnsteig sah sie sich suchend um. Menschen strömten in alle Richtungen, an der Laufrichtung konnte sie nicht erkennen, wo der Ausgang lag. Daher ging sie wahllos auf eine Treppe zu und zuckte zusammen, als plötzlich jemand zu ihr sagte: »Frau Koswig?«

»Ja?«

Karsten Schwiers lächelte freundlich und streckte ihr zur Begrüßung die Hand hin. »Mein Name ist Schwiers. Karsten Schwiers. Soko Benjamin. Schön, dass Sie da sind, das hat ja wunderbar geklappt.«

»Ich wusste gar nicht, dass ich abgeholt werde.«

»Das hab ich auch spontan entschieden. Ich hab mir aus dem Personalcomputer Ihr Bild rausgesucht ... und hab Sie tatsächlich gefunden! Wollen wir erst mal einen Kaffee trinken gehen?«

»Gerne.« Mareike entspannte sich zusehends. Karsten Schwiers war ihr auf Anhieb sympathisch. Typ Brummbär, älterer Papi, hart, aber herzlich, kann schnurren, aber auch knurren, ist von Natur aus ein fauler Sack, aber arbeitet sich tot, wenn ihm ein Fall an die Nieren geht. Mal sehen, ob ich mit meiner Prognose richtig liege, dachte sie, hoffentlich, denn das ist die Sorte Mann, mit der ich am besten zusammenarbeiten kann.

Karsten nahm ihren Koffer und beobachtete Mareike, wie sie mit federndem Gang die Treppe herunterging, und machte sich ebenfalls sein Bild nach dem ersten Eindruck. Ende dreißig, sportlich, praktisch veranlagt, ziemlich uneitel. Gefällt mir. Bei ihr hat man wenigstens keine Angst, dass sie mit albernen Pfennigabsätzen in jedem Gulligitter stecken bleibt. Sie sieht aus, als ob sie Kraft hat, und sie trägt keine Brille. Wahrscheinlich kann sie gut schießen, ist relativ angstfrei und lässt sich sicher nicht die Butter vom Brot nehmen.

Sie gingen direkt im Bahnhof in ein kleines Café. Die Bedienung brachte den Kaffee sofort, aber dafür war er auch nur lauwarm. Karsten rührte drei gehäufte Teelöffel Zucker in seine Tasse, was Mareike gewöhnungsbedürftig fand, aber nicht kommentierte.

»Wie wollen wir vorgehen?«, fragte Karsten. »Fahren wir aufs Revier und erstellen anhand der Tatortfotos eine genaue Liste der Ähnlichkeiten in der Vorgehensweise des Mörders?«

»Das sollten wir in jedem Fall machen«, meinte Mareike. »Aber wenn es möglich ist, würde ich vorher gern die Laube sehen. Man bekommt doch einen ganz anderen Eindruck.«

»Natürlich ist es möglich, ich habe einen Schlüssel. Die Besitzer wollen die Laube ohnehin verkaufen. Nachdem das mit Benjamin passiert ist, haben sie das Gefühl, es in ihrem Garten und speziell in der Laube keine Sekunde mehr auszuhalten.«

»Das kann ich verstehen. Was sind das für Leute?«

»Ein Ehepaar Bliese. Beide sind Rentner mit wenig Geld. Sie bewohnen im Winter eine kleine Parterrewohnung in Steglitz, im Sommer ist der Schrebergarten ihr Ein und Alles. Die einzige Möglichkeit, ein bisschen rauszukommen. Die beiden sind fix und fertig.« Karsten Schwiers warf einen Blick zum Tresen. »Ich glaube, ich bestelle mir noch ein Schinkenbrötchen. Sie auch?«

»Nein danke.« Mareike schüttelte den Kopf. »Ich habe gefrühstückt.«

Während er versuchte, einen Blick mit der Bedienung auszutauschen, sagte er: »Aber erzählen Sie mir doch etwas von Daniel Doll. Viel stand ja nicht in der Presse.«

»Nein, zum Glück. So können wir erstens sicher sein, es nicht mit einem Nachahmer zu tun zu haben, falls sich die Ähnlichkeit der Fälle bewahrheiten sollte, und zweitens wollten wir die öffentliche Aufmerksamkeit möglichst gering halten, da wir bis heute nichts in der Hand haben. Noch nicht mal einen Verdächtigen.«

»Erzählen Sie.«

»Daniel Doll war zehn Jahre alt und hatte noch eine Schwester Sarah, die damals sechs, und einen kleinen Bruder Max, der zu dem Zeitpunkt drei Jahre alt war. Der Vater war Leiter einer kleinen Sparkassenfiliale in Braunschweig, die Mutter war Hausfrau und kümmerte sich um die Kinder. 1983, am Ostersonntag, machte die Familie ein Picknick im Hahnenmoor, nördlich von Müden. Es gab Nudelsalat mit Würstchen, Fanta und Cola für die Kinder, Bier für die Eltern. Nach dem Essen machte Vater Eberhard ein Nickerchen, der kleine Max schlief auch, und die Mutter spielte mit Sarah und deren Puppen. Daniel zog los, um die Gegend ein bisschen zu erkunden. Er kam nicht wieder.«

»Waren an diesem Sonntag viele Ausflügler im Hahnenmoor unterwegs?«

»Etliche. Man konnte zwar einsame Stellen zum Picknicken finden, aber es wäre nicht möglich gewesen, spazieren zu gehen, ohne jemandem zu begegnen.«

»Keine gute Voraussetzung für einen Mord am helllichten Tag.«

»Nein. Und wir wissen bis heute nicht, ob der Mörder seinem Opfer zufällig begegnet ist oder es sich ausgeguckt, beobachtet und schließlich gekidnappt hat. Wie war das bei Benjamin?«

Endlich gelang es Karsten, der Bedienung zuzuwinken und noch ein Schinkenbrötchen zu ordern. Mareike zündete sich eine Zigarette an.

»Benjamin muss seinem Mörder freiwillig gefolgt sein. Wir verstehen nicht ganz, warum, denn er ist von seinen Eltern immer wieder davor gewarnt worden, mit Fremden mitzugehen. Er war bei Karstadt in der Spielwarenabteilung. So viel wissen wir. Dann muss er zum Kanal gegangen sein. Aber einen kleinen Jungen gegen seinen Willen bis in die Kolonie zu schleppen? Das ist zu weit. Das wäre jemandem aufgefallen. Und mit dem Auto kann man in die Kolonie nicht hineinfahren.«

»Vielleicht kannte er seinen Mörder?«

»Vielleicht.« Die Bedienung brachte das Schinkenbrötchen, und Mareike sah fassungslos zu, mit welcher Schnelligkeit es Karsten verschlang.

»Sehen Sie«, nahm sie den Faden wieder auf, »da haben wir den ersten sehr wichtigen Unterschied. Daniel wurde mit Äther betäubt und dann im Kofferraum eines Autos transportiert. Wir haben Plastikspuren unter seinen Fingernägeln gefunden. Es ist eine Kunststoffverbindung, wie sie vorzugsweise bei japanischen Autos verwendet wird. Vielleicht wachte er auf und wollte sich befreien. Mehr wissen wir nicht.«

Das Brötchen war verschwunden. Karsten wischte sich die Hände ausgiebig an einer Serviette ab und sah sehr zufrieden aus.

»Fünfundvierzig Prozent aller Serientäter verändern bei der zweiten Tat ihren Modus Operandi, weil sie dazulernen und sich weiterentwickeln, ohne ihre individuelle Täterhandschrift zu verlieren. Möglicherweise hat er erst jetzt eine Methode entwickelt, kleine Kinder zu überzeugen und zum Mitgehen zu überreden.«

»Sie sprechen schon von einem Serientäter?« Mareike war überrascht.

»Ich ziehe es zumindest in Erwägung«, meinte Schwiers. »Aber bitte, erzählen Sie doch weiter!«

»Der Täter fuhr dann mit Daniel nach Seershausen. Das sind etwas über vierzehn Kilometer. Dort ist ein Steinbruch, in dem immer ein paar Bauwagen für die Arbeiter stehen. Am Ostersonntag war da natürlich kein Mensch. Und am Ostermontag auch nicht.« Mareike zog ein paar Fotos aus ihrer Tasche und legte sie vor Karsten auf den Tisch. »Das ist der Steinbruch, und der letzte hier, der etwas versetzt steht, das ist der Bauwagen, in dem wir Daniel gefunden haben. Die Leiche saß an einem Tisch, auf dem Tisch standen zwei Kaffeebecher der Arbeiter, zwei Frühstücksteller, und auf Daniels Teller lag ein Schokoladen-Osterei in buntem Stanniolpapier. Er hatte Daniel keine Schokolade gegeben, als er noch lebte, es war eine reine Inszenierung. Er wollte uns ein harmonisches Bild hinterlassen. Oder er wollte uns nur Kopfzerbrechen machen, weiter nichts.«

»Dasselbe Bild wie bei Benjamin.« Karsten legte fünf Mark auf den Tisch. »Kommen Sie, wir fahren hin.«

16

Alles, was Karsten erklärte, konnte sich Mareike detailliert vorstellen. Sie hatte den toten Daniel Doll im Bauwagen sitzen sehen, und jetzt sah sie hier in ihrer Vorstellung in der Neuköllner Laube Benjamin vor sich am Tisch, mit starrem, gebrochenen Blick und weit aufgerissenen Augen, die sagen wollten: »Warum seid ihr nicht früher gekommen? Der böse Mann hat sich so viel Zeit gelassen, mich zu töten, und ihr habt mich trotzdem nicht gefunden.«

Sie hatte ein Bild von Benjamin in der Hand, ein lachendes, glückliches Kind mit weichen blonden Locken und einem kleinen Wirbel über der rechten Stirnseite. Die Ähnlichkeit mit Daniel Doll war frappierend. Daniel war zwar ein Jahr jünger gewesen, als er ermordet wurde, aber er hatte den gleichen zarten Körperbau, die gleiche helle Haut und ebenso blonde Haare gehabt. Allerdings glatt und stumpf geschnitten und etwas kürzer als die von Daniel.

Mareike registrierte in der Laube alles ganz genau, als fotografiere sie in ihrem Hirn die Einzelheiten. Die verblichene alte Tapete mit hellblauen Veilchen, das Häkeldeckchen auf dem Küchentresen, das mit einem altmodischen Ornamentenmuster bestickte Kissen im Sessel. Die schon etliche Male überstrichene Holztür und das Fenster direkt über der Pritsche, auf der Benjamin gelitten hatte. Sie konnte sich kein anderes Gefängnis vorstellen, in dem das Fenster zur Freiheit so nah war. Der billige Kaufhausperser über der abgenutzten grün-bräunlichen Auslegware und das kitschige Bild mit der Tiroler Berg- und Seenlandschaft in einem primitiven beigefarbenen Rahmen, das Benjamin stundenlang angestarrt haben musste.

»Die Gegenstände, die die Spurensicherung untersucht hat, zeige ich Ihnen auf dem Präsidium«, sagte Karsten. Nachdem er Mareike genaustens erklärt hatte, wo und wie Benjamins Leiche gesessen und wo er zuvor gelegen hatte, war es bedrückend still in der Laube.

Mareike dachte wieder an Bettina, deren größter Wunsch es war, ein Kind zu adoptieren, und die auch schon – gegen Mareikes Willen – mit einigen Vermittlungsstellen Kontakt aufgenommen hatte. Bettina konnte Mareikes Zurückhaltung nicht verstehen, aber Bettina war auch noch nie an einem Tatort gewesen und hatte noch nie in das Gesicht eines toten Kindes gesehen, das bis zur letzten Sekunde gehofft und geglaubt hatte, dass wie durch ein Wunder Mama oder Papa auftauchen und es aus der Gewalt des Mörders befreien würden. Wenn unserem Kind so etwas passieren würde, dachte Mareike, nein, das könnte ich nicht ertragen. Bettina sah nur die positiven Aspekte einer Adoption, Mareike nur die negativen. Dass sie in dieser Frage je zusammenkommen würden, konnte sie sich nicht vorstellen.

»Erzählen Sie mir etwas über den Zeitablauf.« Ihre Stimme klang belegt. Obwohl die Spurensicherung ihre Arbeit längst beendet hatte, zog sich Mareike einen Handschuh über und öffnete Schränke und Schubladen. Was sie zu finden hoffte, wusste sie selbst nicht.

Karsten beobachtete, was Mareike tat, und versuchte, sich zu konzentrieren. »Benjamin kam vorgestern, am Dienstag, dem 12. November, nicht nach Hause. Er hatte wegen zwei schlechter Noten die Schule geschwänzt. Sein Vater Peter Wagner meldete sein Verschwinden noch am Nachmittag der Polizei und machte sich dann auf eigene Faust auf die Suche. Allerdings verbrachte er am Abend mehrere Stunden in einer Kneipe. Er fand dann Benjamins Schultasche nachts gegen ein Uhr in einer Böschung am Neuköllner Schifffahrtskanal, nur wenige Gehminuten von Benjamins Elternhaus entfernt. Bereits am nächsten Morgen mit Einsetzen des Tageslichts wurden der Kanal von Tauchern und die Umgebung von Beamten abgesucht. Am frühen Abend gegen achtzehn Uhr wurde dann die Leiche schließlich durch Zufall von dem Rentner Herbert Klatt gefunden. Das war achtundzwanzig Stunden nach Benjamins Verschwinden. Der Pathologe geht davon aus, dass Benny ungefähr siebzehn Stunden tot war, als er gefunden wurde. Er war also etwa zwölf Stunden in der Gewalt seines Mörders und wurde in der Nacht von Dienstag auf Mittwoch zwischen Mitternacht und ein Uhr morgens getötet. Beinah zu demselben Zeitpunkt, als sein Vater die Schultasche fand.«

»Oh, mein Gott.« Mareike stöhnte auf. »Allerdings war es bei Daniel Doll noch wesentlich schlimmer. Der arme Kerl war zweiunddreißig Stunden in der Gewalt seines Mörders und wurde achtunddreißig Stunden nach seinem Verschwinden von Arbeitern gefunden. Da war er seit sechs Stunden tot.«

»Ich nehme an, dass das schlechte Wetter und die für November extrem niedrigen Temperaturen den Mörder davon abgehalten haben, die Tortur noch länger auszudehnen. Wenn es nicht so verdammt kalt gewesen wäre …, vielleicht hätten wir Benjamin dann noch lebend gefunden.«

Mareike nickte. »Das kann sein. Als Daniel Doll ermordet wurde, war es schon fast sommerlich warm.«

Mareike war froh, als sie die Laube wieder verließen. Langsam gingen sie zum Auto zurück. Die Luft war diesig, beinah milchig trüb, nur ab und zu kam die Sonne schwach zwischen den Wolken hindurch. Mareike sehnte sich plötzlich nach einem neutralen Büro, in dem sie klar denken konnte. Die im Winter menschenleere und trostlose Kolonie, in der so Schreckliches geschehen war, war kaum zu ertragen.

»Was ist mit dem Vater?«, fragte sie. »Ich finde es schon ein bisschen ungewöhnlich, in einer Kneipe zu versacken, wenn der Sohn vermisst wird.«

»Ich auch. Man muss sich das mal vorstellen: Er trinkt stundenlang in der Kneipe, wandert am Kanal entlang, findet im Dunkeln die Schultasche seines Sohnes und geht nach Hause. Benjamins Todeszeitpunkt stimmt ziemlich genau mit dem Eintreffen des Vaters zu Hause überein.«

»Aber was könnte er für ein Motiv haben, seinen Sohn umzubringen?«

»Ich weiß es nicht, ich weiß nur, dass ihm die Probleme über den Kopf wachsen. Seine Frau ist schwer krank, er fühlt sich ständig überfordert, trinkt im Übermaß und hat sehr häufig einen kompletten Filmriss.«

»Das ist alles noch kein Grund.«

»Stimmt.« Karsten seufzte. Deswegen bist du doch hier, dachte er, vielleicht kommen wir gemeinsam weiter. Vergiss das nicht.

»Und warum dann die Inszenierung in der Laube? Die Vergewaltigung? Das passt alles nicht.« Mareike bohrte weiter. »Ein Vater, der durchdreht, drückt seinem Sohn ein Kissen aufs Gesicht. Und meist bringt er sich danach selber um.«

»Wenn es passen würde«, entgegnete Karsten müde, »dann hätte ich Peter Wagner längst in U-Haft. Aber er sitzt zu Hause auf der Couch und trinkt sich um den Verstand. In der Pathologie hat er seinem toten Sohn geschworen, den Kerl umzubringen, der das getan hat. Ich hab ihm jedes Wort geglaubt.«

Mareike nickte stumm. Dann stiegen sie ins Auto.

Im Präsidium organisierte Karsten als Erstes zwei Tassen Kaffee und breitete dann die Tatortfotos vor Mareike aus. Und da sah sie es. Den eindeutigen Beweis, dass es sich um ein und denselben Täter handelte.

»Bennys rechter oberer Eckzahn ist herausgebrochen.« Sie hatte plötzlich stechende Kopfschmerzen und rieb sich die Stirn.

»Ja. Wir haben es der Presse und den Eltern bis jetzt nicht gesagt, vielleicht hab' ich auch deshalb vergessen, es Ihnen sofort mitzuteilen.«

»Post mortem?«

Karsten nickte. »Eindeutig, ja.«

»Dann haben wir es hier nicht mit einem überforderten Vater, sondern wirklich mit einem Serientäter zu tun«, meinte Mareike dumpf. »Denn auch Daniels oberer rechter Eckzahn wurde der Leiche mit einer Zange herausgebrochen. Offensichtlich legt der Mörder Wert auf Souvenirs. Kleine handliche Souvenirs, die man leicht und unauffällig mit sich herumtragen kann. Winzige Körperteile der Opfer, die nicht verwesen und die ihm immer bleiben. Ewige Andenken sozusagen.«

Karsten starrte sie sekundenlang fassungslos an. Dann schlug er mit der flachen Hand auf den Schreibtisch. »Verfluchte Scheiße«, sagte er. »So eine gottverdammte, verfluchte Scheiße.«

»Das Hahnenmoor bei Braunschweig …, die Laubenkolonie in Berlin … er ist mobil. Wir können ihn noch nicht einmal räumlich einkreisen.« Mareike zündete sich eine Zigarette an, obwohl über der Tür ein hässliches Nichtraucherschild prangte. »Wir wissen eigentlich nur eins ganz sicher: Er wird es wieder tun. Wenn wir ihn nicht kriegen, wird er es immer wieder tun.«

17

Mit einem dünnen Bleistift und fast ohne jeden Druck zeichnete Alfred die Konstruktion einer von ihm erdachten Toilette auf ein Blatt Papier. Er wollte bei der Spülung fast gänzlich ohne Wasser auskommen und war davon überzeugt, seine Erfindung – wenn sie fertig war – weltweit zu verkaufen. Wassermangel wurde immer mehr zu einem globalen Problem, irgendwann konnte es sich niemand mehr leisten, sauberes Trinkwasser in der Toilette hinunterzuspülen.

Seine Hand huschte über den Zeichenblock, die Linien waren diffus und vage, er fertigte eine eilige Skizze seiner Gedanken, und das war ihm vollkommen genug. Das Problem war der Druckspüler, er musste den Druck wesentlich erhöhen, aber dazu reichte die Druckkapazität einer normalen Hauswasserversorgung nicht aus. Er begann langsam zeichnerisch zu experimentieren und entwickelte zwei ineinander angeordnete Hülsen in Form von Zylindern und Kugeln, bis ihn das Brummen des Kühlschranks total aus dem Konzept brachte.

Er stand auf und öffnete den Kühlschrank. Ein Rest Senf trocknete in einem Glas seit Wochen vor sich hin, ein Stück Gouda war in uralter Plastikfolie hoffungslos verschimmelt. Das Verfallsdatum einer noch ungeöffneten Tüte Milch war seit vier Tagen abgelaufen. Kapern, grüner Pfeffer und eine Tube Tomatenmark hatten ihren Stammplatz in der Kühlschranktür, seit er in dieser Wohnung wohnte, das Gemüsefach öffnete er erst gar nicht, zu sehr grauste ihm davor, was ihn erwartete. Neben einer kleinen, runden und steinharten Salami lagen zwei Flaschen Weißbier, die er nie trank, weil er kein passendes Glas besaß.

Alfred schaltete den Kühlschrank aus und ließ die Tür offen. Den Stromverbrauch kann ich mir sparen, dachte er, wenn ich etwas esse, dann ja doch nur bei Milli oder vom Türken um die Ecke, wo er gelegentlich Schafskäse, Fladenbrot und grüne Oliven kaufte.

Er spürte, dass sein Magen knurrte, und ihm fiel auf, dass er schon lange nicht mehr bei Milli gewesen war. Außerdem war er neugierig zu erfahren, was es Neues gab, seit man Benjamin gefunden hatte.

Er nahm seinen Mantel und seine Schlüssel und verließ das Haus.

Als Alfred den Imbissstand erreichte, sah er, dass Milli mit einem Mann und einer Frau in ein Gespräch vertieft war. Er stellte sich daneben.

Milli blinzelte ihm freundlich zu und fragte: »Wie immer?«

Alfred nickte. »Wie immer.«

Milli wendete die Würste auf dem Grill und wandte sich wieder ihren beiden Gästen zu, die nur Kaffee tranken.

»Nee«, sagte Milli, »am Dienstag war Benjamin nich hier. Det weeß ick jenau, weil an dem Tag nämlich son scheußliches Wetter war, sodass kaum eener hier war. Und Kinder schon janich. Die hätt ick nämlich nach Hause jeschickt.«

Alfred hörte einen Moment vor Schreck auf zu atmen. Großartig. Er stand genau neben zwei Polizisten, die den Mordfall bearbeiteten.

»Haben Sie Benjamin am Dienstag überhaupt nicht gesehen? Oder vielleicht nur kurz, als er zum Beispiel hier die Straße entlangging … allein … oder in Begleitung eines Mannes?«

Alfred studierte genau das Gesicht der Frau, die da sprach. Er hatte ein ganz flaues Gefühl im Magen, weil er sich ziemlich sicher war, dass er ihr schon einmal begegnet war, aber er wusste nicht mehr, wo. Sein Verstand arbeitete fieberhaft.

»Nee«, sagte Milli, »janz bestimmt nich. Ick hab ihn nich jesehen. Det hab ick mich nämlich schon jefragt, als ick jehört hab, dass der Kleene umjebracht worden is. Himmel, dabei war det so een süßer Fratz. So nett und jut erzogen. Nich son Rabauke wie die andern alle. Und dann sowat. Ick fass et nich.«

»Wann haben Sie denn Benjamin zum letzten Mal gesehen?«, fragte der Mann.

»Am Montag. Da kam er nach der Schule und hat sich ne Bulette jekooft. Die hat er furchtbar jerne jejessen. Aber irgendwat hatte er uff der Seele. Sah janz bedeppert aus. Wat is'n los? Haste wat ausjefressen, hab ick ihn jefragt, aber er hat nischt jesagt. Keenen Ton. Und dann isser regelrecht nach Hause jeschlichen.«

Die Frau zog ein kleines Notizbuch aus ihrer Tasche und schrieb sich etwas auf. Und in diesem Moment, als sie nach unten sah und ihr dabei eine Haarsträhne ins Gesicht fiel, da wusste Alfred plötzlich, wer sie war.

Er musste sehen, dass er wegkam, bevor sie ihn auch noch erkannte, aber gerade jetzt schob Milli ihm seine Wurst über den Tresen.

»Lass dir's schmecken, Alfred«, sagte sie und nannte überflüssigerweise auch noch seinen Namen.

Alfred spürte, wie ihm der Schweiß ausbrach. Er überlegte fieberhaft, was das zu bedeuten hatte. Alles hatte irgendetwas zu bedeuten, es gab keine Zufälle auf der Welt. Aber die Frau sah ihn nicht an, noch war es möglich, unerkannt zu verschwinden.

Am liebsten hätte er die Wurst einfach stehen lassen und sich aus dem Staub gemacht, aber das wäre zu auffällig gewesen.

Also aß und trank Alfred in Rekordzeit, während Milli auf den Menschen schimpfte, der einem kleinen Jungen so etwas antun konnte. Sie schwärmte vom Mittelalter, als Mörder gesteinigt, geviertelt, aufs Rad gespannt oder auf dem Scheiterhaufen verbrannt wurden, sie konnte sich allerdings auch vorstellen, Benjamins Mörder in ein eiskaltes, feuchtes und vollkommen dunkles Verlies zu sperren und langsam verhungern zu lassen.

»Wenn wir wenigstens die Todesstrafe hätten«, resümierte sie, »dann würde sowat nich passieren. Hab ick Recht, Alfred?«

»Vollkommen«, meinte Alfred und schob ihr das Geld über den Tresen. »Mach's gut, Milli, ich hab's eilig.«

Er lächelte kurz, schlug den Kragen seines Mantels hoch und ging mit langen schnellen Schritten davon.

»Wer war denn das?«, fragte Mareike, denn auch ihr war Alfreds Gesicht irgendwie bekannt vorgekommen.

»Alfred Fischer«, sagte Milli. »Netter Mann. Zuvorkommend und anständig. Und regelrecht intelligent.«

Mareike nickte und verwarf ihren Gedanken wieder, den sie einen Augenblick lang gehabt hatte. Denn das Gesicht des Mannes hatte sie an einen Jungen erinnert, der Alfred Heinrich geheißen hatte. Auf keinen Fall Alfred Fischer. Da war sie sich ganz sicher, und sie vergaß ihre kurze Erinnerung sofort wieder.

Alfred ging schnurstracks nach Hause, um zu packen. Mareike Koswig. Jetzt fiel ihm der Name wieder ein. Mareike war schuld. An vielem, was ihm passiert war, war letztendlich sie schuld. Und das Risiko, ihr noch einmal zu begegnen, war zu groß. Daher war es besser, die Stadt zu verlassen.

18

Bovenden, Juni 1970

Sogar jetzt, nach zweiundzwanzig Uhr, war die Abendluft noch so lau, dass Martina Bergmann in ihrem nagelneuen grünen Käfer bei offenem Fenster fuhr. Sie war vollkommen glücklich. Heute war ihr einundzwanzigster Geburtstag, und sie hatte ihn mit ihren Eltern, ihrem Bruder Paul, ihrer Tante Tilli und ihren Großeltern gefeiert.

Den ganzen Nachmittag hatten sie auf der Terrasse gesessen und den Sommertag genossen. Ein absoluter Glücksfall. Martina konnte sich an viele verregnete Geburtstage in ihrer Kindheit erinnern.

Vor einem halben Jahr war sie zu Hause ausgezogen, hatte einen Job als Kinderkrankenschwester im Göttinger Klinikum bekommen und verdiente ihr erstes eigenes Geld. Den Käfer hatten ihr ihre Eltern zum Geburtstag geschenkt, und nun brannte sie darauf, ihre Tante Tilli, die in Northeim wohnte, nach Hause zu fahren und das neue Auto auszuprobieren.

Inzwischen war sie seit wenigen Minuten auf der A7 unterwegs und entspannte sich immer mehr, denn das Auto fuhr ruhig und leicht, und sie fühlte sich sicher und wunderbar frei.

»Du kannst bei mir übernachten, wenn du willst«, sagte Tilli. »Dann musst du nicht auch noch zurück nach Göttingen.«

»Danke, Tilli, lieb von dir«, meinte Martina, »aber ich genieße es ja, dass ich einen Grund habe zu fahren. Es ist so wunderbar. Von so einem Auto hab ich immer geträumt. Es fährt einfach toll, und jetzt habe ich auch mit dem Einkaufen überhaupt keine Probleme mehr. Ich hätte nie gedacht, dass mir meine Eltern so ein Wahnsinnsgeschenk machen!«

»Warum nicht?« Tilli lächelte. »Andere bekommen ein Auto zum Abitur, du bekommst es eben mit einundzwanzig. Zum Start ins Leben sozusagen.« Tilli hatte eine angenehm warme Stimme. Sie war zwei Jahre älter als Martinas Mutter, sah aber etliche Jahre jünger aus. Vielleicht macht das die Frisur, dachte Martina, die steht ihr einfach großartig.

Sie hatte ihre Tante von der Seite angeschaut und den Brocken nicht gesehen, der direkt auf sie zugeflogen kam und in diesem Augenblick durch die Frontscheibe krachte.

Martina verriss das Steuer, der Wagen fing an zu schleudern, sie bremste verzweifelt, prallte links gegen die Leitplanke und wurde durch die Wucht des Aufpralls wieder zurück auf die rechte Seite geschleudert, wo sie schließlich in den leicht abschüssigen Graben rutschte und liegen blieb. Der Kopf ihrer Tante Tilli war nur noch eine breiige, blutige Masse, in der ein Gesicht nicht mehr zu erkennen war. Der riesige Feldstein lag auf der Rückbank. Martina Bergmann sackte über dem Steuer zusammen und wurde ohnmächtig. Es war zweiundzwanzig Uhr fünfunddreißig.

Die drei starrten wie hypnotisiert von der Brücke in die Tiefe.

»Irre«, sagte Thorsten, »wir haben einen erwischt.«

»Komm, lass uns abhauen«, meinte Alfred.

»Warum denn?« Thorsten hatte es überhaupt nicht eilig. »Ich will erst mal sehn, was die jetzt machen. Wenn wir sofort abhauen, haben wir ja nichts davon.«

»Aber die kriegen uns, wenn wir hier oben stehen bleiben!« Alfred bekam es mit der Angst zu tun.

»Erst schmeißt du den Stein und machst den großen Maxe, und dann ziehst du auf einmal den Schwanz ein? Was ist denn los?« Thorsten beobachtete fasziniert, dass jetzt ein weiteres Auto an der Unfallstelle hielt.

»Na also, jetzt geht's ja endlich los. In dem Käfer sitzen zwei Leute. Einen hast du voll in die Fresse getroffen. Sauber, Freddy.«

Alfred wusste nicht mehr, was er tun sollte, er wollte nur noch weg. »Mensch, kapierst du denn nicht, Thorsten, wir müssen hier verschwinden!«

»Ach was«, Thorsten winkte ab. »Sollen die uns doch erst mal was beweisen. Man wird doch wohl noch gucken dürfen!«

Bernie bückte sich plötzlich und übergab sich. Als er mit dem Kopf wieder hochkam, war er ganz grün im Gesicht. »Ich mach den Scheißdreck nicht mit, ich hau ab.« Er konnte kaum sprechen und krächzte nur. Dann drehte sich um und wollte wegrennen, aber Thorsten war schneller und hielt ihn an der Jacke zurück.

»Du spinnst wohl, du Schisser. Wir haben das alles inszeniert, jetzt gucken wir uns die Inszenierung auch an. Oder willst du selber mal erleben, wie es ist, von der Brücke zu fliegen?«

Mittlerweile hatte noch ein weiterer Wagen an der Unfallstelle angehalten. Ein Mann versuchte, Martina aus dem Auto zu ziehen. Ein anderer Mann aus dem zweiten Auto rannte los, um ein Warndreieck aufzustellen.

»Lass uns nach unten gehen«, schlug Alfred vor. »Gleich werden jede Menge Schaulustige da sein. Unter denen fallen wir nicht auf. Und wir können trotzdem sehen, was los ist.« Bernie nickte hilflos.

»Okay«, sagte Thorsten, »gehen wir runter.«

Als Alfred, Thorsten und Bernie bei der Unfallstelle ankamen, trafen fast zeitgleich Polizei und Rettungswagen ein. Weitere Autos hatten angehalten, Schaulustige versammelten sich um den grünen Käfer, der Rettungshubschrauber wurde angefordert, die Polizei sperrte die Autobahn, und es bildete sich ein Stau. Als klar war, dass in der nächsten halben Stunde an eine Weiterfahrt nicht zu denken war, kamen noch mehr Schaulustige hinzu, die in ihren Autos warten mussten.

Es herrschte ein heilloses Durcheinander, die Polizei drängte die Gaffer zurück und hatte damit alle Hände voll zu tun.

Doch Alfred war es gelungen, einen Blick in den Käfer zu werfen, und er sah diesen Klumpen aus Fleisch und Blut und Knochensplittern, diesen blutigen Matsch mit klebrigen blonden Haaren, der einmal ein Kopf gewesen war.

Er ging ins Gebüsch, um sich wie Bernie zu übergeben, und fühlte sich so elend wie noch nie in seinem Leben. Er versuchte zu horchen, was Rolf dazu sagen würde, aber da kam nichts. Keine Stimme, noch nicht mal ein Gedanke.

»Was ist denn überhaupt passiert?«, fragte Thorsten die Umstehenden dreist, aber er bekam keine Antwort.

Wenig später hielt ein Leichenwagen. Tillis Überreste wurden in einen Sarg gelegt, und der Wagen fuhr mit ihr davon. Martina wurde mit dem Hubschrauber ins Universitätskrankenhaus geflogen, den Stein konfiszierte die Polizei. Den grünen Käfer würde morgen früh der Abschleppwagen holen. Er war nur noch Schrott.

Thorsten und Bernie blieben noch an der Unfallstelle. Für sie war es der Kick überhaupt, was so ein simpler Stein alles bewirken konnte.

Alfred ging davon. Vollkommen unbemerkt. Zu Fuß. Er war jetzt nicht mehr in der Lage, den geklauten Ford, den sie an einer Landstraße in der Nähe der Brücke abgestellt hatten, noch einmal kurzzuschließen und damit die anderen und sich nach Hause zu fahren. Sollte sich doch Thorsten daran versuchen. Aber Thorsten meinte immer, er sei ein technischer Idiot, und überließ diese Dinge daher den anderen. Und Bernie hatte so etwas bestimmt noch nie gemacht. Aber was interessierten ihn jetzt die anderen. Die würden schon irgendwie nach Hause kommen. Zur Not müssten sie eben trampen, obwohl das gefährlich war. Der Autofahrer könnte sich an sie erinnern.

Alfred ärgerte sich über diese Gedanken. Warum zerbrach er sich den Kopf über Thorsten und Bernie, er hatte jetzt weiß Gott genug eigene Probleme.

Die fast elf Kilometer Fußmarsch, die er vor sich hatte, störten ihn nicht, er hatte ja die ganze Nacht Zeit. Es war nur wichtig, zum Frühstück wieder zu Hause zu sein, damit seine Mutter keine blöden Fragen stellte.

Die warme Mittagssonne hatte getäuscht. Jetzt in der Nacht wurde es empfindlich kühl, ein unangenehmer, böiger Wind fegte ungebremst über die weiten Felder. Alfred trug nur ein T-Shirt und eine Lederjacke, die er auch jetzt noch nicht zumachte, obwohl er am ganzen Körper zitterte. Er hatte eine Frau umgebracht, verflucht noch mal, einfach so, ohne es zu wollen, ohne nachzudenken, aus einer Laune heraus, nur um seinen Kumpels zu imponieren. Er wollte die Zeit zurückdrehen, nur um vierundzwanzig Stunden, das würde schon reichen, dann wäre alles wie immer. Und plötzlich erschien ihm dieses »wie immer« als das Erstrebenswerteste überhaupt.

Der Wind trieb die Wolken vor sich her, und in einer Lücke kam plötzlich ein halber Mond zum Vorschein. Er wusste nicht, ob es abnehmender oder zunehmender Mond war, es interessierte ihn im Grunde auch nicht, aber Rolf hätte es gewusst. Rolf hatte sich für alles interessiert, daher hatte er auch auf fast alles eine Antwort gehabt. Vielleicht, wenn da jemand gewesen wäre, den er lieben könnte, so jemand wie Rolf, vielleicht wäre dann alles anders gekommen.

Aber jetzt ging er nach Hause zu seiner Mutter und seinen Schwestern, die ihm herzlich egal waren, und würde weiterlügen, um zu verhindern, dass sie erfuhren, was geschehen war. Nur um nicht ertragen zu müssen, dass aus ihren Blicken nicht mehr nur Gleichgültigkeit, sondern nun auch Verachtung sprach.

Er spürte, dass er seinen Vater schmerzlich vermisste, diesen Mister Unbekannt, der ihn gezeugt hatte und dann einfach so und völlig grundlos gestorben war.

Um zwei kam er zu Hause an. Durchgefroren und vollkommen erschöpft. Im Haus war alles dunkel. Niemand schien sein Ausbleiben bemerkt zu haben, niemand hatte sich Sorgen gemacht. Und dass seine Mutter nachts noch einmal nachgesehen hatte, ob er zu Hause war oder nicht, war vollkommen unvorstellbar.

So leise wie möglich stieg er die schmale Treppe zu seiner Wurstekammer hoch und legte sich – so wie er war – auf sein Bett. Obwohl er hundemüde war, konnte er nicht einschlafen. Alles hätte er darum gegeben, das Geschehene ungeschehen machen zu können.

Mareike Koswig war nach ihrer Ausbildung ihr drittes Jahr im Polizeidienst. Seit zwei Monaten war sie im Außendienst, fuhr zusammen mit ihrem Kollegen Holger Meise Streife. Sie schlichteten Familienstreitigkeiten, brachten Betrunkene in die Ausnüchterungszelle und nahmen Blechschäden zu Protokoll. Mareike hatte schon einige schwere Unfälle gesehen, aber etwas Derartiges noch nie. Den Anblick von Tillis zerschlagenem Schädel würde sie wohl nie mehr loswerden und ewig vor Augen haben. Mareike machte die Fotos am Unfallort, die in derselben Nacht noch entwickelt wurden.

Um drei Uhr zwanzig stoppten sie einen Geisterfahrer, der mit 2,8 Promille in die falsche Richtung fuhr und nichts davon bemerkt hatte. Um vier Uhr fünfzehn kamen sie zurück aufs Revier. Die entwickelten Fotos lagen vor. Mareike hatte Tilli mehrmals fotografiert. Von allen Seiten. Anscheinend hatte sie immer wieder auf den Auslöser gedrückt, ohne viel darüber nachzudenken. Sie sah darin ihre einzige Chance, gegen das Furchtbare anzugehen.

Auf einem der Fotos war das Gesicht eines Jungen zu sehen, der voller Entsetzen durch die Scheibe auf die beiden Opfer sah. Er hatte dunkle, leicht wellige Haare und markante Wangenknochen. Mareike hatte Tilli von der Seite fotografiert, und der Blitz hatte das Gesicht des Jungen voll beleuchtet.

»Was hältst du davon?« Sie hielt Holger das Foto unter die Nase.

»Tja …, da guckt einer durchs Fenster. Er war ja nicht der einzige Gaffer.«

»Sieh ihn dir doch mal genau an! Der ist vierzehn, vielleicht fünfzehn, allerhöchstens sechzehn!«

»Na und?« Holger wusste nicht, worauf sie hinauswollte.

Mareike stand auf und holte sich eine Tasse Kaffee vom Beistelltischchen an der Wand, auf dem die Kaffeemaschine stand und leise vor sich hin brodelte. Es war bestimmt ihre siebte Tasse in dieser Nacht.

»Was tut ein Junge abends um halb elf auf der Autobahn? Kannst du mir das mal sagen? Die nächsten kleinen Orte sind alle kilometerweit entfernt.«

»Mein Gott.« Holger sah das alles nicht so dramatisch. »Vielleicht stand er mit seinen Eltern im Stau, und die ganze liebe Familie hat wissen wollen, was passiert ist?«

»Eltern mit einem Halbwüchsigen im Auto steigen nicht aus, um sich erschlagene und zermanschte Menschen anzusehen! Niemals! Die sind froh über jedes Bild von Gewalt, das ihr Sohn nicht unmittelbar mitbekommt. Nein, Holger, ich sag dir, was ein Fünfzehnjähriger nachts auf der Autobahn macht: Steine von der Brücke schmeißen!«

Holger sah aus, als wache er jetzt erst auf. Er war plötzlich sehr nachdenklich. »Vielleicht hast du Recht.«

»Wir müssen versuchen, ihn zu finden. Das Bild ist nicht schlecht.«

»Gut.« Holger ging zur Landkarte, die an der Wand hing. »Hier war der Unfall. Und von dieser Brücke flog der Stein.« Er markierte die Stelle mit einer roten Stecknadel. »Die Kollegen von der Kripo sollten im Umkreis von dreißig Kilometern mit dem Foto in die Schulen gehen. Irgendwo wird man ihn kennen.«

»Das denke ich auch. Ich schicke den Kollegen die Aufnahmen rüber und schreibe einen kurzen Bericht dazu.«

Holger nickte, und Mareike setzte sich an ihren Schreibtisch. Sie war sehr mit sich zufrieden.

Bereits zwei Tage später hatte die Kripo das Gesicht auf dem Foto identifiziert. Sie wusste, dass sein Name Alfred Heinrich war und dass er die neunte Klasse der Kurt-Tucholsky-Hauptschule besuchte.

Am 23. Juni um fünfzehn Uhr dreißig standen zwei Krimimalbeamte und Mareike Koswig vor der Heinrichschen Tür. Mareike hätte eigentlich zu Hause im Bett liegen und schlafen müssen, denn sie hatte die ganze Woche Nachtschicht, aber der Fall interessierte sie so sehr, dass es ihr wichtiger war, die Kollegen zu begleiten. Sie überlegte ohnehin, ob sie nicht über kurz oder lang zur Kripo wechseln sollte.

»Kripo Göttingen«, sagte Weiland, der ältere der beiden Beamten. »Ist Ihr Sohn zu Hause?«

Edith nickte stumm. Sie runzelte die Stirn und sah aus, als erwarte sie in den nächsten fünf Minuten ihre Hinrichtung.

»Das ist gut«, sagte Weiland. »Wir müssen ihm ein paar Fragen stellen, und Sie müssten dabei sein, weil er minderjährig ist.«

Edith nickte erneut und öffnete die Tür weit, als Zeichen, dass die drei Beamten eintreten sollten.

In der Küche saßen sie sich wenige Minuten später gegenüber. Alfred war flammend rot vor Aufregung und konnte nichts dagegen tun.

»Wo warst du vorgestern Nacht, so zwischen zehn und elf?«, fragte Kölling, der jüngere der beiden Beamten.

»Zu Hause. Wo soll ich sonst gewesen sein? Ich wohne hier.« Alfred versuchte, einen schnoddrig, lockeren Ton anzuschlagen, was bei den Beamten aber nicht sonderlich gut ankam.

»Es soll vorkommen, dass man als Jugendlicher abends auch mal weggeht. Zu Freunden, in eine Kneipe oder Diskothek?«

Alfred schüttelte den Kopf. »Ich war hier.«

»Und was hast du den ganzen Abend gemacht?«, fragte Weiland.

»Für diese Scheißschule Vokabeln gelernt. Englisch. Wir haben gestern ne Arbeit geschrieben.«

»Und? Wie ist es gelaufen?«, fragte Mareike freundlich.

»Beschissen. Hundertprozentig verhauen.«

»Dann kannst du ja nicht so toll gelernt haben«, meinte Kölling trocken.

»Doch. Aber es kam was völlig anderes. Nicht das, was ich konnte.«

Weiland nickte ein deutliches ›Ich-glaube-dir-kein-Wort‹ und wandte sich an Alfreds Mutter.

»Können Sie bestätigen, dass Ihr Sohn am 21. Juni den ganzen Abend zu Hause war?«

Edith zögerte und rieb sich die Stirn, als müsse sie scharf nachdenken. »Ich weiß es nicht. Kann sein, kann auch nicht sein. Er geht, wann er will, er kommt, wann er will, er tut, was er will. Ich kümmere mich nicht drum. Er ist alt genug. Wenn ich ihn von morgens bis abends kontrollieren würde, dann hätte ich eine Lebensaufgabe. Und ich habe – weiß Gott – anderes zu tun.«

Mama, dachte Alfred, Himmel, Mama, kannst du mir nicht einmal helfen? Ein einziges Mal? Ist es dir denn so scheißegal, was die jetzt mit mir machen?

»Ich würde gern mit Ihrem Mann sprechen«, sagte Weiland zu Edith.

»Er ist tot. Seit Alfreds Geburt.« Ihre Stimme klang bitter.

Weiland verstummte. Kölling übernahm den Part und wandte sich an Alfred.

»Was hast du am Montagabend um zweiundzwanzig Uhr dreißig an der A 7 gemacht, als der schwere Unfall passiert ist? Du hast den Unfall doch gesehen?«

Alfred wusste einen Moment nicht, was er jetzt sagen, wie er reagieren sollte, aber da legte ihm Weiland das Foto vor. Tillis zertrümmerter Schädel und sein Gesicht dahinter.

»Das bist du doch, oder?«

Alfred nickte stumm. Viel Spielraum hatte er nicht mehr.

Köllings Ton wurde schärfer. »Was hattest du da zu suchen?«

Alfred zuckte die Achseln. »Nichts. Wir sind da so rumgefahren, ein paar Kumpels und ich, und da haben wir den Unfall gesehen und angehalten, um mal zu gucken, was da passiert ist.«

»Mit was für einem Auto wart ihr unterwegs?«

»Mit einem von meinem Kumpel.«

Weiland klappte den Notizblock auf. »Name? Adresse? Automarke? Autonummer?«

Alfred wurde immer kleinlauter. »Ich verpfeife keinen.«

Kölling grinste. »Wenn man nichts ausgefressen hat, verpfeift man keinen! Nur, wenn man was auf dem Kerbholz hat. Also?«

Alfred erkannte, dass er einen Fehler gemacht hatte, und wagte den Schritt nach vorn.

»Okay, wir haben das Auto geklaut. Aber nur, um durch die Gegend zu fahren. Dann wollten wir es wieder zurückstellen.«

Edith atmete tief aus und pfiff dabei leise durch die oberen Schneidezähne, die ein bisschen auseinander standen.

»Und? Habt ihr es zurückgestellt?«

»Ich weiß nicht.«

»Wieso weißt du das nicht?«

»Ich bin nach Hause gelaufen.«

»Was?« Jetzt meldete sich Mareike zu Wort, denn sie kannte die Gegend genau. »Von der Unfallstelle bis hierher, also von Nörten-Hardenberg bis Bovenden, das sind ungefähr elf Kilometer! Warum bist du gelaufen?«

»Ich weiß es nicht. Mir war so. Die andern gingen mir auf die Nerven.« Er war diesem Verhör nicht gewachsen, das spürte er ganz deutlich.

»Wie viele wart ihr?«, fragte Kölling.

»Drei.«

»Wie heißen die beiden andern?«

»Das sag ich nicht.«

»Okay. Dann geht das alles allein auf deine Kappe. Wenn dir das lieber ist, bitte. Hattet ihr euch an dem Abend gestritten?«

Alfred schüttelte den Kopf. Wenn er ja gesagt hätte, hätte er erklären müssen, warum, und ihm fiel beim besten Willen nichts ein. Sein Kopf war wie leer gefegt, und er hatte das Gefühl, alles falsch zu machen, was man nur falsch machen konnte.

»Gut. Dann mal weiter im Text«, meinte Weiland. »Also, wann habt ihr euch getroffen?«

»So um sieben.«

»Wo?«

»Hier im Ort. Am Jugendheim.«

»Und was habt ihr dann gemacht?«

»Nichts. Rumgequatscht. Bier getrunken.«

»Wo?«

»Am Brunnen. War so schönes Wetter.«

»Und dann?«

»Dann haben wir das Auto geklaut.«

»Wo?«

»Von einem Grundstück am Bahnübergang. Die Leute haben nichts gemerkt. Die haben wahrscheinlich ferngesehen.«

»Was war das für ein Auto?«

»Ein Ford.«

»Welche Farbe?«

»Son ganz dunkles, dreckiges Rot.«

Edith unterbrach die Befragung. »Ich hab draußen noch was zu tun.«

»Das muss leider warten, Frau Heinrich«, sagte Kölling, und Weiland fragte weiter.

»Was habt ihr dann gemacht?«

»Sind spazieren gefahren.«

»Wohin?«

»Einfach so. Durch die Gegend. Keine Ahnung.«

»Wer ist gefahren?«

»Ich.«

Edith schnaufte. »Seit wann kannst du das?«

»Schon lange.«

»Wo habt ihr mit dem Auto gehalten, als ihr den Unfall gesehen habt?«

»Auf der Landstraße. Am Straßenrand.«

»Und dann seid ihr über die Brücke gelaufen und auf der anderen Seite runter zur Unfallstelle?«

Alfred nickte.

Mareike unterbrach ihren Kollegen. »Ich kenne die Ecke gut. Von der Landstraße aus hat man keinen Einblick auf die Autobahn. Da konnten die Jungs den Unfall gar nicht bemerkt haben. Erst von der Brücke aus kann man alles sehen.«

»Das ist ja interessant.« Weiland beugte sich vor und sah Alfred direkt in die Augen, was Alfred unangenehm war. »Warum habt ihr denn dann gerade da gehalten? Kannst du mir das erklären?«

Alfred kratzte sich am Rücken, um Zeit zu gewinnen. »Wir haben ne Sirene vom Polizeiwagen gehört, und darum haben wir angehalten.«

Kölling grinste. »Haut man nicht eher ab, wenn man das Martinshorn von einem Polizeiwagen hört und in einem geklauten Auto sitzt?«

Alfred zuckte mit den Achseln. Auch diese Ausrede war nach hinten losgegangen.

Weiland rieb sich die Hände. »Die Geschichte wird ja immer bunter. Also, ihr haltet an, weil ihr einen Polizeiwagen hört und neugierig werdet, lauft auf die Brücke, seht den Unfall, geht hin zur Unfallstelle, seht euch alles genau an, und dann fahrt ihr nicht etwa mit dem geklauten Auto, für das sich ja Gott sei Dank niemand interessiert hat, wieder nach Hause oder in die nächste Kneipe oder was weiß ich, nein, einer von euch, nämlich du, marschiert elf Kilometer zu Fuß nach Hause. Ohne dass es einen Streit gegeben hat. Das kapier' ich nicht, Alfred. Und du kannst mir nicht erzählen, dass du Lust auf einen Spaziergang hattest. Das glaub' ich dir nämlich nicht.«

Alfred schwieg. Er wusste nicht mehr weiter.

Weiland war fast am Ziel. »Ich werd dir sagen, wie es war: Ihr gurkt mit dem geklauten Auto durch die Gegend, habt kein Ziel, und es ist ziemlich langweilig. Da kommt einer von euch auf die Idee, ein paar Steine von einer Brücke zu schmeißen. Davon habt ihr schon mal gehört, und das wollt ihr mal ausprobieren. Und im Dunkeln sieht euch auch keiner. Ihr wollt ja keinem was tun, ihr wollt nur mal ein bisschen die Autofahrer erschrecken, einfach mal beobachten, was passiert. Tolle Idee, endlich ist noch was los in dieser Nacht. Vielleicht willst du den andern imponieren, vielleicht denkst du auch einfach nicht, was das für Konsequenzen haben kann, jedenfalls wirfst du den ersten Stein, der trifft die Windschutzscheibe eines Käfers, und etwas Furchtbares geschieht. Das Auto schleudert und bleibt im Straßengraben liegen. Ihr bekommt alle einen Heidenschreck und rennt runter, um zu sehen, was wirklich passiert ist. Du guckst durch die Scheibe und siehst, was du angerichtet hast. Plötzlich kapierst du, dass du eine Frau umgebracht hast, und haust ab. Läufst einfach los. Du hast einen Schock und rennst nach Hause. Lässt deine Kumpel Kumpel und das Auto Auto sein. War es so?«

Es war still in der Heinrichschen Küche. Niemand sagte ein Wort. Dann hielt es Edith nicht mehr aus.

»Das hast du gemacht, Alfred? Sag mal, spinnst du? Bist du von allen guten Geistern verlassen?«

Alfred wusste, dass es vorbei war. Er saß gehörig in der Tinte, es gab keine Ausrede und keinen Ausweg mehr. Und das machte ihn wütend. Er spürte, wie seine Wangen vor Zorn glühten, und hatte unbändige Lust, alles in dieser verdammten Küche kurz und klein zu schlagen. Aber er tat es nicht, sondern starrte seine Mutter an, die seinem hasserfüllten Blick problemlos standhielt.

Warum bist du nie auf meiner Seite, dachte er und presste die Lippen aufeinander, um sie nicht anzuschreien. Ich hoffe, dass du nie meine Hilfe brauchst, Mama. Verlass dich bloß nicht auf mich, Mama, nie mehr!

Die drei Polizisten standen auf. »Wir müssen Ihren Sohn mitnehmen, Frau Heinrich«, erklärte Mareike.

Edith nickte. Als Alfred mit den Beamten zur Tür ging, sagte sie zu Mareike: »Sein Fruchtwasser war grün. Grün und giftig. Ich wusste immer, dass mit ihm etwas nicht stimmt.«

Die Beamten antworteten nicht und verließen mit Alfred das Haus. Alfred grinste. Grünes, giftiges Fruchtwasser. Nur der Bauch einer Hexe konnte sich damit füllen. Seine Mutter hatte ihn vergiften wollen, und er hatte es überlebt. Er war eben etwas Besonderes. Und das war ihm jetzt noch klarer als zuvor.

19

Hahnenmoor, November 1986

Auf dem Bahnhof-Zoo war es zugig und kalt. Alfred ging langsam den Bahnsteig entlang. Der nächste Zug nach Braunschweig sollte um vierzehn Uhr fünfzehn einfahren, jetzt war es dreizehn Uhr zweiunddreißig. Er hatte dreiundvierzig Minuten Zeit, und dennoch hatte er sich am Info-Schalter keine Fahrkarte gekauft. Er hasste es, wie ein Bittsteller in einer Schlange zu stehen und von seinem Hintermann angestarrt zu werden. Er wollte keinen Atem in seinem Nacken spüren und auf keinen Fall unabsichtlich berührt werden. Die unvermeidbare Enge in einer Menschenschlange machte ihn unsicher und nervös.

Seine gesamten Habseligkeiten hatte er in zwei Taschen verstaut: eine lederne Umhängetasche, die sehr schwer war und deren Riemen ihm tief in die Schulter schnitt, und eine blau-grüne Sporttasche aus Plastik, deren unhandliches bauchiges Format ihn beim Gehen behinderte, was ihn wütend machte. Minutenlang spielte er mit dem Gedanken, die beiden Taschen einfach auf dem Bahnsteig stehen zu lassen und wegzugehen oder sie in das Abteil eines Zuges zu stellen, mit dem er nicht fahren würde. Dann wäre er endlich frei. Selbst ein auf zwei Taschen reduzierter Besitz erschien ihm wie störender Ballast. Aber dann verwarf er den Gedanken wieder. Dort, wo er hinwollte, brauchte er einige Dinge, die überlebenswichtig waren: Streichhölzer, Kerzen, Messer, Taschenlampe und einiges mehr.

Alfred verließ den Bahnsteig noch einmal und schleppte sich mit seinem Gepäck die Treppe hinunter zurück ins Bahnhofsgebäude. An einem Kiosk kaufte er sich einen Hot Dog mit Senf und dazu einen Kaffee. Das Quietschen der Züge war selbst hier in der Bahnhofshalle ohrenbetäubend laut. Die Ansagen, die andauernd aus den Lautsprechern plärrten, waren nicht zu verstehen. Wer darauf angewiesen ist, kann einpacken, dachte Alfred. Ein Ausländer hat überhaupt keine Chance.

Aus dem Mülleimer, der direkt neben ihm stand, kam der Gestank von vergammelten Fleischresten, und Alfred wechselte den Stehtisch, weil ihm sofort übel wurde.

Noch fünfunddreißig Minuten.

Braunschweig. Merkwürdigerweise freute er sich fast darauf, nach Braunschweig zu fahren. Dort hatte er drei Jahre mit Grete gewohnt. Margarete Fischer, seine Noch-Ehefrau und Mutter seines Sohnes Jim.

Es war ein wunderschöner Sommertag vor sechs Jahren Anfang Juli, als er Grete das erste Mal beim Joggen begegnete. Er putzte nachts in einem Bürohaus und hatte es sich zur Angewohnheit gemacht, am Morgen noch ein paar Kilometer zu laufen, bevor er sich schlafen legte. Die sportliche Frau, die wesentlich älter war als er, lief dieselbe Strecke und hielt mit seinem Tempo locker Schritt. So liefen sie fast zwangsläufig nebeneinander her. Er lud sie zum Kaffee ein. Bereits bei diesem ersten Treffen erfuhr er, dass sie sechsunddreißig war und einen elfjährigen Sohn, Tom, hatte, mit dem sie allein lebte. Toms Vater hatte sie verlassen als Tom zwei Jahre alt war. Ohne Grund, ohne Erklärung – eines Tages war er einfach weg und hatte sich nie wieder gemeldet. Sie hatte keine Telefonnummer, keine Adresse, wusste noch nicht einmal, ob er noch lebte.

Alfred fand es faszinierend, dass sich ein Mann in unserer zivilisierten Welt einfach so in Luft aufgelöst hatte, aber das sagte er ihr nicht. Er hatte Angst, sie zu verletzen.

Sie erzählte, dass sie in einer Buchhandlung arbeite und mit ihrem Job sehr zufrieden sei. Da sie viel lese, brauche sie das Joggen unbedingt als Ausgleich.

Als sie ihn fragte, was er mache, sagte er, er studiere Wirtschafts-wissenschaften im dritten Semester. Er habe wenig Geld, eine win-zige Wohnung und putze nachts in einem Bürohaus, um sein Stu-dium zu finanzieren.

Grete imponierte das. Sie tauschten Telefonnummern aus und verabredeten sich für den nächsten Morgen.

Dass er die Beziehung zu Grete gleich mit einer Lüge begonnen hatte, belastete ihn überhaupt nicht.

In der kommenden Woche sahen sie sich täglich. Sie liefen je-den Morgen ihre Strecke durch den Forst und frühstückten dann gemeinsam, da Grete erst um zehn in der Buchhandlung sein musste. Tom ging in die fünfte Klasse, er aß meist bei seinem Freund Stefan zu Mittag, machte dort auch seine Schularbeiten und kam dann gegen Abend nach Hause, so wie Grete auch. Das klappte problemlos, die Mutter von Stefan war froh, dass ihr Sohn nicht immer allein war, und hatte ein Auge auf die beiden. Dafür organisierte Grete ab und zu einen Ausflug am Wochen-ende und entlastete dann Stefans Mutter für ein paar Stunden. Hin und wieder übernachtete Stefan auch am Wochenende bei Tom.

Am Samstag der zweiten Woche lud Grete Alfred zum Abendes-sen in ihre Wohnung ein. Sie kochte gern und wollte sich etwas ein-fallen lassen.

Alfred kam pünktlich. Er brachte Rosen mit und ein Spielzeug-auto für Tom, den er an diesem Abend zum ersten Mal sah.

Tom war ein ausgesprochen hübscher Junge. Er hatte glattes, dunkles Haar, das ihm immer wieder in die Stirn fiel und das er mit einer Kopfbewegung aus den Augen schüttelte. Während Grete in der Küche das Essen fertig machte, alberte er mit ihm herum. Grete war glücklich, wie gut sich die beiden verstanden.

Sie hatte sich selbst übertroffen und mehrere Gänge italienisch gekocht, aber Alfred hatte nur wenig Sinn für das köstliche Essen. Als Tom so gegen halb zehn brav, aber widerwillig in seinem Zimmer und im Bett verschwand, machte Alfred Grete Komplimente über ihren wunderbaren Sohn.

Nach dem Essen begannen sie zum ersten Mal gemeinsam zu trinken, und sie tranken viel. Alfred wurde übermütig und Grete sehr viel ungezwungener und gelassener.

Schließlich nahm sie ihn bei der Hand und zog ihn ins Schlafzimmer, wo beide Betthälften schon frisch bezogen waren und Grete langsam anfing, sich auszuziehen.

Alfred hatte Angst vor dieser Premiere. Sein Gesicht glühte, er begann zu schwitzen. Obwohl er Fluchtgedanken entwickelte, goss er sein Glas noch einmal voll, trank in großen Zügen und lächelte gequält. Er wusste beim besten Willen nicht, was er jetzt tun sollte.

Du hast es doch gewusst, dachte er, du hast es doch geahnt, als du die Einladung zum Abendessen angenommen hast, du kannst doch jetzt nicht schlappmachen! Aber seine Selbstvorwürfe nützten ihm wenig, Grete lag bereits nackt auf dem Bett und lächelte ihm zu.

»Komm«, hauchte sie, »worauf wartest du denn noch?«

Ihm war, als müsse er vom Zehnmeterbrett ins eiskalte Wasser springen. Das hatte er auch als Kind im Freibad nie gewagt und war jedes Mal verspottet worden, wenn er oben auf der Plattform kehrtmachte und unter allgemeinem Gelächter die Leiter wieder hinunterkletterte.

Er setzte sich aufs Bett und zog sich langsam aus. Kam sich nackt und fremd und merkwürdig vor unter den Augen einer Frau. Sie hielt sein zögerliches Verhalten für Schüchternheit, was ihn in ihren Augen nur noch attraktiver machte.

Als er mit dem Ausziehen fertig war, zog sie ihn zu sich, schmiegte sich an ihn und begann, ihn sehr langsam und vorsichtig zu verführen.

Irgendwann vergaß er, was mit ihm geschah. Er hatte die Augen geschlossen, und als er die Berührungen zu genießen begann, dachte er nicht mehr an Grete, sondern an Tom, und gab sich seinen Fantasien hin.

Es war ein warmer Spätsommertag Ende August, als alles anders wurde. Sie hatten an diesem Tag einen Ausflug zu einem See gemacht, es war drückend heiß, und Alfred tobte mit Tom und Stefan im Wasser. Grete hatte keine Lust zu schwimmen, saß am Ufer auf einem Badetuch und entkernte eine Wassermelone. Der Saft der Melone tropfte auf das Tuch und lockte die Wespen an. Grete hielt einen Moment inne, drückte sich eine Hand gegen den Bauch und verzog das Gesicht, als habe sie Schmerzen. Dann streckte sie mühsam ihr Bein aus, das sie angewinkelt hatte, und sah nicht, dass sie mit dem Fuß über eine Wespe rutschte, die sofort zustach. Grete schrie auf vor Schmerz. Alfred, der im Wasser gerade Tom fest umarmt hielt, erschrak. Er dachte, Gretes Schrei habe ihm gegolten, und ließ Tom sofort los. Tom schwamm daraufhin zu Stefan und tobte mit ihm weiter.

Grete rief Alfred, aber Alfred hatte wegen seiner Erektion Probleme, an Land zu gehen.

Als er es schließlich wagte, rannte er schnell aus dem Wasser, schlang sich ein Handtuch um die Hüften und nahm Grete in den Arm. Sie war so mit ihrem anschwellenden Fuß beschäftigt, dass sie gar nicht auf Alfred geachtet hatte.

»Dieses elende Vieh …«, sie deutete auf die tote Wespe, die sie erschlagen hatte.

»Du musst mit dem Fuß ins Wasser«, sagte er. »Das kühlt.«

»Ich kann nicht auftreten. Es tut verdammt weh.«

Alfred nahm Grete auf den Arm und trug sie zum See. Er ging bis zur Hüfte hinein, sodass nur Gretes Füße im Wasser hingen. Durch die Kühlung ließ der Schmerz nach.

Grete schlang ihre Arme fester um seinen Hals und drückte ihr Gesicht an seine Brust.

»Ich bin schwanger, Alfred«, flüsterte sie.

Alfred hatte das Gefühl, im sandigen Grund des Sees zu versinken, starrte auf Tom und Stefan, die einige Meter entfernt sich gegenseitig versuchten unterzutauchen, und war unfähig zu reagieren.

»Was ist denn?«, fragte Grete irritiert.

»Gar nichts! Es ist wunderbar! Ich habe nur nicht damit gerechnet, es ist so neu, so überraschend für mich.« Er sprach viel zu schnell, und Grete grinste amüsiert. »Wie konnte das denn passieren?«

»Das zeig ich dir, wenn wir zu Hause sind. Wollen wir fahren? Den Kindern wird auch langsam kalt im Wasser.«

Alfred nickte und trug sie ans Ufer. Dann küsste er sie. Das war sein abschließender Kommentar.

Das Badetuch war mittlerweile voller Wespen, und auch die Melone war von den Insekten völlig in Beschlag genommen. Grete schüttelte sich vor Entsetzen. Sie rief die Jungen und flüchtete dann so schnell wie möglich ins Auto, während Alfred die Melone ins Gebüsch warf, das Badetuch im See ausspülte, sich anzog, alles zusammenpackte und im Wagen verstaute.

Grete brachte einen gesunden Jungen zur Welt, der 3300 Gramm wog, einundfünfzig Zentimeter lang war und den sie Jim nannten. Alfred hatte sich den Namen gewünscht, als Erinnerung an seinen Vater, der nach Amerika ausgewandert war und den er schon ewig nicht mehr gesehen hatte. Grete hatte nichts dagegen. Das unentwegt schreiende Baby auf ihrem Arm hatte eine kleine Stupsnase und sah genau aus wie ein »Jim«, davon war sie überzeugt.

Vier Wochen später fand die Hochzeit statt. Alfred hatte niemanden aus seiner Familie zur Feier eingeladen, was Grete überhaupt nicht verstehen konnte, aber letztlich war es ihr herzlich egal. Wichtig war für sie nur, dass sie jetzt einen wundervollen Ehemann und Vater für ihre beiden Söhne hatte.

Für Alfred war von Bedeutung, dass er Gretes Namen angenommen hatte.

Er hieß jetzt Alfred Fischer, und nichts erinnerte mehr an den Alfred Heinrich, der er bis zu seiner Hochzeit gewesen war.

Als er in Braunschweig ankam, hatte Alfred nur noch das dringende Bedürfnis, allein zu sein. Die Menschen im Zug, auf den Bahnhöfen, in den Straßen und auch die vorweihnachtliche Stimmung in der Stadt zwei Tage vor dem ersten Advent gingen ihm erheblich auf die Nerven. Die ersten Weihnachtssterne blinkten in den Fenstern, und vor der Tür des Kaufhofs gingen schlampig verkleidete Weihnachtsmänner mit Bärten, die lediglich mit Gummibändern hinter den Ohren festgehalten wurden, auf und ab und verteilten Prospekte. Es regnete leicht, und der Verkehr staute sich in alle Richtungen.

Alfred nahm den Bus um siebzehn Uhr dreißig in Richtung Celle. Sein Lieblingsplatz in der letzten Reihe war frei. Er kontrollierte, ob nirgendwo ein Kaugummi klebte oder ein Fleck auf den Plastikbezügen war, und setzte sich dann ans Fenster.

In Watenbüttel bog der Bus auf die Bundesstraße 214 ein. Jetzt, in der Dunkelheit, konnte er von der Gegend zwar nicht viel erkennen, aber er mochte es, durch die kleinen Dörfer zu fahren und sich vorzustellen, wie hinter den beleuchteten Fenstern Kinder Schularbeiten machten, fernsahen, mit Freunden spielten oder mit ihren Eltern beim Abendbrot saßen.

In Ohof stieg er aus und wartete fünfunddreißig Minuten auf einen Bus, mit dem er bis Müden fuhr. Den Rest ging er zu Fuß.

Hier in dieser Gegend kannte er sich glänzend aus. Er mied die großen Wege und ging mit schlafwandlerischer Sicherheit durch den Wald und auf schmalen Pfaden durchs Moor. Im Winter waren um diese Zeit keine Spaziergänger mehr unterwegs, und er sah auch kein am Waldrand geparktes Auto, in dem sich ein Liebespaar vergnügte.

Ohne einem Menschen zu begegnen erreichte er nach zwanzig Minuten den Steinbruch. Der Bauwagen, den er suchte, stand immer noch an derselben Stelle. Sein Herz klopfte so wild, dass es ihm in den Ohren dröhnte, als er mit seinem Taschenmesser die Tür aufbrach.

Auf dem Tisch standen leere Ölsardinendosen, die als Aschenbecher benutzt worden waren und vor Kippen überquollen, außerdem jede Menge leere Bierflaschen. An der Tür hing jetzt das Poster eines Pin-up-Girls, das mit Dart-Pfeilen beworfen und vor allem in die üppige Brust getroffen worden war.

Vor dem winzigen Fenster hing immer noch der orange-beigegestreifte Fetzen Gardine, der auch schon vor drei Jahren dort gehangen hatte, nur dass die Farben mittlerweile fast völlig verblasst waren. Er lächelte, als er sich daran erinnerte, wie er die Gardine zugezogen hatte, als Daniel nackt vor ihm lag, mit vor Angst weit aufgerissenen Augen und schweißnasser Stirn. An Entdeckung hatte er keine Sekunde gedacht, er wollte durch das Zuziehen der Gardine lediglich verhindern, dass irgendjemand diesen zarten Jungen, der einzig und allein ihm gehörte und nur für ihn bestimmt war, so bloß, in seiner ganzen Unschuld sehen könnte.

Alfred setzte sich auf die Pritsche und strich leicht über die Decke.

Daniel. Zwei Tage und eine Nacht hatte er mit ihm gespielt, bis er zu erschöpft war, um den Rausch noch weiter auszudehnen. Es war eine kleine Ewigkeit gewesen, die intensivste und wunderbarste Zeit, die er je erlebt hatte, nur dass sie für Daniel alles andere als wunderbar gewesen war. Und jetzt, jetzt endlich, war er an den Ort zurückgekehrt, der seit drei Jahren regelmäßig in seinen Träumen wiederkehrte, was ihn mit tiefer Dankbarkeit erfüllte. Hier in diesem Bauwagen wollte er in den kommenden Tagen nichts weiter tun, als sich seinen Erinnerungen hinzugeben. Vielleicht gelang es ihm, noch einmal zu spüren und zu genießen, was er mit Daniel und Benjamin immer und immer wieder getan hatte. So lange, bis er ihr Flehen erhören und Gnade walten lassen konnte. Er war barmherzig und schickte sie in die Freiheit, in den Tod, auch wenn er sie dadurch verlor. Er hatte die Macht, und er liebte sie.

Der Regen wurde immer stärker. In diesem Moment wünschte er sich, jetzt nicht allein zu sein, obwohl die Erinnerungen wunderbar waren und niemand sie ihm mehr nehmen konnte. Er hatte nicht viele Bedürfnisse, glaubte, ein bescheidener Mensch zu sein, und sehnte sich nur danach, Kinder zu finden, die zitternd und bebend in seinen Armen lagen und auf einen Ausweg hofften, ihrem Schicksal zu entgehen. Dabei war ihre einzige Bestimmung, seine Wünsche wahr werden zu lassen.

Er hatte den Sinn seines Lebens verstanden. Er war nicht dazu da, Frauen glücklich zu machen oder Reichtümer anzuhäufen, sondern Kinder zu sammeln, Spielzeuge Gottes, die nur er vor den Enttäuschungen des Lebens bewahren konnte.

Die Erinnerungen an Daniel Doll wurden immer realer, bis er glaubte, Daniels Haut zu riechen, die nach Sonne und Wärme duftete. In seiner Fantasie sah er vor sich eine staubige Landstraße in flirrender Hitze. Alfred ging mit nackten Füßen diese Straße entlang, hörte das Knirschen der kleinen Steine unter seinen Sohlen und konnte die Erregung spüren wie einen heftigen, süßen Schmerz. Der blaue Himmel hatte tausend Augen, die ihn und Daniel, der sich vor ihm im Gras rekelte, wohlwollend beobachteten.

Die Sehnsucht nach einem warmen kleinen Körper übermannte ihn in diesem Moment derart, dass ihm schwindlig wurde. Er stand auf und hielt sich mit weit auseinander gebreiteten Armen an den Wänden des Bauwagens fest.

An jenem Ostermontag vor drei Jahren hatte er so lange neben Daniel gesessen und den toten Körper gestreichelt, bis er kalt und blass war und seine Haut nicht mehr duftete. Zwei, drei Stunden. Genau konnte er das heute nicht mehr sagen. Selbst den Angstschweiß des Kindes konnte er irgendwann nicht mehr riechen. Daniel war nur noch eine Hülle, und sein kaltes Fleisch wurde wächsern und unelastisch.

Alfred hatte begriffen, dass es Zeit war zu gehen. Er wollte Daniel als einen sanften Windhauch in Erinnerung behalten und nicht als eine Puppe aus Modelliermasse mit glanzlosen Augen in tiefen, dunklen Höhlen. Im Todeskampf war Daniels weit geöffneter Mund nicht in der Lage gewesen zu schreien und hatte ihn auf eine Idee gebracht, die er noch in die Tat umsetzen wollte. Im Bauwagen lag neben anderem Werkzeug auch eine Zange. Er nahm sie und brach einen der vorderen Eckzähne heraus. Es war erstaunlich leicht und ging sehr schnell. Jetzt besaß er ein kleines Souvenir, das ihn für immer an Daniel erinnern würde. An den Engel mit dem zarten Flaum auf den dünnen Ärmchen.

Daniel hatte es geschafft. Er war erlöst. Und Alfred hatte ihm dabei geholfen.

Als er danach durch das stockdunkle nächtliche Hahnenmoor zu seinem Auto lief, das er weit entfernt geparkt hatte, drehte er den Zahn zwischen seinen Fingern hin und her, bis Daniels geronnenes Blut abgerieben und schließlich verschwunden war.

Es war vier Uhr früh und vollkommen still im Haus. Aber als er die Wohnungstür aufschloss, spürte er, dass irgendetwas anders war als sonst, und das machte ihn nervös. Er betrat den Flur, schloss leise hinter sich die Tür und vermied es, Licht zu machen. Er lauschte in die Dunkelheit. Nichts. Daraufhin zog er die Schuhe aus und schlich lautlos den Flur entlang bis zur Küche. Erst nachdem er die Küchentür hinter sich geschlossen hatte, schaltete er das Licht an.

Er öffnete den Kühlschrank und nahm sich einen Joghurt heraus. Er wurde das Gefühl nicht los, dass irgendetwas passiert war, und aß den Joghurt eigentlich nur, um in Ruhe zu überlegen, was als Nächstes zu tun sei. Vielleicht war Grete ja gar nicht zu Hause, vielleicht lagen auch Tom und Jim nicht in ihren Betten, möglicherweise war er allein zu Haus. Plötzlich gefiel ihm dieser Gedanke, und gleichzeitig spürte er, dass es ihm eigentlich egal war, was in dieser Wohnung vorgefallen war. Mit Daniel Doll, der seit einigen Stunden tot war, hatte es jedenfalls nichts zu tun.

Er stand auf und durchsuchte seine Hosentaschen nach dem Souvenir, als Grete plötzlich in der Tür stand. Er hatte sie gar nicht hereinkommen hören und zuckte zusammen.

»Ich habe deine Sachen bereits gepackt«, sagte sie statt einer Begrüßung. »Drei Koffer. Sie stehen im Schlafzimmer. Du kannst abhauen. Am besten noch heute Nacht. Das erspart dir die Abschiedszeremonie mit den Kindern, und du musst dich nicht so schrecklich verstellen. Du kannst sie ja sowieso nicht leiden.«

Alfred hatte das Souvenir in seinen Taschen noch nicht erspürt. Das war es, was ihn im Moment am meisten nervös machte. Sein Herz klopfte wie wild, und er musste sich setzen. »Entschuldige, ich war gerade in Gedanken«, meinte er fahrig, »was hast du gesagt?«

Grete schnaufte, um nicht laut loszubrüllen und die Kinder doch noch zu wecken. Das war stark. »Hau ab!«, zischte sie. »Jetzt sofort. Verschwinde aus meinem Leben und lass dich hier nie wieder blicken!«

Grete ahnte ja nicht, wie gut ihm dieser Rausschmiss gerade jetzt in den Kram passte. Er musste verschwinden. Möglichst sofort. Und er hatte sich auf der Heimfahrt schon den Kopf zerbrochen, wie er es Grete erklären sollte. Welchen Grund er ihr nennen könnte, warum er sie Hals über Kopf verließ und sie mit beiden Kindern allein lassen würde. Und jetzt schmiss sie ihn raus. Das war einfach fabelhaft.

»Warum? Was ist passiert?«, fragte er und versuchte, seine Stimme nicht allzu gelangweilt klingen zu lassen.

»Dein Freund Herbert war hier. Während er auf dich gewartet hat, hat er mir so einiges aus deinem Leben erzählt.«

Herbert. Du liebe Güte! Alfred war davon ausgegangen, dass er sich längst zu Tode gespritzt hatte. Gab es ihn also doch noch. Aber woher hatte er seine verdammte Adresse? Wahrscheinlich von seiner Mutter. Das war die einzige Möglichkeit. Er hatte ihm die Adresse seiner Mutter gegeben. Für alle Fälle. Er hatte ja nicht ahnen können, dass sich das einmal als Fehler erweisen würde. Es war wirklich höchste Zeit zu verschwinden. Auch seine Mutter durfte nicht mehr wissen, wo er wohnte.

»Interessant. Und? Was hast du erfahren?«

»Dass du ein gottverdammter Lügner und ein richtiger Scheiß-kerl bist.«

Alfred lächelte nur und trieb Grete dadurch erst recht auf die Palme.

»Du hast kein Abitur. Du hast auch nie Wirtschaftswissenschaften studiert.«

Alfred zuckte die Achseln.

»Du hast keinen Vater, der in Amerika lebt. Dein Vater ist tot.«

»Und wenn schon. Ist das so wichtig?« Er konnte gar nicht verstehen, dass Grete sich über solche Nichtigkeiten derart aufregte.

»Du warst im Knast, weil du eine Frau umgebracht hast. Stimmt's?«

Alfred schwieg. Gretes keifender Ton ging ihm erheblich auf die Nerven.

»Jetzt begreife ich, warum du nicht mit mir schläfst. Herbert war im Knast dein Liebhaber. Du bist schwul, du warst immer schwul, und ich hasse dich.«

Daher wehte der Wind. Das mit dem Knast hätte sie vielleicht noch geschluckt, aber einen Mann geheiratet zu haben, der sie nicht begehrte, niemals begehrt hatte, das war zu viel. Er konnte es sogar verstehen, und wie sie da in der Küche stand, in ihrem dünnen, verwaschenen Nachthemd, tat sie ihm direkt Leid.

»Wo warst du die ganze Zeit?«

»Ich bin ein bisschen herumgefahren. Wollte allein sein.«

»Zwei Tage und beinah zwei Nächte?« Ihr Ton war scharf und eiskalt.

Alfred stand auf. Er wollte dieses Gespräch unbedingt beenden. Je eher er hier wegkam, desto besser.

»Ich glaube dir kein Wort. Ich glaub dir überhaupt nie mehr irgendwas.« Grete war jetzt kurz davor, in Tränen auszubrechen.

»Das brauchst du auch nicht. Grete, ich würde sagen, wir lassen das jetzt. Es bringt nichts. Wir streiten uns sonst nur. Und es ist wohl besser, wenn ich jetzt gehe. Den Wagen nehme ich mit. Okay?«

Jetzt weinte sie wirklich. Saß am Tisch, hatte den Kopf auf ihren Unterarm gelegt und schluchzte. Einen Moment überlegte Alfred, ob er sie in den Arm nehmen und trösten sollte, aber dann ließ er es bleiben und verließ die Küche.

Im Flur blieb er noch einmal stehen und durchsuchte vorsichtig und gründlich seine Hosentasche. Da war es! Gott sei Dank! Er hatte das Souvenir nicht verloren.

Er musste zweimal gehen, um die Koffer nach unten zu schaffen. Als er zum letzten Mal nach oben kam, stand Grete im Flur. Sie hatte über ihr Nachthemd eine dicke Strickjacke gezogen und hielt sie vor der Brust derart fest zu, als stünde sie im eiskalten Wind und nicht in einer geheizten Wohnung.

Alfred spielte mit dem Schlüsselbund und starrte auf die Auslegware. Zum ersten Mal bemerkte er, dass der graue Teppich auch kleine blaue Punkte hatte.

»Mach's gut«, sagte er. »Ich melde mich ab und zu. Es tut mir Leid, Grete. Ich wollte dir nicht wehtun.«

Dann drehte er sich um und ging. Zog die Wohnungstür absolut lautlos ins Schloss, als hätte er diesen Abgang schon tausendmal geübt.

Der Regen hatte aufgehört. Es war jetzt vollkommen still im Hahnenmoor. Alfred spürte eine tiefe Zufriedenheit, die seinen Körper wohlig entspannte. Und unwillkürlich musste er lächeln.

20

Alfred wachte auf, weil er am ganzen Körper zitterte, im Innern des Bauwagens war es feucht und kalt. Er lag in seinem Mantel auf der Pritsche und versuchte, sich daran zu erinnern, wann und wie er eingeschlafen war. Mühsam setzte er sich auf. Es war stockdunkel, und erst allmählich kehrte seine Orientierung zurück. Links neben ihm war die Wand, rechts neben der Liege stand die Plastiktasche. Die half ihm jetzt nicht viel, er brauchte die Umhängetasche, in der die Taschenlampe sein musste. Er ging auf die Knie und begann, systematisch den Boden abzutasten.

Angewidert fasste er in zentimeterhohe Staubflocken, die mit Haaren, Krümeln und Spinnweben unappetitliche Haufen gebildet hatten, ritzte sich den Handballen an einem rostigen Nagel auf und erschrak im ersten Moment, weil er spürte, dass Blut auf den Boden tropfte. Seine Hand brannte, und beim Weitertasten schmierte er sein Blut in Sand und Staub. Aber das beunruhigte ihn nicht. Nach drei Jahren würde niemand mehr den Bauwagen durchsuchen und das Blut auf dem Fußboden sicher nicht mehr mit dem Mord an Daniel und dem Täter in Verbindung bringen.

Nachdem er den dreckigen Fußboden abgetastet hatte, fand er die Tasche schließlich auf einem Stuhl. Die Taschenlampe lag fast direkt obenauf. Als Erstes sah er auf die Uhr. Halb sechs. Noch dreieinhalb Stunden, bis es draußen hell wurde.

Als er die Kerzen gefunden, eine angezündet und auf dem Tisch festgetropft hatte, schaltete er die Taschenlampe wieder aus, um Batterien zu sparen. Er musste den kleinen Kanonenofen in Gang bringen, sonst konnte er es hier nicht mehrere Tage aushalten. Mit einer derartigen Kälte und Feuchtigkeit hatte er nicht gerechnet, das heißt, er hatte einfach nicht daran gedacht. Die Tage mit Daniel Doll waren wunderbar warm gewesen.

Allerdings würde der Rauch des Kanonenofens verraten, dass der Bauwagen bewohnt war. Und das musste er vermeiden.

Alfred beschloss, unmittelbar nach dem Hellwerden in den nächsten Ort zu wandern, um ein paar Lebensmittel einzukaufen. Erst am kommenden Abend würde er es wagen können, den Ofen einzuheizen. In Novembernächten schlich normalerweise niemand durchs Hahnenmoor, das Risiko war also relativ gering.

Jedoch würde er innerhalb der nächsten zwölf Stunden im Bauwagen keine Chance haben, sich aufzuwärmen.

Er legte sich wieder hin. Massierte seine steifen, klammen Finger und versuchte, sein Zittern und das Klappern der Zähne unter Kontrolle zu bringen, aber es gelang ihm nicht. Eine halbe Stunde später stand er auf und verließ den Bauwagen. Hoffte, dass ein morgendlicher Marsch durch das dunkle Hahnenmoor wenigstens seinen Kreislauf in Schwung und ein bisschen Wärme in seine Füße transportieren würde.

Um neun Uhr öffnete ein kleines Edeka-Geschäft in Hahnenhorn, um halb zehn ging er hinein. Er wollte nicht als einer der ersten Kunden sonderlich auffallen. Dennoch hielt er sich in dem Laden länger auf als nötig und spürte, wie sich allmählich ein Hauch von Wärme in seinem Körper ausbreitete. Mit mehreren Müsliriegeln, Eiern, einer Packung Schnittbrot, Teebeuteln, einer Flasche Rum, zwei Packungen Spaghetti, doppelt konzentriertem Tomatenmark, einer Knolle Knoblauch und drei Literflaschen Mineralwasser verließ er das Geschäft nach einer guten Stunde wieder.

Vor einem Zigarettenladen sprang ihm auf einer Tafel die Schlagzeile »Berlin jagt einen Mörder« in die Augen. Amüsiert ging er hinein und kaufte die Zeitung. Er freute sich auf die Lektüre bei einem einfachen, aber guten Essen.

Gegen zwölf war er zurück im Bauwagen. Erleichtert stellte er fest, dass ihn offensichtlich niemand entdeckt hatte, seine Sachen waren noch komplett vorhanden und lagen genauso auf Bett und Tisch, wie er sie zurückgelassen hatte.

Mit einem einflammigen Propangaskocher kochte er sich zuerst einen heißen Tee und überdachte seine Lage. Ohne Strom konnte er leben, genug altes Bauholz zum Verfeuern lag draußen herum, einzig und allein das Wasser war ein Problem. Spätestens morgen musste er sich auf die Suche nach einem See, Teich oder Bach machen, aus dem er Wasser zum Abkochen besorgen konnte. Er war sich nicht ganz sicher, vermutete aber, dass das Hahnenmoor Naturschutzgebiet war. In diesem Fall müsste das Wasser eigentlich einigermaßen sauber und trinkbar sein.

Hunger hatte er nicht mehr. Die Spaghetti würde er erst abends kochen. Er schlürfte seinen heißen Tee in kleinen Schlucken und war vollkommen zufrieden mit sich und der Welt. Das Leben war einfach großartig, und das Beste daran war dieses wohlige Gefühl, allein zu sein und von niemandem gestört oder belästigt zu werden.

Sein Blick fiel auf die Schlagzeile der Braunschweiger Nachrichten, und er überflog den Artikel über Benjamins Verschwinden und das Auffinden seiner Leiche. Es stand nichts Neues darin und auch nichts, worüber er sich hätte Sorgen machen müssen. Unangenehm fand er lediglich, dass Mareike Koswig an den Ermittlungen beteiligt war.

Doch dann verdrängte Alfred Mareike Koswig aus seinen Gedanken und gab sich vergnüglicheren Fantasien hin. Er sah im Geiste, wie junge Beamte und Beamtinnen ohne jede Erfahrung, ohne jede Menschenkenntnis und mit wenig Ehrgeiz in der Laube herumstolperten, Spuren unbrauchbar machten, sich gegenseitig auf die Füße traten und sich Kompetenzen streitig machten. Wahrscheinlich wusste der eine nicht, was der andere tat. Dass die einzelnen Ermittlungsstränge koordiniert und geordnet zusammenlaufen und zu konkreten Ergebnissen führen würden, konnte Alfred sich nicht vorstellen. Er dachte an einen Haufen panischer Polizisten, die sich alle ungeheuer wichtig vorkamen, aber keinen klaren Gedanken fassen konnten.

Die Bilder in seinem Kopf wurden immer deutlicher, und er musste lächeln. Sie würden ihn nie überführen. Nie. Weil sie niemanden in ihren Reihen hatten, der ihm das Wasser reichen konnte. Polizisten waren biedere, obrigkeitshörige Kleinbürger, und keiner von ihnen war überdurchschnittlich intelligent. So wie er, Alfred. Keiner war auch nur ansatzweise in der Lage, eine Vorstellung zu entwickeln, was in seinem Kopf vorging, als er Benjamin Wagner und Daniel Doll tötete. Und weil sie ihn nicht verstanden, würden sie ihn auch nie finden.

Alfred wurde immer euphorischer. Er hatte jetzt keine Lust mehr, diesen dummen Artikel über die Hilflosigkeit der Polizei zu lesen, sondern schlug das einzige Buch auf, das er besaß und streckenweise fast auswendig konnte. Dostojewskis »Schuld und Sühne«.

Er saß im Schneidersitz auf der Pritsche und achtete darauf, den Rücken gerade zu halten. Das Buch lag aufgeschlagen auf seinen Knöcheln, dadurch hatte er die Hände frei, um ab und zu einen Schluck warmen Tee zu trinken. Jedes Mal, wenn er die Tasse wieder abgestellt hatte, faltete er die Hände in seinem Schoß.

Alfred las langsam, saugte jedes Wort in sich auf. »Nun, und die wirklichen Genies, also diejenigen, die das Recht haben, andere umzubringen, die sollen überhaupt nicht leiden, auch nicht für das von ihnen vergossene Blut?«

Doch, doch, dachte er und schloss einen Moment die Augen, doch, ich leide. Und las weiter: »Wer eine wirklich große Erkenntnis und ein wirklich tiefes Gefühl im Herzen trägt, dem bleiben Leiden und Schmerzen nie erspart. Und ich glaube, die wirklich großen Männer müssen zeitlebens eine tiefe Traurigkeit empfinden.«

Genau so ist es, dachte er, genau so. Er liebte dieses Buch, dies waren seine Gedanken. Sie waren ihm so vertraut, dass er oft glaubte, er hätte sie selbst zu Papier gebracht. Dostojewski und er – in Gedanken waren sie Brüder und verschmolzen immer mehr miteinander.

Er hatte mit dieser Welt dort draußen nichts zu tun. Sie war ihm lästig, weil sie ihn immer wieder zu irgendwelchen Dingen zwang. Er musste zahlen, lächeln, höflich sein. Sich ausweisen und Antworten geben. Er musste es sich gefallen lassen, dass man ihm guten Morgen wünschte, ihn ansprach und in ein Gespräch verwickelte. Er musste sich an Gesetze, Hausordnungen und Verkehrsregeln halten, er musste telefonieren und Briefe schreiben, Bescheid sagen, absagen, Vereinbarungen treffen. Das alles war ihm so zuwider. Er wollte nur leben und sich ganz seinen Gedanken hingeben, die er einzigartig fand und an denen er sich ergötzen konnte. Irgendwann würde er sie aufschreiben und sich selbst ein Denkmal setzen, damit seine Ideen niemals in Vergessenheit geraten konnten.

Daniel und Benjamin … sie waren seine Geschöpfe. Er entschied über Leben und Tod, über die Art und den Zeitpunkt ihres Sterbens. Er gehörte zu den Auserwählten, die das Recht hatten, über andere zu richten. Und dieses Wissen beflügelte ihn. Sein Dasein hatte einen Sinn, eine Berechtigung. Benjamin und Daniel waren Kreaturen, Alfred ihr Gott.

Alfred schreckte hoch, weil er Stimmen im Steinbruch hörte. Vollkommen lautlos legte er das Buch weg und nahm instinktiv die Flasche Rum, die er gekauft hatte, in die Hand, um notfalls damit zuzuschlagen. All seine Muskeln waren gespannt. Er hielt den Atem an.

Durch einen Riss in der Bretterwand sah er ein Paar, das sich stritt. Haut ab, dachte er, haut bloß ab. Er hörte nicht zu, was sie sagten und worüber sie stritten, er fixierte sie nur und atmete flach. Er fühlte sich derart gestört, dass er Kopfschmerzen bekam. Vor seinen Augen begann es zu flimmern. Wenn er ein Gewehr gehabt hätte, hätte er geschossen. Das wusste er. Haut bloß ab, dachte er immer wieder, bevor ich die Tür von diesem verdammten Bauwagen aufreiße und irgendwas passiert.

Wild gestikulierend und aufeinander einredend, entfernte sich das Paar schließlich langsam. Als es aus Alfreds eingeschränktem Blickfeld verschwunden war, horchte er noch einige Minuten angestrengt, und als er nichts mehr hörte, ging er hinaus und vergewisserte sich, dass die beiden wirklich weg waren. Dann pinkelte er in den Sand und verschwand wieder im Bauwagen.

Auf der Pritsche lag eine Wolldecke, die so bitter und stockig roch, als wäre sie seit Jahren nicht mehr gewaschen worden. Aber Alfred störte sich nicht daran. Es war jedenfalls nicht die Decke, auf der Daniel gelegen hatte. Da war er ganz sicher. Die hatte die Spurensicherung wahrscheinlich mitgenommen. Das amüsierte ihn schon wieder, und seine gute Laune kehrte zurück.

Er legte sich hin, rollte sich in die Decke und klemmte sie so gut es ging unter seinem Körper fest. Noch einmal gingen ihm Dostojewskis Sätze durch den Kopf: »Die Gewöhnlichen haben im Gehorsam gegen die Gesetze zu leben und sind nicht berechtigt, sie zu übertreten, weil sie eben gewöhnliche Menschen sind. Aber die Außergewöhnlichen haben das Recht, jedes Verbrechen zu begehen und jedes Gesetz zu übertreten, eben weil sie Außergewöhnliche sind.«

Alles an mir ist außergewöhnlich, dachte Alfred und schlief völlig mit sich im Reinen ein.

21

Berlin, Januar 1987

Marianne Wagner wusste, dass sie nach dem Frühstück um sieben die zwei weißen Tabletten schlucken und nach dem Mittagessen um zwölf die große rosafarbene Pastille in Wasser auflösen und das Glas in einem Zug austrinken musste, was absolut widerlich schmeckte. Zum Kaffee um vier bekam sie drei golden schimmernde, durchsichtige Kapseln, die sie immer lange in ihren Fingern drückte und drehte, so wunderbar sahen sie aus und noch besser fühlten sie sich an. Es war jedes Mal richtig schade, wenn sie sie mit einem lauwarmen Schluck ungesüßtem Hagebuttentee hinunterspülte. Nach den durchsichtigen Kapseln kam manchmal Peter zu Besuch. So gegen fünf. Wenn er noch stehen und einigermaßen gehen konnte. Peter hatte völlig den Boden unter den Füßen verloren. Er behauptete, Urlaub zu haben, aber Marianne wusste, dass das eine Lüge war, denn seit Benjamins Tod waren fast zwei Monate vergangen, und er saß immer noch zu Hause und trank. Er würde nicht mehr zur Arbeit gehen. Nie mehr. Davon war sie überzeugt.

Peter quälte sich beinah jeden Tag in die Klinik, weil er sie liebte. Weil sie der einzige Halt war, den er auf dieser Welt noch hatte. Das spürte und das wusste sie, aber das half ihr jetzt auch nicht mehr weiter.

Kraftlos und mit rundem Rücken saß er auf ihrer Bettkante und erzählte ihr immer und immer wieder jede Kleinigkeit, die er von Benjamin wusste, weil sie alles wissen wollte. Der Schmerz war leichter zu ertragen, wenn man ihn nicht allein erleiden musste, wenn man das Ungeheuerliche aussprach, statt es immer und immer wieder nur zu denken. Er erzählte ihr zum tausendsten Mal wie und wo man Benny gefunden und wie er auf der eiskalten chromglänzenden Bahre in der Pathologie ausgesehen hatte. Peter hatte Schwierigkeiten gehabt, seinen Sohn zu erkennen, denn so leblos und blass war ihm das kleine Gesicht völlig fremd. Bennys Haut wirkte wächsern, wie aus Knetmasse modelliert, als könne er ihn so mit nach Hause nehmen und auf die Couch legen. Und Benny würde sich nie mehr verändern. Nicht verwesen, nicht verschwinden, nur ein bisschen verstauben vielleicht.

Peter hatte ihn auf die Wange geküsst. Und seine Haut hatte sich angefühlt wie ein kalter Käse, der gerade aus dem Kühlschrank kam. Dann war er zusammengebrochen.

Marianne beneidete ihn um diesen Kuss. Sie hatte nur die Erinnerung an den Abschied von Benny an jenem Morgen, als sie nicht gewusst hatte, dass es ein Abschied für immer sein würde. Peter konnte begreifen, dass Benny tot war, weil er seine Leiche gesehen hatte, sie konnte es nicht.

Zwei Wochen lang hatte sie überlegt, was ihr geblieben war. Ein arbeitsloser Mann, der dabei war, sich zu Tode zu trinken, eine unheilbare Krankheit, eine bald unbezahlbare Wohnung und ein totes Kind. Das war weniger als nichts.

Sie schluckte jeden Tag brav die Tabletten und Kapseln und führte nach dem Abendessen das Zäpfchen ein, weil es so wunderbar schläfrig machte und sie vor Angstattacken schützte. Seit sie in der Klinik war, hatte sie noch nicht ein einziges Mal geträumt. Dafür war sie dankbar. Vor einigen Tagen hatte sie beim Fernsehen sogar einmal laut gelacht, obwohl sie sich nicht mehr daran erinnern konnte, was sie gesehen hatte.

Aber sie hatte schon lange keine Übungen mehr gemacht, hatte sich nicht dazu gezwungen, es wieder und wieder zu versuchen, wenigstens ein paar Schritte zu gehen. Und das war ein Fehler. Das merkte sie jetzt.

Sie hatte es sich nicht so schwer vorgestellt, sich aus dem Rollstuhl hochzuziehen und am Fenstergriff festzuhalten. Danach musste sie bereits ein paar Sekunden ausruhen. Aber das war egal, denn um diese Zeit war auf der Station niemand mehr unterwegs. Die Nachtschwester saß im Schwesternzimmer und las »Die Elenden« von Victor Hugo. Das hatte sie Marianne erzählt, weil sie unbeschreiblich stolz darauf war, sich durch so einen dicken Wälzer durchzubeißen. Die Gefahr, dass die Schwester ins Zimmer kam, war also relativ gering.

Es war vollkommen ruhig auf der Station. Niemand weinte, niemand schrie, niemand ging laut mit sich selbst redend den Flur auf und ab. In weiter Ferne hörte sie die jaulende Alarmanlage eines Autos und musste lächeln. Was die Leute doch für Probleme hatten! Kauften teure Alarmanlagen, um sich vor so etwas Banalem wie dem Diebstahl eines Autos abzusichern.

Eine warme Welle der Vorfreude durchflutete sie, ließ sie tiefer atmen und erfüllte sie mit Kraft. Sie nutzte den Moment, drehte den Griff des Fensters und öffnete es langsam. Die eisige Luft legte sich auf ihre Brust – sie trug nichts weiter als ein Nachthemd. Das war jetzt nicht mehr zu ändern. Wenn sie die Schwester gebeten hätte, ihr beim Anziehen zu helfen, wäre diese stutzig geworden.

Jetzt kam der schwierigste Teil. Sie klammerte sich an den offen stehenden Fensterflügel, der hin und her schwang und ihr kaum Halt gab, aber es gelang ihr, sich erneut ein wenig hochzuziehen und den winzigen Hüpfer mit ihren Armen zu unterstützen, der sie auf dem Fensterbrett zum Sitzen kommen ließ. Gott sei Dank war die Fensterbank breit genug. Langsam zog sie mit den Händen das linke Bein hoch und ließ es außen aus dem Fenster hängen, während sie sich am Fensterrahmen festhielt, um nicht hinunterzufallen. Noch nicht. Noch war es nicht so weit. Dasselbe machte sie mit dem rechten Bein. Jetzt baumelten beide Beine außen an der Hausfassade, und sie brauchte sich eigentlich nur noch abzustoßen.

Marianne starrte in die Tiefe. Vor ihr lag ein kleiner Teil des Klinikparks mit zwei schmalen Rasenflächen und zwei Bänken. Drei Laternen beleuchteten den schnurgeraden Weg. Kein Ort zum Träumen, dachte sie, auch kein Ort, um sich von seinem Liebsten zu verabschieden.

Vielleicht wirst du noch mal ein Kind haben, hatte sie gedacht, als Peter vorhin um fünf bei ihr gewesen war. Mit einer jüngeren und vor allem mit einer gesunden Frau. Wenn du es schaffst, dich nicht zu Tode zu saufen, wird die Erinnerung an Benny allmählich verblassen. Ich würde es dir nicht einmal übel nehmen.

Sie strich ihm zum letzten Mal übers Haar, fuhr mit zwei Fingern zart über seine Wange und hielt an seinen Lippen inne. Mechanisch küsste er ihre Finger. Sagen konnte sie nichts. Es war schwer genug, die Tränen zurückzuhalten.

»Ich habe bei Aldi Erdbeeren gesehen«, sagte er kurz bevor er ging. »Stell dir so was Bescheuertes vor! Jetzt im Winter! Aber ich bringe sie dir mit. Morgen Nachmittag, wenn ich komme.« Er grinste, so wie er gegrinst hatte, als sie sich vor zwölf Jahren in einer Eisdiele kennen gelernt hatten, und dann fiel die Tür hinter ihm ins Schloss.

Jetzt auf dem Klinikfensterbrett dachte sie an die Erdbeeren, die er für sie kaufen und die sie nicht mehr essen würde. Sie weinte, weil er ihr so Leid tat.

Einen Augenblick wollte sie noch warten, bis sie sich beruhigt hatte. Mit dem Saum ihres Nachthemds wischte sie sich die Tränen aus den Augenwinkeln und wäre dadurch beinah vornüber aus dem Fenster gefallen.

Im ersten Moment erschrak sie, aber das ging schnell vorüber. Dann dachte sie nicht mehr an Peter, sondern an Benny, den sie in wenigen Sekunden wiedersehen würde. Irgendwo da oben im Sternenmeer. Davon war sie überzeugt.

Und als ihr Herz vor Freude zu klopfen begann, stieß sie sich vom Fensterbrett ab und flog ihm entgegen.

22

Göttingen, September 1989

»Auf dich«, sagte Mareike und hob ihr Glas.

Bettina lächelte. »Auf uns.«

Heute, am 16. September, waren sie auf den Tag fünf Jahre zusammen und saßen bei ihrem Lieblingsitaliener, um das Jubiläum zu feiern. Mareike war sehr entspannt und zufrieden. Im Grunde war sie ein glücklicher Mensch. Sie hatte eine Freundin, mit der sie zusammenlebte und die sie sehr liebte, sie hatte einen Beruf, den sie als sinnvoll empfand und der ihr, bis auf ein paar Rückschläge und Frustrationen, Spaß machte, sie hatte keine finanziellen Sorgen und war gesund. Mehr konnte der Mensch nicht erwarten. Und während sie das Glas in der Hand hielt und Bettina zuprostete, hoffte sie in Gedanken, dass es so bleiben möge.

Seit sie sich entschieden hatten, nun doch ein Kind zu adoptieren, war Bettina ein anderer Mensch geworden. Voller Lebensfreude und Energie und mit ungebrochenem Kampfgeist, was die bürokratischen Hürden betraf, die ihnen Jugend- und Sozialamt in den Weg legten. Die Vorurteile, die man einem lesbischen Paar entgegenbrachte, waren geradezu abenteuerlich. Doch Bettina biss sich durch und ließ nicht locker. Mareike bewunderte ihre unglaubliche Sturheit.

Mareike und Bettina hatten sich im Kino kennen gelernt. Durch Zufall saßen sie nebeneinander. Mareike fand die kleine Pummelige, die neben ihr saß und ohne Pause Popcorn in sich hineinstopfte, unerträglich. Genauso ging es Bettina, die ihre Nachbarin als humorlose, vertrocknete Ziege einstufte und es als Zumutung empfand, dass diese während des Films ihre Schuhe auszog. Keiner wusste heute noch zu sagen, was der Auslöser gewesen war und warum sie angefangen hatten sich zu streiten und sich irgendwann ankeiften wie zwei wild gewordene Hyänen. Als ihnen die Unverschämtheiten ausgingen, fingen sie an zu kichern und verließen das Kino, um sich irgendwo ungestört weiter unterhalten zu können. Aus der anfänglichen Antipathie wurde sehr schnell Sympathie. Bald waren beide unzertrennliche Freundinnen, aber es dauerte anderthalb Jahre, bis sie das erste Mal miteinander ins Bett gingen.

»Ich habe zu Hause eine Flasche Schampus kaltgestellt«, flüsterte Bettina. »Was hältst du nachher von einer kleinen Orgie?«

»Großartig«, meinte Mareike. »Aber dann müssen wir jetzt aufhören, Wein zu trinken, sonst habe ich morgen im Büro einen dicken Kopf und zwei Promille Restalkohol.«

Bettina grinste. Nichts und niemand würde sie je auseinander bringen. Mareike war jetzt einundvierzig, sie selbst fünfunddreißig. Bettina war davon überzeugt, dass sich ihr Leben dreißig Jahre lang unbeirrt und zielgerichtet nur auf den Tag hinbewegt hatte, an dem sie im Kino neben der Frau gelandet war, die von da an ihr gesamtes Denken und Fühlen bestimmen sollte.

Der Kellner brachte das Essen. Eine Gemüse-Lasagne für Bettina und für Mareike ein Pfeffersteak mit Sahnesoße.

»Guten Appetit, mein Engel«, sagte Mareike gerade, als ihr Handy klingelte.

»Nein«, stöhnte Bettina. »Bitte nicht jetzt. Nicht heute Abend!«

Mareike zuckte nur die Achseln und hörte, was ihr Kollege zu sagen hatte.

»Ich muss nach Sylt«, erklärte sie, als sie das Gespräch beendet hatte. »Unser Kindermörder hat wieder zugeschlagen. Ein kleiner blonder Junge. Sie haben ihn vor zwei Stunden in den Dünen gefunden.«

»Ist es denn sicher, dass …«

»Es ist sicher«, fiel ihr Mareike ins Wort. »Er ist es. Er hat wieder seine Trophäe behalten. Es tut mir so Leid, Bettina, bitte nicht böse sein.«

23

Der Junge hieß Florian Hartwig, saß inmitten einer Sandburg auf einem aus Sand gebauten Sitz vor einem aus Sand gebauten Tisch. Den Tisch zierten mehrere Sandkuchen in Form einer Schnecke, eines Fisches, einer Schildkröte und einer Katze.

Florian war erst wenige Stunden tot, als ihn ein Jogger morgens um sechs in der Sandburg entdeckte. Als man spezifische Auffälligkeiten und Einzelheiten des Tatorts und Ergebnisse der Obduktion in den Computer eingab, stellte sich sofort die Verbindung zu Daniel Doll und Benjamin Wagner her, denn auch diesem letzten Opfer, das ebenso klein, zart und blond war wie Daniel und Benjamin, fehlte der obere rechte Eckzahn. Post mortem herausgebrochen mit einer Zange.

Unter der Leitung von Mareike Koswig und Karsten Schwiers formierte sich die Soko neu. Mareike spürte, dass dieser Mörder dabei war, ihr ganzes Leben zu bestimmen, und das machte sie wütend.

Die Soko bestand aus vierzig Beamten, darunter mehrere Polizeipsychologen, die versuchten, ein Täterprofil zu erstellen und darzulegen, was in dem Mörder vorging und aus welchen Beweggründen er handelte.

Solange das Opfer in der Gewalt des Mörders war, um sein Leben bettelte, brav zu sein versuchte und alles tat, was er wollte, übte er über den kleinen Jungen die perfekte Kontrolle aus. Keine Bewegung, kein Laut, keine Geste, keine Miene entging ihm und wurde von ihm augenblicklich belohnt oder bestraft. Er bestimmte Länge und Dauer der Qual und der Angst, er diktierte die Spielregeln. Und er ließ dem Kind immer noch ein kleines bisschen Hoffnung, die Aussicht auf einen möglichen Gewinn des Spiels, damit es nicht resignierte und sich verweigerte. Er reizte die Situation aus bis zum Überdruss, bis er in Vergewaltigung und Mord seine Dominanz auslebte. Es war die Macht, die ihn erregte, nicht der Akt der Vergewaltigung an sich. Dieser omnipotente Moment löschte für eine gewisse Zeit jede selbst erlittene Erniedrigung und erfüllte ihn mit tiefer Zufriedenheit. Es gelang ihm, zumindest für eine Weile sämtliche Risse in seinem Selbstbewusstsein zu kitten.

Danach begann er mit der Manipulation der Leiche und des Tatortes, mit der er der Tat seinen unverwechselbaren persönlichen Stempel aufdrücken wollte. Niemand sollte ihm den Triumph nehmen, man sollte sich seiner erinnern. Und außerdem versuchte er, mit dieser Bühne die Polizei zu manipulieren. Sie sollte sich ein ganz bestimmtes Bild von ihm machen: Seht her, ich bin kein primitiver, gewöhnlicher Mörder, der irgendwo über ein Kind herfällt, es missbraucht und die Leiche einfach liegen lässt. Nein, ich stelle euch eine Aufgabe und fordere euch heraus. Ich werde alles daransetzen, meine Taten zu perfektionieren. Aber jetzt seid ihr an der Reihe. Ich werde euch beobachten, und falls ich einen Fehler gemacht haben sollte, werde ich ihn in Zukunft vermeiden. Da könnt ihr sicher sein.

Mareike hatte die Botschaft verstanden. Offensichtlich zehrte er lange von seinen Taten, der Akku seines Selbstwertgefühls entlud sich nur langsam. Er hatte es nicht nötig, sich bereits eine Woche später erneut ein Opfer zu suchen, er hatte Zeit. Zwischen den Morden lagen jeweils drei Jahre.

Jede Tat war ein Erfolg. Er war zufrieden mit sich, und wenn er zufrieden war, war er die Ruhe selbst.

Es gab zwei Möglichkeiten: Entweder tötete er wahllos irgendwo und suchte sich Tatorte, die möglichst weit auseinander lagen, um die Polizeiarbeit zu erschweren und möglichst unterschiedliche Direktionen zu beschäftigen, oder er tötete immer in unmittelbarer Nähe seines Wohnortes – aber in diesem Fall zog er offenbar häufig um. Was einen Grund haben musste.

Ein Mensch, der häufig umzog, war meist ungebunden. Mit großer Wahrscheinlichkeit hatte er weder Frau noch Kinder, keinen festen Job und schlug sich mit Gelegenheitsarbeiten durch.

Mehr Schein als Sein. Er war ein Versager. Ein armes Würstchen. Davon war Mareike überzeugt.

Karsten und Mareike saßen Tage und Nächte zusammen, hatten tausende Male die Tatortfotos in der Hand und spekulierten über Charakter und Motiv des Täters.

Und noch etwas erkannte Mareike: Alle drei Jungen waren vom Täter mit bloßen Händen erwürgt worden. Die Daumen des Mörders hatten mit großer Kraft den Kehlkopf zugedrückt. Der Täter musste seinen Opfern also ins Gesicht gesehen und das langsame Eintreten des Todes beobachtet haben, als er sie umbrachte. Das empfand er nicht mehr nur als Macht, sondern als das berauschende Gefühl der Allmacht. Er war Herr über Leben und Tod, stärker als der gewöhnliche Mensch, für den er nur Verachtung übrig hatte.

In der forensischen Wissenschaft ging man außerdem schon seit geraumer Zeit davon aus, dass Mörder ihre Opfer im Moment des Tötens nicht ansehen, wenn sie sie bereits vor der Tat persönlich kannten.

Der Mörder von Daniel, Benjamin und Florian hatte seine Taten demnach zwar sorgfältig geplant, aber seine Opfer zufällig ausgewählt. Er hatte keinerlei Beziehung zu ihnen, Verwandte und Bekannte der Kinder schieden als Tatverdächtige völlig aus.

So sehr sich die Beamten auf Sylt auch bemühten – niemand wollte etwas gesehen haben. Eine verdächtige Person – ein Mann mit einem Kind – ein Auto in den Dünen ... es gab keine verwertbare und ernst zu nehmende Zeugenaussage.

Auch in Berlin, in den Wohnhäusern in der Nähe der Laubenkolonie, war niemandem etwas aufgefallen. Niemand hatte einen Mann und ein Kind gesehen, niemand einen Wagen auf den ausgestorbenen Kleingartenwegen bemerkt.

Die Soko begann nun jeden zu überprüfen, der in den letzten fünf Jahren aus Braunschweig oder Umgebung nach Berlin und dann nach Schleswig-Holstein gezogen war. Mareike hielt diese Arbeit für relativ sinnlos, da sie nicht davon ausging, dass der Mörder – so wie sie ihn einschätzte – auf ein Einwohnermeldeamt ging und sich ordnungsgemäß anmeldete. Er stand am Rande der Gesellschaft, er scherte sich wenig um das Gesetz.

Mareike hatte Recht. Auch diese Nachforschungen brachten keinen Erfolg.

Vorbestrafte Kinderschänder und auffällig gewordene Pädophile wurden genauer unter die Lupe genommen, ebenso Exhibitionisten, Strafgefangene mit Freigang und gerade Entlassene. Immerhin bestand die Möglichkeit, dass der Mörder in den Jahren zwischen den Morden wegen anderer Delikte im Gefängnis gesessen hatte.

Aber keine Überprüfung brachte eine heiße Spur. Mareike verzweifelte fast.

Gemeinsam mit Karsten Schwiers gab sie eine Pressekonferenz, in der sie einräumen musste, dass sie bei der Aufklärung der beiden Fälle noch keinen Schritt weitergekommen waren.

»Irgendwo in diesem Land sitzt unser Täter vor dem Fernseher, liest die Tageszeitung, trinkt ein Bier und amüsiert sich königlich darüber, dass wir nicht die geringste Ahnung haben, wer er ist«, sagte Karsten.

Mareike nickte nur. Sie hatte ähnliche Gedanken.

24

Hamburg, Herbst 1989

Alfred hatte es im November 1986 über einen Monat im Hahnenmoor ausgehalten und sich wieder einmal bewiesen, dass er mit weniger als nichts auskommen konnte. Kurz vor Weihnachten verspürte er plötzlich eine unbändige Sehnsucht nach Meeresrauschen, stürmischem Wind und salziger Luft und machte sich kurzentschlossen auf den Weg in Richtung Nordsee.

Auf Sylt fand er einen Job im Wellenbad in List. Die Leiterin des Bades, Frau Michaelsen, stellte ihm gönnerhaft für dreihundert Mark im Monat eine Dienstwohnung im Verwaltungstrakt zur Verfügung, ein achtzehn Quadratmeter kleines Loch mit winziger Kochnische und Zugang zum Garten. Die Toilette musste er sich mit den Verwaltungsangestellten teilen, die aber nur montags bis freitags von acht bis siebzehn Uhr da waren. Duschen konnte er nach der Arbeit im Duschraum des Wellenbades.

Es war Alfreds schlimmste Zeit. Er war für die Reinigung der Duschräume, der Umkleideräume, der Flure, der Toiletten und nach Beendigung des Badebetriebs auch für die Reinigung der Schwimmhalle zuständig. Lediglich mit dem Schwimmbecken und der Wasserqualität hatte er nichts zu tun.

Er räumte den Schulkindern hinterher, die in den Schränken ihre Brotpapiere liegen und an den Haken ihre Mützen hängen ließen. Er sah die kleinen Jungen duschen, wenn er durch die Räume ging, er beobachtete sie, wenn sie in der Halle den Kopfsprung übten oder »toter Mann« im Wasser spielten.

Er hielt es kaum aus.

Fast jede Woche hatte er Fluchtgedanken, aber dann überwog wieder die Faszination darüber, was es in der Schwimmhalle zu sehen gab. Und schließlich nahm er die Herausforderung an, der ständigen Versuchung zu widerstehen. Er übte Verzicht. Tag für Tag. Zweieinhalb Jahre lang.

Bis zum Sommer 1989. Florian Hartwig kam jede Woche einmal zum Schulschwimmen und außerdem am Donnerstagabend zum Vereinsschwimmen. Florian war für ihn der Zarteste und der Schönste von allen.

Und dann traf er ihn am Strand. Dort spielte Florian mit seinem Freund Maximilian, der einen Kopf größer und doppelt so schwer war, den ganzen Sommer über. Florian hatte Vertrauen zu Alfred, er kannte ihn aus der Schwimmhalle, und er sah ihn fast täglich am Meer.

Alfred kündigte seinen Job im Wellenbad und sein »Dienstzimmer«, um sich in Bayern um seine kranke Mutter kümmern zu können, wie er seinen Kollegen erzählte. In Wahrheit verließ er Sylt gar nicht. Er verbarg sich in den Dünen und schlief im Auto, einem verrosteten Fiat, den er sich gebraucht gekauft hatte.

Und wartete auf seine Chance.

Im September war es so weit. Maximilian hatte Mumps, und Florian spielte allein. Er freute sich richtig, Alfred zu sehen, als dieser sich am Strand zu ihm in die Sandburg setzte. Und wieder war alles, was dann geschah, für Alfred so erschreckend einfach.

Die Wohnung in Hamburg fand er unmittelbar nach dem Mord an Florian Hartwig durch eine Annonce und mietete sie sofort. Er hinterlegte eine Kaution von drei Monatsmieten, und die Sache war erledigt. Sie lag im Stadtteil St. Georg und war in Größe, Schnitt und Ausstattung fast mit seiner Neuköllner Wohnung in Berlin identisch, in der er bis zum November 1986 gewohnt hatte.

Zwei Wochen später hatte er einen Job an einer Tankstelle. Dreimal in der Woche saß er von siebzehn Uhr nachmittags bis zwei Uhr früh an der Kasse und kassierte für Benzin und Diesel, Brötchen, Cola, Bier, Blumen und Zeitschriften. Er nahm seine Arbeit ernst, konzentrierte sich und machte keine Fehler. Wenn seine Kasse nach neun Stunden abgeschlagen wurde, stimmte sie pfenniggenau, denn er passte beim Herausgeben des Wechselgeldes höllisch auf. Die Unterschriften auf den Kreditkarten kontrollierte er lange und gründlich, er rechnete immer damit, betrogen zu werden.

Außerdem hatte er ständig die Zapfsäulen im Blick, versuchte sich Fahrer und Automarken einzuprägen, um genaue Angaben machen zu können, falls jemand ohne zu bezahlen davonfahren sollte. Aber er bekam keine Gelegenheit dazu.

Da er darüber hinaus jeden Tag damit rechnete, überfallen zu werden, hatte er immer eine Gaspistole in der Tasche, von der er ohne zu zögern Gebrauch machen würde. Das wusste er. Das hatte er damals am Kanal bewiesen.

Und dann war an diesem Donnerstagmittag Dieter Draheim in seinem dunkelblauen Benz vorgefahren, was sehr selten vorkam. Er betrat den Verkaufsraum und steuerte direkt auf Alfred zu, der gerade Zigaretten ins Regal sortierte.

»Es tut mir sehr Leid, Herr Fischer«, sagte sein Chef und lächelte, was Alfred im Nachhinein widerlich und anmaßend fand. »Wir hätten Sie gern weiterbeschäftigt, aber es geht leider nicht. Die Zeiten sind schwierig, und wir müssen uns personell einschränken. Ich habe Ihnen Ihre Abrechnung gleich mitgebracht.«

Alfred stand da wie ein dummer Junge. Das hasste er am allermeisten.

»Warum?«, fragte er. »Hab ich mir was zuschulden kommen lassen?«

»Nein, nein, ganz im Gegenteil!« Draheim lächelte immer noch. »Es hat gar nichts mit Ihnen zu tun, aber wir haben einfach keinen Bedarf mehr. Von einem Mitarbeiter muss ich mich trennen, Sie sind noch nicht lange bei uns, und da ist die Wahl nun mal leider auf Sie gefallen.«

Draheim reichte ihm seinen noch ausstehenden Lohn über den Tresen. Den Donnerstag hatte er voll bezahlt, obwohl erst vier Stunden um waren.

Alfred sagte nichts mehr. Er nahm das Geld und steckte es in seine Hosentasche. Dann kam er hinter dem Tresen hervor, würdigte Draheim keines Blickes, ging durch den Laden und gab einem Gestell mit Sonnenbrillen und einem Regal mit Landkarten und Autoatlanten jeweils einen kräftigen Tritt, sodass beide krachend umfielen. Dann verließ er den Laden.

Draheim tat nichts. Er schrie nicht, er schimpfte nicht, er lief Alfred nicht hinterher. Aber er beglückwünschte sich innerlich, einen Mitarbeiter, der so reagierte, losgeworden zu sein.

Die Mietkaution hatte fast seine gesamten Ersparnisse verschlungen, er brauchte dringend Geld. Und obwohl er sich dafür verachtete, rief er Grete an.

Grete war gleich beim zweiten Klingeln am Apparat.

»Hallo Liebes«, sagte er und gab sich Mühe, seiner Stimme einen frischen Klang zu geben. »Hier ist Alfred. Wie geht es dir?«

»Gut. Danke der Nachfrage. Und nenn mich nicht ›Liebes‹.«
Gretes Ton war eisig.

Himmel, dachte Alfred, das kann ja heiter werden. »Wie geht es Jim? Und Tom?«

»Gut«, sagte sie. »Sonst noch was? Du meldest dich doch nicht nach sechs Jahren Sendepause, um zu erfahren, ob Jim einen Schnupfen hat?«

»Ich habe meinen Job verloren«, murmelte er.

Grete hatte es entweder nicht verstanden, oder sie reagierte nicht darauf.

»Hör zu«, sagte sie. »Es trifft sich gut, dass du anrufst. Ich war schon fix und fertig, weil ich nicht wusste, wo ich deine Telefonnummer oder deine Adresse herkriegen soll, ich weiß ja noch nicht mal, wo deine Mutter wohnt …«, sie schnappte nach Luft, und Alfred spürte, dass sie gerade tausend Ängste ausstand, dass er auflegen könnte.

»Ich möchte wieder heiraten«, sagte sie leise. »Bist du immer noch gegen eine Scheidung, oder können wir uns endlich einigen? Sag, was du willst, und dann bringen wir es schnell hinter uns. Okay?«

Alfreds Gedanken überschlugen sich. Er fühlte sich durch Gretes Vorschlag völlig überrumpelt und hustete verlegen. Dann fuhr ihm ein heißer Sog durch den Körper, so sensationell war die Idee, die ihm in diesem Moment kam.

»Hunderttausend«, sagte er. »Dann kannst du die Scheidung haben.«

»Hunderttausend?« Grete schluckte.

»Hunderttausend. Dein Vater bezahlt die Summe sicher liebend gerne und obendrein aus der Portokasse. Meinetwegen können wir es dann auch schnell hinter uns bringen.«

»Hunderttausend sind ne Menge Geld.«

»Wenn man unbedingt heiraten will und so begüterte Eltern hat wie du, ist es ein Klacks. Fünfzigtausend sofort, und Fünfzigtausend, wenn das Scheidungsurteil gesprochen ist.«

»Ich muss mit meinen Eltern reden. Wie kann ich dich erreichen?«

»Ich habe ein Postfach in Hamburg. Nummer 10 23 56. Aber
keine Sorge, in zwei Tagen melde ich mich wieder.«

»Gut.« Grete seufzte hörbar.

»Ach, noch etwas. Ich habe nur Interesse an dem Geschäft, wenn
es schnell geht. Sag das deinem Vater. Wenn ich ein halbes Jahr auf
mein Geld warten muss, kannst du deine Hochzeit vergessen.
Montag komme ich nach Gifhorn. Da will ich die erste Rate.«

Er legte auf und fühlte sich wie ein Hundertmeterläufer nach
dem Weltrekord. Denn Grete würde das Geld beschaffen, das wusste er.

25

Eine Woche später machte Alfred einen Fünfundzwanzig-Kilome-
ter-Lauf um die Alster. Immer dieselbe Strecke, eine Runde nach
der anderen. Er wollte nachdenken.

Gretes Vater Heinz hatte ihm fünfzigtausend Mark bar übergeben, mit ziemlicher Sicherheit Schwarzgeld, was Alfred aber nicht
weiter interessierte. Spätestens im kommenden Frühjahr sollte die
Scheidung durch sein, im Sommer wollte Grete dann einen Ober-
studienrat aus Hannover heiraten. Alfred machte keine weiteren
Schwierigkeiten, an Jim hatte er kein Interesse, und Grete war ihm
eigentlich schon immer egal gewesen.

Es ging ihm gut. Alles war in Ordnung. Finanziell war er eine
ganze Weile aus dem Schneider, aber er musste sehen, dass es so
blieb. Er musste das Geld vermehren, damit er in ein paar Jahren
nicht wieder mit leeren Händen dastand.

Alfred hatte die Fünfzigtausend in seiner Wohnung sorgfältig versteckt. Zum ersten Mal fürchtete er, dass jemand bei ihm einbrechen könnte. Er hatte es gestern Abend unter der Bettdecke gezählt, damit keiner von den Nachbarn etwas sehen konnte, denn Gardinen gab es vor seinen Fenstern nicht.

So viel Geld. Noch nie hatte er so viel auf einem Haufen gesehen. Es war ein berauschendes Gefühl. Wenn du das sehen könntest, Rolf, dachte er, du würdest schielen, wie du noch nie geschielt hast, deine Augen würden in ihren Höhlen Kobolz schießen.

Rolf. Mit ihm hätte er sein Leben verbringen und all seinen Besitz teilen können. Mit ihm wäre das möglich gewesen. Wahrscheinlich wäre alles anders gekommen, wenn das damals mit Rolf nicht passiert wäre.

Alfred rannte und rannte. Er spürte weder seinen Atem noch die Muskeln seiner Beine. Er wurde nicht müde und vergaß, die Runden zu zählen. Er dachte auch nicht mehr an Geld, er dachte nur noch an Rolf. Tränen traten ihm in die Augen, vielleicht war es der schneidend kalte Wind, vielleicht aber auch die Erinnerung.

Alfred war ein Kind, das ständig allein war. Die Familie lebte von einer geringen Witwenrente, die Mutter hatte mit dem Viehzeug (so nannte sie die Tiere), dem Kroppzeug (so nannte sie die Kinder), dem Garten und dem Haushalt genug zu tun. Die Felder hatte sie verpachtet. Die Zwillinge fanden ihren kleinen Bruder schrecklich öde, und Rolf musste seiner Mutter helfen. Schularbeiten konnte er erst machen, wenn am Abend die Kühe gemolken, die Schweine gefüttert und die unentwegt quengelnden Zwillinge im Bett verschwunden waren. Rolfs Leistungen wurden schlechter, er war ständig übermüdet und schlief in der Schule immer wieder ein. Wenn ein Brief von der Schule kam, schlug ihn seine Mutter mit einem Bambusrohr, bis sein kleiner, nackter Hintern krebsrot und geschwollen war.

Alfred wurde von keinem beachtet und hatte gelernt, dass es besser war, sich zu verstecken, nicht bemerkbar zu machen und unsichtbar zu bleiben. Er saß in dunklen Ecken, unterm Küchenstuhl, hinterm Sessel, kauerte neben dem Mülleimer hinter einem schmierigen Plastikvorhang oder lag stundenlang still unterm Bett. Er sah, wie sein Bruder geschlagen wurde, und gab keinen Laut von sich. Er wusste nicht, warum es passierte, aber er fragte auch nicht. Rolf weinte keine einzige Träne bei der schmerzhaften Prozedur, und auch Alfred bemühte sich, nie zu weinen. Er schluckte seine Tränen hinunter, als eine Kuh ihn trat, während er im Stroh schlief, er weinte nicht, als er vom Apfelbaum fiel, und auch nicht, als er auf dem Hof in einen rostigen Nagel trat, der durch seinen winzigen Fuß fuhr und dessen Spitze auf der Oberseite des Schuhs wieder herauskam.

Seine Mutter schlug Alfred jedes Mal, wenn er sich etwas zuschulden kommen ließ, sein Glück war, dass sie ihn nur selten wahrnahm. Wenn er unter dem Apfelbaum träumte und zum Abendessen nicht nach Hause kam, fragte niemand nach ihm. Aber Rolf bekam an so einem Abend keinen Bissen hinunter und rannte gleich nach dem Essen los, um seinen kleinen Bruder zu suchen. Er fand ihn jedes Mal. Dann hob er ihn hoch, drückte ihn fest an sich und sagte: »Gott sei Dank, dass ich dich gefunden habe!«

Wenn Alfred dann wieder in seinem Bett lag, schlief er glücklich ein und fühlte sich ganz warm und weich. Es gab also doch einen Menschen auf der Welt, der wusste, dass es ihn gab. Und der ihn auch ein kleines bisschen mochte.

Es sprach niemand mit ihm. Seine Mutter las ihm kein Buch vor und erzählte ihm keine Geschichte. Die Zwillinge waren ganz auf sich konzentriert. Niemand erklärte ihm die Welt, niemand sagte ihm, was gut oder böse, richtig oder falsch ist.

Die schönsten Momente in Alfreds Leben waren die, wenn Rolf zum Beispiel sagte: »Los, komm mit, dann kannst du mal sehen, wie man angelt.«

Am See setzten sie sich nebeneinander ans Ufer, und Alfred durfte keinen Ton von sich geben. Aber das war er ja gewöhnt. Rolf hielt einen Stock mit einer Angelschnur ins Wasser und wartete. Alfred beobachtete ihn unentwegt und wartete auch. Rolf hatte sein Kinn auf eine Hand gestützt, sah über den See und schielte kein bisschen. Alfred fand seinen dicken Bruder wunderschön, und in diesem Augenblick liebte er ihn unendlich.

Alfred sah zu, wenn die Angelschnur plötzlich zu zittern begann und Rolf einen zappelnden, an einem Haken aufgespießten Fisch aus dem Wasser zog, der jämmerlich nach Luft schnappte. Dann nahm Rolf sein Taschenmesser und setzte unterhalb des Kopfes einen tiefen Schnitt. Alfred fand es faszinierend, wenn tiefrotes Blut langsam aus dem silbrigen Fisch herausquoll. Es war, als geschehe mit dem Fisch eine wundersame Verwandlung.

»Hat ihm das wehgetan?«, fragte Alfred.

»Nein«, meinte Rolf. »Gar nicht. Wenn Mutter mit dem Stock schlägt, ist das viel schlimmer.«

»Ist der Fisch jetzt so tot wie Papa?«

»Ja«, sagte Rolf, »aber was weißt du denn schon von Papa. Du hast ihn doch gar nicht gekannt.« Er hatte keine Lust, von seinem Vater zu erzählen, er wollte sich auf keinen Fall erinnern, es tat einfach zu weh.

Und so wurde in der Familie Heinrich die Erinnerung an einen Vater konsequent totgeschwiegen, der viel zu früh gestorben war und seine Kinder vorbehaltlos geliebt hatte. Vielleicht hätte es Alfred gut getan, wenigstens das zu wissen.

Alfred entdeckte die Welt auf seine Weise. Er kroch durch den Garten und die umliegenden Wiesen und untersuchte jedes Tier, das er fand. Er zerpflückte Spinnen, zerdrückte Schnecken, zerstückelte Frösche, Eidechsen und Käfer, einer kleinen Maus schnitt er sogar die Kehle durch, wie er es bei Rolf gesehen hatte. Die Maus war so überrascht, dass sie vollkommen geräuschlos in den Tod ging. So wie alle anderen Tiere auch. Keines hatte geschrien, noch nicht mal gejammert oder gewimmert. Und er lernte, dass es Tiere gab, die bluteten, und andere, die einfach nur matschig waren und statt Blut glasigen oder gelblichen Schleim in sich hatten. Diese Tiere fand er langweilig.

Als die Zwillinge zwölf waren, bekamen sie fast gleichzeitig – nur um wenige Tage versetzt – zum ersten Mal ihre Regel. Sie fühlten sich jetzt vollkommen erwachsen und wurden noch eingebildeter und unausstehlicher. Edith kaufte zwei Packungen mit Binden und überließ die beiden ansonsten ihrem Schicksal. Luise und Lene genossen es, während dieser Tage in der Schule nicht mitturnen zu müssen, im Übrigen war ihnen ihre Menstruation einfach nur lästig. Wie das tägliche Zähneputzen.

Alfred war fünfeinhalb, als er eines Morgens nach seiner Schwester Lene ins Bad stolperte. Lene und Luise hatten verschlafen und hatten es furchtbar eilig, in die Schule zu kommen, sie liefen noch ohne Frühstück los. Lene hatte in der Eile vergessen, die Toilettenspülung zu betätigen, und in der Kloschüssel war Blut. Alfred starrte fassungslos in die Toilette. Offensichtlich hatte seine Schwester eine schlimme Verletzung, aber sie hatte weder geweint noch geschrien. So viel rotes Blut, und sie war einfach zur Schule gerannt. Aber sie würde sterben. Noch heute Vormittag. Vielleicht dauerte es bei ihr nur etwas länger als bei dem Fisch oder der Maus oder all den anderen Tieren, die geblutet hatten.

Alfred ging davon aus, dass er seine Schwester nie mehr wieder sehen würde. Er saß den ganzen Vormittag still auf seinem Bett und spielte mit einer Steckdose, in die er einen Stecker steckte und wieder herauszog. Rein und raus. Stundenlang.

Bis Lene und Luise mittags nach Hause kamen. Kichernd und schwatzend wie immer. Lene war nicht gestorben. Ihre Augen waren auch nicht glasig geworden wie bei dem Fisch. Und sie machte auch nicht den Eindruck, als ob ihr irgendetwas wehtäte.

Alfred verstand die Welt nicht mehr.

Alfred folgte Rolf überallhin. Ein kleiner Schatten, der sich bemühte, nicht aufzufallen, nichts falsch zu machen, der unsichtbar, aber nicht allein sein wollte. Rolf war für ihn Freund und Bruder, Mutter und Vater. Er war das Tor zu einer Welt, die für Alfred ohne Rolf am Apfelbaum zu Ende gewesen wäre. Rolf beantwortete ihm die wenigen Fragen, die er stellte. Wenn er eine Antwort bekommen hatte, hielt er wieder drei Tage den Mund, um seinem Bruder nicht auf die Nerven zu gehen.

Spielten die großen Jungen Fußball, holte Alfred den Ball, wenn er über das Spielfeld hinausgeflogen und im Bach gelandet war, er fuhr bei Rolf auf dem Gepäckträger des Fahrrads und ging sogar mit ins Kino. Während Rolf für sich bezahlte, ging Alfred unter dem Fenster des Kassenhäuschens, für die Kassiererin unsichtbar, hindurch.

Es waren Filme ab sechzehn, in denen böse Menschen mit Kapuzen überm Kopf durch Tapetentüren kamen und schönen Frauen die Kehle durchschnitten, in denen Mönche in unterirdischen Verliesen ihre Gefangenen quälten, in denen immer ein Gewitter der Auftakt zu einem Verbrechen war und in denen immer etwas Schreckliches passierte, wenn jemand nachts durch einen Wald lief oder unter einer Eisenbahnbrücke hindurchging. Alfred wurde fast verrückt vor Angst. Er saß bibbernd auf dem Boden hinter den Kinostühlen und wagte es nicht mehr, zur Leinwand zu sehen. Rolf leckte Brausepulver aus seiner Handfläche und schien von den gruseligen Geschehnissen unberührt.

Alfreds Angst wuchs ins Unermessliche. Sie beherrschte sein Leben. Er traute sich abends, wenn es dunkel war, nicht mehr in den Stall und in den Keller, er schlief nur noch bei Licht und weinte bei Gewitter.

Die Zwillinge lachten ihn aus, und Edith sagte: »Dieses Kind ist zu nichts nütze.« Alfred dachte nur noch an seinen eigenen Tod, und es machte ihn wahnsinnig, nicht zu wissen, wann es passieren und welche Qualen ihn erwarten würden.

Rolf brachte ihm das Schwimmen bei, das Schnitzen von Borken-schiffchen, und er zeigte ihm, wo man Regenwürmer durchschnei-den musste, damit beide Teile des Wurms weiterlebten. Zusammen mit Rolf schoss er mit einem Spielzeuggewehr, in das sie die Minen von Kugelschreibern als Geschosse steckten, auf die Tiere im Bio-logiebuch. Rolf und er unterhielten sich in einer selbst erfundenen Geheimsprache, sie schickten sich geheime Nachrichten und ver-brannten die Zettel hinterher im Waschbecken.

An einem warmen Augustnachmittag sagte Rolf: »Komm, wir gehen uns einen runterholen.« Alfred dachte ans Äpfelpflücken oder an irgendetwas, das Rolf in seinem Zimmer im ersten Stock vergessen hatte, aber dann setzte sich Rolf unten am Bach, an ihrer geheimen Stelle, im Schneidersitz auf die Erde, und Alfred setzte sich ihm gegenüber. Rolf holte seinen Schwanz aus der Hose, und Alfred fand es total doof, im Sitzen zu pinkeln. Aber dann sagte Rolf, er solle jetzt alles ganz genauso machen wie er. Und Alfred tat es. Rolf rubbelte seinen Schwanz mit einer Hand immer hoch und runter, und Alfred rubbelte seinen kleinen, dünnen Schwanz ge-nauso. Er spürte ein angenehm kribbliges Gefühl in der Leistenge-gend, und ihm wurde wohlig warm, aber das war auch schon alles. Rolf dagegen wurde nach kurzer Zeit immer hibbeliger, rubbelte immer schneller und schließlich schielte er so schrecklich, wie Alf-red es noch nie gesehen hatte. Dann gab er einen hohen Laut von sich, als wolle er anfangen zu singen, und spritzte eine schleimig durchsichtige Flüssigkeit in Alfreds Richtung.

»Mach dir keine Sorgen«, sagte Rolf und grinste sehr zufrieden. »Das kommt bei dir auch noch. Du musst es nur immer wieder probieren, und wenn es dann klappt, ist es irre.«

Alfred fürchtete sich jeden Abend vor dem Moment, wenn er ins Bett geschickt wurde. Dann lag er zitternd da, die Bettdecke bis un-ter die Augen hochgezogen und beobachtete entsetzt die Schatten, die durch seine Kammer huschten, wenn der Wind die Blätter der großen Kastanie vor dem Haus bewegte.

Seine Mutter hatte gesagt, der Tod ist ein Sensenmann, der irgendwann kommt und die alten und kranken, aber vor allem die unnützen Menschen köpft. Früher oder später kann ihm niemand entgehen. Wenn man nachts das Käuzchen schreien hört, ist er da, und ein Mensch stirbt.

Nacht für Nacht hoffte Alfred, dass ihn der Tod nicht finden möge. Und am Morgen ging er in die Werkstatt und guckte, ob die Sense, die die Mutter nach dem Tod seines Vaters von der Wiese geholt hatte, noch an ihrem Haken hing.

Als Alfred in die Schule kam, begann sein Martyrium. Er war der Versager, der sich alles gefallen ließ und den man nach Herzenslust ärgern konnte. Bereits vor der ersten Stunde kippten ihm seine Mitschüler die Tasche aus, zerbrachen Bleistifte, zerrissen Hefte und kleksten Tinte auf die sauber geschriebenen Hausarbeiten. Sie hielten ihn fest und schnitten ihm die Haare ab, sie versteckten seinen Stuhl, sodass er als Einziger während des Unterrichts stehen musste. Sie nahmen ihm die Schulbrote weg und aßen sie vor seinen Augen auf, rissen während des Sportunterrichts Löcher in seine Hosen und nannten ihn »Blödmann«.

Alfred ertrug dies alles, wehrte sich nicht und sagte keinen Ton. Wartete darauf, dass es ihnen irgendwann keinen Spaß mehr machen würde, ihn zu quälen, so wie es ihm auch nach einer gewissen Zeit keinen Spaß mehr machte, Heuschrecken die Beine auszureißen. Aber er wartete vergebens. Sie hörten nicht auf, im Gegenteil, es wurde immer schlimmer.

Pjotr war der Stärkste in der Klasse. Er war mit seinen Eltern aus Weißrussland gekommen, hatte dort bereits die Schule besucht, musste aber wegen der Sprachschwierigkeiten hier in Deutschland noch mal ganz von vorn anfangen. Er war zwei Jahre älter als die anderen Kinder, einen halben Kopf größer und auf Grund seines schweren, kräftigen Körperbaus sehr stark. Er hatte rote Haare und eine blasse, fast weiße Haut mit riesigen bräunlichen Sommersprossen, die so groß wie Stecknadelköpfe waren und seinem Gesicht ein albernes Muster gaben. Pjotr war ausgesprochen hässlich und konnte dem Unterricht überhaupt nicht folgen, aber niemand hänselte ihn oder traute sich an ihn heran, denn Pjotr konnte andererseits zuschlagen wie sonst keiner in der Klasse. Und als er merkte, dass dies seine einzige Stärke war, war er immer der Erste, der einen Streit oder eine Prügelei anfing. So war »kaltmachen« auch das erste deutsche Wort, das er lernte.

Pjotr verachtete Alfred wegen seiner Duldsamkeit, er hatte bei diesem dünnen Hering noch nie eine Träne gesehen, und das reizte ihn.

An einem Freitag nach dem Unterricht war Alfred noch im Klassenzimmer, um seine Sachen zusammenzusuchen, was bei ihm immer länger als bei den anderen dauerte, da er grundsätzlich langsamer war, immer viel zu viel dabeihatte und all die Dinge einsammeln musste, die von den anderen versteckt worden waren.

In diesem Moment kam Pjotr herein und schloss hinter sich die Tür. Alfred wusste, dass er in der Falle saß. Vor Angst pinkelte er sich in die Hose und quiekte wie ein Schwein, das wusste, dass es abgestochen wird.

Pjotr grinste, als er mit langen, langsamen Schritten auf ihn zukam und dem viel Kleineren, der noch nicht einmal weglief, einen Schlag ins Gesicht versetzte. Alfred schluckte den ausgeschlagenen Zahn und das Blut hinunter und war unfähig, sich irgendeine Strategie auszudenken, Pjotr zu entkommen.

»Drei Mark«, sagte Pjotr. »Jede Woche. Dann Ruhe. Sonst ich dich machen kalt.«

»Die hab ich nicht«, stotterte Alfred.

»Doch, doch«, grinste Pjotr und schlug wieder zu. Diesmal in den Magen. Alfred würgte, weil er keine Luft mehr bekam, aber er übergab sich nicht. Und er weinte auch nicht.

Nun griff ihn Pjotr an der Jacke, hob ihn hoch und hängte ihn an den mittleren der vielen Kleiderhaken an die Garderobe. Alfred spürte, dass es keinen Zweck hatte zu zappeln, und bewegte sich nicht. Pjotr ging zum Schrank, in dem Lehrmaterial aufbewahrt wurde, fand eine Rolle mit Schnur und fesselte Alfreds rechte und linke Hand an weiteren Kleiderhaken, sodass er dort hing wie der Gekreuzigte und keine Chance hatte, sich zu befreien. Bevor Pjotr ging, trat er Alfred noch in die Eier. Zum ersten Mal konnte sich Alfred nicht dagegen wehren, dass ihm die Tränen in die Augen schossen.

Pjotr war hochzufrieden und verließ den Raum.

Edith schimpfte auf diese verdammte Trödelei, als Alfred nicht zum Mittagessen zu Hause war, und meinte, dass sie ihm den Marsch blasen werde, wenn er sich irgendwann mal nach Hause trauen sollte. Rolf schwieg. Er machte sich Sorgen und stocherte lustlos in seinem Essen herum. Ebenso wie die Zwillinge, die sich noch nicht ganz darüber einig waren, wie ihre fünfundzwanzigste Diät aussehen sollte. An ihren kleinen Bruder verschwendeten sie keinen Gedanken.

Obwohl er eigentlich die Wiese hinter dem Haus mähen sollte, machte sich Rolf nach dem Mittagessen auf die Suche. Im Garten war er nicht, auf dem Apfelbaum nicht, nicht am Bach und nicht bei der geheimen Stelle. Er hatte sich nicht in der Scheune verkrochen und auch nicht im Stall. Er kauerte nicht hinter der Spüle und lag nicht unterm Bett, er war zum ersten Mal wirklich verschwunden.

Rolf wurde immer nervöser. Mit dem Fahrrad fuhr er zur Schule. Der Hausmeister wohnte neben der Schule in einem kleinen Haus und hetzte vorsichtshalber erst einmal seine Hunde auf Rolf, bevor er sich die Geschichte anhörte und maulig die Schule aufschloss. Während Rolf das Schulgebäude durchsuchte, ging er rauchend durch die Umkleideräume der Turnhalle, inspizierte die Sachen, die liegen geblieben waren, und warf sie alle in einen großen Sack.

Rolf wusste nicht genau, wo die Klasse seines Bruders war, aber er fand sie schnell.

Alfred hing immer noch an der Garderobe. Sein Kinn war auf die Brust gesunken, und er sah aus wie tot. Rolf befreite ihn und trug ihn nach Hause.

Seiner Mutter erzählte Rolf, Alfred sei am Bach gestürzt, habe sich einen Zahn ausgeschlagen und sei ohnmächtig geworden.

»Wer's glaubt, wird selig«, sagte Edith, aber sie schimpfte wenigstens nicht.

An diesem Abend weinte sich Alfred zum ersten Mal seinen ganzen Kummer von der Seele. Er lag in Rolfs Armen und erzählte alles, was ihm bisher in der Schule passiert war.

Und Rolf wusste, was er zu tun hatte.

Pjotr kam drei Wochen nicht in die Schule. Er hatte eine schwere Gehirnerschütterung, einen gesplitterten Arm, zwei angebrochene Rippen und einen gebrochenen Unterkiefer.

Als Pjotr wiederkam, sprach er kein Wort mit Alfred, aber er ließ ihn in Ruhe. Auch die anderen Mitschüler hörten auf, ihn zu schikanieren. Sie mochten ihn nicht, aber sie ließen ihn jetzt wenigstens links liegen. Der Spaß war vorbei. Alfred hatte sich gewehrt und Grenzen gesetzt, wenn auch mithilfe von Rolf.

Die Katastrophe begann schleichend und unmerklich. Rolf hatte keinen Appetit und musste sich häufig übergeben, was aber nur Alfred mitbekam. Und Alfred traute sich nicht, seiner Mutter davon zu erzählen. Er hatte Angst, Rolf zu verraten oder ihm in den Rücken zu fallen. Rolf wurde immer dünner und schwächer. Plötzlich hatte er Schwierigkeiten, das Holz zu hacken oder die schweren Kohleeimer zu tragen. Er war hohlwangig und mager, und seine Mutter sagte dazu lediglich, das sei diese verfluchte Pubertät. Die Zwillinge kicherten und hungerten weiter, aber sie wurden ihren Babyspeck nicht los.

Rolfs Körper war übersät mit blauen Flecken, das fiel aber erst im Sommer auf, als er kurze Hosen trug. Seine Mutter meinte dazu, er wäre doch nun wirklich in einem Alter, in dem er aufhören könnte, sich zu prügeln.

Erst als er wegen rasender Kopfschmerzen nicht mehr aufstehen und nicht mehr zur Schule gehen konnte, ging Edith mit ihm zum Arzt.

Alfred lag unter dem Bett und wartete auf Rolf.

Gegen Mitternacht kam Edith zurück. Allein. Alfred stand in der Küche und starrte sie voller Angst an.

»Er ist im Krankenhaus«, sagte sie. »Sie haben ihn gleich dabehalten. Mach dir keine Sorgen, es ist bestimmt nichts Schlimmes. Die Ärzte kriegen ihn wieder hin. Er ist halt einfach zu schnell gewachsen.«

Alfred nickte. »Was machen sie denn mit ihm?«, fragte er leise.

»Sie waschen sein Blut. Das ist nicht ganz in Ordnung.«

Wie konnte man denn Blut waschen?, überlegte Alfred. Mit Wasser? Spülten sie jetzt Rolf irgendwie durch, war da Dreck in ihn hineingekommen? Er beschloss, es gleich morgen mit einer Maus oder einem Frosch zu versuchen.

Die Mutter breitete die Arme aus. »Komm mal her, mein kleiner Hase.«

Alfred erschrak. So etwas hatte seine Mutter noch nie gesagt, und so hatte sie ihn auch noch nie genannt. Sehr langsam und vorsichtig näherte er sich ihr, denn er hatte Angst, geschlagen zu werden, wenn er nicht tat, was sie wollte.

Sie zog ihn auf ihren Schoß, schlang die Arme um ihn und drückte ihn an sich.

»Jetzt bist du mein großer Junge«, flüsterte sie, und die Lider ihrer trockenen Augen waren flammend rot.

Alfred konnte die Zärtlichkeiten seiner Mutter nicht erwidern, aber er verstand, was dieser Satz bedeutete: Rolf würde nicht wiederkommen.

146

Alfred wollte zu seinem Bruder ins Krankenhaus. Unbedingt. Aber Edith nahm ihn nie mit. Aus Protest hörte Alfred auf zu essen und zu trinken. Alles, was er essen musste und was Edith ihm mit Gewalt einflößte oder in den Mund stopfte, spuckte er durch die Küche. Edith verprügelte ihn dafür, aber er ertrug die Schläge und hörte nicht auf zu bitten und zu betteln, mit ins Krankenhaus gehen zu dürfen. Schließlich gab Edith nach, obwohl sie nach wie vor der Meinung war, dass Kinder in Krankenhäusern nichts zu suchen hätten.

Rolf hatte keine Haare mehr auf dem Kopf und war noch dünner als vorher, aber er lächelte, als er Alfred sah. Seine Lippen waren ganz trocken und klebten aufeinander, und es fiel ihm schwer zu sprechen.

»Lass dir nichts gefallen, Kleiner, hörst du?« Alfred nickte tapfer, obwohl ihm zum Heulen war. »Du musst dich jetzt alleine durchschlagen, aber das schaffst du. Du brauchst Kraft und einen klaren Kopf. Das ist alles. Und vergiss nicht: Du bist der Chef. Du bestimmst über dein Leben. Es ist verdammt wichtig, dass du nie die Kontrolle verlierst. Sei auf der Hut und lass dich nicht überrumpeln. Das ist das Geheimnis.«

»Ich werde nie so stark sein wie Pjotr«, hauchte Alfred.

»Dann musst du klüger sein.« Er machte eine kurze Pause und atmete ein paar Mal tief durch. »Was machst du, wenn du ein Seil nicht zerreißen kannst?«

»Dann nehme ich ein Messer.«

»Na also«, Rolf versuchte zu grinsen. »Dann hast du ja kapiert, was ich meine.«

»Was redest du da für einen Unsinn?«, fragte Edith.

Rolfs Stimme wurde immer leiser. »Es geht ums Überleben, Mama, ich hab verloren, ich will nicht, dass Alfred auch noch verliert.«

Alfred legte sich zu Rolf aufs Bett, der ihn in den Arm nahm, und zum ersten Mal in seinem Leben betete Alfred zu irgendwem, den er nicht kannte, aber den er bat, die Zeit anzuhalten und ihn ewig so liegen zu lassen.

Edith sagte nichts. Sie sah auf ihre beiden Söhne und überlegte, wie es gekommen war, dass sie sich so sehr liebten. Sie hatte es ihnen nicht beigebracht.

Als Rolf eingeschlafen war, gingen sie. Alfred weinte während der ganzen Rückfahrt. Als er vor dem Haus aus dem Wagen ausstieg sagte er: »Danke, Mama.«

Nur zwei Wochen später war die Beerdigung. Für Alfred war alles, was passierte, wie ein Film, in den er sich hineingeschummelt hatte, den er aber noch nicht verstand. Er konnte sich nicht vorstellen, dass in diesem blumengeschmückten Sarg Rolf lag. Rolf, der sich nicht bewegte, nichts sagte, nicht gegen den Deckel klopfte, sondern alles mit sich geschehen ließ. Man konnte ihn doch nicht einfach in der Erde vergraben! Rolf hatte ihm noch im Krankenhaus gesagt, er wisse nicht, wo er sein würde, wenn die Krankheit ihn kaltgemacht haben würde, aber irgendwo sei er ganz bestimmt. Irgendwo, wo es keine Krankheiten und keine Pjotrs gäbe, denen man die Rippen brechen müsse. Irgendwo, wo er ganz in Ruhe beobachten könne, was auf der Erde geschieht. Und vielleicht könne er Alfred ja sogar begleiten und verhindern, dass etwas Schlimmes passiert. Er wisse es nicht, aber er werde alles versuchen, bei ihm, bei Alfred zu sein, auch wenn Alfred es nicht spüren würde.

Und jetzt dieser fest verschlossene Sarg, der in einem Loch mit meterhoher Erde zugeschüttet werden sollte? Hatte Rolf das nicht gewusst? Wie wollte er dann bei ihm sein, die Welt beobachten, Schlimmes verhindern?

Der Sarg wurde in die Erde gelassen. Noch konnte man ihn sehen. Seine Mutter stand am Grab wie eine schwarze Hexe. Sie wollte nicht, dass Rolf bei Alfred war, sie hatte die Beerdigung organisiert, sie hatte das so angeordnet. Sie bestimmte alles, und in diesem Moment hasste er sie. Neben ihr stand ihre Schwester Rita, die extra zur

Beerdigung aus Karlsruhe gekommen war. Er kannte seine Tante Rita nicht, er kannte nur ihre Glückwunschkarten zum Geburtstag und zu Weihnachten, aber sie hatte den gleichen strengen Zug um den Mund wie seine Mutter, und darum traute er ihr nicht.

Edith warf drei Schaufeln Sand auf den Sarg und wandte sich ab. Dasselbe taten Rita und die Zwillinge, die während der ganzen Beerdigung keinen Ton gesagt hatten, was ungewöhnlich war. Als er an der Reihe war, Sand in die Grube zu werfen, sagte er »nein« und rannte davon.

»Was ist das bloß für ein Kind?«, fragte Rita leise.

Edith zuckte die Achseln. »Er ist wie sein Vater. Genauso starrsinnig.«

Aus einiger Entfernung beobachtete Alfred, wie die Grube, nachdem noch Nachbarn, Freunde und Verwandte Erde hineingeworfen hatten, zugeschaufelt wurde.

Rolf hatte sich geirrt. Er würde nicht bei ihm sein können.

Und jetzt – das spürte er – war er wirklich allein.

Nach dem Tod seines Bruders Rolf sprach Alfred kein Wort mehr. Mit niemandem. Weder in der Schule noch zu Hause. Er saß teilnahmslos herum, kaute an den Fingernägeln und bohrte in der Nase. Tag und Nacht versuchte er, den Tod zu begreifen. Es wollte einfach nicht in seinen Kopf, dass jemand von einer Sekunde auf die andere für immer von der Erde verschwand.

Er wollte den Tod immer öfter und immer direkter erleben, um ihm auf die Spur zu kommen. Daher fing er eine Amsel, drückte sie in eine Schüssel mit Wasser und beobachtete, wie sie langsam und qualvoll ertrank. Eine Katze hängte er an den Hinterbeinen in der Scheune auf und zog ihr bei lebendigem Leibe das Fell ab. Die Katze schrie wie ein Baby. Alfred stand lange dabei und sah fasziniert zu, wie sie nach quälend langer Zeit langsam ihr Leben aushauchte. Eine Maus sperrte er in eine Plastikdose, bestaunte die unermüdlichen, sinnlosen Ausbruchversuche und wartete tagelang, bis sie endlich verhungert und verdurstet war. Und schließlich erdrosselte er ein Kaninchen, dem die Augen im Todeskampf aus den Höhlen quollen. Es sieht nicht mich, dachte Alfred, es sieht den Tod.

Und noch eine Erfahrung machte er: Es lag in seiner Macht, ob der Tod kam oder nicht. Er war der Boss. Er hatte die Kontrolle. Das war der Satz, den Rolf ihm auf den Weg gegeben hatte: »Du darfst nie die Kontrolle verlieren.«

Nur Rolf war einfach so gestorben. Und niemand hatte die Macht gehabt, ihn am Leben zu erhalten.

Alfred trank literweise Milch, aber weigerte sich zu essen. Seiner Mutter war er unheimlich. Sie kaufte ihm ein rotes Feuerwehrauto, aber er würdigte es keines Blickes. Nahm es noch nicht mal in die Hand. Wenn seine Mutter ihn berührte, schüttelte er sie ab, als habe sie die Pest an sich, und setzte sich ein paar Meter weiter wieder hin. Bewegungslos und in respektablem Abstand. Mit einem Blick, der nichts sah, nirgendwo endete, sich nur in der Weite verlor. Er wollte am Leben nicht mehr teilnehmen.

Nach zehn Tagen kapitulierte Edith. Sie kam gegen diese Sturheit nicht an und ging zum Pfarrer. Bat ihn, mit dem Jungen zu reden. Über Rolf. Über den Tod und über das Leben. Vielleicht hörte Alfred dem Pfarrer ja eher zu als ihr. Sie hatte ohnehin wenig Talent, die richtigen Worte zu finden.

Der Pfarrer kam und setzte sich zu Alfred ins Zimmer. Er stellte ihm keine Fragen und erwartete keine Antworten. Er verlangte von Alfred auch keine Reaktion und sah ihn gar nicht an, während er dem kleinen Jungen alles erzählte, was er über den Tod und das ewige Leben wusste, was er in Büchern gelesen und schon unzählige Male von der Kanzel verkündet hatte. Nie hatte er wirklich das Gefühl gehabt, dass seine Worte auf fruchtbaren Boden fielen. Aber Alfred hing an seinen Lippen, das sah er aus dem Augenwinkel, Alfred saugte jedes Wort förmlich in sich auf. Und für den Pfarrer hatte sein Beruf zum ersten Mal einen Sinn.

Als er von der Seele sprach, die sich vom lästigen kranken oder tödlich verletzten Körper löst, der einfach nicht mehr funktionieren kann, ging ein Ruck durch Alfreds Körper, und er fing vor Aufregung an zu zittern. »Die Seele«, sagte der Pfarrer, »ist alles, was den Menschen ausmacht. Sie kann fühlen und denken und lieben und hassen und ist nach dem Tod endlich frei und erlöst. Sie kann davonfliegen ins ewige Leben. Die Seelen der Verstorbenen sind unter uns, aber wir können sie nicht sehen. Nur manchmal können wir sie spüren. Die Seele wird zum Schutzengel, wie ein Mensch mit Tarnkappe, der immer bei uns ist und auf uns aufpasst. Die Seele kennt keine Hindernisse. Sie geht durch Mauern und Eisentüren, durch Berge und durch Seen. Wenn es die Seele eines guten Menschen ist, dann ist sie glücklich, und das ist der Himmel. War der Mensch böse, wird die Seele ewig unglücklich und unzufrieden sein, und das ist die Hölle.«

»Wann fliegt die Seele davon?«, fragte Alfred, und das war der erste Satz, den er seit Rolfs Beerdigung gesprochen hatte.

»Unmittelbar nach dem Tod«, antwortete der Pfarrer. »Wenn das Herz aufhört zu schlagen und das Gehirn aufhört zu denken, entschwindet die Seele und lässt nur noch eine menschliche Hülle zurück, die dann im Grab zerfällt. Erde zu Erde und Staub zu Staub. Unser Körper ist endlich, unsere Seele nicht.«

Von diesem Tag an aß Alfred wieder, und er redete wieder, wenn auch nur das Nötigste. Er bestand darauf, dass auch für Rolf bei jeder Mahlzeit gedeckt wurde, und dann legte er die besten und besonderen Leckereien, die er am liebsten selbst gegessen hätte, auf Rolfs Teller – aber sie blieben immer unberührt liegen, bis die Mutter sie nach dem Essen in den Mülleimer warf.

Seine Mutter und die Zwillinge hatten überhaupt nichts verstanden. Sie glaubten immer noch, dass Rolf unter der Erde lag. Er hatte keine Lust, es ihnen zu erklären, und wollte mit ihnen nichts mehr zu tun haben. Er war eben anders.

26

In den nächsten Tagen fiel die Temperatur in Hamburg rapide. An den Fenstern bildeten sich Eisblumen, und der Sand im Sandkasten war steinhart gefroren, als er ihrer Kollegin Marlies zum ersten Mal auffiel. Er trug weder einen Mantel noch eine Jacke, sondern nur eine schwarze Cordhose und einen grauen Rollkragenpullover, und stand bewegungslos in der Kälte.

»Guck mal den Kerl da drüben«, sagte Marlies. »Ich dachte, der wartet auf den Bus, aber drei hat er schon durchfahren lassen.«

Carla sagte nichts, aber behielt ihn im Blick. Er sah gut aus. Verdammt gut. Doch sein Alter war schwer zu schätzen. Sein Gesicht wirkte trotz der prägnanten Züge jung, aber sein Haar wurde bereits grau. Er sah hinüber zum Kindergarten. Unentwegt. Ihre Kollegin Rosa spielte auf dem zum Kindergarten gehörenden Spielplatz mit den Vierjährigen, die – dick eingemummelt – schaukelten oder auf den Geräten herumkletterten.

Jetzt begann er, sich die klammen Finger zu reiben. Na also, dachte Carla, ist er also doch nicht aus Stein. Langsam kroch ein Unbehagen in ihr hoch. Sie spürte das immer, wenn es in der Speiseröhre zu kribbeln begann. Ein merkwürdiges Gefühl. Carla überlegte, ob dies ein Fall für die Polizei war. Sie war die Leiterin, sie hatte die Verantwortung, sie musste sich mit den Vorwürfen auseinander setzen, wenn sie einen Fehler machte. Ein Mann, der seit einer halben Stunde zum Kindergarten herüberstarrte ... Was war das? Normal sicher nicht. Aber auch nicht wirklich unnormal. Er hatte kein Kind angesprochen. Und gucken allein war ja nicht verboten.

Sie hasste diese Momente, in denen sie nicht wusste, was sie tun sollte. Andere Leute dachten kurz nach und trafen dann eine Entscheidung. Manche dachten überhaupt nicht nach und trafen sofort eine Entscheidung. Sie konnte so viel nachdenken, wie sie wollte, sie blieb immer unsicher und war nie in der Lage, eine klare Entscheidung zu treffen. Im Grunde ihrer Seele wusste sie ganz genau, dass sie für eine leitende Position denkbar ungeeignet war, aber als man ihr diesen Posten angeboten hatte, hatte sie natürlich ja gesagt. Ohne zu überlegen. Schon, weil es ihr peinlich gewesen wäre abzulehnen. Und sie hatte sich mächtig geschmeichelt gefühlt. Offensichtlich hatte bisher nur noch niemand gemerkt, dass sie so große Probleme mit Entscheidungen hatte.

Marlies trat neben sie ans Fenster. »Ist der etwa immer noch da?«

»Komischer Typ«, murmelte Carla.

Marlies zog eine Grimasse. »Aber du kannst nichts machen. Schließlich tut er nichts.« Marlies war ähnlich wie ihre Schwester. Eine handfeste, fröhliche Person, die durch nichts so leicht aus der Ruhe zu bringen war. Sie reagierte stets schnell und intuitiv und irgendwie immer richtig. Als ein Kind vor einigen Wochen in einen spitzen Stock gefallen war, der dann in seinem Rücken steckte, hatte Marlies Elfi angeschrien, die den Stock aus dem Rücken des Kindes ziehen wollte, sie solle das bleiben lassen. Dann hatte sie das Kind genommen, mit ihm geredet und geredet und Witze gemacht und seine Hand gehalten und es gestreichelt und ihm unentwegt in die Augen gesehen, während die Feuerwehr unterwegs war. Das Kind merkte gar nicht, was mit ihm los war. Es weinte auch nicht, es war fasziniert von all dem, was Marlies ihm erzählte. Die Feuerwehrleute waren äußerst erleichtert, dass der Stock noch steckte, legten das Kind bäuchlings auf eine Trage und transportierten es ab. Marlies stieg mit ins Feuerwehrauto und redete immer weiter.

Carla war Marlies damals äußerst dankbar gewesen. Und insgeheim konnte sie sich nicht die Frage beantworten, ob sie nicht vielleicht auch dem Kind den Stock aus dem Rücken gezogen hätte, wenn sie mit den Kindern allein gewesen wäre.

Marlies' relativ unbekümmerte Ansicht über den Mann auf der gegenüberliegenden Straßenseite beruhigte Carla etwas. »Ich hol meinen Mantel und rede mit ihm«, sagte sie, und Marlies nickte. Damit war der Fall für Marlies erledigt.

Aber als Carla im Wintermantel auf die Straße trat, war der Mann verschwunden.

Am nächsten Tag stand er wieder da. An derselben Stelle, ungefähr um die gleiche Zeit. Wieder ohne Mütze, ohne Schal und ohne Handschuhe, aber heute trug er wenigstens einen Mantel. Es schneite leicht. Diesmal wartete Carla nicht erst eine halbe Stunde, sondern ging sofort zu ihm.

»Entschuldigen Sie, ich arbeite im Kindergarten gegenüber.« Wie blöd, dachte sie, wofür entschuldigst du dich? Sie konnte nicht anders. Sie war es so gewohnt. Sie entschuldigte sich auch, wenn jemand sie auf der Straße anrempelte. Als ihr vor zwei Jahren ein Autofahrer die Vorfahrt genommen und ihr in die Seite gefahren war, war sie auch ausgestiegen und hatte sich sofort entschuldigt. Sie entschuldigte sich offensichtlich ständig dafür, dass sie geboren war und die Unverschämtheit besaß, am Leben in dieser Welt teilzunehmen.

»Ich weiß«, sagte er lächelnd. »Ich hab Sie schon oft gesehen.«

»Was machen Sie hier?«, fragte Carla. »Warum beobachten Sie den Kindergarten?«

»Ich beobachte nicht den Kindergarten.« Er lächelte immer noch, und seine Zähne waren ein bisschen zu gelb. »Ich beobachte Sie! Ich habe Sie auch gestern am Fenster stehen sehen. Unschlüssig kamen Sie mir vor. Als ich plötzlich das Gefühl hatte, Sie würden zu mir herüberkommen, bin ich gegangen.«

Das verschlug ihr die Sprache. Ihr Gesicht glühte. »Warum, ich meine, warum sind Sie gegangen?«

Sein Lächeln wurde breiter. »Das interessiert Sie wirklich?« Sie nickte. »So viel Interesse hatte ich gar nicht erwartet. Aber gut.

Gestern erschienen Sie mir aufgebracht. Und ich wollte nicht mit Ihnen reden, wenn Sie wütend sind.«

»Jetzt bin ich auch wütend.«

»Nein, das sind Sie nicht.« Er behauptete es einfach. Widerspruch war zwecklos. Der Punkt ging eindeutig an ihn, und er lächelte immer noch. Aber das Lächeln war merkwürdigerweise nicht arrogant. Es war irgendwie anders. Wie, wusste sie nicht.

In ihr schrie eine Stimme, sehr schön, das war's. Verabschiede dich, geh zurück in den Kindergarten und kümmere dich um die Kinder. Lass ihn doch hier stehen und sich die Beine abfrieren. Der Mann ist dir haushoch überlegen. Du kommst gegen ihn nicht an. Er ist einer von denen, die immer sagen, wo's langgeht, und man kann nichts dagegen tun.

»Wann haben Sie Feierabend?«

»Um achtzehn Uhr.« Eigentlich müsste er das ja wissen, wenn er sie beobachtete. Aber das fiel ihr erst jetzt ein.

»Sehr schön«, sagte er. »Ich hole Sie ab. Und dann lade ich Sie zum Essen ein.«

»Ist gut«, stotterte sie, und ihr Gesicht brannte, als hätte sie in Chilisoße gebadet. Dann drehte sie sich um und lief über die Straße, ohne sich umzusehen und ohne zu bemerken, dass ein Wagen scharf bremsen musste, um sie nicht zu überfahren.

Bevor sie den Kindergarten betrat, sah sie sich noch einmal um. Er war nicht mehr da. Sie schämte sich. Schämte sich abgrundtief, dass sie die Einladung so ohne weiteres angenommen hatte. Als würde sie sich jedem Erstbesten an den Hals werfen. Sie hätte sagen müssen, okay, um acht. Aber ich möchte vorher nach Hause, duschen, mich umziehen, die Katze füttern. Aber sie hatte es nicht gesagt. Weil sie nie das sagte, was sie eigentlich wollte. Jetzt ging sie essen in Jeans und buntem Ringelpullover, den ihre Mutter ihr vor Jahren gestrickt hatte. Mit Querstreifen in Regenbogenfarben, die zwar ein bisschen dick machten, aber die Kinder liebten den Pullover, weil er so schön bunt war.

Ich werde ihm sagen, dass ich es mir anders überlegt habe, dass ich nicht mit ihm essen gehe, dass ich gar keine Lust habe. Außerdem habe ich jetzt erst im Terminkalender gesehen, dass ich keine Zeit habe … Doch als sie sich den Mantel auszog, wusste sie ganz genau, dass sie es ja doch nicht tun würde.

Marlies kam auf sie zu und grinste. »Na? Was hat er gesagt? Dass er ein Kinderschänder ist, sich aber noch nicht entschieden hat, wen er nächste Woche in den dunklen Wald locken will?«

»Nein. Er hat mich zum Essen eingeladen. Er hat *mich* beobachtet, Marlies, nicht die Kinder!«

Marlies war baff. »Und? Gehst du hin?«

Carla nickte und schämte sich schon wieder, aber Marlies fand das Ganze spannend. »Großartig. Aber tu mir einen Gefallen und iss nicht wieder vor lauter Bescheidenheit das Allerbilligste. Und nimm auch eine Vorspeise. Und schlag auf keinen Fall den Aperitif aus. Nimm Champagner, nicht Sherry oder einen albernen Prosecco. Gönn dir alles, was du dir selbst nicht leisten würdest. Mach dir einen schönen Abend, genieße das Leben und überlege dir bitte erst hinterher, ob dich der Typ interessiert oder nicht. In die Wüste schicken kannst du ihn auch noch, wenn er dich nach Hause bringt.«

Carla nickte und lächelte.

»Wo geht ihr hin?« Marlies war jetzt richtig in Fahrt.

»Keine Ahnung. Er holt mich hier um sechs ab.«

»Waaaas? Soll das heißen, du gehst in diesem fürchterlichen Klein-Lieschen-Ringelpullover essen? Das kann doch nicht dein Ernst sein!?«

Natürlich. Marlies hatte den Schwachpunkt sofort entdeckt. Marlies hätte sich niemals so die Butter vom Brot nehmen und derart überrumpeln lassen. Marlies hätte intuitiv richtig reagiert.

»Ich brauch mich doch für so 'nen Typen nicht extra schick zu machen«, versuchte sich Carla zu verteidigen.

»Nee. Für so 'nen Typen nicht. Aber für dich. Und du kannst weder das Essen noch den Abend genießen, wenn du aussiehst wie Clown Dolly, der darauf wartet, mit Sahnetorten beworfen zu werden. Praktisch, rundlich, gut. Ungeschminkt und fern der Heimat. So, wie man eben aussieht, wenn man im Kindergarten arbeitet, Carla, aber nicht, wenn man essen geht!«

»Was soll ich denn machen?« Marlies hatte ja völlig Recht.

»Fahr in der Mittagspause nach Hause und zieh dich um. Ich halte hier die Stellung. Kein Problem.«

Carla nickte. »Danke, Marlies.«

Als sie ins Büro ging, um den Dienstplan für die kommende Woche aufzustellen, überlegte sie, wer hier eigentlich die Chefin war.

27

Es war erst halb elf, als sie an diesem Abend nach Hause kam. Sie zog die Tür hinter sich ins Schloss, zog ihre Schuhe aus, und augenblicklich kam die Katze und strich ihr um die Beine, schnurrend und um Liebe bettelnd.

Sie nahm sie mit in die Küche, spendierte ihr ein paar Brekkies und kramte im Küchenschrank nach einer vergessenen Tafel Schokolade. Dann legte sie sich aufs Bett, streichelte die Katze auf ihrem Bauch, hörte leise sphärische Musik von Sade, aß ein Stück Schokolade nach dem andern und ließ den Abend noch einmal in Gedanken vorbeiziehen.

Alfred hieß er. Alfred. So altmodisch, dabei war er doch noch gar nicht so alt. Sie hatte ihn gefragt, und er hatte auch bereitwillig geantwortet. »Sechsunddreißig«, sagte er. Ein Alfred, der sechsunddreißig war. Sie hatte gedacht, die Alfreds gehörten alle der Generation ihrer Großväter an und wären allmählich ausgestorben. Alfred Fischer. So banal.

Er hatte sie gefragt, ob sie einen Aperitif wolle. Normalerweise hätte sie den Kopf geschüttelt, doch jetzt nickte sie. »Ein Glas Champagner für die Dame«, sagte er zum Kellner, als könne er in ihren Kopf gucken. Sie hatte gar nichts gesagt.

Als Vorspeise wählte sie ein Lachscarpaccio und danach eine gefüllte Poularde mit Tortellini. Dabei kam sie sich zwar schrecklich unverschämt vor, aber sie dachte an das, was Marlies gesagt hatte. Alfred bestellte nur einen Teller Pasta, Penne all' arrabiata, und machte ihr dadurch erst recht ein schlechtes Gewissen. Als sie das Lachscarpaccio aß und er ihr dabei zusah, erstickte sie fast vor Verlegenheit und war sich bewusst, dass ihr Gesicht flammend rot war. Er erzählte, dass er Vegetarier sei. Nicht, dass er nicht gerne Fleisch äße, aber er wolle nicht am Tod eines einzigen Tieres die Mitschuld haben. Er bemühe sich, in jeder Situation des Lebens, auch hier in der Stadt, jede Kreatur und sei sie noch so klein und unscheinbar, ganz gleich, ob es sich um Fliegen, Mücken oder Ameisen handle, zu achten und die Existenz der Lebewesen zu schützen.

Alles, was er sagte, machte es ihr nicht leichter, die Poularde zu essen, die nach dem Carpaccio serviert wurde und wunderbar schmeckte. Er wünschte ihr guten Appetit, aber sie schämte sich immer noch und stocherte in der Poularde herum, als äße sie zum ersten Mal in ihrem Leben mit Messer und Gabel. Jede ihrer Bewegungen kam ihr ungelenk und abstrus vor, und je mehr sie sich selbst beobachtete und darüber nachdachte, umso unsicherer wurde sie.

Alfred aß langsam und bedächtig. So bewusst, als entschuldige er sich im Stillen bei jeder Nudel, die er in den Mund steckte, dass er sie jetzt gleich vernichten würde. An seinem Rotwein nippte er nur, sie trank dreimal so schnell wie er, was sie zwar merkte, aber nicht ändern konnte. Wenn sie trank, fühlte sie sich sicherer.

Und nach Lachscarpaccio, Poularde und einem Tiramisu zum Nachtisch, das Alfred allerdings für sich selbst auch bestellte, lag sie jetzt auf dem Bett und aß noch ein Stück Schokolade nach dem andern. Die Tafel war bereits zu zwei Dritteln verschwunden.

Es war ein anstrengender Abend gewesen. Aber immerhin hatte sie erfahren, dass er Manager war. Manager einer großen Firma. Als sie nachfragte, lenkte er ab und meinte, er wolle über alles reden, nur nicht über seine Arbeit. Damit hätte er tagsüber schon genug um die Ohren, und er verschwende schon viel zu viele Gedanken an den Betrieb. Ein Manager, der sich das billigste und einfachste Gericht auf der Karte bestellt hatte. Sie fand das faszinierend, weil es so ungewöhnlich war.

Und ein Manager, der an einer Bushaltestelle stand und eine Kindergärtnerin beobachtete. Wahnsinn. Der Vegetarier war, wenig aß, wenig trank, Kälte nicht spürte und in Pullover und Jackett abends ins Restaurant ging, als wäre er Gast in einer Skihütte. Ihr Herz jubilierte. Das Leben war großartig. Es hatte Überraschungen parat, die man sich in seinen kühnsten Träumen nicht ausmalen konnte. Sie hatte einen Manager kennen gelernt! Wer weiß, vielleicht würde mit diesem Mann ihr Leben eine ganz andere Richtung nehmen.

Er hatte alles über sie wissen wollen. Über ihre Arbeit, über ihre Eltern, ihre Schwester, aber am meisten interessierten ihn ihre Träume. Was erwartete sie noch vom Leben, was wünschte sie sich? »Kinder«, sagte Carla. »Zwei oder drei. Und ein Haus mit Garten und vielen Tieren.« Mit Geschöpfen, die sie pflegen und für die sie da sein könnte. Das würde ihrem Leben einen Sinn geben. Mehr, als sich um fremde Kinder zu kümmern.

Carla sah das Unverständnis in seinen Augen. Sie spürte, dass er fragen wollte, warum sie in ihrem Alter noch keine Kinder hatte, aber er tat es nicht. Schließlich kannten sie sich erst wenige Stunden. Sie war fünfunddreißig, und sie sah aus wie fünfunddreißig. Keinen Tag jünger und keinen älter. Allmählich wurde es eng. Die biologische Uhr tickte.

Sie lächelte und half ihm auf die Sprünge. »Fragen Sie mich jetzt nicht, warum ich noch keine Kinder habe! Ich kann nur sagen, ich weiß es selbst nicht. Es kam irgendwie nie dazu. Mal war die Zeit ungünstig, weil ich in der Ausbildung war oder in meinem Beruf weiterkommen wollte, mal war der falsche Mann an meiner Seite, dann fehlte das Geld … es hat irgendwie nie gepasst, und jetzt ist es bald zu spät.«

»Aber für ein Haus mit vielen Tieren ist es nie zu spät«, sagte er.

»In der Stadt geht das nicht. Und schon gar nicht, wenn man berufstätig und jeden Tag neun bis zehn Stunden nicht zu Hause ist. Tiere darf man nicht zu lange sich selbst überlassen. Sie brauchen Liebe und Zeit. Ganz viel Zeit. Sonst werden sie bösartig. Da sind sie wie Menschen. Wer zu lange allein und zu einsam ist, wird auch bösartig.«

Alfred runzelte die Stirn. »Eine gewagte These.«

»Vielleicht. Aber ich bin überzeugt davon.« Carla nahm einen tiefen Schluck Rotwein. Alfred lächelte, und sie hatte das Gefühl, dass er sie verstand. Dass er ähnlich fühlte. Schließlich war er auch so ein Tier- und wahrscheinlich auch Kinderfreund.

Jetzt erst, hier auf der Couch, fiel ihr ein, dass sie ganz vergessen hatte, ihn zu fragen, ob er eine Frau hatte. Oder Kinder. Oder ob er vielleicht geschieden war. Sie nahm es an. Ein verheirateter Mann stand wohl kaum vor einem Kindergarten und wartete auf eine Kindergärtnerin. Es gab sicher attraktivere Frauen. Jüngere Frauen. Und wenn er eine Geliebte suchte, gab es wesentlich lohnendere Jagdreviere.

Was wollte er von ihr? Diese Frage konnte sie sich nicht beantworten. Sie war den ganzen Abend nicht dahintergekommen. Als sie fertig gegessen hatten, zahlte er sofort. Dann brachte er sie noch nach Hause. Sie gingen zu Fuß. Er hatte sie auch bereits zu Fuß vom Kindergarten abgeholt. »Ich vermeide es, Auto zu fahren«, hatte er gesagt. »Nach Möglichkeit. Zufußgehen ist gesünder. Und ich verstehe die Leute nicht, die sich wegen ein oder zwei Kilometern hinters Steuer setzen.«

Es war weit bis zu ihrer Wohnung. Sie gingen fast eine Dreiviertelstunde, und sie hatte große Mühe, normal zu gehen, denn sie wollte sich nicht anmerken lassen, dass sie sich in ihren Pumps mit dem halbhohen Absatz, die sie nur sehr selten trug, Blasen gelaufen hatte. Die Blase an ihrer rechten Ferse war bereits aufgegangen, die dünne Haut hatte sich durch die ständige Reibung abgerollt, bei jedem Schritt scheuerte die offene Wunde am harten Leder ihres noch relativ neuen Schuhs. Auf den letzten fünfhundert Metern bis zu ihrer Wohnung konnte sie nicht mehr anders und humpelte stark. Alfred sah es, aber er sagte nichts dazu. Vielleicht wollte er sie nicht in Verlegenheit bringen.

Als sie vor ihrer Haustür angekommen waren, blieb er stehen und sah sie an. »Danke«, sagte er. »Danke, dass Sie meine Einladung angenommen haben. Ich habe mich sehr darüber gefreut. Aber ich wüsste gerne, warum Sie es getan haben.«

»Ich weiß es nicht«, sagte Carla. »Ich habe gar nicht darüber nachgedacht.«

»Das ist gut«, sagte er. »Das gefällt mir.« Er lächelte, sagte: »Gute Nacht«, und verschwand in der Dunkelheit.

Carla war irritiert. Konnte überhaupt nichts damit anfangen. Und war schon wieder verunsichert, was sie einen Moment lang wütend machte.

Ich habe einen Manager kennen gelernt, dachte sie, als sie sich das letzte Stück Schokolade in den Mund steckte und langsam auf der Zunge zergehen ließ. Und ich würde alles darum geben, ihn wiederzusehen.

Sie hob die Katze von ihrem Bauch, stand auf, zog einen Stuhl vor ihr Bücherregal, stieg darauf und holte das Telefonbuch aus dem obersten Fach. Von den vier schweren Büchern war es das unterste. Natürlich. So war es immer. Sie suchte seinen Namen. Dreizehn »Alfred Fischer« standen im Telefonbuch. Davon war einer

Elektriker und einer Anwalt, alle anderen hatten keine Berufsbezeichnung. Außerdem gab es elf »A. Fischer« und dreiundvierzig »Fischer«, die ohne Vornamen eingetragen waren. Also fünfundsechzig Möglichkeiten. Jeder von denen konnte er sein. So kam sie nicht weiter. Tatsache war, dass sie von ihm keine Adresse und keine Telefonnummer hatte, sie wusste auch nicht, in welcher Firma er arbeitete. Großartig. Sie war darauf angewiesen, dass er an der Bushaltestelle auftauchte. Und wieder war es sein Part. Er hatte die Fäden in der Hand. Er würde entscheiden, ob es eine Fortsetzung gab oder nicht.

Sie schickte ein Stoßgebet zum Himmel und hoffte inständig, ihn wiederzusehen. Nie wieder würde sie im Ringelpullover zur Arbeit gehen. Jetzt musste sie täglich auf alles gefasst sein.

Hätte Carla an diesem Abend schon geahnt, wie weit Alfred in ihr Leben eingreifen würde, sie hätte den ungewöhnlichen Mann an der Bushaltestelle wahrscheinlich nie mehr eines Blickes gewürdigt.

28

Er stand nie wieder vor dem Kindergarten. Marlies bekam ihn nicht mehr zu Gesicht, was sie sehr bedauerte. Aber er rief Carla am nächsten Abend zu Hause an und duzte sie bereits am Telefon. »Hier ist Alfred«, sagte er, und es klang so merkwürdig hölzern, als würde er seinen Namen fast nie oder aber nur sehr selten aussprechen. »Hast du heute Abend Zeit? Ich würde dir gern etwas zeigen.«

»Ja, natürlich hab ich Zeit«, sagte Carla, und ihr Herz klopfte bis zum Hals.

»Zieh dir warme Sachen und bequeme Schuhe an. Ich bin um halb acht vor deiner Tür.«

Bevor sie noch irgendetwas sagen konnte, hatte er schon aufgelegt.

Sie hatte eigentlich vorgehabt, ins Kino zu gehen, aber das ging jetzt nicht mehr. Halb acht. Das waren noch zwei Stunden, und sie musste noch duschen, sich die Haare waschen, irgendetwas zum Anziehen heraussuchen, sich ein bisschen schminken und darüber spekulieren, was er ihr zeigen wollte. Einen Anruf in dieser Art hatte sie nie und nimmer erwartet. Und warum duzte er sie plötzlich? Er kam ihr vor wie ein Pferd, das sich nur widerwillig aus dem Stall ziehen lässt und dann, vor der Stalltür, auf einmal unvermittelt losgaloppiert.

Sie zog sich aus und ging unter die Dusche. Und während sie das warme, weiche Wasser über sich rieseln ließ, überlegte sie, ob sie mit ihm schlafen würde, wenn es darauf hinauslaufen sollte. Darüber wollte sie sich klar werden, damit sie die Entscheidung nicht nachher in Sekundenschnelle treffen musste. Ob sie zu ihm, in seine Wohnung gehen würden? Eine Freundin hatte einmal zu ihr gesagt: »Wenn du mit einem Mann schlafen willst, den du nicht kennst, dann mach es in seiner und nicht in deiner Wohnung. Denn wenn es wirklich so einer sein sollte, der dir was antun will, dann hat er in seiner eigenen Wohnung hinterher die Probleme mit deiner Leiche. In deiner Wohnung macht er sich einfach aus dem Staub. Und das weiß er. Er will dich vielleicht umbringen, aber er will keine Scherereien, und darum bist du in seiner Wohnung sicherer.«

Ja, sie würde mit ihm schlafen. Schließlich hatte das Schicksal ihn geschickt, und sie fühlte sich so lebendig wie schon lange nicht mehr. Sie wusch sich sorgfältig, cremte nach dem Duschen ihren ganzen Körper ein und nahm ein zartes, aber intensives Parfum, das ihr ihre Schwester vor zwei Jahren mit den Worten geschenkt hatte: »Mauerblümchen brauchen wenigstens starke Duftstoffe, um die Bienen anzulocken.« Und dann benötigte sie über eine Viertelstunde, um zu entscheiden, ob sie einen Slip und einen BH oder nur einen Slip und ein T-Shirt oder einen Body anziehen sollte. Sie entschied sich für den Slip und ein Top mit Spaghetti-Trägern als Unterhemd-Ersatz. Die beiden BHs, die sie besaß und die sie nur äußerst selten, zum Beispiel bei Elternabenden trug, waren schrecklich altbacken, und ein Body war immer eine grässliche Fummelei mit Haken und Ösen. Jeder Toilettengang wurde zum Krampf, und wenn man es eilig oder zittrige Finger hatte, schaffte man es überhaupt nicht mehr, die richtigen Haken in die richtigen Ösen zu stecken, während man sich auf einer engen Kneipentoilette das Kreuz verbiegen und bei schummrigem Licht den schwarzen Spitzenstoff nach vorne zerren musste, um vielleicht irgendetwas zu sehen, das man nicht ertasten konnte. Bodys mussten weltfremde und sexualfeindliche Klosterbrüder erfunden haben. Ausziehen funktionierte nur von unten nach oben, was vielleicht bei einem Fahrstuhl-Quicki praktisch, aber ansonsten in einer ersten Nacht ziemlich absurd war.

Darüber zog sie einen beigefarbenen Rollkragenpullover, einen marineblauen Hosenanzug und schwarze, warme Wildlederstiefel, die an den Knöcheln innen und außen Reißverschlüsse hatten. Der Hosenanzug und die Stiefel passten zwar irgendwie nicht zusammen, aber sie konnte es nicht ändern. Sie hatte nichts anderes.

Ihr Make-up, das auch schon drei Jahre alt war, roch bereits ranzig. Sie hatte Angst, von dem verdorbenen Zeug Pickel zu bekommen, und tupfte es nur auf die kritischen Stellen unter den Augen, um nicht wie eine schwindsüchtige Nachteule auszusehen. Ein Hauch Lidschatten und Wimperntusche ließen ihre Augen leuchten, und sie trug auch einen Lipgloss auf, obwohl sie wusste, dass er nach der ersten halben Stunde oder nach dem ersten Glas Wein verschwunden sein würde.

Die Haare ließ sie offen. Als sie den fünften Kontrollblick in den

Spiegel warf und sich zum zehnten Mal mit der Bürste durch die Haare fuhr, klingelte es unten an der Tür.

Sie warf sich ihren flauschigen, braunen Teddymantel über, der zwar alles andere als elegant war, in dem sie aber bisher noch nie und bei keinem Wetter gefroren hatte, und raste die Treppe hinunter.

Er stand vor der Tür mit einem rosafarbenen Chevrolet. Kotflügel und Zierleisten waren dunkelblau. Sie traute ihren Augen nicht.

»Steig ein«, sagte er und grinste.

Sie ging um den Wagen herum, stieg ein, setzte sich und hatte das Gefühl, auf der Straße zu liegen. Als sie die Wagentür zuzog, fuhr er auch schon los.

»Wo fahren wir hin?«, fragte sie.

»Ans Meer«, antwortete er.

Er fuhr schnell. Viel zu schnell, aber sie sagte nichts. Sie sah seine Hand, die lässig und völlig entspannt auf dem Lenkrad lag, und hatte keine Angst. Es war eine breite und derbe, eine sehr starke Hand, die harte Arbeit kennen gelernt hatte. Sie passte so gar nicht zu diesem feinsinnigen Menschen, fand sie, aber sie beruhigte. Diese Hand würde alles regeln, würde jede Gefahr besiegen. Sie war fasziniert von den Fingerknöcheln, die sich leicht hin und her bewegten wie die Klöppel im Innern eines Flügels bei einer leisen Musik. Und sie wünschte sich nichts sehnlicher, als von dieser Hand berührt zu werden.

»Es ist mein letzter Tag mit diesem Auto«, sagte er.

»Warum?«, fragte Carla.

»Es passt nicht mehr zu mir. Die Phase meines Lebens, in der ich unbedingt so ein Auto fahren musste, ist vorbei.«

»Ein Manager mit so einem Schlitten …, das ist schon irgendwie komisch …«, sagte Carla und amüsierte sich im Stillen bei dieser Vorstellung.

»Ja?«, fragte er und sah sie von der Seite an.

»Ja«, meinte sie.

Dann fuhr er schweigend weiter. Sie hatte viel Zeit, über ihn nachzudenken. Der Satz »es ist mein letzter Tag mit diesem Auto« beunruhigte sie nicht weiter. Sie kam gar nicht auf den Gedanken, dass er es gegen einen Brückenpfeiler setzen und sie mit in den Tod nehmen könnte. Sie dachte nur daran, dass sie sich schon lange nicht mehr so wohl, so gelassen, so sorglos gefühlt hatte. Alle Unsicherheit war verflogen. Sie fühlte sich, als kenne sie diesen Mann schon seit Jahren, als sei er seit ewiger Zeit derjenige, der seine schützende Hand über ihr Leben hielt und sie sanft durch eine Welt führte, die ihr gänzlich unbekannt war und die sie ohne ihn nie kennen gelernt hätte. Sie wollte ihn. Wollte ihn nicht mehr loslassen, wollte still in seiner Nähe sein und ihm überallhin folgen. Sie glaubte, endlich eine Schulter gefunden zu haben, an die sie sich lehnen, die Augen schließen und alles geschehen lassen könnte, was geschehen sollte.

»Hast du Hunger?«, fragte Alfred.

Carla schüttelte den Kopf. Sie hatte keinen Hunger, keinen Durst, keine Sehnsucht und keine Angst. Ihr war nicht kalt und nicht warm. Sie saß auf diesem beigefarbenen, ledernen Sitz in diesem schrillen Auto und war einfach nur da und unendlich zufrieden.

Alfred fuhr in Hamburg Eidelstedt, wo Carla wohnte, direkt auf die A 23 Richtung Heide und brauste dann auf den Bundesstraßen 5 und 202 weiter bis nach St. Peter-Ording. Es war halb zehn, als sie das Auto parkten und im Stockdunkeln den endlosen Strand entlanggingen. Carla konnte gar nicht fassen, was jetzt gerade, was heute Abend mit ihr passierte.

»Ich muss morgen um neun wieder in Hamburg sein«, sagte Alfred. »Aber wir haben die ganze Nacht.« Dass sie morgen früh um halb acht bereits wieder im Kindergarten sein musste, kam ihm offensichtlich gar nicht in den Sinn, und sie sagte es auch nicht. Aber ihr Herz klopfte vor Aufregung bis zum Hals, und sie spürte, wie das Blut hinter ihren Augen pulsierte.

»Aber wir hätten doch gar nicht so weit fahren müssen. Am Meer ist man schnell von Hamburg aus …«

»Ich liebe diesen endlosen Strand«, sagte Alfred so leise, dass sie sich konzentrieren musste, um ihn zu verstehen. »Wenn ich hier bin, habe ich das Gefühl, in einem anderen Land und nicht mehr in Deutschland zu sein. Das brauche ich ab und zu.«

Sie gingen anderthalb Stunden spazieren und sprachen kaum. Als sie zum Auto zurückkamen, setzten sie sich hinein und sahen aufs Meer hinaus. Es war in der unfassbaren Weite kaum auszumachen, wo noch Strand und wo bereits Meer war.

Alfred hatte eine Flasche einfachen Rotwein, Mineralwasser und salzige Kräcker dabei. Dazu ein großes Stück griechischen Feta-Käse, das sie auf mindestens 800 Gramm schätzte. Sie aßen und tranken schweigend, und Carla wagte es nicht, die Stille zu durchbrechen, indem sie irgendetwas sagte. Alles erschien ihr zu banal in diesem Moment. Sie wartete darauf, dass er irgendwann den Arm um sie legen oder ihre Hand nehmen würde – aber er tat es nicht.

Irgendwann begann er zu erzählen, dass er zu Hause das jüngste von fünf Geschwistern war. Sein Vater hatte seine Mutter direkt nach seiner Geburt verlassen und war nach Texas ausgewandert, wo er auf einer riesigen Farm lebte. Vor ein paar Jahren waren seine beiden Schwestern, die Zwillinge Lene und Luise, ebenfalls zu ihrem Vater gezogen. Sie gaben in Amerika Deutschunterricht, außerdem gab es auf der Farm viel zu tun, und sie wollten sich um ihren Vater kümmern, wenn er alt wurde. Sein Bruder Heinrich war ein erfolgreicher Gynäkologe in Freiburg und hatte sich auf Tumorfrüherkennung spezialisiert, sein Bruder Rolf war ein angesehener Architekt und arbeitete seit neuestem in Berlin im Ministerium für Bau- und Wohnungswesen. Mit seinem Bruder Rolf hatte er den meisten Kontakt, Rolf kam immer mal für ein paar Tage vorbei, um seinen jüngeren Bruder Alfred zu besuchen. Mit Rolf verstand er sich glänzend, er war ein sehr gebildeter Mann, wusste in fast allen Bereichen des Lebens Bescheid und war ihm sein Leben lang nicht nur Freund, sondern auch wohlmeinender Berater gewesen.

Seit einiger Zeit ging es seiner Mutter nicht sehr gut. Sie war jetzt fünfundsiebzig, und Alfred hatte sie in einem Seniorenstift in Hannover untergebracht, wo sie zumindest hervorragend versorgt wurde.

Carla war von Alfreds Familie beeindruckt. Obwohl die Mutter ihre Kinder fast allein erzogen hatte, waren sie doch alle Akademiker geworden und hatten den Kontakt zueinander nicht verloren. Diese Familiengeschichte beruhigte sie, und sie fühlte sich noch wohler in seiner Nähe.

»Hast du Kinder? Bist du verheiratet?«, fragte Carla. Jetzt wagte sie es, und es war für sie die zentrale Frage.

»Ich habe zwei wunderbare Söhne«, sagte er und lächelte. »Der Große ist jetzt einundzwanzig und der Kleine zehn. Sie leben beide noch bei ihrer Mutter, zu der ich leider keinen Kontakt mehr habe. Insofern habe ich auch meine Söhne schon ewig nicht mehr gesehen. Hoffentlich wird das anders, wenn sie zu Hause ausgezogen sind.«

Dass Alfred mit sechsunddreißig wohl kaum der leibliche Vater des Einundzwanzigjährigen sein konnte, fiel ihr nicht auf. Und während sie aufs Meer, das im Mondlicht glänzte, und in die Sterne schaute, wurden ihre Augen schwer. Sie kuschelte sich tiefer in ihren Teddymantel und war heilfroh, dass sie ihn angezogen hatte. Irgendwann schlief sie ein. Alfred hatte sie nicht ein einziges Mal berührt.

Carlas Atemzüge wurden gleichmäßig und tief, und Alfred sah, dass sie eingeschlafen war. Das war ihm ganz recht, jetzt konnte er endlich aufhören, seine erfundenen Geschichten zum Besten zu geben, die ihm immer leichter über die Lippen kamen. Warum er Carla nicht einfach die Wahrheit über sich, seine Familie und vor allem über seinen Vater gesagt hatte, wusste er selbst nicht genau.

Alfreds Vater, der auch Alfred hieß, war ein einfacher Bauer, der seine Familie über alles liebte. Eines Morgens im Mai 1954 arbeitete er gerade auf dem Feld, als sein neunjähriger Sohn Rolf angerannt kam und »Mama, Mama« schrie.

»Was ist mit Mama?«

»Sie schreit«, brüllte Rolf, »und sie weint und hat einen ganz roten Kopf.« Rolf schielte zum Gotterbarmen. Das tat er immer, wenn er verunsichert, ängstlich oder schrecklich aufgeregt war.

»Ist die Hebamme da?«

»Niemand ist da«, heulte Rolf. »Die Zwillinge auch nicht. Mama hat sie weggeschickt, Frau Bosemann zu holen, aber sie sind noch nicht zurück.«

Alfred gab Rolf einen Kuss und nahm seine Hand.

»Komm. Wir müssen uns beeilen.«

Edith lag auf dem Küchenfußboden in einer Lache grünen, übel riechenden Fruchtwassers. Ihr Gesicht war nicht mehr rot, sondern kreidebleich, und sie hechelte wie ein Fisch an Land. Alfred nahm sie vorsichtig auf den Arm und wunderte sich, dass sie sich nicht wehrte. Normalerweise wehrte sie sich gegen alles. Gegen jeden Satz, jede Liebkosung und vor allem gegen jede Bevormundung. Sie einfach auf den Arm zu heben, kam schon einer Vergewaltigung gleich.

»Verflucht noch mal«, murmelte sie und ließ sich von Alfred ins Bett tragen.

Es muss ihr sehr schlecht gehen, dachte Alfred und liebte sie in diesem Augenblick. Ein Gefühl, das er schon Ewigkeiten nicht mehr gehabt hatte. Auch als er sich vor Monaten auf sie geworfen hatte und in sie eingedrungen war, war das keine Liebe, sondern nur Gier gewesen und der Wunsch, seine Einsamkeit und Verlassenheit für ein paar Sekunden zu betäuben.

Alfred nahm ihre Hand, beobachtete ängstlich ihren schweren Atem und flüsterte: »Was soll ich tun? Sag's mir, ich tu alles für dich ...«, als Henriette Bosemann schon die Treppe heraufstürmte, gefolgt von den Zwillingen, die noch bleicher waren als ihre gebärende Mutter.

Erschrocken ließ Alfred Ediths Hand los und gehorchte willig Henriette Bosemanns Kommando, mit dem sie Alfred und die Zwillinge aus dem Zimmer scheuchte. Alfred sah noch, dass Henriette die Bettdecke zurückschlug und seiner Frau mit zwei Fingern zwischen die Beine und in die Scheide fuhr, um den Muttermund zu ertasten. Er schüttelte sich vor Entsetzen und floh.

Henriette verlangte saubere Tücher, frische Laken, kochendes Wasser und heißen Tee. Alfred brachte ihr alles, was sie wünschte, und beruhigte seine Kinder. Er versuchte, die Zwillinge ins Bett zu schicken – ohne Erfolg. Erst als es ihnen zu langweilig wurde, vor der verschlossenen Tür zu hocken, zogen sie ab. Rolf blieb. Er saß neben seinem Vater auf der obersten Treppenstufe und schielte. Alfred hatte den Eindruck, als verstünde er bereits, was in dem Zimmer hinter der geschlossenen Tür vor sich ging. Die beiden saßen nebeneinander wie eine verschworene Gemeinschaft.

Als Alfred weinte, weil er die Schreie seiner Frau hörte, legte Rolf den Kopf an seine Schulter. Ob er auch weinte, konnte Alfred nicht sehen.

Gegen Morgen schliefen sie beide ein und wurden durch die schrille Stimme Henriettes geweckt, die ein winziges, in Handtücher gewickeltes Baby im Arm hielt.

»Ein Junge«, krähte sie stolz, als wäre es allein ihr Werk.

»Endlich«, schluchzte Rolf, »endlich, endlich, endlich habe ich einen Bruder.«

Edith schlief ein paar Stunden. Unterdessen kochte Alfred seinen Kindern zum Mittagessen Kartoffeln und Eier. Das Baby lag in einer von ihm selbst geschnitzten Wiege. Jeder, der an der Wiege vorbeiging, gab ihr einen Tritt, sodass sie ständig hin und her schaukelte. Der kleine Junge war zufrieden. Er grunzte, nuckelte am Daumen und stellte ansonsten keinerlei Ansprüche. Wenn er schrie, nahmen ihn die Zwillinge abwechselnd auf den Schoß und sangen »Hoppe Hoppe Reiter«, was ihnen aber sehr schnell langweilig wurde. Dann nahm Rolf seinen kleinen Bruder auf den Arm, flüsterte ihm Liebkosungen zu und drückte unzählige Küsse auf das kleine runde Gesichtchen, bis er wieder eingeschlafen war.

Am Nachmittag stand Edith auf, ging in den Stall, molk die Kühe und kam danach in die Küche, um das Abendessen zuzubereiten. Rolf saß am Fenster und hatte das Baby auf dem Schoß. Er lächelte seiner Mutter zu. »Ich habe einen Bruder«, wiederholte er immer wieder. »Endlich, endlich, endlich hab ich einen Bruder!« Er kitzelte ihn liebevoll und nuckelte an den winzigen Fingern.

»Lass ihn doch in Ruhe«, sagte Edith und räumte kopfschüttelnd den Tisch ab, auf dem immer noch die Reste des Mittagessens standen.

»Er lacht! Guck mal, Mama, er lacht!« Rolf war überglücklich.

»Babys können nicht lachen«, erwiderte Edith, während sie das schmutzige Geschirr in der Spüle stapelte. »Babys können nur schreien und weinen.«

Sie ließ Wasser ins Becken laufen, ging zu Rolf, nahm ihm das Baby vom Arm, setzte sich hin, knöpfte ihre Bluse auf, legte den Säugling an ihre magere, ausgemergelte Brust und schob ihm die Brustwarze zwischen die Lippen. Rolf sah fasziniert, aber auch voller Scham zu, er hatte die Brust seiner Mutter noch nie gesehen. Das Baby saugte, und Edith beachtete ihren großen Sohn gar nicht.

»Schmeckt das?«, fragte er leise.

»Nein«, sagte Edith. »Aber es kommt ja bei Babys auch nicht drauf an.«

In der Nacht stand sie dreimal auf, weil das Bündel schrie. Es schnappte gierig nach ihrer Brust und trank mit einer Kraft und einem Lebenswillen, der ihr fast den Atem nahm. Dabei dachte sie an die Nacht, als Alfred nach Monaten wieder einmal mit der Hand unter der schweren, viel zu warmen Bettdecke nach ihrem Körper getastet und sie sich nicht gewehrt hatte wie sonst, sondern einfach alles geschehen ließ. Insgeheim genoss sie es sogar und bat Gott gleichzeitig um Vergebung, aber er erhörte sie nicht, sondern strafte sie mit dem Bündel, das gerade das letzte bisschen Energie aus ihr heraussaugte. Sie hatte gesündigt. Wie bei den anderen auch, und die Buße dauerte zwanzig Jahre oder länger. Am Anfang waren es die durchwachten Nächte, das Wissen, monatelang nie wieder eine Nacht durchschlafen zu können, dann waren es die Kinderkrankheiten, die Ängste und die Sorgen, mit denen Gott sie jeden Tag strafte.

Während der Schwangerschaft hatte sie sich gezwungen, jeden Tag drei Rosenkränze zu beten, um wenigstens die Heilige Mutter Gottes zu bitten, zum vierten Mal dem Schicksal einer Mutter entgehen zu dürfen. Drei Rosenkränze dauerten lange, und eigentlich fehlte ihr jeden Tag die Zeit dazu, aber sie war stur und zog es durch. Neun Monate lang. Was sie ihrem Schöpfer versprach, das hielt sie auch.

Henriette Bosemann hatte das Baby unmittelbar nach der Geburt gewogen, gemessen, gewaschen und notdürftig untersucht. Soweit sie das in diesem frühen Stadium überhaupt beurteilen konnte, war das Kind gesund und hatte an der Fruchtwasservergiftung keinen Schaden genommen. Aber sie meinte, man müsse abwarten. Spätschäden könnten auch noch in Monaten oder sogar Jahren auftreten.

Edith hatte dieses Kind nie gewollt. Als sie dies hörte, wollte sie es noch weniger, denn sie spürte, dass es nur Sorgen und Nöte über die Familie bringen würde.

An diesem ersten Morgen mit dem Baby im Haus fiel sie endlich gegen fünf Uhr morgens in einen Tiefschlaf, aus dem sie auch kein Babygeschrei mehr geweckt hätte. Und dadurch hörte sie die leisen Hilferufe ihres Mannes nicht, der bereits keine Kraft mehr hatte, sich deutlicher bemerkbar zu machen.

Als um sieben Uhr der Wecker klingelte, saß Alfred, der um diese Zeit normalerweise schon auf dem Feld war, zusammengesunken auf der Bettkante. Als sie ihm die Hand auf den Rücken legte und gerade fragen wollte, was los ist, flüsterte er: »Hol den Arzt. Schnell!«

Dann fiel er um.

Sie empfand die Situation als absurd und war in Gedanken völlig konfus. Sie schlüpfte in ihren Morgenmantel, zog die beiden Gürtelenden gleichmäßig lang, was ungefähr vier Sekunden in Anspruch nahm, verknotete die Kordel sorgfältig und lief die enge Treppe hoch, die zu einer kleinen Kammer unterm Dach führte, in der Rolf schlief, und schüttelte ihn wach.

»Schnell, lauf zu Doktor Scheffler. Er soll sofort kommen, Papa geht's nicht gut.«

Rolf rieb sich die Augen und starrte sie ungläubig an. »Das Baby?«

»Es geht nicht um das Baby, es geht um deinen Vater! Los, beeil dich, verdammt noch mal!«

Rolf sprang aus dem Bett, schlüpfte in seine Hose und zog einen Pullover über. Am längsten dauerte es, die Schuhe anzuziehen, aber nach wenigen Sekunden raste er die Treppe hinunter und aus dem Haus.

Edith ging zurück ins Schlafzimmer. Alfred lag mit geschlossenen Augen und weit aufgerissenem Mund auf dem Bett. Sie beugte sich über ihn, aber da war kein Funken Leben mehr, nicht mehr der leiseste Hauch eines Atems.

Ihr starker Mann, der jede Schraube lösen, Bäume fällen, Ställe bauen, wild gewordene Bullen einfangen und Felsbrocken heben konnte, war einfach so gestorben.

Es dauerte fast zwanzig Minuten, bis Doktor Scheffler endlich da war. Er untersuchte Alfred nur kurz und schüttelte den Kopf. »Es ist nichts mehr zu machen«, sagte er. »Der Mann ist tot. Ein Sekundentod. Da gibt es keine Rettung. Wenn das Herz einfach stehen bleibt, ist jeder Arzt machtlos.«

In diesem Moment begann Edith zu schreien. Minutenlang. So schrill und durchdringend, dass es für niemanden der Anwesenden auszuhalten war. Die Zwillinge standen bleich und verstört im Türrahmen, Rolf knetete seine Fingerknöchel und schielte zum Gotterbarmen, und das Baby wimmerte, allein in seiner Wiege in der Küche.

Doktor Scheffler hielt Edith fest, die um sich schlagen wollte, und es gelang ihm, ihr eine Beruhigungstablette in den Mund zu schieben. Edith spuckte die Tablette gegen den Frisierspiegel im Schlafzimmer, wo sie erst kleben blieb und dann unendlich langsam herunterrutschte.

Nach fünfzehn Minuten hörte Edith auf zu schreien, und der Doktor verließ das Haus. Sie hob Alfreds Füße ins Bett, deckte ihn sorgfältig zu, strich ihm eine verklebte Haarsträhne aus der Stirn und sagte zu ihm: »Das verzeihe ich dir nie, dass du mich einfach so im Stich lässt.«

Dann wandte sie sich an ihre Kinder, die völlig verängstigt im Zimmer standen und die Szene entsetzt beobachteten.

»Euer Vater ist tot«, sagte Edith. »Wahrscheinlich ist er aber bereits im Himmel angekommen. Macht euch keine Sorgen, es geht ihm sicher gut, und von nun an wird er von dort oben aufpassen, ob ihr artig seid oder nicht.«

»Aber wie kann er im Himmel sein, wenn er da im Bett liegt?«, fragte Luise.

»Ja, wie geht denn das?«, fragte auch Lene.

»Seine Seele ist im Himmel«, erklärte Edith. »Das da, was da liegt, das ist zwar der Papa, aber das ist auch nicht mehr der Papa.«

Rolf nickte und wischte sich eine Träne aus dem Auge, das aussah, als wäre es schon auf dem Weg zur Tür.

»Geh und hol das Baby«, sagte die Mutter. »Ich denke, wir werden es Alfred nennen.«

Noch nicht mal einen eigenen Namen haben sie mir gegeben, noch nicht mal das, dachte Alfred verbittert, bevor er wie Carla in einen kurzen, tiefen Schlaf fiel.

Carla erwachte um fünf, als er den Motor startete. Es schneite leicht. Die Autobahn wird glatt sein, dachte sie. Und dann fielen ihr der gestrige Abend und die Nacht ein, und sie war kurz davor, in Tränen auszubrechen. Sie war schuld. Sie hatte alles vermasselt. Sie war einfach eingeschlafen. Wahrscheinlich war er enttäuscht und verletzt, dass sie ihm nicht länger zugehört hatte. Und sicher war er frustriert, dass sie geschlafen hatte, bevor er zärtlich werden konnte. Es hätte so eine schöne Nacht werden können.

»Guten Morgen, Prinzessin«, sagte er, als er sah, dass sie wach war, und lächelte. »Gut geschlafen?«

»Es tut mir so Leid …«, stammelte sie.

»Was denn?« Entweder war er wirklich überrascht, oder er tat nur so.

»Dass ich eingeschlafen bin. Als du erzählt hast.«

»Aber das ist doch überhaupt kein Problem!« Er meinte es ehrlich, das spürte sie und entspannte sich ein wenig.

»Heute verkaufe ich dieses Auto«, sagte er. »Ich habe drei Interessenten.«

»Für wie viel?«

»Achttausend.«

Sie runzelte die Stirn. »So wenig? Diese Autos sind doch wahnsinnig selten!«

»Ja, aber mehr ist es nicht wert. Achttausend. Dann bin ich zufrieden.«

Alfred spürte, dass die Straße glatt war, und fuhr langsam und vorsichtig. Carla war immer noch schläfrig und schloss die Augen. Mit diesem Mann wollte sie überallhin gehen. Sie konnte sich keine Situation vorstellen, die er nicht im Griff hatte.

ENRICO

29

Siena, Juni 2004

Langsam und etwas umständlich stieg er in seine Shorts und trat hinaus auf die Terrasse. Es war nicht weit bis zum Campo, und der hohe Turm des Palazzo Pubblico ragte deutlich über die verschachtelten Hausdächer. Kai zündete sich eine Zigarette an und setzte sich. Die Sonne versank so schnell, dass man zusehen konnte, und wurde von Minute zu Minute etwas intensiver orange. Unten auf der Via dei Rossi gab es schon seit zwei Stunden keine Sonne mehr.

Der Himmel glühte. Orange, Rosa und Violett verflossen ineinander, auf jedem Gemälde eine unerträglich kitschige Kombination, in Wirklichkeit aber atemberaubend schön.

Er liebte diese stillen Momente in seiner kleinen, einfachen Dachwohnung, zwei Zimmer, Küche, Bad, Terrasse und unverschämt teuer. Siena hatte Preise wie New York.

Kai Gregori war ein großer, athletisch gebauter Mann, den der winzige Bauchansatz jetzt mit seinen fünfundvierzig Jahren nur menschlicher und liebenswerter machte. Das langsam grau werdende Haar stand in reizvollem Kontrast zu seinem stets sonnengebräunten Teint, was eher genetisch bedingt als dem Umstand zu verdanken war, dass er jedem Sonnenstrahl hinterherrannte. Seine eng zusammenstehenden Augen gaben ihm eine persönliche Note, die ihn davor bewahrte, mit männlichen Models aus Kaufhauskatalogen in einen Topf geworfen zu werden. Kai hasste seine extrem großen Füße, daher trug er auch in den heißen Sommern der Toscana stets geschlossene Halbschuhe. Sandalen kamen in seinem Schrank nicht vor.

Kai war ein Mensch, der bemerkt wurde, wenn er ein Restaurant betrat, er wurde im Alimentari-Laden nicht übersehen, und keine italienische Mama wagte es, sich diesem Mann vorzudrängeln. In Arztpraxen wurde er höflich behandelt, und ganz gleich, wie er angezogen war, man hielt ihn auf den ersten Blick immer eher für einen Aristokraten als für einen armen Schlucker.

All diese Eigenschaften machten im Allgemeinen das Leben eher leichter als schwerer, und Kai wusste es zu schätzen. Zumal er sich noch nicht einmal Mühe geben musste zu flirten, die Frauen waren es, die versuchten, Kontakt mit ihm aufzunehmen, was er äußerst bequem und erfreulich fand.

So hatte er sich in den dreißig Jahren seines sexuell aktiven Lebens nie über Mangel an Gelegenheiten beklagen können, und wenn es irgendwie ging, hatte er auch keine verpasst oder ungenutzt verstreichen lassen, was ihm schnell den Ruf eines Machos einbrachte. Für ihn war dies jedoch eher ein Kompliment als eine Beleidigung, er fühlte sich wohl in seiner Haut.

Nur ein einziges Mal hatte er sich hinreißen lassen und einer zarten Brünetten mit pfenniggroßer Warze auf der linken Wange einen Heiratsantrag gemacht. Sie konnte ihn so durchdringend ansehen, dass ihm die Worte fehlten und die Augen feucht wurden. Sie wurde ihrerseits krebsrot, nahm unter dem Tisch seine Hand, schob sie unter ihren Rock und hauchte: »Du wirst es nie bereuen.«

Er bereute es schon nach siebzehn Monaten. Während sie eine Floristikausbildung machte, studierte er Betriebswirtschaft und hatte es bald satt, beim Abendessen über »Blumengestecke in Moos auf Hasendraht« zu reden. Im Wohnzimmer hingen die getrockneten Blumensträuße von der Decke und wurden hin und wieder mit bunten Autolacken eingesprüht, überall standen Schalen mit duftenden Blüten, hingen Blumenkränze vor den Fenstern, auf jedem freien Fleck welkten die unterschiedlichsten Blumensorten in diversen Größen und Vasen, in der Spüle faulten Blumenreste und verstopften den Ausguss mit zähem, glasigem, stinkendem Schleim.

Veronika legte sich jeden Abend feuchte Salbeiblätter auf die Warze und schlief schon nach fünf Monaten nicht mehr mit ihm.

Eines Nachmittags, als er unerwartet früher nach Hause kam, fand er sie mit gespreizten Beinen im ehelichen Bett, vor ihr kniend ein Jüngling in karierten Boxershorts und mit ungewöhnlich dickem und geschmacklosem Schnurrbart, dem der Speichel aus den Mundwinkeln tropfte. Auf Grund seines starren, interessierten Blickes sah er aus, als wolle er gerade einen Krebsabstrich machen.

Kai war so perplex, dass er noch nicht mal in der Lage war, dem Jüngling eins in die Schnauze zu hauen. Ohne ein Wort verließ er das Schlafzimmer, aber das Bild brannte sich in sein Hirn wie die glühende Zigarette in den Unterarm eines Folteropfers.

Von diesem Tag an konnte er Veronika nicht mehr in die Augen sehen. Ihr Gesicht erschien ihm wie eine Leinwand, auf der der immer gleiche scheußliche Film ablief. Die darauf folgende Scheidung war schwierig, da er es ablehnte, mit Veronika auch nur noch ein einziges Wort zu wechseln.

Kai zog danach in eine Kölner Dreizimmerwohnung mit eigener Dachterrasse und eigenem Parkplatz in der Tiefgarage, in der es keine einzige Pflanze gab, nur Glas und Chrom, indirekte Beleuchtung und einen eleganten grauen Teppichboden, auf dem sich jeder Schritt abzeichnete. Wichtigste Requisiten in der Wohnung waren Glasreiniger und Staubsauger, im Übrigen arbeitete er bei einer renommierten Maklerfirma und hatte häufig wechselnden Geschlechtsverkehr. In der Küchenschublade bewahrte er ausschließlich Kondome und Papiertaschentücher auf, und irgendwann machte er sich nicht mehr die Mühe, die Namen und Telefonnummern derjenigen Frauen zu notieren, mit denen er das Wochenende verbracht hatte.

Über Veronika erfuhr er, dass sie bei einer Kreuzfahrt mit ihrem neuen Liebhaber in einer stürmischen Nacht über Bord gegangen und ertrunken war. Die Nachricht interessierte ihn so sehr wie der Wetterbericht den Todeskandidaten fünf Minuten vor seiner Hinrichtung. Allerdings ließ er allein in seiner hypermodernen Bulthaup-Küche die Champagnerkorken knallen, weil er nun keinen Unterhalt mehr zu zahlen hatte.

Die Kopfschmerzen am nächsten Morgen waren die letzte Erinnerung an Veronika, danach dachte er nie wieder an sie.

Die Maklerfirma expandierte. Vor fünf Jahren bekam er das Angebot, die Leitung des italienischen Büros in Siena zu übernehmen. Da er seinen unpraktischen, empfindlichen Teppichboden ohnehin satt hatte, überlegte er nicht lange und nahm die Herausforderung an.

Kai ging ins Haus und holte die Grappaflasche, um sich auf der Terrasse in der Dunkelheit zu betrinken. Wie so oft. Und jedes Mal konnte er sich am nächsten Morgen nicht mehr erinnern, wie er den Abend verbracht und was er getan hatte.

30

Als Kai Gregori am nächsten Morgen im Büro saß, fiel ihm zum ersten Mal auf, dass seine Sekretärin Monica offensichtlich gar keine echte Blondine war. Der Haaransatz war schon einen Finger breit und so schwarz wie der Espresso, den sie ihm auf den Schreibtisch stellte.

»Prego, Signor.« Sie lächelte, und ihre Zähne erschienen ihm gelblich. Als sie aus dem Zimmer ging, sah er, dass ihre Knie fast gegeneinander schlugen, und er stellte sich vor, wie ihre Oberschenkel aneinander rieben und rötliche, wunde Flatschen hinterließen. Plötzlich wurde ihm speiübel, und er schüttete den Espresso in die Blumenvase. Monica war für ihn immer eine schöne Frau gewesen, und jetzt musste er mehrmals heftig schlucken, um sich nicht zu übergeben.

Er rieb sich die Schläfen. Sein Kopf schmerzte. Er stand auf und trat ans Fenster. In der Via del Porrione, die direkt zum Campo führte, war um diese Zeit nicht viel Betrieb, die meisten Italiener waren jetzt bereits in ihren Häusern verschwunden, um zu Mittag zu essen. Die Fassade von San Martino erschien ihm heute düster und kalt. Die riesigen Steinquader, aus denen die gewaltigen Mauern gebaut waren, hatten ihn immer fasziniert, jetzt hatte er das Gefühl, von ihnen erschlagen zu werden. Was hatte er eigentlich zu suchen in einer Stadt, die aus verschiedenen Grautönen zusammengesetzt war? Es nieselte leicht. Ein Ragazzo raste mit seiner Vespa durch die Straße, das Knattern des Motors zerriss Kai fast den Schädel. So ging es nicht weiter. Vielleicht sollte er zu Luciano gehen, ein paar Tortellini essen und einen Chianti trinken, vielleicht wurde sein Kopf dann wieder klar.

Monica steckte den Kopf zur Tür herein. »Mi scusi …«

»Was gibt's denn?«

»Gestern waren die Schraders aus Köln hier. Sie wollten eigentlich die Ruinen bei Moncioni sehen.«

»Ich war in Umbrien. Wollte mich mal ein bisschen umgucken. Da kriegt man die Steinhaufen nämlich noch für die Hälfte.«

»Ich weiß. Aber wollten Sie nicht ursprünglich gestern früh schon wieder zurück sein?«

Er hatte Lust, sie augenblicklich rauszuschmeißen. »Wollte ich, aber es ging nicht.«

»Die Schraders sind extra wegen der beiden Objekte aus Köln gekommen.«

Sie kam ihm vor wie ein Pitbull, der sich im Arm verbissen hat und seine Zähne immer tiefer in die Wunde treibt, statt die Schnauze wieder aufzumachen.

Kai ging zum Schreibtisch, warf einen Blick auf den aufgeklappten Terminkalender und zwang sich zu einem Lächeln.

»Wie lange bleiben sie denn?«

»Noch zwei Wochen.«

Er sah sie herausfordernd an. »Na also. Wo ist das Problem?«

Monica sprach ganz leise. »Wenn die Schraders sich noch gedulden, gibt es keins.«

Das klang ganz nach einem Vorwurf und machte ihn nur noch wütender. Wenn er daran dachte, dass er sich oft überlegt hatte, ob er es nicht mit ihr im Büro treiben solle, beglückwünschte er sich jetzt insgeheim zu seiner Standhaftigkeit. Aber wahrscheinlich dachte Monica an nichts anderes.

Er schob sein Handy in die Jackettasche. »Ich muss noch mal weg. Aber spätestens um halb vier bin ich wieder zurück. Füllen Sie die beiden mit Cappuccino ab und zeigen Sie ihnen den Katalog. Dann sind sie beschäftigt. Haben Sie die Unterlagen für die beiden Objekte zusammengestellt?«

Sie nickte. »Natürlich. Aber Herr und Frau Schrader wollen unbedingt auch eine detaillierte Aufstellung, was es kosten würde, die Ruinen stilgerecht mit alten Materialien zu restaurieren. Plus minus fünfundzwanzigtausend Euro.«

Er seufzte innerlich. Diese Typen kannte er. Sie verliebten sich nicht in ein Haus, ein schönes Grundstück, einen umwerfenden Blick – sie machten eine Rechenaufgabe daraus. Und wurden sofort unleidlich, wenn man nicht wusste, was eine Mischbatterie im Ferramente-Laden kostete. Mit Kunden dieser Art konnte man Tage verbringen, weil sie jede Ruine fünfmal sehen wollten und nie den Weg allein fanden. Und nach einer Woche verschwanden sie dann auf Nimmerwiedersehen mit einem lapidaren, »herzlichen Dank für Ihre Mühe, wir melden uns«.

Monica verlagerte ihr Gewicht auf das Standbein und drehte die Fußspitze ihres Spielbeins immer hin und her, was ihn nervös machte. Sie grinste.

»Die beiden wirken sehr interessiert, aber ich glaube, sie sind nicht einfach.«

»Danke für die Warnung. Wenn sie mich zu sehr nerven, lass ich sie in der Pampa stehen und fahre nach Hause.«

Monica kicherte. »Buon appetito, Kai, essen Sie was Anständiges, Sie sind ja ganz grün im Gesicht.«

Er hatte Lust, ihr den Hals umzudrehen.

»Ich treffe mich mit Dottore Manetti«, log er ungeschickt. »Wir überlegen, selbst Ruinen aufzukaufen, zu restaurieren und dann Gewinn bringend wieder zu verkaufen.«

»Ach ja«, sie klemmte sich ihre langen blondierten Haare hinter die Ohren, »das hab ich ganz vergessen zu sagen. Dottore Manetti hat aus Rom angerufen. Er würde gern am Dienstag bei ›Gino‹ einen Wein mit Ihnen trinken.«

Ihm schoss die Röte ins Gesicht. »Arrivederci«, zischte er und verließ das Büro, ohne die Tür hinter sich zu schließen.

31

Anne Golombek parkte unmittelbar vor dem Porta San Marco. Sie ließ die beiden Koffer im Kofferraum, legte über ihren Laptop und den Beauty-Case eine eingestaubte blassrosa Decke und ging nur mit Handtasche los. Ihr Hotel, der Palazzo Torrino, musste in der Nähe liegen, aber sie wollte sich erst einmal zu Fuß davon überzeugen, ob es möglich war, mit dem Auto vorzufahren. Im Reisebüro hatte man ihr versichert, es sei ein Hotel der mittleren Preisklasse, und sie hatte erst einmal eine Woche gebucht. Dann wollte sie weitersehen. Schließlich hatte sie alle Zeit der Welt. Wochen, Monate, vielleicht Jahre. Ein merkwürdiges Gefühl von Freiheit stieg in ihr auf, aber auch von Verlorenheit. Es gab nichts, was sie wirklich tun musste. Morgen war ihr zweiundvierzigster Geburtstag. Allein in Siena. Ein bisschen fürchtete sie sich davor.

Das Hotel war ein imposanter Palast aus dem 17. Jahrhundert, und das Ambiente gefiel ihr auf Anhieb. Das Zimmer mit Tisch, Bett und einer Kommode aus dunklem Holz war allerdings ziemlich eng. Harald hätte gewusst, ob die Kommode echt oder nachgemacht war, sie wusste es nicht. Über dem Bett hing ein Engelmotiv von William Bouguereau, ein billiger Druck in einem pompösen goldenen Rahmen, der Name des Malers stand in der linken Ecke. Zwei kindliche Engel, die einander umarmten, winzige Flügelchen klebten auf den nackten Schulterblättern, der Engelsjunge küsste das Engelsmädchen auf die Wange, sie ließ es geschehen und blickte betreten zu Boden. Anne nahm das Bild ab und schob es unters Bett.

Sie öffnete das Fenster. Es war ungewöhnlich ruhig, eine hohe Mauer und ein subtropischer Garten hielten die Stadtgeräusche ab, es roch nach Lavendel und Rosmarin. Einen Fernseher gab es im Zimmer nicht, nur eine vom Hotel zentral gesteuerte Radioanlage mit einem einzigen Programm und plärrender Tonqualität. Ein Radiomoderator und ein Telefonkandidat schrien sich gerade an und lachten dabei, sie schaltete sofort wieder ab.

Die Dusche war frauenfeindlich. Ein fest installierter Duschkopf unter der Decke, der das Wasser wie eine Blumenspritze fein zerstäubte. Keine Chance, sich hier vernünftig zu duschen und zu waschen. Auch aus dem 17. Jahrhundert, dachte sie, und hatte das Gefühl, überhaupt kein Wasser auf ihrem Körper zu spüren. Dennoch fühlte sie sich danach etwas frischer. Sie schminkte sich sorgfältig und verließ das Hotel.

Auf dem Weg zum Auto piepte ihr Handy einmal kurz. Eine SMS. »Lass von dir hören, wenn du gut angekommen bist. Oma«. Immer noch sagte sie »Oma«. Immer noch. Als wäre nichts passiert, dachte sie gereizt. Allerdings war ihre Mutter einer der wenigen Menschen über siebzig, die in der Lage waren, eine SMS abzuschicken. Aber was dachte sie sich dabei? Sollte sie jetzt zurückrufen und sich anhören, was es zum Mittagessen geben würde? Warum hatte ihre Mutter nicht einfach kurz angerufen, statt eine SMS zu schicken? Die Telefonate aus Deutschland waren wesentlich billiger als umgekehrt.

Anne setzte sich auf die Brüstung der Stadtmauer und tippte »Bin gut angekommen. Grüße, Anne« in ihr Handy und schickte die SMS los.

Dann ging sie weiter. Die Straßen wirkten wie ausgestorben, die Fensterläden waren jetzt in der Mittagshitze alle geschlossen. Den winzigen kleinen Imbiss bemerkte sie erst, als sie schon daran vorbeigegangen war. Sie kaufte sich eine viertel Pizza für zwei Euro fünfzig und aß sie langsam im Schatten eines Feigenbaums, der hinter einem Mauervorsprung wuchs.

Nach dem Essen fühlte sie sich satt und zufrieden. Sie streckte die Beine auf den warmen Steinen aus und schloss einen Moment die Augen. Harald hatte sie zum Abschied noch nicht einmal in den Arm genommen. »Du musst wissen, was du tust«, hatte er gesagt und war ins Haus gegangen.

Anne saß im Auto und wartete noch fünf Minuten, aber er kam nicht wieder heraus. Schließlich fuhr sie los. Sie fühlte sich hundeelend, hatte ein schlechtes Gewissen und das Gefühl, wieder einmal alles falsch gemacht zu haben. Erst dreihundert Kilometer später keimte in ihr der Verdacht, dass es Harald bewusst darauf angelegt haben könnte, sie zu verunsichern.

Anne öffnete die Augen und stand auf. Allmählich fühlte sie sich stark genug, an den Ort zu fahren, wo vor zehn Jahren das Unfassbare geschehen war.

32

Eleonore Prosa hatte einen Namen, den die Italiener wenigstens aussprechen und schreiben konnten, wofür sie gelegentlich direkt dankbar war. Sie hatte vor acht Jahren nach achtundzwanzig Jahren Ehe ihren Mann verlassen und beschlossen, ihr Erspartes im Süden anzulegen. Sie war groß und zäh und knochig und schwitzte nie. Gerade hatte sie zwei Stunden Holz gesägt, bis die Sägemaschine qualmte, jetzt stemmte sie die Hände in die Hüften und überlegte, was als Nächstes zu tun sei. Sie atmete tief ein und geräuschvoll aus und meinte, sich erst einmal ein Glas Wasser genehmigen zu wollen. Seit sie vor vier Jahren beschlossen hatte, gut zu sich zu sein, »genehmigte« sie sich alles, was sie aß oder trank.

Die Bettwäsche in der Ferienwohnung musste noch gewechselt und die Küchenhandtücher mussten gebügelt werden, doch das hatte Zeit. Maßmanns hatten angerufen, dass sie es morgen nicht vor sechzehn Uhr schaffen würden. Wie angenehm. Sie könnte sich jetzt eine halbe Stunde Siesta im Liegestuhl gönnen oder frischen Rucola säen. Es gab so viele Möglichkeiten. Das Leben war einfach wundervoll.

Während Eleonore ins Haus ging, dachte sie, dass sie schon ewig nicht mehr Yoga gemacht hatte, dabei hatte es ihr damals nach ihrer schweren Rückenoperation geholfen, von den Toten aufzuerstehen. Auch die regelmäßigen Meditationen fehlten ihr. Sie hatte einfach zu viel zu tun auf La Pecora, so viel, dass sie noch nicht einmal genug Zeit hatte, auf sich selbst aufzupassen. Jetzt ging es erst einmal darum, Wasser zu trinken, viel Wasser, damit sie ihr tägliches Pensum von fünf Litern noch vor zwanzig Uhr schaffte, bevor sie sich ein Glas Rotwein genehmigen konnte.

Als sie mit der kühlen Wasserflasche im Arm wieder aus der Küche trat, sah sie die fremde Frau vor der Terrasse, die bewegungslos dastand, sie anstarrte und aussah, als sei sie wachen Blicks ohnmächtig geworden.

Eleonore glaubte, mit einem Handkantenschlag eine Ziegelsteinwand zerschlagen zu müssen, als sie fragend »buongiorno« sagte.

Die Frau reagierte nicht. Sie zuckte mit keiner Wimper. Jetzt begann sie langsam, den Kopf zu drehen, ignorierte Eleonore völlig. Eleonore schätzte sie auf Anfang vierzig, aber sie hatte immer noch die Figur einer Dreißigjährigen. Nur die Falten um ihre Augen waren tief und rissig, als habe man sie ihr ins Gesicht gebügelt. Ihre halblangen, welligen Haare schimmerten rötlich. »L'Oréal«, dachte Eleonore, »weil du es dir wert bist. Kastanie-rotbraun. Muss alle vier Wochen neu aufgetragen werden und ist eine gottverdammte Schweinerei. Touristin. Hat sich wahrscheinlich verlaufen. Auf jeden Fall keine Italienerin. Italienerinnen gucken nicht, sie reden sofort drauflos.

»Buongiorno«, sagte die Frau, »schön haben Sie's hier.«

»Hm. Danke. Ich bin Eleonore Prosa, kann ich Ihnen irgendwie helfen?«

»Entschuldigen Sie, darf ich mich eventuell einen Moment umschauen …, ich war vor zehn Jahren zum letzten Mal hier.«

»Möchten Sie ein Glas Wasser?« Eleonore stellte die Flasche auf den Terrassentisch.

»Das wäre furchtbar nett.«

Während Eleonore ins Haus ging, um zwei Gläser zu holen, setzte sich Anne und versuchte herauszufinden, was sich an der Aussicht verändert hatte. Ein ziemlich großer Teil des Eichenwaldes hatte sich in Weinberge und Olivenhaine verwandelt, zwei Ruinen, von denen früher nur die Grundmauern existiert hatten, waren ausgebaut worden, und die Straße zum See erschien ihr jetzt wesentlich breiter. Die Zypressen am Osthang hatten ihre Größe fast verdreifacht, und die Kakteen neben dem Haus waren derartig gewachsen, dass sie jetzt sicher auch den Wildschweinen Respekt einflößten. Bis zu jenem Freitag vor Ostern hatte sie diesen Platz über alles geliebt. Stundenlang konnte sie hier sitzen und vor sich hin dösen und träumen und sich in der Weite der sanften Hügel verlieren, während Harald und Felix unterwegs waren und durch die Wälder zogen, um Tiere zu beobachten, Höhlen zu bauen oder Fische zu fangen im See.

Eleonore kam wieder und stellte Gläser und eine entkorkte Flasche Wein auf den Tisch.

»Falls Sie auch ein Glas Wein mögen.«

Anne lächelte dankbar. Ein großes Glas Wasser und ein kleines Glas Wein – das war jetzt genau das Richtige.

»Ich heiße Anne Golombek«, sagte sie, »und ich war einfach neugierig. Vor zehn Jahren hab ich hier in diesem Haus mit meinem Mann und meinem Sohn Urlaub gemacht. Wir haben jeden Abend auf dieser Terrasse gesessen …, es ist wie ein Stückchen Heimat für mich.« Was redest du da für einen Scheiß, dachte sie, aber macht ja nichts. Hauptsache, du bist hier.

Und leise fügte sie hinzu: »Es war eine bemerkenswerte Reise. Ich werde sie in meinem ganzen Leben nicht vergessen, aber damals gab es hier noch ein älteres Ehepaar, Pino und Samantha, sie vermieteten einzelne Zimmer und kochten für ihre Gäste. Natürlich nur, wenn man wollte. Hinten, auf der anderen Seite des Hauses, war eine kleine Küche, da konnte man sich auch selbst verpflegen.«

»Hinterm Haus wohne ich jetzt«, sagte Eleonore, »ein Zimmer, Kochnische, Schlafecke, Bad, mehr brauche ich nicht. Und hier vorn das Appartement vermiete ich. Das reicht zum Leben.«

Das möchte ich auch, dachte Anne. Kochnische, Schlafecke, Bad. Und alles hinter sich lassen. Auch die Gespenster der Vergangenheit. Allen Ballast abschütteln. Nichts mehr besitzen. Nichts mehr tun müssen. Keine Verantwortung mehr. Nur noch die Freiheit, sich Gutes zu tun oder sich zu zerstören. Endlich abdriften dürfen in die Bewusstlosigkeit.

»Beneidenswert«, sagte sie.

»Aber ganz schön einsam manchmal«, meinte Eleonore. »Normalerweise verirrt sich ja niemand hierher. So wie Sie, meine ich. Jetzt im Sommer, wenn Gäste hier sind, ist es okay, da hab ich genug Abwechslung, da gibt es jede Menge zu tun – aber im Winter? Was macht man da den ganzen Tag? Meistens fahre ich dann doch einige Wochen zurück nach Deutschland.«

»Seit wann sind Sie hier?«

»Seit acht Jahren. Vor sieben Jahren hab ich mich scheiden lassen. Es hatte nichts mit meinem Mann zu tun. Der arme Kerl konnte gar nichts dafür, aber ich wollte raus. Wollte noch einmal in meinem Leben was anderes machen, wollte mir noch mal irgendwas beweisen. Was, weiß ich selbst nicht. Vielleicht, ob ich es mit mir selbst überhaupt aushalte.« Sie grinste breit. »Und ich habe es mittlerweile gelernt zu klempnern, zu mauern, zu tischlern und fühle mich großartig dabei. Denn dieses Haus ist ein einziger Schrotthaufen.«

»So baufällig kam es mir damals gar nicht vor …«

»Vielleicht, ich weiß es nicht …« Eleonore zuckte die Achseln. »Pino und Samantha hatten jedenfalls jahrelang nichts dran getan, denn als sie es mir verkauften, war es schon sehr heruntergekommen. Und ich konnte kein Wort Italienisch. Aber durch Zufall habe ich einen deutschen Aussteiger kennen gelernt, der handwerklich sehr geschickt war. Dachte ich jedenfalls. Und der hat es mir hergerichtet. Und jetzt merke ich, dass alles, was er gemacht hat, kalter Kaffee ist. Und ich fange im Grunde wieder von vorne an. Aber es ist schwierig. Wenn ich Gäste habe, kann ich nicht die Terrasse aufreißen, um die Abflussrohre richtig zu verlegen, also muss ich warten bis zum Winter. Und im Winter ist es hier verdammt kalt. Meistens zu kalt zum Bauen.«

Anne nickte. Zu kalt zum Bauen. Und erst recht zu kalt, um in der Erde zu liegen. Nackt unter nassem oder gefrorenem Laub.

Eleonore schenkte nach. Anne trank bereits das dritte Glas Wein.

»Ich finde das, was Sie machen, bewundernswert.«

»Und Sie?«

»Ich bin vorhin erst angekommen. Will eine Weile hier bleiben, mir vielleicht ein kleines Haus suchen, ein bisschen zur Ruhe kommen.«

»Ganz allein?«

»Ja …«, Anne lächelte hilflos. »Vielleicht geht es mir so ähnlich wie Ihnen. Mal abwarten, was aus mir wird.«

»Leben Sie auch in Scheidung?«

»Noch nicht direkt, aber es kann sein, dass es darauf hinausläuft. Wir brauchen erst mal ein bisschen Abstand.«

»Und Ihr Sohn?«

Anne schüttete das eben eingeschenkte Glas in einem Zug hinunter.

»Der ist erwachsen. Der ist … nicht da. Ich weiß selbst nicht genau, wo er im Moment ist.« Anne begann zu zittern, Eleonore schrieb es dem Alkohol zu.

Anne hielt ihr ihr Glas hin.

»Dürfte ich vielleicht noch einen kleinen Schluck haben?«

Eleonore nickte und goss nach.

»Wo haben Sie denn Ihren Wagen?«

»In Montebenichi. Ich bin hierher gelaufen, weil ich Angst hatte, dass die Straße zu schlecht ist. Aber bis Siena ist es ja nicht weit. Dort habe ich ein Hotelzimmer. Fürs Erste.«

Anne trank das Glas aus. Eleonore sagte gar nichts mehr, sondern sah sie nur an. Was ist mir hier nur für ein komischer Vogel ins Haus geflattert, dachte sie gerade, als Anne langsam aufstand und mit unsicheren Schritten zum Bach hinunterging.

33

La Pecora, Ostern 1994

Es war der Karfreitag 1994 gegen achtzehn Uhr. Für Anne, Harald und Felix war es ihr letzter Abend in der Toscana, und Anne war sich nicht sicher, ob sie draußen essen könnten oder nicht. Sie hatte Mozzarella mit Tomaten und eine scharfe Knoblauchsoße vorbereitet, dazu alle möglichen Kleinigkeiten aus Resten, denn morgen musste der Kühlschrank leer sein. Harald liebte es, wenn es von allem etwas gab, ein paar Bohnen, ein paar Gurken, ein bisschen Lachs, ein paar Scheiben Schinken und Mortadella, ein paar aufgebratene Nudeln, Sedano zum Knabbern und ein halber Primolo, die letzten beiden frischen Cipollini und dazu kühlen Chianti und Cola für Felix. Im Moment zögerte sie noch, alles auf die Terrasse zu tragen, denn im Südosten türmten sich schwarze Gewitterwolken, und sie glaubte auch bereits den leichten Wind zu spüren, der ein Unwetter ankündigte. Harald half Pino hinter dem Haus ein paar Zypressen zu setzen, Felix spielte unten am Bach. Er staute den schmalen Flusslauf mit Holz und Steinen, bis kleine Seen entstanden, in denen er Molche züchten wollte.

Anne stand auf der Terrasse und sah den beinah fliegenden Wolken und den schwarzen Wolkenbergen dabei zu, wie sie sich türmten. Schade, sie würden wohl in der Küche essen müssen. Und gleichzeitig dachte sie daran, dass sie jetzt wieder viele Monate lang keine einzige Wolke beobachten, ja nicht einmal bemerken würde. Wetter war im Alltag in Deutschland doch nur der Auslöser für eine Entscheidung in Richtung: warme Jacke, dünne Jacke, Regenjacke, Regenschirm, Wintermantel mit oder ohne Mütze und Handschuhe. Und ständig Autoscheiben kratzen, Gebläse an, bei

Regen immer Stau, oder Sonnentage, Verdeck auf, Scheibe runter – Sehnsucht nach der Toscana. Vielleicht mal eine Dampferfahrt mit Felix oder ein Picknick. Im Sommer Freibad. Okay, meinetwegen, geh mit Michael, wenn seine Mutter dabei ist. Aber um acht bist du zu Hause. Und behalte die nasse Badehose nicht an. Tschüss, mein Liebling, hast du den Aufsatz eigentlich schon geschrieben? Okay, aber morgen bestimmt. Versprochen? Großes Ehrenwort.

Das alles erwartete sie, aber sie hatten ja noch diesen Abend. Diesen einen Abend. Zu dritt.

Als das erste Donnergrollen zu hören war, deckte Anne den Tisch in der Küche und stellte sogar ein paar Kerzen dazu. Weihnachten und Neujahr hier zu verbringen – das konnte sie sich auch gut vorstellen, aber da wollten Harald und Felix immer lieber in den Schnee. Felix war jetzt zehn, aber er fuhr seinem Vater bereits auf jeder Piste hinterher, während Anne auf dem Idiotenhügel immer noch den Schneepflug übte.

Harald unterhielt sich mit Pino und Samantha und lachte laut. Er war mit den Zypressen fast fertig. Als er Anne bemerkte, die aus dem hinteren Küchenfenster sah, meinte er, er käme in fünf Minuten. Daraufhin rief Anne Felix. Bis zum Bach war es nicht weit. Sie konnte ihn zwar nicht sehen, weil ihr dichte Büsche und Bäume die Sicht versperrten, aber eigentlich musste er ihr Rufen hören. Normalerweise kam er sofort, wenn man ihn rief, außerdem wusste er, dass das Abendbrot auf dem Tisch stand.

Aber er kam nicht.

An die nächsten Minuten und Stunden erinnerte Anne sich, als wären seither nicht zehn Jahre vergangen, sondern als sei es gestern gewesen. Harald kam mit einem riesigen Osterei um die Hausecke und betrat die Küche.

»Guck mal. Von Samantha und Pino für Felix zu Ostern.«

Das Schokoladenei war so groß wie ein Fußball und in glänzendes, grellbuntes Papier mit goldener Innenseite eingewickelt. Da-

rauf kleine Osterhasen, die zwischen kitschig bunten Fantasie-
blumen saßen.

Harald grinste. »So ein Monster wird schwer zu verstecken sein,
aber es ist lieb von den beiden. – Ich hab übrigens eine Überraschung für dich.«

»Ja?« Anne liebte Überraschungen.

»Die Gäste, die morgen anreisen wollten, kommen nicht. Der
Mann hatte einen Schlaganfall. Wir können also noch die Woche
über Ostern bleiben, wenn du willst.«

Was für eine Frage! Also doch nicht der letzte Abend. Anne
fühlte sich ganz leicht vor Freude.

»So etwas in der Art hatte ich die ganze Zeit gehofft! Fantastisch! Na klar bleiben wir! Und Felix wird sich freuen! Er war so
unglücklich, dass wir schon abreisen.« Harald küsste Anne aufs
Haar.

»Ich bring das Monsterei erst mal in unser Schlafzimmer.«

Anne ging auf die Terrasse. Der Himmel war jetzt fast schwarz.
Es würde jeden Moment anfangen zu regnen.

»Felix!!! Komm nach Hause! Abendbrot!« Sie schrie so laut sie
konnte. Er musste es hören, aber es kam keine Antwort. Sie hörte
lediglich, dass Pino seinen Fiat Punto startete, und dann rollte der
Wagen die Auffahrt hinunter. Offensichtlich hatten die beiden an
diesem Abend etwas vor, was selten vorkam.

Anne rief erneut. Noch lauter und anhaltender als vorher. Harald
kam nach draußen.

»Ich geh mal gucken, wo er sich rumtreibt.«

Harald lief über die Wiese und verschwand hinter den Büschen am Bach. Das war alles noch nichts Ungewöhnliches, aber
Anne spürte, wie ihr Herz heftig zu schlagen begann. Sie spürte
das Klopfen im Hals, und ihr Gesicht glühte. Irgendetwas war
nicht in Ordnung. Um ihr Zittern und ihre Unruhe zu verbergen, zündete sie sich eine Zigarette an. Die ersten Tropfen fielen.
Langsame, schwerfällige, riesige Tropfen, die auf den Holztisch

klatschten und kleine Wasserpfützen hinterließen. Harald kam zurück.

»Verdammt noch mal, wo ist der Bengel bloß? Hat er denn seine Uhr nicht um?«

»Natürlich hat er seine Uhr um! Und außerdem hat er Angst vor Gewitter! Ich versteh nicht, warum er nicht nach Hause kommt.« Aus irgendeinem Grunde wollte Anne nicht, dass Harald merkte, wie sie zitterte.

Harald griff sein Handy. »Ich geh mal runter zum See. Wenn er kommt, ruf mich an.«

Bis zum See war es zu Fuß etwa eine Viertelstunde. Anne und Harald hatten Felix nicht erlaubt, am See zu spielen, und zu baden schon gar nicht, denn im See gab es gefährliche Strudel, die einen Schwimmer in die Tiefe ziehen konnten.

Harald lief los. Mit schnellen, langen, energischen Schritten. Seine Sorge machte ihn wütend. Anne ging ins Haus und blieb am Küchenfenster stehen. Es regnete jetzt heftiger, dazu kam ein kalter Wind auf. In der Ferne hörte sie es donnern. Gott sei Dank war das Gewitter noch nicht direkt über dem Haus. Sie fröstelte, zog sich eine Jacke an und rauchte die nächste Zigarette, während sie das Handy hypnotisierte. Bitte ruf an und sag, dass du ihn gefunden hast. Bitte, bitte.

Das Handy klingelte. Anne sah auf dem Display sofort, dass es nicht Harald war. »Rufnummer unterdrückt« kam wahrscheinlich aus Deutschland.

»Ja, hallo?« Annes Stimme klang unterkühlt, sie wollte jetzt nicht telefonieren, und natürlich war es ihre Mutter.

»Ja, es ist alles in Ordnung, es geht uns gut, alles prima.« – »Nein, es gibt eigentlich nichts Neues.« – »Ach doch, das hätte ich beinah vergessen, wir bleiben noch eine Woche länger.« – »Ja, weil Gäste abgesprungen sind.« – »Und wie geht's euch?« – »Na, dann ist ja alles bestens.« – »Nein, weil ich einfach nicht weiß, was ich jetzt noch sagen soll. Wir können ja morgen wieder telefonieren.

Oder Ostern. Ja, lass uns Sonntagvormittag telefonieren.« – »Ja, wünsch ich dir auch. Und grüß Papa. Ciao.« – »Ja, ja, natürlich. Ciao. Mach's gut. Ciao.« Sie legte auf.

Warum konnte sie ihrer Mutter nicht sagen, dass sie Herzschmerzen hatte vor Angst, dass sie das Gefühl hatte, die Luft anhalten zu müssen, weil das Leben stillsteht, wenn einer fehlt? Sie fürchtete, dass ihre Mutter ihren entsetzt besorgten Ton anschlagen und tausend Fragen stellen würde. Fragen, die keine wirklichen Fragen waren, sondern versteckte Vorwürfe. Fragen, auf die sie gar keine Antwort hören wollte. Das konnte sie nicht ertragen.

Anne sah auf die Uhr. Harald war erst sieben Minuten weg. Eine halbe Stunde würde er auf alle Fälle für Hin- und Rückweg brauchen. Vielleicht ging er sogar um den See. Das würde noch einmal eine Dreiviertelstunde dauern. Sie hatte das Gefühl, diese lange Zeit niemals durchzustehen, nahm eine Zeitung, schlug sie auf und wieder zu. Wischte mit einem feuchten Lappen über die Arbeitsplatte. Wusch ein Messer ab, das herumlag. Stellte den Mozzarella wieder in den Kühlschrank. Sah aus dem Fenster. Es schüttete. Der Himmel war grau vor Wasser. Sie konnte die Büsche am Bach kaum noch erkennen. Vielleicht hatte sich Felix irgendwo untergestellt, weil er nicht durch den Regen laufen wollte. Wo stellte man sich unter im Wald? Am Bach? Auf der Wiese?

Im Dorf war er sicher nicht. Dort gab es kein Geschäft, noch nicht mal eine kleine Bar. Was sollte er da? Zu Fuß brauchte man mindestens eine Dreiviertelstunde. Nein, im Dorf konnte er nicht sein. Aber wo war er dann, zum Teufel? War er einem Tier hinterhergerannt? Einer Katze? Einem kleinen Hund? Hatte er sich verlaufen? In einer Stunde würde es dunkel sein. Oh, mein Gott! Und die Nächte waren kalt, jetzt im April.

Harald war inzwischen elf Minuten weg.

Sie versuchte sich zu erinnern, was Felix anhatte. Das blaue Sweatshirt? Nein, das hatte er gestern angehabt. Oder war er nur im T-Shirt unterwegs? Das weiße mit Goofy, oder das braune mit dem Eiffelturm, das sie im Herbst aus Paris mitgebracht hatten? Es war zum Wahnsinnigwerden, sie wusste noch nicht mal, was er anhatte!

Jetzt ganz ruhig bleiben. Bloß keine Panik. Harald würde ihn schon finden. Harald schaffte das. In ein paar Minuten würden die beiden den Weg heraufkommen, klatschnass, Hand in Hand. Felix war doch noch so klein, mit schrecklich dünnen Armen und Beinen und ganz zarter Babyhaut im Gesicht. Das weiche, glatte hellblonde Haar, das ihm immer in die Augen fiel und das sie jetzt nicht mehr schneiden durfte. Er meinte, er sei allmählich alt genug, zum Friseur zu gehen. Mein Engel, dachte sie, mein Engelskind. Beinah durchsichtig und so unendlich verletzbar.

Manchmal rührten sie die beim Ausziehen auf links gekrempelten Hosen und Pullover auf der Erde, seine dreckverkrusteten steifen Socken, die Turnschuhe, die irgendwie schneller wuchsen als er. Seine zerschrammten Schienbeine und schwarzen Füße, er kämpfte sich ins Leben, und das fing zuerst bei Bäumen, Büschen und Bächen an. In seinem Zimmer hortete er Steine und Stöcke gleichberechtigt mit Furcht einflößenden Fantasiefiguren und Matchboxautos, sein Hamster Hobbit durfte frei in diesem Chaos herumrennen und war manchmal tagelang verschwunden. Anne wunderte sich ständig, wie das kleine Vieh das überlebte.

Harald kam den Weg herauf. Anne hörte auf zu atmen. Er war allein. Hemd und Hose schlotterten triefend an seinem Körper, sein Schritt war schleppend und hatte jegliche Dynamik verloren. Das Gewitter war jetzt direkt über ihnen. Blitz und Donner zuckten und krachten beinah gleichzeitig. Die letzten Meter rannte er zum Haus. Anne öffnete ihm die Tür. Beide sagten kein Wort, waren plötzlich die einzigen Menschen auf der Welt. So unendlich allein und verlassen, dass sie sich schämten, als sie sich ansahen.

»Zieh das nasse Zeug aus«, sagte Anne, »und zieh dir trockene Sachen an.« Er reagierte nicht.

»Ich bin um den ganzen verfluchten See gerannt«, sagte er vollkommen außer Atem. »Nichts. Niemand. Mir fällt einfach nichts mehr ein, wo er noch sein könnte.« Er schlug derartig heftig mit der Faust auf den Tisch, dass Anne dachte, die Hand wäre gebrochen. Sie konnte ihm deutlich ansehen, wie weh es tat.

»Was machen wir denn jetzt?« Anne flüsterte, weil sie diesen Satz unbedingt sagen musste, obwohl sie wusste, dass es darauf keine Antwort gab. Wahrscheinlich machte es ihn wütend.

»Ich weiß es nicht«, schrie er. »Ich weiß es nicht, ich weiß es einfach nicht, wenn ich es wüsste, würde ich es machen, aber ich weiß es nicht!« Er war kurz davor, in Tränen auszubrechen, und dadurch spürte sie, wie die Kraft bei ihr zurückkam. Es war noch nichts verloren. Es war noch alles möglich. Übermorgen war Ostern. Sie würden das Ei verstecken und im Garten herumtoben, Erdbeerkuchen essen und Boccia spielen. An einem sonnigen warmen Ostersonntag in der Toscana. Vater, Mutter, Kind. Alles andere wäre absurd. Unmöglich. So etwas gab es im Film, aber nicht in der Realität. Nicht hier in dieser lieblichen Landschaft. Und vor allem nicht bei ihnen. Wir müssen auf dem Teppich bleiben, dachte sie streng, jetzt bloß nicht hysterisch werden.

Das alles sagte sie ihm, und Harald starrte sie an, als hätte sie den Verstand verloren. Er zog sich nicht um, er holte sich keine Jacke, er nahm nur die Taschenlampe und ging wieder hinaus. Kletterte hinter dem Haus den Berg hoch, rannte in alle Richtungen im Kampf gegen die Zeit, gegen das Dunkelwerden.

Als man die Hand nicht mehr vor Augen sehen konnte, kam er zurück. Nur um den Autoschlüssel zu holen. Er setzte sich in den Wagen und fuhr die Gegend ab. Ins Dorf und überallhin. Ziellos, planlos. Folgte nur seiner inneren Eingebung. Er fragte die Leute, ob sie einen kleinen Jungen gesehen hätten, aber natürlich hatte ihn niemand gesehen. Und schließlich ging er zu den Carabinieri. Sie nahmen die Vermisstenanzeige umständlich auf, füllten mehrere Formulare aus, jeweils mit vier Durchschlägen. Dann baten sie Harald, der kurz vor der Explosion stand, die Ruhe zu bewahren.

Jetzt in der Nacht könne man nichts tun, aber im Morgengrauen würden sie anfangen zu suchen.

Das Gewitter hatte längst aufgehört, es regnete jetzt anhaltend, aber nicht stark. Harald wusste, dass er keine Chance mehr hatte, ihn in dieser Nacht noch zu finden, und kam nach Hause zurück.

Felix war irgendwo da draußen und hoffte und wartete auf seinen Vater, gab die Hoffnung nicht auf, dass er kommen würde, schrie und weinte nach ihm. Bettelte und flehte, aber seine Eltern kamen nicht. Da kam niemand. Harald sagte es nicht, aber Anne wusste, dass er das Gefühl hatte, versagt zu haben.

Endlich zog er die nassen Sachen aus und trockene an. Anne beobachtete ihn schweigend, hatte keine Idee mehr, wollte ihn in Ruhe lassen. Er ging zum Regal, nahm die Whiskyflasche, goss sich ein Wasserglas halb voll und nahm einen tiefen Schluck. Dann setzte er sich an den Küchentisch, mit dem Rücken zu ihr, legte den Kopf auf den Unterarm und weinte.

Das war das Schlimmste. Weil es so endgültig war.

Anne und Harald blieben die ganze Nacht in der Küche sitzen und lauschten in die Stille. Ob auf dem Kies ein Schritt zu hören war, ob sich eine Tür leise öffnete, ob sie ihn rufen hörten. Sie sagten kein Wort und horchten. Es war unerträglich. Sie wünschten sich, wenigstens ein Auto zu hören, Straßenlärm, das Brummen eines Flugzeugs, irgendetwas …, das wäre etwas Lebendiges gewesen, aber sie saßen stumm wie in einer schalldichten Zelle, und da war nichts mehr. Der Regen hatte aufgehört, es war vollkommen windstill. Noch nicht einmal das Käuzchen schrie. Zeitweise dachte Anne, sie wäre taub geworden, diese Stille gäbe es nur in ihrem Kopf, sie hätte die Verbindung zur Außenwelt verloren, aber dann stand Harald auf, ging zum Waschbecken und spritzte sich eiskaltes Wasser ins Gesicht. Anne hörte das fließende Wasser und wusste, es lag nicht an ihr, da draußen war alles tot.

Als die Sonne aufging, ging Harald wieder hinaus und suchte weiter. Anne kochte sich einen Cappuccino und wusste nicht, wie sie den Tag überstehen sollte. Kurz darauf kamen die Carabinieri, und dann wurde ihre Angst von einem nervtötenden, aber gleichzeitig auch ein wenig tröstenden Aktionismus überlagert. Die Carabinieri fuhren die Waldwege ab, eine Hundestaffel durchkämmte das Gelände, Taucher durchsuchten den See. Anne wusste nicht mehr, was sie wollte. Hoffte, dass sie ihn fanden, und hoffte gleichzeitig, dass sie ihn nicht fanden. Sie wollte wissen, was mit ihm los war, aber wiederum wollte sie auch nicht wissen, was mit ihm los war, um sich die Hoffnung nicht zu nehmen. Und obwohl sie jede Ecke ihres Gehirns durchforstete und ihr Unterbewusstsein, ihre Intuition, ihre Instinkte und Ahnungen zu aktivieren versuchte, war da absolut keine Vision eines unversehrten kleinen Jungen, der unter einem Olivenbaum, geschützt vor einer verwitterten Mauer übernachtet hatte, weil er sich vielleicht den Fuß gebrochen hatte und nicht mehr nach Hause laufen konnte. Da kam kein Bild. Da war nichts. Und sie musste sich eingestehen, dass ihre Hoffnung bereits gestorben war.

Don Matteo, der Dorfpfarrer, kam. Er hatte schwere Arbeitsstiefel an, eine lehmverkrustete Cordhose, ein gestreiftes Hemd und darüber eine Armeeweste mit vielen Taschen, in denen er seine sämtlichen Habseligkeiten aufbewahrte. Offensichtlich kam er direkt vom Feld. Er setzte sich zu Anne, nahm ihre Hand und redete mit ihr. Sie verstand nicht, was er sagte, aber dann betete er, und das tat gut. Sie musste ihm nicht antworten, sie musste nichts erklären, er saß einfach nur neben ihr, einfach nur so.

Anne und Harald blieben nicht nur über Ostern, sondern noch zwei weitere Wochen in diesem Haus. Die Carabinieri suchten drei Tage lang, dann stellten sie die Suche ein. Harald verließ jeden Morgen bei Sonnenaufgang das Haus und kam abends erst in der Dunkelheit wieder. Er hörte nicht auf, ihn zu suchen. Und Anne saß in der Küche oder auf der Terrasse und wartete. Sie tat nichts. Sie war einfach nur da. Las nichts, hörte kein Radio, ging nirgend- wohin. Ihr Verstand hatte sich ausgeschaltet. Sie merkte nicht mehr, ob die Zeit verging oder ob sie stehen blieb. Sie hatte jegli- ches Gefühl dafür verloren, ob fünf Stunden oder fünfzehn Minu- ten vergangen waren. Sie war wie erloschen. In ihr war alles tot. Wattig und dumpf. Sie fühlte nichts mehr. Auch keinen Schmerz. Ab und zu stellte sie sich vor, dass die Tür aufgehen und Felix ein- fach dastehen würde. Grinsend.

»Hei, Mama, was gibt's 'n zu essen?«

Anne wusste, es hätte keinen schöneren Satz geben können. In ihrem ganzen Leben nicht. Aber sie hörte diesen Satz nie wieder.

34

La Pecora, Juni 2004

Als Anne zurückkam, war sie leichenblass. Eleonore sah sie besorgt an.

»Geht es Ihnen nicht gut?«

»Doch, doch, aber ich hab den Wein zu schnell getrunken und nichts im Magen …«

Eleonore lächelte und stand auf.

»Ich mache uns was zu essen.«

Sie ging in die Küche, Anne blieb auf der Terrasse und blickte in die Ferne. Ein paar Möwen schrien am Himmel, obwohl die hier eigentlich nichts zu suchen hatten. Das Meer war viel zu weit weg. Wahrscheinlich haben wir Seewind, dachte sie, aber wen interes- siert das. Meinetwegen kann ein Sandsturm dieses Land mit einer meterdicken Staubschicht überziehen, bis alles verschwunden ist, jeder Olivenbaum, jeder Weinstock, jedes Haus. Ich habe aufgehört, mich dafür zu interessieren. Seit jenem Karfreitag vor zehn Jahren hat die Welt aufgehört, sich zu drehen.

Eleonore brachte etwas Brot, eine Schale mit Oliven und ein Stück Parmesankäse. Und setzte sich. Anne aß dankbar ein Stückchen Käse.

Es war bereits Viertel nach elf, als sie zurück zum Hotel kam. Sie fand auf Anhieb einen Parkplatz ganz in der Nähe. Das warme gelbe Licht der Straßenlaternen schuf eine behagliche Atmosphäre in der Stadt, die hier, wo es keine Restaurants und Geschäfte gab, bereits ruhig und verschlafen wirkte. Eine alte Frau hastete nach Hause, ein Liebespaar schlenderte scheinbar ziellos aber ineinander verschlungen und leise murmelnd in Richtung Campo. Anne trat zur Seite, denn ein alter Fiat Cinquecento quälte sich die ansteigende Straße hinauf und hielt vor einem düsteren Haus, das aussah, als wäre es seit Jahren nicht mehr bewohnt. Ein alter Mann stieg mühsam aus dem winzigen Auto. Er trug einen Hut, wie ihn Annes Großvater getragen hatte, wenn er vormittags mit dem Hund zum Markt ging. Anne dachte an ihren Großvater und an das kleine Papiertütchen mit bunten Gummiteufeln, die sie so gerne gelutscht und die er ihr immer mitgebracht hatte. Und der Gedanke machte sie traurig. Weil das alles vorbei war. Sie hatte das Gefühl, alles Erlebte verloren zu haben. Und jetzt ging sie in einer warmen Sommernacht durch das nächtliche Siena und fühlte sich wie eine fabrikneue Festplatte, auf der noch keine einzige Datei abgespeichert war.

Der Mann schloss eine wuchtige schwere Holztür auf und verschwand in dem halb verfallenen Haus. Die Fensterläden blieben geschlossen, von draußen sah man kein Licht. Noch nicht einmal einen kleinen Schimmer.

Anne war müde. Todmüde. Langsam und schwerfällig betrat sie das Hotel, als wäre sie betrunken und bemüht, keinen Fehler zu machen, nicht danebenzutreten und nicht aufzufallen. Die Signora an der Rezeption reichte ihr lächelnd den Zimmerschlüssel, noch bevor sie danach fragen konnte. Anne war dankbar dafür, war dankbar für jedes Wort, das sie heute Abend nicht mehr sagen musste.

Ihr kleines Zimmer im ersten Stock kam ihr vor wie ein friedliches Nest, außerhalb jeder Gefahr. Sie zog die Schuhe aus, ging zum Fenster und öffnete es weit. Dann löschte sie das Licht, zog sich aus, kroch mühsam unter die Decke, die unter der Matratze viel zu straff und viel zu fest eingeklemmt war, und schlief sofort ein.

Es war die Nacht zum 21. Juni.

35

»Einen kleinen Moment«, sagte Monica Benedetti lächelnd und deutete auf eine Sitzecke am Fenster. »Möchten Sie sich nicht ein paar Minuten setzen?« Sie sah auf ihre Armbanduhr. »Herr Gregori kommt sicher jeden Augenblick.«

Anne setzte sich. Sie hatte in der Nacht tief und fest geschlafen und war froh, nichts geträumt zu haben. Als sie aufwachte, war es im Zimmer noch kühl, aber die Zikaden zirpten schon im Garten und verursachten in ihren Gedanken ein betörendes Glücksgefühl. Es war Sommer. Richtig Sommer. Heute, morgen und übermorgen. Und nächste Woche. Nicht nur zwei Tage, wie in Deutschland, und dann wurde es wieder herbstlich kühl und nass. Nein. Sie hatte Geburtstag, und der ganze Sommer lag noch vor ihr. Happy birthday, Anne. Besser konnte man ein neues Leben gar nicht beginnen.

Das Frühstück wurde auf einer schattigen Terrasse serviert, über die sich die dichten Zweige mehrerer Kiwibäume rankten. Unter einer Pinie im Garten sah sie von ihrem Platz aus die lebensgroße und im Laufe der Jahre grünlich gewordene Steinfigur einer Frau mit entblößter Brust, die mit der einen Hand die Falten ihres Rockes raffte und in der anderen einen Apfel hielt, den sie nachdenklich und versonnen lächelnd betrachtete. Ein Bildnis wie aus einer anderen Welt, einer anderen Zeit.

Der Cappuccino war ein Gedicht. Anne konnte sich nicht erinnern, schon jemals einen so guten Kaffee getrunken zu haben. Dazu ein Glas kühles Wasser und eine mit Pudding gefüllte Zuckerschnecke. Italienisches Frühstück.

Anne sah sich um. Ein derartig hypermodernes Büro hatte sie hinter der verwitterten mittelalterlichen Fassade des Hauses gar nicht erwartet. Funktionell, streng und kühl. Zum Erfrieren, wenn man hier arbeiten musste. Und lediglich zwei Bilder an der Wand. Das eine zeigte ein weites Sonnenblumenfeld, dahinter geduckt und von den Blumen fast verschluckt eine kleine Hütte, toscanarot gestrichen. Das andere zeigte die weiten baumlosen Hügel der Crète im diffusen, von Nebelschleiern durchzogenen Licht des frühen Morgens, die Landschaft in zarten Pastelltönen verschwimmend, auf einem der Hügel ein Haus, vier Cypressen als Windschutz an einer Seite, unwirklich, lebensfremd.

Anne saß in einer merkwürdigen Sesselschale. Sie wusste nicht, was Clubsessel waren, aber so stellte sie sie sich vor. Dieses Büro hatte ein Mann eingerichtet, so viel war unübersehbar, und was sich hinter der nächsten Tür befand, war völlig austauschbar. Auch ein Zahnarztstuhl oder die Schrankwand eines Notars mit bürgerlichen Gesetzesbüchern und meterweise Kommentaren wären möglich gewesen.

Monica kam hinter ihrem Schreibtisch hervor und reichte Anne einen Katalog. »Das sind unsere aktuellsten Angebote. Vielleicht haben Sie Lust, schon mal hineinzuschauen?«

Anne nickte und schlug den Katalog wahllos in der Mitte auf. Die angegebenen Ortsnamen sagten ihr gar nichts. Sie schlug den Katalog wieder zu.

»Das nützt mir nicht viel. Ich suche etwas in einer ganz bestimmten Gegend, und wenn ich ›Castelnuovo‹ oder ›Castelfranco‹ lese, hab ich keine Ahnung, wo das liegt.«

»Verstehe.« Monica nahm den Katalog wieder an sich und legte ihn zurück ins Fach. »Na gut, aber Herr Gregori kommt ja auch gleich. Möchten Sie etwas trinken?«

»Ein Glas Wasser wäre schön.«

In diesem Moment betrat Kai Gregori das Vorzimmer seines Büros. Seine Haare waren noch nass, die Gesichtshaut gerötet, die Poren weit. Offenbar hatte er kurz zuvor geduscht. Er reichte Anne die Hand.

»Frau Golombek?« Anne nickte. »Gregori. Ich muss mich entschuldigen, dass Sie warten mussten, aber ich bin aufgehalten worden.«

»Kein Problem. Ich hab's nicht eilig.«

Er lächelte, und Anne lächelte zurück. Kai öffnete seine Bürotür. »Bitte, kommen Sie herein. Monica, machen Sie uns einen Kaffee?«

Monica sah Anne fragend an. »Kaffee oder Wasser?«

»Wasser.« Anne folgte Kai ins Büro.

Die Tankuhr des schwarzen Mercedes-Jeeps stand auf 25 Prozent. Normalerweise fuhr er mit seinen Klienten zuerst zur Tankstelle, tankte den Wagen auf und rechnete dann am Ende der Besichtigungstour das verbrauchte Benzin ab. Heute tat er es nicht und fragte sich, warum. Vielleicht war es der heimliche Wunsch seines Unterbewusstseins, ihr zu signalisieren, die Fahrt sei eher privater als beruflicher Natur, vielleicht wollte er locker und unkompliziert erscheinen, nicht den spießigen überkorrekten Makler heraushängen lassen …, vielleicht wollte er auch einfach nur schnell los. Mit ihr in die Berge fahren, ohne jede Verzögerung.

Er glaubte, verstanden zu haben, was sie suchte. Er wusste zwar nicht, warum sie sich unbedingt in Italien und speziell in dieser Gegend verkriechen wollte – denn anders konnte man es nicht ausdrücken –, aber das würde er sicher noch herausfinden. Er hatte auch ein ganz bestimmtes Objekt für sie im Auge, aber seine Maklererfahrung hatte ihn eines gelehrt: Zeige das optimale Objekt nie als Erstes und nie als Letztes. Am Anfang wurde es nicht ernst genommen, nur Milliardäre oder Spinner kauften das Erstbeste, was sie sahen, und nach fünf verworfenen Objekten geriet es meist in Vergessenheit und litt unter dem Eindruck der Fehlschläge. Zeigte man das Spitzenobjekt dagegen als Letztes, waren die Kunden meist schon entnervt, hatten die Zuversicht, etwas Passendes zu finden, bereits aufgegeben und trauten dem passenden Objekt keine optimalen Qualitäten mehr zu. Es war die Kunst des Maklers zu erahnen, welches Haus der Kunde sicher kaufen würde, und die Präsentation dann genau zu platzieren. Insofern würde er mit Anne Golombek mindestens zwei Tage unterwegs sein. Eine wundervolle Perspektive, denn Anne Golombek hatte etwas, das ihn magisch anzog. Vielleicht war es ihre Distanz, oder ihr Geheimnis, das sie zweifellos hatte, aber zu verbergen suchte. Darüber hinaus fand er sie ungeheuer attraktiv, und ihr Wunsch, ein Haus ganz für sich allein zu finden, war einfach faszinierend. In den letzten Jahren hatte er es überwiegend mit Paaren um die sechzig zu tun gehabt, die ein Ferienhaus oder eine stilvolle Residenz fürs Alter suchten.

Sie bogen gerade von der Hauptstraße Grosseto/Arezzo in Richtung Bucine ab, als sie ihn von der Seite spöttisch ansah.

»Warum zeigen Sie mir nicht erst mal ein Exposé, bevor Sie mich durch die Gegend kutschieren? Es könnte ja sein, dass das alles verlorene Liebesmüh ist, und dann haben Sie Zeit und Geld verplempert.«

»Vielleicht ist das meine Art zu arbeiten. Immobilien kauft man nicht am Schreibtisch. Ob einem ein Haus gefällt oder nicht, das kann man nicht anhand eines Fotos entscheiden. Man muss die Gegend kennen, das Umfeld auf sich wirken lassen, die Anfahrt erleben, den Garten sehen, den Blick genießen. Dann muss man davorstehen und die Atmosphäre spüren. Und die erlebt jeder ganz unterschiedlich. Meist ist es sogar davon unabhängig, ob das Haus renoviert ist oder nicht, und meist ist es auch ganz anders, als man es sich zu Hause in Deutschland vorgestellt hat. Man muss einfach davorstehen und sich verlieben. Sich von dem Haus angezogen fühlen und es nicht mehr aus seinen Gedanken verbannen können. Es muss Sehnsüchte wecken. Begehrlichkeiten. Selbst wenn sie total irreal sind. Und dann wird man tief einatmen und denken, mein Gott, ich muss es haben, oder ich sterbe. Dann interessiert nicht mehr, ob auf dem Dach drei Ziegeln fehlen oder die Badezimmerfliesen die falsche Farbe haben.« Er sah in den Rückspiegel und drosselte das Tempo, weil er überholt wurde.

»Es ist wie in der Liebe. Ich habe von Leuten gehört, die erst nach zehn Jahren Ehe bemerkten, dass ihr Partner eine schiefe Nase hat. Das sahen sie nämlich erst, als die Liebe erkaltet war.« Jetzt wagte er einen Seitenblick. Sie sah stur geradeaus. Ihr Gesichtsausdruck war unergründlich.

»Und aus diesem Grund fahre ich mit meinen Kunden herum und zeige ihnen lieber ein Objekt zu viel. Sie bekommen dadurch einen Gesamteindruck und haben nicht das Gefühl, etwas verpasst oder übersehen zu haben.«

Anne nickte. »Hört sich ziemlich idealistisch an.«

»Wenn Sie hier leben, werden Sie entweder zum Idealisten, oder Sie gehen zurück nach Deutschland. Wenn man das Land liebt, will man, dass es auch alle anderen sehen und lieben lernen. Hier zu makeln ist für mich kein Business. Kein Stadtjob, bei dem man sich abends beim Champagner vor Geschäftsfreunden brüstet, hej, heute lief es bestens, ich habe drei Eigentumswohnungen und ein Mietshaus verkauft. Meine Arbeit hier ist dagegen – tja, wie soll man das ausdrücken – vielleicht wie eine Mission.«

»Irgendwie gefällt mir das, was Sie sagen.«

Allmählich hörten die baumlosen Hügel auf und waren nun von dichten Wäldern bedeckt.

»Hier kenne ich die Gegend«, sagte Anne. »Vor zehn Jahren habe ich hier mal Urlaub gemacht.«

»Und es hat Ihnen so gut gefallen, dass Sie jetzt unbedingt zurückkehren wollen?«

Anne zögerte. »So ungefähr.«

Er war überrascht, fragte aber nicht nach. Als er weitersprach, redete er mehr zu sich selbst als zu ihr.

»Hier ist die Gegend lieblicher, aber auch wilder, ungebändigter. Hier darf noch wachsen, was wachsen will. Die klaren Konturen gehen verloren, aber der Mensch fühlt sich heimeliger. Es ist eine Landschaft zum Wohlfühlen und Leben, es ist nicht das Vegetieren in einem Markenzeichen, das ›Zur-Schau-Stellen‹ einer Kultur, sondern ein ›vivere e lasciar vivere‹, ›leben und leben lassen‹ in der Wildnis mit dem möglichen Rückgriff auf die Zivilisation, den Luxus und alle Annehmlichkeiten, die man braucht. In den Wäldern lebt es sich geschützter und versteckter, aber auch einsamer. Und bis auf die einzelnen Podere ist die Landschaft austauschbarer geworden. Diesen Eichenwald finden Sie auch in Deutschland, die Crète nicht.«

»Das stimmt. Aber ich liebe die bewaldete Toscana mehr als die rasierte.«

Er musste lachen und fuhr gerade in den Ort Ambra, der Mittelpunkt des Tales war und alles zu bieten hatte, was die Einwohner brauchten: eine Post, eine Bank, einen Bäcker, eine Apotheke, drei Lebensmittelgeschäfte, zwei Bars, einen Schuhladen, einen Blumenladen, einen Eisenwarenladen, eine chemische Reinigung, einen Fleischer, eine Arztpraxis, eine Schule, drei Kirchen und ein Kino.

Mit Mühe durchquerte er die Piazza, die wie immer hoffnungslos zugeparkt war, und bog nach links ab in Richtung Cennina, ein kleines Bergdorf, das zwar über eine asphaltierte, aber sehr schmale und kurvige Straße zu erreichen war.

Anne lehnte sich zurück. Cennina. Genau. Dort waren sie damals zu einem Sommerkonzert gegangen, das erst abends um einundzwanzig Uhr begann. Felix war im Haus geblieben und hatte sich um einen kleinen Vogel gekümmert, den er mit gebrochenem Flügel im Gebüsch gefunden hatte. Er hatte ihm mit einem Eierlöffel Wasser gegeben und versuchte, ihm selbst gefangene und zerhackte Regenwürmer in den Schnabel zu stopfen. Aber der Vogel lehnte es ab, irgendetwas zu sich zu nehmen. Er sperrte den Schnabel nicht einmal auf. Dann fand Felix im Kühlschrank Reste von Polenta, die sie zu Mittag gegessen hatten, und das schien die Leibspeise des Vogels zu sein. Er piepte laut, wenn Felix sich mit der Polenta näherte, und sperrte den Schnabel so weit auf, dass sein offener Schlund größer schien als der ganze Kopf. Und Felix stopfte und stopfte.

Als sie nach dem Konzert in Cennina nach Hause kamen, schien der Vogel zu schlafen. Felix wiegte ihn in seiner Hand, flüsterte ihm beruhigende Worte zu und war ganz glücklich. Sie konnten ihn dazu bringen, den Vogel in einen mit Moos ausgestopften Schuhkarton zu legen und dort übernachten zu lassen.

Am nächsten Morgen war der Vogel tot. Geplatzt. Die Unmengen von Polenta waren in seinem kleinen Magen gequollen und hatten ihn zerrissen. Harald und Felix begruben ihn. Harald gab sich Mühe, eine möglichst würdige Zeremonie daraus zu machen, und setzte ihm einen Stein. Noch drei Tage lang brach Felix unvermittelt in Tränen aus, wenn er daran dachte.

Seitdem hatten sie nie wieder Polenta gegessen.

Hinter Cennina begann die kurvenreiche Schotterstraße, für die ein Jeep aber noch nicht unbedingt obligatorisch war. Allerdings waren die Serpentinen derartig eng, dass Kai einige Male hin und her rangieren musste, um die Kurve überhaupt zu schaffen. Schließlich erreichten sie Solata. Der Ort machte einen vernachlässigten und verfallenen Eindruck, obwohl er ganz offensichtlich bewohnt war. Eine Hundemeute stürzte sich wild kläffend und bellend auf den Wagen, aber Kai scherte sich nicht darum, sondern fuhr einfach weiter, obwohl die Hunde versuchten, in die Reifen zu beißen.

Nach ungefähr zehn Minuten Fahrt durch Oliven- und Maronenwälder erreichten sie eine Ruine. Ein großes, U-förmiges Anwesen auf einem Hügel mit einer herrlichen Aussicht über das weite Valdarno bis hin zum Prato Magno, das hohe Gebirge, das Umbrien von der Toscana trennt.

Anne stieg aus dem Wagen und sah sich entsetzt um.

»Was soll das?«, fragte sie. »Warum zeigen Sie mir eine riesige Ruine, in der genug Platz für sechs Appartements wäre und für die ich zwei Millionen Euro bräuchte, um sie wieder aufzubauen, mal ganz abgesehen von der Zeit und dem Ärger mit den Handwerkern?«

»Vergessen Sie mal die Ruine«, sagte Kai. »Mir geht es um den Platz. Gefällt er Ihnen? Die Lage? Der Blick? Die Entfernung zum nächsten Ort?«

Anne ging langsam um die Ruine herum, was wegen des wuchernden Brombeergestrüpps nicht einfach war.

»Nein«, sagte sie nach einer Weile. »Der Blick über das Valdarno-Tal ist mir zu weit. Zu anonym. Da sehe ich nicht jeden Morgen nach dem Aufwachen ›meinen Wald‹, ›meinen Hügel‹, ›mein Dorf‹, ›meine Kapelle‹, die mir vertraut sind, sondern eigentlich nichts. Namenlose Gegend. Die Häuser und Straßen sind so weit entfernt, dass sie sie nicht mal mehr ausmachen kann. Ich gehe verloren in diesem Blick. Wahrscheinlich ist das Tal in der Nacht mit Lichtern übersät, die Zivilisation ist scheinbar so nah und macht mich noch einsamer, als wenn ich auf einen dunklen Wald starre, in dem kein einziges Licht leuchtet.«

Sie drehte sich um die eigene Achse, breitete die Arme aus und lachte. »Ich stehe hier oben und präsentiere mich der ganzen Welt. Jeder kann mich beobachten. Vom Weg aus würde man sehen, ob ich esse oder im Liegestuhl liege, ob ich im Haus bin oder im Garten arbeite, ich wäre hier öffentlicher als in der Stadt. Ich müsste Bäume und Hecken pflanzen, um mich zu schützen, vor die Fenster würde ich Gardinen hängen. Und das will ich alles nicht.«

»Und der Ort?«

Sie überlegte einen Moment. »Ja, ich glaube, auch der Ort ist zu weit weg. Ich will keinen Nachbarn, der sich aufregt, wenn mein Radio zu laut ist, aber ich will auch nicht zu Fuß eine Stunde unterwegs sein, bis ich den nächsten Menschen treffe.«

Kai lächelte und öffnete die Wagentür. »Na also. Jetzt weiß ich doch schon wesentlich besser, was Sie suchen. Steigen Sie ein. Was halten Sie davon, wenn wir jetzt erst mal etwas essen gehen? Ich kenne in der Nähe eine kleine Osteria mit einfachem, aber sehr gutem Essen. Sie wird Ihnen gefallen. Und dann zeige ich Ihnen das Haus Ihrer Träume.«

Anne stieg ein. »Fantastisch. Aber ich lade Sie ein. Ich habe heute nämlich Geburtstag.«

36

Sie sahen sich an diesem Tag keine Immobilie mehr an, sondern versackten in einer kleinen Osteria in Castelnuovo Berardenga am Ortsausgang. Am Anfang waren sie sehr höflich zueinander, aßen ein paar Crostini als Vorspeise und sprachen über Immobilien. Anne hatte das Gefühl, sich zu wiederholen, das hatte sie alles auch schon im Büro erzählt, Gregori musste sich fürchterlich langweilen. Kai orderte einen halben Liter offenen Chianti und dazu eine große Flasche Acqua minerale frizzante. Sie prosteten sich zu und tranken, Anne rauchte, und als ihre Gnocchi und Kais Ravioli kamen, war der Chianti leer. Kai orderte eine weitere Karaffe.

Da erinnerten sie sich wieder an Annes Geburtstag, und Kai gratulierte und fragte, wie alt sie geworden sei, und Anne meinte, das sähe man doch, sie sei jetzt achtundzwanzig. Kai grinste, und Anne lachte so sehr, dass sie ein paar Gnocchibröckchen über den Tisch spuckte, was ihr ungeheuer peinlich war.

Aber Kai beseitigte das Malheur mit seiner Serviette, klemmte sie hinter die Blumenvase und benahm sich, als sei nichts geschehen.

»Warum suchen Sie ein Haus hier in der Toscana ganz für sich allein?«, fragte Kai.

Anne sah ihn aufmüpfig an. »Weil ich mit meinem Sohn zusammen sein will, endlich einmal, nach so vielen Jahren …, und weil mein Mann in Deutschland meine beste Freundin vögelt.«

Es verschlug Kai einen Augenblick die Sprache.

Die Gnocchi mit Pestosoße seien köstlich, meinte Anne, und überhaupt sei das Leben wundervoll. Diese Erkenntnis untermalte sie mit einer großen Geste und stieß ihr Rotweinglas um.

»Kein Problem«, murmelte Kai und schenkte ihr erneut ein.

Als das Coniglio umido, das Kaninchen in Soße, kam, orderten sie den dritten halben Liter.

»Heute habe ich Geburtstag, und heute beginnt mein neues Leben«, meinte Anne. »Es kann der Anfang vom Anfang und es kann der Anfang vom Ende sein. Mir ist alles recht. Aber ich finde, wir sollten uns duzen.«

Sie hob ihr Glas, Kai ebenfalls. Diese Frau überrannte ihn, aber er hatte kein Problem damit. Er sah ihr in die Augen und lächelte. Ihre Augen hatten eine ungewohnte Tiefe, und wenn man ihnen auf den Grund ging, verlor man sich in einer totalen Leere. Ganz gleich, welches Theater sie spielte, ihre Traurigkeit, die alles überlagerte, alles auslöschte, was früher einmal in ihren Augen geleuchtet hatte, konnte sie nicht wirklich verbergen.

»Möchtest du eine Nachspeise?«, fragte er sie.

»Einen Espresso. Er ist mir zwar viel zu bitter und mit Zucker schmeckt er widerlich, aber wenn alle Italiener nach dem Essen einen Espresso trinken, trinke ich auch einen Espresso nach dem Essen. Wenn ich hier lebe, will ich das machen, was alle machen. Ich werde mir jeden Tag eine Zeitung kaufen, werde sie lesen und sie dann irgendwo liegen lassen. Ich werde im Sommer die Fensterläden schließen und im Zimmer das Licht anmachen. Ich werde vor meinem Haus sitzen und darauf warten, dass irgendjemand vorbeikommt und mit mir redet. Und das wird wahnsinnig aufregend sein.«

»Due cafè«, rief er der Bedienung zu, »e il conto, per favore!«

»Ich lade dich ein«, sagte sie. »Das war abgemacht. Und was das Haus betrifft – Geld spielt keine Rolle. Wenn es mir gefällt und wenn es kein Wucher ist, dann spielt es keine Rolle. Na, hört man das gern? Schlägt dein Maklerherz bei so einem Satz höher?« Sie wurde auf einmal aggressiv und wusste nicht, warum.

Er war nicht böse, sondern ganz sanft und leise. »Eine kleine Siesta wird dir jetzt gut tun.«

Sie sah ihn an. »Bringst du mich ins Hotel?«

Er nickte. Die Bedienung brachte die Espressi und den Kassenbon. Anne legt das Geld dazu und kippte den Espresso hinunter wie einen lästigen Schnaps, den man trinken muss, aber nicht trinken will.

»Gehen wir.«

Der große Parkplatz, auf dem lediglich drei Autos parkten, war nur wenige Schritte von der Osteria entfernt.

»Ein wundervoller Geburtstag«, sagte sie. »Kannst du noch fahren?«

»Ja, ja. Es ist ja nicht weit.«

Sie hängte sich schwer in seinen Arm. »Das ist gut. Ich könnte jetzt nämlich nicht mehr fahren.«

Während der Fahrt fiel ihr Kopf gegen die Scheibe, und sie schlief ein. Kai sah sie an. Sie war die lustige und die schwarze Witwe zugleich. Unberechenbar. Auf jeden Fall wollte er verstehen, was sie vorhatte. Morgen würde er ihr das Tal zeigen. Eigentlich

hätte er ihr vorher noch ein paar andere Immobilien anbieten können – aber in diesem Fall wurde er seinen Prinzipien untreu. Sie
war zu ungeduldig, und er war sich hundertprozentig sicher, dass
das Tal optimal für sie sein würde.

Erst als er vor dem Hotel hielt, schreckte sie auf.

»Soll ich noch einen Moment mit nach oben kommen?«

Sie sagte nichts, lächelte und stieg aus. »Bis morgen«, murmelte
sie noch, bevor sie im Hotel verschwand. Kai sah ihr hinterher. Er
hatte es auch nicht anders erwartet.

37

Als sie erwachte, war es Viertel vor sieben. Ihr Kopf war klar, aber
ihr Mund war völlig ausgetrocknet, und sie hatte einen Heißhunger auf Schokolade. Im Bad trank sie direkt aus der Wasserleitung,
wählte einen extrem roten und extrem auffälligen Lippenstift und
ging los.

Es war die angenehmste Tageszeit in der Stadt. Alle Geschäfte
waren geöffnet, die Sienesen erledigten jetzt ihre Einkäufe in winzigen Alimentariläden, Touristen bummelten durch die Straßen,
Vespas und Fiats hupten um die Wette, die Abendsonne war mild
und nicht mehr zu heiß.

Anne überlegte, ob sie sich vielleicht einen Moment in den Dom
setzen sollte, aber dann entschied sie sich dagegen. Es zog sie mehr
auf den Campo.

Auf dem Campo war viel Betrieb. Jugendliche saßen und lagen
auf den heißen Steinen, spielten Gitarre, hörten Musik oder umarmten sich. In den Restaurants und Cafés rund um den Platz waren alle Tische besetzt, aber Anne hatte Glück, fand einen freien

Platz und setzte sich zu einem Rentnerehepaar. Sie bestellte einen Tee und ein Stück Obstkuchen mit zentimeterdicker, bunter Gelatine, wie ein künstlicher Pudding direkt aus der Plastikfabrik. Sie überlegte, ob man ihr vielleicht aus Versehen die Schaufensterdekoration gebracht hatte, aber der Kuchen war essbar und schmeckte fürchterlich. Sie hatte keine Lust, mit dem Rentnerpaar ein Gespräch anzufangen, und auch die beiden schienen sich nicht für sie zu interessieren. Sie sprachen deutsch und waren vollauf damit beschäftigt, in ihre Kamera einen neuen Film einzulegen, was aber nicht funktionierte, da der Apparat den Film nicht transportierte.

»Jetzt sind wir einmal im Leben hier und dann so was ...«, flüsterte die Frau, als habe sie Angst, gleich ein heiliges Donnerwetter abzubekommen, denn ihr Mann hatte bereits einen hochroten Kopf. Und wahrhaftig.

»Ich schmeiße das Scheißding gleich in den nächsten Mülleimer«, schimpfte er. »Ich wollte den Apparat ja auch nicht kaufen. Ich wollte eine Yashica.«

Die Frau war den Tränen nahe. »Jetzt bin ich also schuld.«

»Das hab ich nicht gesagt«, brüllte er.

»Aber gemeint«, hauchte sie.

Anne atmete tief durch und seufzte dabei, obwohl sie das eigentlich nicht gewollt hatte, und machte die Unhöflichkeit gleich mit einem Lächeln wett.

»Sie dürfen den Film nicht so weit rausziehen, dann fasst er nicht mehr. Haben Sie noch einen dabei?« Die Frau nickte und durchwühlte ihre Handtasche. In ihren Augen lag die ganze Hoffnung dieser Welt, als sie ihn Anne gab, was diese irgendwie übertrieben und deplatziert fand.

Anne legte den Film ein. »So. Jetzt müsste es funktionieren. Soll ich Sie fotografieren?«

»O ja!« Beide lächelten wie auf Bestellung derart glücklich in die Kamera, als feierten sie ihren Hochzeitstag. Anne drückte auf den Auslöser und gab die Kamera zurück.

»Das war ganz, ganz lieb von Ihnen«, sagte die Frau. Den Seitenhieb zu ihrem Mann konnte sie sich allerdings nicht verkneifen. »Und du wolltest den Apparat schon wegschmeißen!«

Der Mann sagte nichts dazu, aber seine Gesichtsfarbe war wieder normal. Er stand auf und ging zur Toilette.

Anne zündete sich eine Zigarette an und wich dem Blick der Frau bewusst aus. Sag jetzt nichts, dachte sie, bitte, halte die Klappe. Ich möchte meine Ruhe haben.

»Sind Sie auf Urlaub?«, fragte die Frau.

Mein Gott, was für ein scheußlicher Dialekt, was für ein abartiges Deutsch. Und genau so eine blöde Frage hatte sie befürchtet, als sie den Film einlegte.

»Ja«, sagte sie und blies den Rauch haarscharf am Kopf der alten Dame vorbei. »Mit meinem Mann und meinen drei Kindern. Heute hat Mama mal frei, und Papa kümmert sich um alles.«

»Ach Gott, wie nett.«

»Ja.«

Ein Himmelreich für eine Illustrierte, aber sie hatte nichts dabei. Noch nicht einmal einen Notizblock in ihrer Handtasche, mit dem man intensives Nachdenken und wichtiges Notieren vorspielen konnte.

»Wir sind auch auf Urlaub. Es ist ja einfach herrlich hier. Ganz wunderschön.«

»Ja«, sagte Anne.

Der Mann kam vom Klo zurück. »Lass uns gehen, Ilse«, meinte er. »Du wolltest doch noch fotografieren.«

Die Frau stand auf. »Hast du schon bezahlt?«

»Ja, eben, drinnen an der Bar.«

Die beiden griffen ihre Taschen und Tüten und schoben sich durch die Tischreihen. »Wiedersehen«, rief die Frau, und Anne nickte nur.

Etwa zehn Minuten später kam der Kellner und erkundigte sich auf Englisch, wo die beiden Herrschaften geblieben seien. Sie hätten nicht bezahlt.

»Keine Sorge«, sagte Anne. »Ich bezahle nachher alles zusammen.« Schließlich war sie auch eine Deutsche und wollte nicht, dass der schlechte Eindruck an allen hängen blieb.

Was tue ich hier eigentlich, dachte sie. Sitze inmitten von tausenden Touristen in der Abendsonne, esse Kuchen, der nicht schmeckt, und begleiche die Rechnung für wildfremde Rentner, die dreister sind als eine Horde Jugendlicher, die sich Colabüchsen an der Tankstelle klauen und abhauen. Und warum habe ich ihn nicht mit aufs Zimmer genommen. Ein Quicki? Ein ›One-Afternoon-Stand‹, warum denn nicht? War sie irgendjemandem Rechenschaft schuldig? Nein. Niemandem. Zum ersten Mal wieder nach so vielen Jahren. Offensichtlich hatte sie verlernt, das zu tun, was sie wollte. Überhaupt herauszufinden, was ihr Spaß machte. Kai hätte es sicher genauso gesehen. Ohne Liebe, ohne Verpflichtung, ohne Nachspiel und ohne Fortsetzung. Vielleicht ohne Fortsetzung. Total unkompliziert. Reiner Sex. O Gott, wie lange war das her, seit sie das erlebt hatte? Mehr als zwanzig Jahre. Und vielleicht hätten sie dann noch den Abend miteinander verbracht, und sie müsste hier nicht sitzen und sich von alten Leuten verarschen lassen. Es wäre sicher wunderbar gewesen, und sie hätte sich wieder lebendig gefühlt. Und es hätte zu ihrem Neuanfang, ihrem neuen Leben gepasst. Ich bin zu blöde zu allem, dachte sie, ich habe es mal wieder vermasselt.

Als sie merkte, dass sie begann, sich selbst auf die Nerven zu gehen, winkte sie dem Kellner, zahlte widerwillig und ging. Versuchte krampfhaft, ein lockeres Gesicht zu machen, damit ihr nicht jeder, der ihr auf dem Campo begegnete, an der Nasenspitze ansah, dass sie vor Verlangen, jetzt mit einem Mann zu schlafen, fast explodierte.

38

In dieser Nacht war er nicht bei der Sache und verlor ohne Ende. Er wusste, dass seine Glückssträhne abgerissen war, aber er trank zu viel Whisky und hörte einfach nicht auf. Er trauerte der verpassten Gelegenheit mit Anne hinterher und nicht den Euroscheinen, die er unaufhörlich über den Tisch schob, ohne Chance, sie jemals wiederzubekommen, geschweige denn zu vermehren. Giorgio sah ihn nur an und meinte, Liebe sei Gift für das Glück im Spiel, und Kai fragte: »Welche Liebe, bitte?« Daraufhin sagte keiner mehr etwas. Solange er Geld aus der Tasche zog, gab es kein Problem.

Gegen zwei Uhr war er so weit, dass er alles vom Tisch wischte, was darauf lag, und Karten und Geldscheine heillos durcheinander brachte, wodurch ein heftiger Streit entstand. Giorgio hatte ein Fullhouse auf der Hand und drohte ihm mit Prügel, Alvaro versuchte, das Chaos zu ordnen, und Kai schrie Giorgio, Alvaro und Sergio an, dass sie alle Arschlöcher seien. Daraufhin zog Sergio ein Messer, Alvaro versuchte zu schlichten, und Giorgio schlug zu.

Kai ging sofort zu Boden. Das Blut schoss ihm aus der Nase. Die drei lehnten ihn aufrecht gegen die Wand, und als die Blutung aufhörte, musste sich Kai übergeben, was aber auf den übermäßigen Alkoholkonsum zurückzuführen war.

Er wachte auf, als sich die Sonnenstrahlen durch das schmierige und verstaubte Kneipenfenster quälten. Er lag auf dem kalten Boden, sein Schädel dröhnte und schmerzte dumpf, sodass er das Gefühl hatte, niemals mehr aufrecht gehen zu können, weil ihm sonst der Kopf platzen würde. Und er fror. Der Gestank nach abgestandenem Rauch und verschüttetem Whisky, der langsam verdunstete, ekelte ihn. Es war halb acht. Um zehn war er mit Anne verabredet. Wenn es ihm gelang, aus dieser Kaschemme herauszukommen, hatte er noch genügend Zeit, nach Hause zu fahren, zu duschen und einen Kaffee zu trinken.

So ging es nicht weiter. Diese Abstürze mussten aufhören. Filmriss reihte sich an Filmriss, sein Leben drohte ihm zu entgleiten.

Sie hatten ihn hier einfach liegen lassen, diese Idioten. Er stand mühsam auf, versuchte, den hämmernden Kopfschmerz zu ignorieren, und suchte nach dem Lichtschalter. Er fand ihn nicht. Fluchend stolperte er in den vorderen Raum mit dem Tresen und ertastete den Schalter hinter der Bar. Das Licht gab ihm das Gefühl, es sei schon wieder Abend, und obwohl er wusste, dass ihm mit ziemlicher Wahrscheinlichkeit schlecht werden würde, zapfte er sich ein halbes Bier, das er in einem Zug austrank. Ihm wurde dermaßen übel, dass er Mühe hatte, sich auf den Beinen zu halten.

Die Eingangstür war abgeschlossen. Natürlich. Sie würden nicht wegen eines volltrunkenen Maklers den Laden offen lassen. Sicher kam gegen zehn eine Putzfrau oder Paolo, dem der Laden gehörte, um aufzuräumen und die Vorräte aufzufüllen, aber zehn war viel zu spät. So durfte Anne ihn nicht sehen.

Er ging zurück in das Hinterzimmer mit dem Spieltisch. Die klebrigen Karten vom Vorabend lagen im Papierkorb. Sergio hatte ein Messer gezogen, so viel wusste er noch, ein verdammtes Messer. Er hatte noch einmal Schwein gehabt. Rechts hinter den Spielautomaten war die Treppe zum Klo. Kai ging vorsichtig die Treppe hinunter, Stufe für Stufe, jetzt bloß nicht noch hinfallen und sich die Knochen brechen.

Er hielt seinen Kopf über einem Waschbecken unter fließendes Wasser. Minutenlang. Danach ging es ihm besser. Er öffnete die Tür zur Damentoilette und sah, dass unterhalb der Decke ein Fenster gekippt war.

Er kam sich vor wie der letzte Penner, als er auf dem Klodeckel stand und mit maßloser Kraftanstrengung versuchte, sich an der schmierigen Wand so weit hochzuziehen, dass er sich aus dem Fenster zwängen konnte. »Vaffanculo«, stand über dem Spülbecken, »leck mich am Arsch.«

Als er sich ins Freie drückte, fasste er in etwas Weiches und zuckte zurück. Da lag eine halb verweste, tote Maus, die Gedärme von irgendeinem hungrigen Tier herausgefressen. Er schüttelte sich und kroch weiter. Mit Todesverachtung. Bis er schließlich aufrecht im Hinterhof stand. Er befand sich etwas oberhalb von Siena. Sein Blick fiel über die Stadt. Einige der Dächer glänzten im Licht der frühen Sonne, und erleichtert atmete er tief durch.

Eine halbe Stunde später war er zu Hause und duschte so ausgiebig, als sei er ein halbes Jahr durch den Wüstendsand gerobbt. Nach einem doppelten Cappuccino mit einem Schuss Zitrone, einem halben Liter Mineralwasser und zwei Aspirin fühlte er sich besser. Das Leben hatte ihn wieder, und er schwor sich, von nun an alles anders zu machen und keine Sekunde mehr durch alkoholbedingte Bewusstlosigkeit zu verlieren.

39

Sie parkten auf einem kleinen Parkplatz – eigentlich eher die Ausbuchtung in einer Kurve als ein Parkplatz –, auf dem ein kleiner, grauer Fiat stand, der offensichtlich seit Monaten oder Jahren nicht mehr gefahren worden war, denn er war von hohen Gräsern fast schon zugewachsen. Aber der Wagen war nicht verrostet, die Reifen waren intakt, er schien völlig in Ordnung. Ein wunderbares

Auto. Wie geschaffen für die kleinen, verwinkelten italienischen Städte mit ihren winzigen, engen Gassen.

»Sieh mal das Auto, ein Wahnsinn …« Anne schaute ins Innere. Ein Hammer lag auf dem Rücksitz, und hinter der Frontscheibe klemmte ein amtliches Formular. Die Steuer war bezahlt.

»Ja. Richtig schade drum.« Kai zuckte die Achseln. »Es muss hier schon Monate stehen. Dabei ist es bereits ein Oldtimer, ein Liebhaberstück. Lässt sich fantastisch verkaufen. Und die Dinger werden auch am laufenden Band geklaut, weil alle verrückt sind nach diesen Autos.«

»Bescheuert, das Auto hier vergammeln zu lassen.«

Kai nahm ihren Arm und zog sie mit sich. »Guck dir erst mal das Haus an. Vielleicht ist der Fiat ja inklusive.«

Ein schmaler, gewundener Weg führte bis zum Haus, das vom Parkplatz aus durch das dichte Laub der Bäume bereits zu erahnen war. Kai und Anne näherten sich langsam.

Es waren eigentlich zwei Häuser. Rechts vom Weg lag ein großes, lang gestrecktes Gebäude, das sich auf dem terrassenförmigen Grundstück direkt an den Berg schmiegte und von zwei unterschiedlich hohen Terrassen in zwei Stockwerken begehbar war. Das zweite Haus lag links vom Weg und war eine kleine Mühle, sehr hoch, sehr schmal, mit zwei Etagen. Die Anordnung der beiden Häuser zueinander und der dahinter angrenzende Berg bildeten eine Art kleinen Innenhof, wodurch das Ensemble einen Zusammenhalt bekam und sehr romantisch wirkte.

Die beiden Häuser waren von dicht bewaldeten Bergen umgeben, das hinter den Häusern geschlossene Tal öffnete sich nur zum Weg hin. Neben der Mühle schlängelte sich ein Bach, der sich nach einem kleinen Wasserfall in einem Schwimmbecken sammelte, das so zugewachsen war, dass man es auf den ersten Blick für einen Teich hielt. Am unteren Ende des kleinen Pools floss der Bach ab und suchte sich seinen Weg weiter durch Wiesen und Felsen.

Die beiden Häuser waren mit Efeu und Passionsblumen bewachsen, neben der Eingangstür wucherten Lavendel, Rosmarin und Salbei.

»Was ist das?«, flüsterte Anne. »Das Paradies?«

Kai antwortete nicht.

Auf der höchstgelegenen Terrasse, die um diese frühe Zeit in praller Sonne lag, saß ein Mann und las. Er schien von den beiden Besuchern, die den Weg heraufkamen und direkt in seinem Blickfeld waren, keinerlei Notiz zu nehmen. Er saß kerzengrade, ohne die Lehne des Stuhls zu berühren, völlig bewegungslos, scheinbar hochkonzentriert. Nur die Handgelenke berührten die Tischkante, und beide Hände hielten das schräg aufgerichtete Buch.

So kann man doch nicht lesen, dachte Anne, so liest kein Mensch. Das ist weder Vergnügen noch Entspannung, das ist Schwerstarbeit. Eine Inszenierung. Er demonstriert uns, dass er liest. Vielleicht hat er das Auto schon gehört, als wir noch auf dem Berg waren. Warum schaut er nicht auf? Warum sieht er uns nicht entgegen? Warum legt er das Buch nicht zur Seite?

Er wirkte wie ein Monument, eine menschliche Skulptur, von Michelangelo in Stein gemeißelt. Sein Gesicht hatte eine kräftige Farbe, die darauf hindeutete, dass er sich offensichtlich fast ausschließlich im Freien aufhielt, seine weißen Haare glänzten im Sonnenlicht.

»Hallo, Enrico«, rief Kai. »Ich bringe dir eine Interessentin. Hoffentlich stören wir nicht?«

Endlich bewegte er sich und ließ das Buch langsam sinken. Ein Lächeln huschte über sein Gesicht.

»Aber überhaupt nicht«, sagte er. »Seht euch ruhig um. Alle Türen sind offen, ihr könnt überall hineingehen.«

Eine Begrüßung mit Handschlag war nicht möglich, denn Enrico saß oben auf der Terrasse, Anne und Kai standen unten auf dem Weg, und Enrico machte keine Anstalten, zu ihnen herunterzukommen.

Er hat was, dachte Anne. Charisma. Sieht aus wie ein schöner, stolzer Römer. Fehlen nur noch die Toga und die hoch geschnürten Sandalen, um das Bild perfekt zu machen. Wahrscheinlich ist er schwul. Männer, die so aussehen, sind immer schwul.

»Komm«, sagte Kai. »Ich zeig dir alles.«

Sie betraten das Haupthaus und standen in der Küche. Ein kleiner Raum mit jahrhundertealten Balken, schiefen Wänden und Mauern aus Natursteinen, der Fenstersturz über dem winzigen Sprossenfenster so schief wie auf einem Bild aus einer längst vergangenen Zeit. Licht fiel in die Küche vor allem durch die verglaste Tür, die jetzt sperrangelweit offen stand. Obwohl es draußen von Minute zu Minute wärmer wurde, war es in der Küche sehr kühl. In der Ecke befand sich eine gemauerte Steinbank, davor stand ein Tisch aus schwerem, gehobeltem Kastanienholz. Anne fiel sofort das Foto auf, das über der Bank hing. Es zeigte eine blonde Frau, ungefähr in ihrem Alter, die ein Glas Wein in der Hand hielt und sehr versonnen aussah. Das Bild war faszinierend und ungeheuer intensiv, aber es wirkte wie ein Fremdkörper in dem alten Gemäuer. Die Arbeitsplatte war ebenfalls aus schweren Steinen gemauert, die Blende hinter der Arbeitsplatte bildeten grobe Mattoni. Offenbar selbst gezimmerte Schranktüren vervollkommneten den Eindruck einer rustikalen Küche aus dem vorigen Jahrhundert. Statt eines Küchenschrankes hing nur ein schmales Regal an schweren Ketten von der Decke, die Teller und Tassen darauf schwankten bei jedem Luftzug.

Eine schmale, gewundene Steintreppe führte in den oberen Stock, wo der Blick sofort auf einen großen, aber sehr schlichten Kamin fiel. Ein wunderschöner Fußboden mit alten Mattoni korrespondierte perfekt mit einem restaurierten Schrank und zwei kleinen Sesseln, die vor dem Fenster standen. Von dort hatte man einen herrlichen Blick auf den wesentlich tiefer gelegenen Bachlauf und die kleine Mühle. Im Schlafzimmer standen ein üppiges Doppelbett und eine Kommode.

Viel schien Enrico nicht zu besitzen. Das Zimmer war relativ dunkel, da der Nussbaum direkt vor dem Fenster fast das gesamte Licht schluckte. Die gläserne Tür führte auf die am höchsten gelegene Terrasse, auf der Enrico immer noch unbeweglich saß. Jetzt konnte Anne erkennen, dass er »Sophies Welt« las, was sie irgendwie überhaupt nicht verwunderte. Natürlich, er philosophierte. Ein Philosoph vor einer alten Mühle, die er selbst restauriert hatte. Das passte perfekt zusammen.

Vom Kaminzimmer gelangte man ins Bad, das über zwei Ebenen gebaut war. Oben befanden sich zwei Waschbecken, ging man die Treppe hinunter, kam man direkt in die offene Doppeldusche, der Toilette gegenüber. Die Toilettentür stand offen und gab den Blick frei auf einen bizarren Felsen, in den Enrico eine kleine Treppe gehauen hatte, und auf den dichten Wald, der das Tal begrenzte.

Anne sah Kai fassungslos an. »Das ist nicht wahr«, sagte sie. »So etwas gibt es nicht auf dieser Welt.«

Kai lächelte. »Ich weiß nicht, ob es dir schon aufgefallen ist …, aber das Haus hat keine Heizung. Das musst du wissen. Bei aller Romantik – aber das ist ein Problem.«

»Und wie duscht man hier? Kalt?«

Kai trat aus der Tür und öffnete draußen vor dem Bad einen kleinen Verschlag. »Hier wird immer eine Gasflasche angeschlossen, die das Wasser beheizt. Die Gasflaschen muss man nach Ambra bringen und auffüllen lassen. Es funktioniert – aber es ist verdammt umständlich. Auch in der Küche ist eine Gasflasche unter dem Herd.«

Anne nickte. Nun ja, warum auch nicht. Wenn sie Bequemlichkeit gesucht hätte, hätte sie sich auch eine Wohnung in Wanne-Eickel nehmen können.

Als sie wieder auf den Hof traten, stand Enrico abwartend und mit verschränkten Armen auf dem Weg, was Anne erneut irritierte.

»Ein wunderschönes Haus«, sagte sie. »Kaum zu glauben, dass Sie es gerade restauriert haben. Es macht den Eindruck, als sei es seit hundert Jahren unverändert.«

»Dieses Haus und auch das Leben hier haben mit Kunst zu tun«, meinte Enrico leise. »Aber sieh dir ruhig die Mühle an.«

Die Mühle war – genau wie das Haupthaus – nur mit alten, gebrauchten Materialien, schiefen Balken und verwitterten Steinen gebaut. Sie hatte zwei Räume, die durch eine wacklige Stiege miteinander verbunden waren, und ein kleines Bad. Vor der Mühle lag eine in flachen Stufen abfallende Terrasse, die direkt zum Naturpool führte, durch den die Quelle floss. Eine dunkle Grotte war nur von außen zu betreten, die aber die Hälfte des Jahres unter Wasser stand, wie Anne von Kai erfuhr. Insofern war sie so gut wie nicht zu gebrauchen. Ein Tummelplatz für Kröten, Frösche, Schlangen und Molche – weiter nichts.

Anne ging zum Pool und setzte sich auf einen Baumstamm, der als Bank diente. In Panik sprangen mehrere Frösche ins Wasser und versteckten sich in den dichten Algen am Rand.

»Ich kaufe das Haus«, sagte sie. »Hier kann ich mein Leben total umkrempeln. Ich weiß nicht, ob ich es schaffe, aber es ist zumindest eine Chance.«

»Wie wär's, wenn du dir noch fünf, sechs andere Objekte ansiehst und dich dann entscheidest? Ich würde an deiner Stelle nichts übereilen, oder hast du es so eilig?«

»Nein. Aber ich werde wahnsinnig, wenn ich es nicht kriege. Wenn morgen ein anderer kommt und es kauft.«

»Ich werde es niemandem anbieten, bis du dich entschieden hast.«

»Aber weißt du, wie es der Teufel will? Vielleicht hat Enrico noch andere Makler beauftragt oder im Dorf erzählt, dass er verkaufen will. Nein, nein, nein.« Anne wurde allein bei dem Gedanken an diese Möglichkeit nervös. »Nein, Kai. Ich brauche nichts anderes mehr zu sehen, denn so etwas wie dieses Haus hier gibt es nie wieder. Ich kenne die Häuser in der Toscana. Sie liegen wunderschön und malerisch drapiert auf einem Hügel, mit einigen Zypressen drum herum und einer eleganten Auffahrt. Nein. So etwas will ich nicht. Ich will dieses. Irgendetwas ist hier. Frag mich nicht, was. Aber ich bin nicht mehr in der Lage, zurück nach Siena zu fahren und dieses Haus zu vergessen.«

»Sicher.« Kai hatte damit gerechnet, dass Anne dieses Haus kaufen würde, aber dieser schnelle Entschluss war ihm unheimlich. »Wollen wir noch mal durch alle Räume gehen?«

Anne lächelte. »Ich denke, wir sollten erst einmal mit Enrico sprechen.«

Enrico stand in der Küche und kochte drei Espressi.

»Habt ihr Appetit auf einen Kaffee?«

»Gern«, sagte Kai. »Sehr gern«, antwortete Anne.

»Setzt euch nach draußen unter den Nussbaum, ich komme gleich.«

Der gesamte Innenhof zwischen den beiden Häusern war eine einzige große Terrasse und wirkte wie ein Sommer-Wohnzimmer. Ein flüchtig und provisorisch gezimmerter Holzzaun bewahrte einen davor, die hohe Steinmauer zum Bach hinunterzustürzen. Anne setzte sich und hatte die Mühle im Blick.

»Mein Gott, ist das schön. Ich kann die Atmosphäre gar nicht beschreiben … Es ist friedlich, es ist wild und urwüchsig, es ist still und romantisch, der Wald ist dunkel und bedrohlich, aber er wirkt auch beschützend, es ist einsam, und doch fühlt man sich geborgen … Aber vor allem ist dieser Platz hier nicht von dieser Welt. Hier taucht man ab in die Vergangenheit.«

»Du hast Recht«, sagte Kai. »Du musst dieses Haus wahrscheinlich wirklich kaufen.«

Enrico kam über den Kies zu ihnen an den Tisch. Sein Gang war federnd und leicht, obwohl Anne ihn auf Mitte fünfzig schätzte.

Er setzte die Espressi ab und stellte kühles, klares Wasser dazu.

»Wenn du willst, gehen wir nachher in den Wald. Es ist nicht weit, hundert Meter vielleicht, und dort zeig ich dir die Quelle. Nur dieses Tal nimmt Wasser aus dieser Quelle. Niemand sonst. Ich habe eine Pumpe angeschlossen, die das Wasser ins Haus transportiert. Du brauchst nie wieder Mineralwasser zu kaufen. Besseres Wasser gibt es nicht.«

»Traumhaft.«

»Wasser ist das Wichtigste. Alles andere findet sich. Zum Wohl.«

Enrico trank seinen Espresso. Die winzige Tasse in seinen knochigen, derben Fingern wirkte absurd.

Kai kam sofort zur Sache. »Enrico, Anne will das Haus kaufen.«

»Ich weiß«, Enrico lächelte und sah Anne an. »So wie du durch die Räume gegangen bist, war es klar. So geht man nur, wenn man sich in ein Haus verliebt hat. Aber ich wusste es schon, als ihr den Weg heraufkamt. Jetzt ist es verkauft, dachte ich. So schnell geht das also. Darum bin ich auch nicht mit herumgegangen und habe alles erklärt. Wozu? Du hast ja jetzt viel Zeit, alles kennen zu lernen.«

40

Jetzt, um zehn nach neun, war es noch immer nicht nötig, das Licht anzuschalten. Kerzen waren ihm ohnehin lieber, er versuchte ständig zu vermeiden, Strom zu gebrauchen. Jetzt würde er mit einem einzigen Teelicht auskommen. Vor zwei Wochen hatte er noch zwei gebraucht, an manchen Winterabenden verbrauchte er sogar bis zu vier. Vor allem, wenn er leichtsinnig wurde und beim Abwaschen zwei Kerzen aufstellte. Das hatte er manchmal getan, wenn er am nächsten Morgen feststellte, dass die Tomatensoße noch am Teller klebte oder Milchreste im Topf angetrocknet waren. Zeitweilig hatte er auch versucht, den Abwasch bei Tageslicht zu erledigen, doch dafür war ihm die Zeit zu schade. Jede Minute im Freien war kostbar, und es gab so viel zu tun, dass sein Leben für all die Arbeit nicht reichen würde. Er wusste, wie es war, in einem Raum eingesperrt zu sein und nicht in die Sonne oder den Regen hinaustreten zu können, daher wusste er die Natur in seinem versteckten, einsamen Tal umso mehr zu schätzen.

Er setzte sich und atmete tief durch. Seine blaue Stunde. Nur für ihn allein. Ohne Carla, die ihm sonst, wenn sie ihm gegenübersaß, vorwurfsvolle Blicke zuwarf, weil er seit Stunden kein Wort gesagt hatte und sie sich von Minute zu Minute verlorener vorkam. Heute, in Momenten wie diesem, war ihm wieder einmal überdeutlich klar, dass er niemanden brauchte. Keinen Freund und keine Frau, keinen Berater und keinen Begleiter, keinen Helfer und keinen Gesprächspartner. Wenn die Welt geändert werden musste, dann fand er allein einen Weg, dies zu tun.

Er sah sich um. Der Abendwind hatte sich gelegt, es war still im Wald. Selbst die Zikaden waren mittlerweile verstummt, denn hier in der Senke verschwand die Sonne bereits am frühen Abend hinter den Bergen. Und während die Abendsonne die Hügel noch den ganzen Abend wärmte und die Luft sich seidig und lau anfühlte, zog hier die feuchte Abendkühle durch das Tal und ließ einen selbst im August frösteln.

Enrico spürte von all dem nichts. Er trug noch immer ein dünnes Hemd und eine kurze Hose, und seine nackten Füße steckten in Sandalen. Er trainierte seit Jahren, gegen Kälte und Schmerz und gegen Hunger und Durst unempfindlich zu werden. Langsam und qualvoll hatte er versucht, sich an all das zu gewöhnen und als normal hinzunehmen. Es war ein mühsamer Prozess gewesen, aber es vermittelte ihm ein gewisses Gefühl von Freiheit.

Noch ein paar Tage, dann würden die Glühwürmchen das Tal erleuchten wie tausende von Zuschauern mit ihren Feuerzeugen die Halle bei einem Popkonzert.

Er brauchte so etwas nicht. Er brauchte kein Fernsehen und kein Radio, keine Unterhaltung und vor allem keine Konversation. Vielleicht hin und wieder mal ein Buch. Aber ansonsten waren ihm seine Gedanken genug. Er war ihr Schöpfer, er hatte die Macht über sie und die Welt, die er sich schuf. Stundenlang konnte er so sitzen und denken, auch ohne Kerze und ohne Windlicht.

Einundzwanzig Uhr dreißig. Er hasste diese halbe Stunde am Tag, die jetzt auf ihn zukam. Er schaltete sein Handy ein und machte sich auf den Weg. Ging bis hinunter zum Parkplatz, folgte dem Weg bis zu einer kleinen Senke, watete durch den Bachlauf und bog dann rechts ab bis zu einem holprigen Pfad, der sehr steil anstieg. Er kletterte leichtfüßig und ohne Anstrengung, gewann sehr schnell an Höhe und setzte seine Schritte sicher in der Dunkelheit. Der halbe Mond beleuchtete den steinigen unebenen Weg nur notdürftig.

Nach einer Weile sah er auf seinem Display, dass er Empfang hatte, und blieb stehen. Legte das Handy auf einen flachen Stein und atmete tief durch. Die Beleuchtung des Displays störte ihn, und er drehte das Handy um. Als eine Eule lautlos über den Bach schwebte, überkam ihn fast so etwas wie Wehmut. Bald würde Anne hier in Valle Coronata leben. Würde wie er den Berg hinaufsteigen, um zu telefonieren. Er wollte nicht daran denken, wollte dieses Gefühl nicht zulassen. Gefühle zerstörten alles. Wenn er sie nicht beherrschte, wurde er aggressiv. Das durfte nicht passieren, denn seine Aggression war wie eine Explosion.

Um einundzwanzig Uhr zweiunddreißig rief sie an.

»Carla«, sagte er und gab seiner Stimme einen fröhlichen Klang, »wie geht's dir? Ist alles okay?«

»Enrico«, sagte sie, »hör zu.« Sie war aufgeregt, und ihre Stimme zitterte, was ihm immer ungeheuer auf die Nerven ging. Allerdings hatte er noch nie ein Wort darüber verloren.

»Mein Vater liegt im Sterben. Es geht ihm sehr schlecht. Einer von uns muss immer bei ihm sein. Rund um die Uhr.«

»Warum bringt ihr ihn nicht ins Krankenhaus?«

Sie schnappte nach Luft. »Weil wir ihm das nicht antun wollen. Er bekommt noch sehr gut mit, was mit ihm geschieht. Aber ich glaube nicht, dass ich dir das erklären muss. Oder willst du im Krankenhaus sterben?«

Nein. Das wollte er nicht. Und das würde er auch nicht. Da war er ganz sicher. Das würde er verhindern. Hundertprozentig. Und auch Carla würde er davor bewahren.

»Was hat der Arzt gesagt?«

»Er hat gesagt, es kann noch drei Stunden, drei Tage, drei Wochen oder drei Monate dauern. Im Moment ist er sehr, sehr schwach …, aber vielleicht geschieht ein Wunder, und er rappelt sich noch mal.«

»Komm nach Hause«, sagte Enrico. »Sofort. Am besten, du steigst morgen in den Zug.«

»Aber das kann ich nicht! Wie stellst du dir das vor? Ich kann doch meine Mutter und meine Schwester in dieser Situation nicht allein lassen!« Sie war sehr laut. Ihre Stimme tat ihm in den Ohren weh. Er musste die Zähne zusammenbeißen, um nicht die Kontrolle zu verlieren, und hatte Mühe, ruhig zu antworten.

»Doch, du kannst. Oder willst du die nächsten drei Monate am Bett deines Vaters Wache schieben? Im Grunde geht es ihm nicht anders als allen alten Leuten in diesem Alter. Sie können übermorgen oder in einem Jahr tot umfallen. Ich möchte, dass du nach Hause kommst, Carla. Und du wirst sehn, dein Vater lebt auch Weihnachten noch.«

Carla schwieg. Dann fragte sie leise: »Woher willst du das wissen?«

Enrico verlor langsam die Nerven. »Wir kriegen ein Problem, wenn du nicht nach Hause kommst. Du bist jetzt drei Wochen weg, das reicht.«

Carla wechselte das Thema. »Gibt es sonst irgendetwas Neues?«

»Nein, nichts.« Carla wusste nicht, dass er verkaufen wollte. Er würde es ihr irgendwann sagen, wenn sie wieder hier war. Es würde nicht einfach sein, denn Carla ging davon aus, dass dieses Haus für immer ihr italienisches Zuhause sein würde. Aber er wollte kein Zuhause. Er wollte frei sein. Ohne Besitz und ohne Ballast. Immer mit der Möglichkeit, sofort aufzubrechen.

»Mach's gut, Lieber«, sagte sie. »Ich komme so schnell wie möglich. Und bitte, denk an mich.«

»Natürlich. Morgen um halb zehn ist mein Telefon wieder an.«

»Ja. Tschüss.« Sie klang resigniert, aber er wusste, dass sie tun würde, was er verlangte.

Er knipste das Handy aus. Die unangenehmste Pflicht des Tages war erledigt. Er hasste es, überhaupt Pflichten zu haben, hasste es, irgendetwas tun zu müssen. Jegliche Reglementierung, jegliche Richtlinie lehnte er ab. Es gab nur das Erwachen und die Lust auf den Tag. Und die Freiheit zu lesen oder umzugraben oder ein Huhn zu schlachten. Das war Leben. Nicht mehr und nicht weniger.

Er stand auf, ging zurück zum Haus und von dort hinunter zum Bach. Der Mond war hinter einer Wolke verschwunden, und jetzt war es stockdunkel, aber er kannte jeden Stein, jede Baumwurzel, jede Unebenheit am Hang. Er konnte sich blind auf dem Grundstück zurechtfinden. Das war eine Grundvoraussetzung für Sicherheit. Er hatte lange geübt, um so weit zu kommen. Umso dümmer eigentlich zu verkaufen. Er würde woanders wieder von vorn anfangen müssen, und alle Ängste würden unweigerlich wieder an die Oberfläche kommen. Es ging ja schon los. Die Furcht davor begann ja bereits jetzt.

Er hockte sich an den Bachlauf und begann, das kalte Wasser zu trinken. Als ihm übel wurde, musste er sich ins feuchte Moos legen. Und da war sie wieder, die Erinnerung, die er nicht zulassen durfte.

Der Junge hatte nach seiner Mutter geschrien, als er begriff, dass er sterben würde.

Nach seiner Mutter. Das war so schwer zu begreifen.

Nein, er durfte jetzt nicht weiterdenken.

Er sprang auf und rannte zum Naturpool, sprang ohne sich auszuziehen in das tiefschwarze, eiskalte Quellwasser, ohne auch nur einen Moment an die Kröten, Frösche, Molche und Wasserschlangen zu denken, die auf dem Grund des Beckens lebten, und tauchte unter. So lange, bis er es nicht mehr aushielt, bis er auftauchen und sich mit einem Atemzug geschlagen geben musste.

41

»Du bist völlig verrückt!«, brüllte Harald ins Telefon, sodass Anne ihr Handy zwanzig Zentimeter vom Ohr entfernt hielt. »Du bist seit zwei Tagen in diesem verfluchten Italien, wo sie einem nicht nur die Brieftasche, sondern auch die Kinder klauen, und willst gleich das erstbeste Haus kaufen? Spinnst du?«

»Du kannst das nicht beurteilen, du hast es nicht gesehen!«

»Anne, bitte! Miete, was du willst, aber doch nicht gleich kaufen!«

»Dieses Haus kann man nicht mieten, man kann es nur kaufen.«

Harald wurde ruhiger. Offensichtlich resignierte er bereits. »Ich versteh dich nicht. Ich versteh dich wirklich nicht! Du wolltest ein paar Wochen wegbleiben, ein paar Monate vielleicht, aber nur, wenn du irgendeinen Anhaltspunkt findest, wo Felix sein könnte … Und jetzt … was soll das? Willst du auswandern? Willst du für immer nach Italien ziehen? Willst du dich scheiden lassen?«

»Mein Gott!« Anne stöhnte hörbar auf. »Werd doch nicht gleich immer so absolut! Das ist ein tolles Haus. Ein ganz besonderes. Es hat eine irre, einmalige Atmosphäre. So was findest du nicht an jeder Ecke. Ich habe das Gefühl, ich falle tot um, wenn ich nicht darin wohnen kann. Und wenn sich das ändert oder wenn ich zurückkomme, verkaufe ich es wieder. Wo ist das Problem?«

»Die Italiener werden dich übern Tisch ziehen, Anne! Merkst du das nicht? Und du hast doch keine Ahnung von Häusern! Oder weißt du, wie die Klärgrube funktioniert, ob die Abflussrohre und die Wasserleitung richtig verlegt sind, ob eine Drainage existiert, das Dach vernünftig isoliert ist … Himmel, da muss man auf tausend Dinge achten! Wahrscheinlich ist das Haus eine Bruchbude. Und hinterher bekommst du nur noch ein Drittel des Kaufpreises, wenn du wirklich verkaufen willst. Du kannst kaum Italienisch, du kennst keine Menschenseele, du kannst nur beschissen werden!«

»Du bist ein elender Miesmacher. Für dich ist immer alles negativ, und die Welt wimmelt von Verbrechern und Vollidioten.«

»Ich bin nur realistisch. Und ich will nicht, dass du einen riesigen Fehler machst.«

»Erstens verkauft das Haus kein Italiener, sondern ein Deutscher …, und zweitens hab ich mich in das Haus verliebt. Basta. In das Haus, mein Schatz! In die Lage, in die Atmosphäre, in das, was dieses Haus ausstrahlt. Und da sind mir die Drainage und die Klärgrube erst mal wurscht. Wenn ich mich in einen Menschen verliebe, ist es mir auch egal, ob er einen krummen Zeh oder einen Leberfleck hat.«

Haralds Stimme wurde eiskalt. »Ich hab dich immer für eine geschäftstüchtige, intelligente Person gehalten, aber das, was du hier sagst, ist blanke Dummheit.«

Anne wurde wütend. »Und das, was du sagst, ist Arroganz. Du maßt dir an, über Dinge zu reden, die du gar nicht kennst, die du nie gesehen hast und die du überhaupt nicht beurteilen kannst!«

Harald kam zurück auf den Teppich. »Ich bitte dich ja nur, keinen Fehler zu machen und nichts zu übereilen! Tu mir den Gefallen und erkundige dich! Ziehe jemand hinzu, der sich mit Häusern auskennt! Sieh dir alles genau an! Mehrmals und bei jedem Wetter. Besichtige das Umfeld, das nächste Dorf! Und schalte deinen Verstand ein! Entscheide bitte nicht aus dem Bauch heraus!«

Anne hatte keine Lust mehr. »Noch irgendwas?«

Harald versuchte, seiner Stimme einen warmen Klang zu geben.

»Was du vorhast, ist sinnlos, Anne. Du reißt nur alte Wunden wieder auf und machst dich kaputt.«

»Das hast du mir schon zu Hause hundertmal gesagt.«

»Und ich werde es noch hundertmal sagen, wenn es einen Sinn hat.«

»Bei mir sind keine Wunden aufzureißen, weil sie nie verheilt sind.«

»Vielleicht ist es besser, wir hören jetzt auf.«

»Ja. Vielleicht ist es besser. Gute Nacht.«

»Schlaf schön.«

Anne schaltete ihr Handy aus und legte es auf den Nachttisch. Sie hätte schon damals auf ihre innere Stimme hören und bleiben sollen. Damals, zwei Wochen, nachdem Felix verschwunden war.

42

La Pecora, 1994

Es war Donnerstag nach Ostern. Harald kam völlig aufgelöst und beinah euphorisch nach Hause. Er war mehrere Stunden unterwegs gewesen und hatte hunderte von Flugblättern an Mauern, Bäume, Müllcontainer und Schaufensterscheiben geklebt. In Castelnuovo Berardenga, Montebenichi, Rapale, Ambra, Cennina, Capannole und Bucine.

Auf dem Flugblatt war ein Bild von Felix, er lachte, der Pony war durch den Wind zur Seite geweht und gab die Stirn frei, auf der Nase hatte er einen leichten Sonnenbrand. Darunter stand auf Deutsch und auf Italienisch: »Felix Golombek, zehn Jahre alt, wird seit dem 16. April um 18 Uhr vermisst. Er ist ca. 1,20 m groß, sehr schlank und hat blondes Haar. Er trug zuletzt T-Shirt, Jeans und Turnschuhe. Wer ihn gesehen hat, melde sich bitte unter der Telefonnummer 3 38 67 54 32 oder bei der Polizei in Ambra.«

Als Harald an die Tür der Bar in Capannole ein Flugblatt klebte, sprach ihn eine alte Frau an. Sie hatte so einen kleinen Jungen gesehen. Am Samstag vor Ostern. In einem silbergrauen Porsche auf dem Beifahrersitz. Die alte Frau hatte sich natürlich kein Nummernschild gemerkt, weil es ihr nicht wichtig war. Der Wagen war ihr nur aufgefallen, weil er so extrem langsam fuhr. So, als suche er einen Parkplatz, dabei hätte er überall am Straßenrand halten können. Aber Maria Sacci konnte noch nicht einmal sagen, ob am Steuer ein Mann oder eine Frau gesessen hatte. Sie hatte einfach nicht darauf geachtet.

Harald hatte die Carabinieri in Bucine sofort über Marias Beobachtung informiert, und diese hatten freundlich versichert, sich um die Angelegenheit kümmern zu wollen. Sie würden ihn natürlich auf dem Laufenden halten.

Harald rauchte normalerweise nicht, aber jetzt bat er Anne um eine Zigarette. Endlich hatte er einen Anhaltspunkt, einen winzigen Strohhalm, an den er sich klammern konnte. Er zitterte vor Aufregung.

»Auf alle Fälle hat er also Samstag noch gelebt. Und dann ist es gar nicht mehr so unwahrscheinlich, dass er auch jetzt noch lebt. Irgendwo bei diesem Schwein im silbergrauen Porsche.«

Anne fand an diesem Gedanken wenig Tröstliches und meinte: »Wir wissen doch gar nicht, ob es wirklich Felix war! Es gibt viele kleine, blonde Jungen auf der Welt, und wer weiß, was die Frau wirklich gesehen hat? Kann sein, dass der Junge sogar dunkle Haare hatte, und sie dachte, kleiner Junge ist kleiner Junge. Vielleicht ist Felix zwei Stunden früher in einem Fiat vorbeigefahren, und niemandem ist etwas aufgefallen, weil ein kleiner Junge in einem Fiat einfach etwas Stinknormales ist.«

Sie wusste, dass sie ihm in diesem Moment seine ganze schöne

Hoffnung zunichte machte, aber gesagt war gesagt, und jetzt musste sie weitermachen und setzte noch einen drauf.

»Wenn ich einen kleinen Jungen kidnappe, fahre ich nicht in so einem verdammt seltenen und auffälligen Auto mit ihm spazieren.«

Harald starrte aus dem Fenster, rauchte und hielt die Zigarette so merkwürdig, als wäre es die erste Zigarette seines Lebens.

»Wenn ich den Kerl erwische, bringe ich ihn um.«

»Ich weiß.«

Beide schwiegen einen Moment.

»Wenn die Frau Recht hat, war es sicher niemand aus der näheren Umgebung«, überlegte Anne. »Die Bauern hier fahren nicht im Porsche durch die Gegend. Dann war es also irgendein Fremder, ein Tourist, und der wird ihn über die Grenze bringen. Irgendwohin. Nach Belgien, frag mich nicht. Und wird ihn an irgendeinen Pornoring verkaufen …, und wenn ich etwas nicht ertrage, dann diesen Gedanken.«

Seine Euphorie war verschwunden. Er war wütend, vielleicht auch verzweifelt. In beiden Fällen hatte er den gleichen Zug um den Mund. Anne redete weiter.

»Harald, überleg doch mal … Hier im Wald ist alle hundert Jahre mal ein Pilzsucher unterwegs, aber da liegt kein organisierter Pornohändler bei einem fürchterlichen Gewitter im Gebüsch und wartet, ob in der Einsamkeit vielleicht alle zweihundert Jahre mal ein Kind vorbeikommt. Nein, diese Banden fangen die Kinder in den Städten beim Spielen von der Straße. Und darum glaub ich auch nicht, dass es Felix war in diesem Porsche.«

»Sondern?«

»Keine Ahnung, ich kann mir das alles nicht erklären. Ich habe einfach keine Idee! Aber was glaubst du denn, wie Felix in den Porsche gekommen sein soll?«

Harald sank auf einen Stuhl und zuckte die Achseln.

»Vielleicht hast du ja wirklich Recht. Das ist Blödsinn mit dem Porsche. Dann kann es also nur ein Spaziergänger gewesen sein.

Oder ein Wilderer. Er hat Felix zufällig getroffen, als er am Bach spielte, und hat ihn gefragt, wie man am schnellsten ins Dorf kommt. Felix ist mit ihm mitgegangen und hat ihm den Weg zeigen wollen. Und ein Stückchen weiter stand bereits sein Auto ...«

»Felix würde mit keinem Fremden mitgehen ...«

Harald griff nach dem Whisky. »In der Stadt vielleicht nicht, aber hier im Wald ist es eine andere Situation. Da ist jeder Fremde sofort ein Verbündeter. In der Einsamkeit muss man sich gegenseitig helfen, da sitzen alle im gleichen Boot. Er wurde einfach nicht misstrauisch. Und schließlich ist er ins Auto eingestiegen, weil es so fürchterlich geschüttet hat. Nach dem Motto: Nur einen Augenblick ins Trockne, bis es aufhört zu regnen.«

Harald verstummte. Der Rest war klar. Felix war einfach zur falschen Zeit am falschen Ort gewesen und hatte seinen Mörder getroffen, ohne dass dieser nach ihm gesucht hatte. Er hatte den Zufall genutzt, Felix umgebracht und wahrscheinlich irgendwo auf seinem eigenen Grundstück verscharrt. Niemand würde ihn je dort finden, weil niemand ihn dort suchen würde. Man konnte nicht alle Privatgrundstücke der Toscana umgraben.

Anne war seit zwei Wochen nicht mehr aus dem Haus gegangen, um den Moment nicht zu verpassen, falls Felix wiederkam. Harald musste sie lange überreden, mit ins Dorf zu kommen und eine Kleinigkeit essen zu gehen. Schließlich saßen sie im Ambra-Albergo. Die eisblau gestrichenen Wände, der lärmende Fernseher unter der Decke und das gleißend grelle und kalte Licht der Neonröhren unter der Decke unterstrichen ihre Verlassenheit. Sie waren verloren ohne Felix. Sie hatten keine Hoffnung mehr und spürten, dass sie kurz davor waren, einander auch noch zu verlieren. Das alles wussten Anne und Harald an diesem Abend, aber sie sprachen es nicht aus.

»Ich muss zurück nach Hause«, sagte Harald. »Ich kann die Praxis nicht länger geschlossen lassen.«

Anne nickte nur. Natürlich. Harald hatte die Praxis erst vor drei Jahren von einem alten Landarzt übernommen, der wenige Monate später starb. Viele Patienten waren zu dem zweiten praktischen Arzt im Dorf abgewandert, da sie Harald erst einmal abwartend und skeptisch gegenüberstanden. Es war ein hartes Stück Arbeit gewesen, sich einen beständigen und treuen Patientenstamm aufzubauen. Jetzt, während des Urlaubs, hatte Doktor Sprenger wieder die Vertretung übernommen, das hieß, er kümmerte sich um alle. Bliebe Harald noch länger weg, würde er wieder Patienten verlieren.

Anne sah ihn an, aber da war kein Funken Liebe mehr. Sie suchte in seinem Gesicht, kramte in ihrer Erinnerung und wollte dieses beständige Gefühl wiederentdecken, wiederfinden, aber da war nichts. Nur noch Leere. Und Gleichgültigkeit. Er würde sie immer an Felix erinnern. Felix war ohne ihn undenkbar, aber auch er war für sie ohne Felix unvorstellbar. Wahrscheinlich ging es ihm genauso mit ihr.

»Ich bleibe noch«, sagte Anne.

Er starrte sie fassungslos an. »Wozu? Was willst du hier? In irgendeinem Haus sitzen und auf einen Anruf warten, den du auch zu Hause bekommen kannst? Im Wald herumlaufen und ihn suchen? Du bist zwei Wochen nicht im Wald herumgelaufen, also was soll das?«

»Ich kann jetzt hier irgendwie nicht weg.«

»Anne, ich brauche dich in der Praxis. Und das ist wichtiger, als dass du hier im Dorf herumrennst und dein tränenverschmiertes Gesicht vorführst. Und zum tausendsten Mal die Frage stellst, ob vielleicht irgendjemand irgendetwas gesehen hat. Und spätestens in vier Wochen kann sich sowieso kein Mensch mehr daran erinnern, was er kurz vor Ostern gemacht hat.«

»Wir können doch jetzt nicht einfach abreisen!«

»Doch, das können wir. Das müssen wir sogar. Weil es nichts mehr bringt, hier herumzuhocken. Weil die Carabinieri nichts mehr unternehmen werden, es sei denn, sie stolpern aus Versehen über Felix. Wir haben Flugblätter ausgehängt. Wir haben alle Menschen befragt, die wir befragen konnten. Wir haben jeden verdammten Zentimeter im Umkreis des Hauses nach irgendeinem Hinweis durchgekämmt. Hunderte, ach was, Tausende von Quadratmetern. Taucher haben den See abgesucht, Hunde den gesamten Wald in der Umgebung durchschnüffelt. Wir können nichts mehr tun, Anne. Wir können nur noch hier sitzen bleiben und darauf warten, dass wir verrückt werden.«

Die Bedienung ging vorbei, und Harald bestellte noch einen halben Liter Wein, in dem er einfach die leere Karaffe anhob. Er wirkte entschlossen und hart. Sein abgemagertes Gesicht sah aus wie in Stein gemeißelt. Wahrscheinlich hätte man in diesem Moment mit einem Hammer hineinschlagen können, ohne ihm etwas anzuhaben.

Anne spürte, wie ihr der Wein hochkam und einen ekelhaft sauren Geschmack in ihrem Mund verbreitete. Es fiel ihr schwer zu sprechen.

»Es ist also wichtiger, dass ich Blut abnehme, Druckverbände anlege und sage: ›Der Doktor kommt gleich, kleinen Moment noch, Frau Nakczinsky‹?«

»Ja.«

»Du bist widerlich.«

Harald sagte nichts dazu, er sagte überhaupt nichts mehr an diesem Abend. Schweigend tranken sie den bestellten halben Liter Wein, und noch nie hatte der Chianti so bitter geschmeckt. Dann zahlten sie und verließen den Saal. Anne hatte das Gefühl, von allen angestarrt zu werden, als sie hinausgingen: »Das ist die mit dem kleinen Jungen, der verschwunden ist …«, aber niemand sagte etwas, niemand hielt sie auf, niemand flüsterte ihnen ein: »Es tut uns ja so Leid« zu. Sie gingen einfach unbehelligt hinaus und waren wieder allein auf der Welt. Sie fühlten gar nichts mehr. Als hätte man ihnen das Herz herausgerissen.

Die schweigsame Fahrt nach La Pecora schien endlos. Anne schloss die Augen und fühlte wegen der Serpentinen Übelkeit in sich hochsteigen. Sie hoffte, sich übergeben zu können, aber es passierte nicht. Der Wagen rumpelte über die Schotterstraße durch die Nacht, sprang über Schlaglöcher und Bodenwellen, und sie spürte, dass Harald viel zu schnell fuhr, aber es war ihr egal. Der Abgrund erschien ihr auf einmal gar nicht mehr so schrecklich.

In La Pecora ging sie sofort ins Bett. Sie schaffte es gerade noch, sich auszuziehen, und kroch unter die Decke, obwohl sie sich nichts sehnlicher wünschte, als in den Arm genommen zu werden und zu weinen. Um endlich getröstet zu werden. Aber da war niemand.

Denn Harald stand auf der Terrasse, starrte in die Dunkelheit und verfluchte diese ganze ungerechte, beschissene Welt.

Am nächsten Morgen stand Anne ganz früh auf und stürzte sich in blindwütigen Aktionismus. Sie packte die Koffer, machte Frühstück und packte die Kühltasche mit Lebensmitteln für unterwegs, während Harald das Auto belud. In Felix' winzigem Schlafzimmer zwang sie sich, seine Sachen einfach so einzupacken, wie sie es schon unzählige Male getan hatte, völlig emotionslos, als würde sie gleich rufen: »Felix, komm, lass die Kröte in Ruhe, wasch dir die Hände und geh noch mal pinkeln, wir fahren gleich los ...« Sie bildete sich ein, er wäre draußen, holte sich ein letztes Mal nasse Füße im Bach und dreckige Hosen im Moos.

Wie oft hatte sie ihn ausgeschimpft deswegen, wie ungeduldig, wie unleidlich und sicher auch ungerecht war sie gewesen, hatte auf der kleinen Kinderseele herumgetrampelt, weil es ihr wichtiger war, dass ein sauberes Kind im Auto saß.

Es tat ihr so Leid, es tat ihr jetzt so unendlich Leid. Alles hätte sie dafür gegeben, noch einmal die Gelegenheit zu haben, alles wieder gutzumachen und ihn in den Arm zu nehmen ...! Sie war ja zu dumm gewesen zu begreifen, welches Glück es bedeutete, wenn ein kleiner verdreckter Junge vor der Tür herummaulte, der sich von seinen Stöcken, Steinen und Kröten nicht trennen konnte.

Und jetzt verließen sie ihn. Mit ihrer Abfahrt signalisierten sie, dass sie aufgegeben hatten. Sie suchten nicht mehr, weil sie eingesehen hatten, dass sie ihn niemals finden würden. Er existierte nicht mehr. Er würde nie mehr um ein Baumhaus betteln, mit Harald Nachtspaziergänge machen und Überraschungseierfiguren sammeln. Sein Platz im Auto, an ihrem Küchentisch und in der Schule würde leer bleiben. Er hatte sich in Luft aufgelöst, war von dieser Welt verschwunden, ohne Vorwarnung. Und ohne Adieu.

Harald glaubte nicht mehr an seine Rückkehr, und Anne hatte das Gefühl, Felix zu verraten.

Harald schloss die Haustür ab und warf den Schlüssel zusammen mit einer kurzen Nachricht für Pino und Samantha in den dafür vorgesehenen Blumentopf neben der Treppe. Bezahlt hatten sie bereits im Voraus.

Was gewesen war, war nun für immer vorbei. Und Anne hatte nicht die geringste Lust auf das Leben, das sie erwartete.

Dann war es so weit. Harald fuhr den ansteigenden Schotterweg ungewöhnlich langsam hinauf, aber sie sahen sich nicht um.

Es sollten zehn Jahre vergehen, bis Anne wieder nach La Pecora kam.

43

Toscana, 2004
Schon die leicht kurvige Straße nach Montebenichi vermittelte einen faszinierenden Eindruck von der Landschaft, die sehr dem Chianti ähnelte. Sanft geschwungene Hügel, auf denen Wein wuchs, hin und wieder ein imposantes Anwesen, das für die Ferien

zu mieten war, Wiesen, auf denen Pferde grasten, und immer wieder Sonnenblumenfelder, die in dieser Jahreszeit in voller Blüte standen. Der Blick auf Montebenichi, das auf einer Bergkuppe lag und aussah wie eine Haube aus ineinander verketteten mittelalterlichen Natursteinhäusern, war atemberaubend schön.

Es war ein heißer Tag, und Kai öffnete das Autofenster, das er bisher nur einen Spalt aufgelassen hatte, ganz. Er wartete auf lautstarken Protest, als der Wind durch Frau Schraders Dauerwelle fuhr, aber sie sagte keinen Ton, sondern nestelte in ihrer Handtasche herum und zog ein geblümtes Seidentuch heraus, das sie sich als Kopftuch um die Frisur band.

Du bist hier goldrichtig, dachte Kai, du bist genau die Kategorie Toscanadeutsche, die mir mein Auskommen sichert, weil du in zwei Jahren wieder verkaufst und dir dann doch einen Flachdachbungalow an der Costa del Sol zulegst.

»Was zeigen Sie uns denn heute Hübsches?«, fragte Frau Schrader zuckersüß. Sie versuchte, ihre schlechte Stimmung wegen des offenen Fensters zu überspielen, was ihr aber nicht gelang.

Statt einer Antwort fragte Kai: »Soll ich das Fenster wieder schließen?«

»Nein, nein, geht schon. Der Fahrtwind tut ja richtig gut bei der Hitze«, stöhnte sie.

»Sehen wir jetzt eine Ruine oder mal was Fertiges?«

»Sowohl als auch.« Kai musste auf den Randstreifen fahren und stehen bleiben, um auf der schmalen Straße einen breiten, entgegenkommenden Laster vorbeizulassen. »Ich zeige Ihnen ein Paket von drei Objekten. Fertig und unfertig. Sie können jedes Objekt einzeln kaufen, aber auch alles zusammen zu einem sehr guten Preis.«

»Was sollen wir denn mit drei Häusern?« Frau Schrader zog entnervt an ihrem engen Rock, der immer wieder über ihren dicken Knien hochrutschte.

»Spekulieren. In wenigen Jahren zwei Objekte wieder verkaufen. Oder erst restaurieren und dann wieder verkaufen. Einen Verlust machen Sie sicher nicht, die Preise in der Toscana steigen unentwegt.«

Herr Schrader erwachte auf der Rückbank zusammen mit seinem Geschäftssinn. »Das klingt interessant.«

Kai hatte Montebenichi erreicht und fuhr langsam durch den kleinen Ort. Den ganzen Vormittag schon hatte er versucht, Anne zu erreichen, aber ihr Handy war scheinbar nicht eingeschaltet, was ihn allmählich nervös machte.

»Ach Gott, wie entzückend«, murmelte Frau Schrader. Ihr Mann war auf dem Rücksitz wieder in Lethargie versunken.

Kai bog in einen kleinen staubigen Feldweg ein und fuhr eine kurvige Schotterstraße bergab, an mehreren Landsitzen vorbei bis in ein weitläufiges Tal, durch das sich ein Bach schlängelte, der im Winter häufig zu einem breiten Fluss anschwoll. Nach einer Brücke stieg die Straße wieder an bis hinauf nach San Vincenti, wo Kai direkt auf der Piazza neben einer verrotteten und längst nicht mehr funktionsfähigen Telefonzelle parkte.

»Da wären wir«, sagte er, stieg aus und ging um den Wagen herum, um Frau Schrader beim Aussteigen zu helfen.

Sie standen direkt vor einem Palazzo, dem größten und imposantesten Gebäude des Ortes.

»Dieser Palazzo aus dem siebzehnten Jahrhundert ist zum Beispiel ein Teil des Paketes. Den können Sie kaufen. Er müsste lediglich ein bisschen renoviert, aber nicht grundlegend restauriert werden. Wollen wir hineingehen?«

Kai ging voran, die Schraders folgten stumm. Kai schloss das große Hauptportal auf und knipste das Licht in der Diele an, das die unwirtlich weiß gekalkten Wände noch kälter erscheinen ließ.

Frau Schrader stand gelangweilt in einer Ecke herum und fühlte sich sichtlich unwohl, während Herr Schrader jedes Fenster öffnete, jeden Schlüssel in den Türen herumdrehte, jeden Wasserhahn öffnete, die Wände abklopfte, aber keinen Ton von sich gab. Kai ließ sie in Ruhe und wartete auf Fragen, aber es kamen keine.

Und dann sah er sie. Sie kam auf einer beigefarbenen Vespa an-geknattert, und natürlich fiel ihr sofort auf, dass die Fenster des Palazzo offen standen. Sie hielt an, stieg ab und lächelte. Kai trat schnell vom Fenster zurück, aber es war zu spät. Sie hatte ihn längst bemerkt.

Allora war achtzehn oder achtundzwanzig oder achtunddrei-ßig. Keiner wusste es, und es wollte auch niemand wissen. Am al-lerwenigsten Allora selbst. Sie war sonnengebräunt und musku-lös und hatte schlohweißes Haar, das sie sich selbst mit einer Schere abschnitt, je nachdem, wie sie gelaunt war. Mal länger, mal kürzer.

Manchmal, wenn man ihr ins Gesicht sah, sah sie aus wie eine alte Frau, die den größten Teil ihres Lebens schon hinter sich hat, ein andermal wirkte sie wie ein junges Mädchen, noch keine zwan-zig. Allora war nicht einzuschätzen, und genauso unberechenbar war sie auch.

Fiamma hatte sie in einem Heim in Florenz entdeckt, wo sie in einem Gitterbett saß und unentwegt die eisernen Gitterstäbe ab-leckte. Und Fiamma hatte die Idee, sie bei der alten Giulietta un-terzubringen, die ganz allein und ohne Hilfe in einer kleinen Hütte lebte, beinah taub und fast blind war und sich mehr kriechend als gehend vorwärts bewegte. Giulietta war schon seit Jahren nicht mehr im Dorf gewesen – der Weg war einfach zu weit.

Außerdem brauchte man jemanden, der einmal in der Woche die Dorfstraße und die Piazza fegte, die Blumen für die Kirche vom Markt holte und bei der Olivenernte half. Es gab viel zu tun in San Vincenti, und Fiamma nahm Allora mit. Sie hatte keinen Ausweis, keine Papiere und keinen Namen. Aber sie hatte ein Lieblingswort. »Allora.« Wenn sie es sagte, meinte sie »ja« oder »nein«, »ich kom-me gleich« und »es geht nicht«, »das mache ich« oder »das mag ich nicht«, »hau ab« oder »bleib hier«, aber auch »ich bin müde« oder »ich habe Hunger«. Sie drückte fast alles mit diesem einen Wort aus, und dabei waren ihr Gesichtsausdruck und ihre Betonungen so deutlich und drastisch, dass jeder sie verstand.

Fiamma hatte sicher nicht damit angefangen, aber bereits nach kurzer Zeit nannte sie jeder »Allora«.

Allora hatte bei der alten Giulietta eine kleine Kammer gleich hinter der Küche, in die nicht mehr hineinpasste als ein Bett. Sie nannte Giulietta »mia nonna« – meine Großmutter – und kochte ihr jeden Tag eine Minestrone, denn das war das Einzige, was sie kochen konnte. Nach dem Essen leckte sie die Teller und die Löffel sorgfältig sauber und stellte alles zurück in den Schrank. Der Nonna band sie Baumwolllappen um die Knie, damit sie besser durch die Gegend rutschen konnte. Nonna grunzte vor Freude, wenn Allora ihr die verfilzten Haare kämmte. Sie war die strega, die alte Hexe von San Vincenti, vor der die Kinder Angst hatten, und manche munkelten, sie wäre schon über hundert Jahre alt. Am Nachmittag, auf der verwitterten Steinbank neben Allora, hielt sie zum ersten Mal seit Jahren wieder ihr Gesicht in die Sonne. Allora horchte angestrengt, ob Nonnas Falten im Gesicht knisterten, wenn sie sich erwärmten, so wie Haare, die in einer Flamme verschrumpeln.

Allora entfernte die uralten Verbände mit dem eingetrockneten Eiter um Nonnas Knöchel und schrubbte die verkrusteten Binden so lange unter fließendem Wasser, bis sie nicht mehr braun, sondern wieder beige waren. Dann sagte sie »allora«, murmelte etwas Unverständliches, das ein Gebet hätte sein können, legte Salbeiblätter auf die tiefen Wunden und verband Nonnas Knöchel neu, die nie wieder verheilen würden und ständig vor sich hin suppten. Nonna sah nicht, was Allora tat, und sie hörte nicht, was Allora brabbelte, aber sie spürte, dass ihre Knöchel weniger brannten.

Manchmal rannte Allora ins Dorf und stahl für die Nonna Amaro, einen Kräuterschnaps, weil sie ihn so sehr liebte. Allora wurde dabei nie erwischt. Oder Reno, der Alimentarihändler, drückte beide Augen zu, wenn Allora die Flasche unter ihren Rock schob. Dann saßen Nonna und Allora abends bei Kerzenschein, Nonna trank den Amaro und erzählte vom Krieg. Sie hatte nur überlebt, weil sie unter die Holzdielen der Küche gekrochen war, als ihre Familie erschossen wurde. Damals wohnten sie noch in einer Holzhütte im Wald, zu Fuß eine halbe Stunde oberhalb von Moncioni. Dann nahm Allora Nonnas Hand, streichelte ihre mageren Finger und weinte ein bisschen.

Ab und zu kam Fiamma vorbei, brachte Brot und Gemüse und manchmal sogar einen Schinken. Und hin und wieder etwas zum Anziehen. Eine Jacke für die Nonna und eine Hose oder neue Schuhe für Allora. Die Schuhe stellte Allora aufs Fensterbrett gleich neben das Bild der heiligen Jungfrau und schonte sie. Sie hatte Angst, sie anzuziehen, sie fürchtete jedes Staubkorn und jeden Kratzer und ging weiterhin barfuß. Oder im Winter mit dicken Socken, die die Nonna strickte, während sie im Kamin, direkt neben dem Feuer saß.

Die Piazza war von nun an tadellos gefegt, auf dem Altar der kleinen Kirche standen ständig frische Blumen, und die Nonna wurde nach Jahren sogar wieder auf der Straße gesehen. Langsam schlurfend, aber für kurze Zeit sogar aufrecht. Allora karrte sie auf einer Schubkarre ins Dorf, kippte sie an der alten Kastanie vorsichtig aus und stützte sie beim Gehen. Die Kinder fürchteten sich jetzt vor allen beiden und bewarfen sie mit Maronen, die Allora aufsammelte und abends über dem Feuer röstete.

Es war ein kalter Februarmorgen, als Allora aus ihrer winzigen Kammer kletterte und sich über den Gestank wunderte, der aus Nonnas Zimmer kam. Nonna lag auf dem Fußboden, die Augen starr zur Decke gerichtet, aber mit einem spöttischen Lächeln um die Mundwinkel, als könnte sie selbst nicht glauben, dass der Tod sie doch nicht vergessen hatte. In ihren Armen lag die Flasche Amaro, beschützt wie ein schlafendes Kind. Im Sterben hatte sie sich beschmutzt, als wolle sie auf den Tod scheißen, aber es war ihr nicht gelungen. Er hatte sie besiegt.

Allora wusch sie sorgfältig und rollte sie in das einzige frische Laken ein, das Nonna besessen und für den Fall ihres Todes immer sorgsam gehütet hatte. Sie kämmte ihr ein letztes Mal die verfilzten, staubigen, aber immer noch tiefschwarzen Haare, nahm ihre magere, geliebte Nonna auf die Arme und fuhr sie mit der Schubkarre in die Kirche. Dort legte sie sie vor den Altar, nahm die Blumen aus der Vase und streute sie über sie. Dann küsste sie sie das erste, letzte und einzige Mal in ihrem Leben auf die Stirn, sagte »allora« und verließ die Kirche.

Wieder zu Hause nahm sie ihre Schuhe vom Fensterbrett, bekreuzigte sich vor der Heiligen Jungfrau, ging langsam von Raum zu Raum und steckte das Haus in Brand.

Von nun an wohnte sie bei Fiamma und Bernardo im Haus. Sie hatte ein eigenes Zimmer, weiß getüncht und sauber, mit einem Bett, einem Tisch und zwei Stühlen, einem Schrank und einem Regal, auf das sie ihre Schuhe stellte. Es war ein schönes Zimmer mit einem Feigenbaum vor dem Fenster und mehreren Stunden Sonne am Morgen. Aber Allora war unglücklich. Sie vermisste die kriechende und vor sich hin sabbernde Nonna, die ihre schwarzen Haare in die Minestrone hängen ließ und mit ihrem zahnlosen Mund lachte, wenn sie in der Brühe eine Karotte fand. Die stundenlang geduldig am Fenster saß und auf den räudigen Kater wartete, der nur alle paar Tage durchs Fenster sprang, seine Flöhe abschüttelte und dann auf Nonnas Schoß einschlief. Sie streichelte ihn stundenlang mit ihren gichtigen Fingern und ließ ihn die Minestronebrühe saufen, bis sie sie dann selbst zu Ende aß und schließlich Allora den Teller ausleckte. Manchmal kam der Kater auch mitten in der Nacht, rollte sich zwischen Nonnas Füßen zusammen und wärmte sie wie eine Wärmflasche aus struppigem Fell.

Fiamma hatte Allora nie verziehen, dass sie das Haus der alten Giulietta angezündet hatte. Die Gemeinde hätte es sicher verkaufen und mit dem Geld etwas Sinnvolles anfangen können. Wochenlang war sie unwirsch und unleidlich und gar nicht mehr so freundlich wie früher. Und immer wieder fragte sie Allora, warum sie es getan hatte.

»Allora«, sagte Allora.

Fiamma schüttelte voller Unverständnis den Kopf und bereute mittlerweile, Allora aus dem Heim geholt und aus ihrem Gitterbett befreit zu haben.

Aber Allora fegte weiterhin die Straße und die Piazza, holte die Blumen für die Kirche und bepflanzte Nonnas namenloses Grab. Aus dem Wald holte sie einen Stein, den sie auf das Grab setzte. Sie hätte gern »Mia Nonna« hineingeritzt, aber sie konnte nicht schreiben.

Ab und zu wusch sie den Wagen des Bürgermeisters und mähte den Rasen vor dem Haus, während Bernardo mit wichtigen Leuten – dem Geometer, dem Geologen, dem Architekten und dem Baustoffhändler – Grappa trank. Und die Männer sahen ihr dabei zu, wie sie barfuß hinter dem Rasenmäher herlief, der ganz allein und wie von Geisterhand über die Wiese fuhr und nur noch gelenkt werden musste.

Bernardo sagte: »Ich glaube, sie hat noch viel mehr Talente, als man denkt«, und die Männer lachten, und Allora dachte, das ist aber nett, dass Bernardo das sagt.

Es waren die ersten warmen Tage und die Zeit des Mohns, der jede Wiese, jeden Olivenhain und jede Steinterrasse mit leuchtenden Blüten überzog, als hätte Monet ein Meer von roten Punkten auf die Leinwand getupft.

Allora ließ sich über eine leicht abfallende Wiese rollen, sie genoss die feuchte Kühle des Grases, die Ameisen, die ihr über die Beine krabbelten und über die kleinen Härchen kletterten, als lägen ihnen Baumstämme im Weg. Sie hypnotisierte die Wolken und summte das Lied von den Partisanen, das die Nonna immer gesummt hatte. Es war ein vollkommen friedlicher Moment, als der weiße Maremma-Hund des Schäfers mit fliegenden Lefzen und gebleckten Zähnen auf sie zuschoss, sie ansprang und sich in ihrem Arm verbiss.

Allora stieß einen derartig gellenden Schrei aus, dass der Hund sofort losließ und davonrannte, als wäre er dem Teufel begegnet.

Bernardo fand sie, kreidebleich an einen Olivenbaum gelehnt und ihre Wunde leckend. Das war zu viel für den bisher so standhaften Bürgermeister von San Vincenti, der jede Nacht von Allora träumte, die nur wenige Zimmer weiter in seinem Haus schlief, und der jede Nacht mit sich kämpfte, ob er es wagen konnte, zu ihr unter die Decke zu kriechen. Er wagte es nicht. Nicht ein einziges Mal, obwohl seine Freunde – der Geometer, der Geologe, der Architekt und der Baustoffhändler – fest davon ausgingen. Aber er schlich viele Male ins Bad, während Fiamma mit offenem Mund schnarchte, und beobachtete sein Gesicht im Spiegel, während er es selbst tat, und stellte sich vor, Allora sähe ihm zu.

Jetzt überlegte er nicht mehr, sondern drückte seine Lippen auf ihren blutverschmierten Mund und küsste sie so lange und eindringlich, dass Allora ihre Wunde vergaß und zu begreifen versuchte, was mit ihr geschah. So etwas hatte sie noch nie erlebt. Die Zunge in ihrem Mund empfand sie als viel wohlschmeckender und anregender als das Ablecken von Gitterstäben, Tellern, Bestecken oder ihrem eigenen Spiegelbild, dem sie auf den Geschmack kommen wollte. Und so grunzte sie vor Vergnügen wie die Nonna gegrunzt hatte, und Bernardo wurde schier verrückt vor Verlangen. Und ihre Beine spreizten sich ganz von selbst, sie konnte und wollte gar nichts dagegen tun, ja sie bemerkte es nicht einmal, und alles, was der Bürgermeister dann tat, war so großartig, ein so unbeschreibliches Gefühl, dabei hatte sie geglaubt, es könne nichts Besseres mehr geben als eine kreisende Zunge in ihrem Mund. Ihr ganzer Körper kribbelte und wurde immer heißer, als würde ihr die Augustsonne in jeden einzelnen Knochen fahren, und der

Himmel fiel auf sie herab, ihr schwindelte, und sie wusste nicht mehr, wo sie war, sie glaubte zu fliegen und erahnte nur undeutlich, dass das, was sie fühlte, sie selbst war, die Allora, die sie seit so vielen Jahren kannte und doch nicht gekannt hatte. So war es also zu sterben, dachte sie, so schön, und sie wünschte sich, nie mehr aufzuwachen aus diesem Rausch. Aber dann sah sie den Bürgermeister, und er tat ihr Leid. Sein Gesicht war hochrot, er schwitzte und stöhnte, sie glaubte, er wäre im Todeskampf. Sie wollte ihn fragen, ihm helfen, aber da kam eine Welle über sie, die sie hochhob und davontrug auf einer Welle der Lust, sodass sie erneut schrie, als hätte sich diesmal Bernardo in ihr Fleisch verbissen.

Bernardo lag ganz still über ihr und atmete kaum. Sie weinte und bettelte, er möge nicht sterben. Bernardo setzte sich auf, zog ein riesiges und schon unzählige Male benutztes Taschentuch aus der Hosentasche und wischte sich damit über die verschwitzte Stirn.

»Allora«, sagte sie.

Bernardo lächelte und stand auf. »Komm mit«, sagte er, »wir müssen deinen Arm verbinden, und dann zeig ich dir was.«

Er schenkte ihr seine alte Vespa, die seit Jahren im Holzschuppen stand. Er brauchte sie nicht mehr, aber sie fuhr noch. Allora freute sich so sehr, dass sie ihn sofort auf den Mund küsste, aber Bernardo stieß sie weg, sah sich nervös um und verhielt sich so ablehnend, dass Allora gar nichts mehr verstand.

Aber Allora lernte schnell. Das, was sie so gerne tat, durfte man niemandem erzählen, man durfte nicht gesehen werden, es war geheim und verboten. Und man musste immer zu zweit sein und nicht zu dritt oder viert. Als sie nämlich dem Geometer auf den Schoß gesprungen war, ihn auf den Mund küsste und die Zunge in den Hals steckte, weil sie sich freute, dass er ihr ein zweites Stück Kuchen auf den Teller gelegt und sie angelächelt hatte, reagierte seine Frau mit einem derartigen Wutausbruch, dass Allora in den Garten flüchtete, sich zwischen die Tomatenpflanzen kauerte, deren beißender Saft auf ihrer Haut brannte, und zu verstehen versuchte, was sie falsch gemacht hatte.

Aber mittlerweile kannte sie die Spielregeln, hielt sich daran, und alles ging gut. Keine der Ehefrauen wusste von der liebeshungrigen Allora, die so gern die Beine spreizte, um immer wieder ein Stück vom Paradies zu kosten.

Sie hatte begriffen, dass sie sich ausschließlich an die Männer wenden musste, dabei war es ihr ziemlich egal, an wen. Mit dem Pfarrer aß sie kichernd den Kirschkuchen, den die Witwe Bracchini vorbeigebracht hatte, und wärmte ihm in der Nacht den kalten Rücken, denn die harte Pferdedecke, mit der er sich seit zwanzig Jahren zudeckte, war viel zu schmal. Am Morgen stand sie noch vor ihm auf, kochte die Milch und wusch ihm die Wäsche. Niemand sah sie gehen und niemand sah sie kommen, und Bernardo fragte sie nicht, wo sie die Nacht verbracht hatte. Wenn sie am Sonntagmorgen aus Don Matteos Händen die Kommunion in Empfang nahm, sah sie aus wie die leibhaftige Jungfrau Maria, und ihr Blick war derart in sich gekehrt, dass niemand jemals vermutet hätte, dass sie den Mann, der vor ihr stand, besser kannte als jeder andere im Dorf.

Mit dem Geologen fuhr sie in einem kleinen Boot auf den Lago Trasimeno, genoss das sanfte Schaukeln des Bootes, trank schweren roten Wein in der Mittagssonne und spielte mit ihrer Zunge auf seinem Körper wie auf einer Klaviatur bis die Sonne hinter den Bergen verschwand. Vom Geologen bekam sie Öl und ein kleines Radio und hörte jeden Abend Musik, bevor sie einschlief.

Sie war noch genauso allein wie früher, aber sie fühlte sich wie ein Mensch, der die Möglichkeit hatte, jeden Tag Achterbahn zu fahren.

Es war ein heißer Nachmittag im Mai, als sie mit ihrer Vespa durch den Wald bis zu einer Ruine auf einem Bergkamm fuhr, von der aus man in zwei Täler zugleich sehen konnte. Die Ruine war mit Erika und wilden Brombeeren zugewuchert, und von den

Mauern standen nur noch die dem Wetter abgewandten Seiten. Lediglich der hölzerne Rahmen eines Fensters schlug im Wind, der wie durch ein Wunder Jahrzehnte überdauert haben musste. Und in diesem Fenster stand ein Mann.

Er sah aus wie ein Gespenst. Wie ein Geist, der in das Haus seiner Ahnen zurückgekehrt war. Allora bremste so hart, dass sie fast vorn über den Lenker fiel, und starrte zu ihm hinauf. Der Mann lächelte und verschwand. Allora wartete mit klopfendem Herzen. Nach wenigen Minuten kam er heraus, klatschte in die Hände, um den Staub abzuschütteln, und klopfte sich die Dornen von der Hose. Er war groß und schön, und durch den Blick seiner eng zusammenstehenden Augen fühlte sich Allora wie hypnotisiert.

»Allora«, sagte sie.

»Hast du Durst?«, fragte Kai. »Ich habe Wasser im Auto.«

Er ging um das Haus herum zu seinem Jeep, und Allora folgte ihm stumm. Wie eine Marionette, die durch unsichtbare Fäden gezogen wird.

Er gab ihr eine Wasserflasche, und sie trank hastig und verlegen und bekleckerte ihr T-Shirt, aber die Trockenheit in ihrem Hals blieb. Hier war niemand. Sie waren allein auf der Welt, nirgends eine Frau, die ins Zimmer platzen und einen Tobsuchtsanfall kriegen konnte, und dieser Mann war noch viel paradiesischer als der Bürgermeister, der Pfarrer, der Geometer, der Geologe oder der Baustoffhändler.

Sie gab ihm die Flasche zurück und starrte auf die rot-schwarz gepunkteten Käfer, die überall auf dem Waldboden herumkrochen, ihr aber noch nie aufgefallen waren. Wie eine unheimliche Invasion.

Er nahm nur einen Schluck, schraubte die Flasche zu und warf sie zurück auf den Rücksitz.

»Ich hab dich schon öfter hier in der Gegend gesehen«, sagte er und lächelte.

»Allora«, meinte sie, drehte sich um und rannte, wie von der Tarantel gestochen, zurück zu ihrer Vespa, sprang auf, startete den Motor und brauste davon. Mit hochrotem Gesicht, wie nach einem 5000-Meter-Lauf.

Er zuckte lediglich amüsiert die Achseln und stieg in sein Auto. Die Maus hat Angst vor mir, dachte er, die Arme, dabei ist das vielleicht gar nicht so verkehrt.

Allora hatte keine Angst. Sie fürchtete sich nicht vor dem Paradies. Aber als Kai sie ansah, war sie sich zum ersten Mal in ihrem Leben ihrer selbst bewusst geworden, sie betrachtete sich plötzlich durch seine Augen und sah ihr wüstes Haar, das noch niemals ein Friseur in Form gebracht hatte, ihr fleckiges T-Shirt und ihren verblichenen Rock, ihre zerkratzten Beine und ihre verhornten, schmutzigen Füße. Sie war sich nicht sicher, ob ihr Mund sauber war, und ihre Fingernägel waren zu kurz. Sie schämte sich, und zum ersten Mal mochte sie sich selbst nicht mehr und auch nicht ihren Namen. Sie hatte sich verliebt.

Von nun an suchte sie ihn, und sie fand ihn überall. Sie lag auf der Lauer an der Straße, die von Montebenichi über San Vincenti in Richtung Castelnuovo Berardenga oder San Gusme, Moncioni, Monte Luco oder Montevarchi führte. Er kam fast immer hier vorbei, denn er wählte mit seinen Gästen lieber den Nebenweg, die Schotterstraße durch wunderbare Wälder und Weinberge, als die Hauptstraße, die schnellere, aber auch hässlichere Variante.

Sie verfolgte ihn, belauerte ihn, beobachtete ihn, sie tauchte wie aus dem Nichts lächelnd vor ihm auf und verschwand ebenso schnell wieder. Kaum sah sie ihn, fehlten ihr die Worte, in seiner Gegenwart war sie hilflos. Sie hatte keine Idee, wie sie ihn auf sich aufmerksam machen sollte, traute sich nicht, ihn so dreist zu küssen wie all die anderen, und verging fast vor Sehnsucht.

Und sie fiel beim Bürgermeister in Ungnade, weil sie ihn nicht mehr in ihre Kammer ließ.

Kai konzentrierte sich wieder auf die Schraders und versuchte, nicht mehr an Allora zu denken. Sie würde sicher auch noch in einer Stunde da draußen stehen.

Die Schraders betraten gerade die Küche, die beherrscht war von einem riesigen Kamin, der die gesamte Breitseite des Raumes einnahm.

»Er ist so extrem groß, damit man in kalten Nächten direkt im Kamin neben dem Feuer sitzen konnte«, erklärte er.

»Ach, du lieber Himmel«, meinte Frau Schrader wenig beeindruckt. Und dann zu ihrem Mann: »Herbert, komm, wir verschwenden hier nur unsere Zeit. Der Palazzo interessiert mich nicht.«

Die kleine Wohnung, die dem Palazzo direkt gegenüberlag, wollten die Schraders gar nicht erst anschauen, das heißt, Frau Schrader wollte sie nicht sehen. Herr Schrader bekam einen frustrierten Zug um den Mund, da er gerade versuchte, sich damit abzufinden, dass er gegen den Willen seiner Frau keine Geschäfte in der Toscana machen konnte.

Und dann ging alles schief. Sie fuhren nach Collina, das San Vincenti direkt gegenüberlag und leicht durch einen kleinen Waldweg zu erreichen war. Aber man konnte nicht direkt bis zur Halbruine vorfahren, und Herr Schrader trat in ein Wühlmausloch, verstauchte sich den Fuß und konnte nur noch humpelnd weiterlaufen. Seine Frau machte ihm Vorwürfe, dass er nie darauf achtete, wo er hintrat, und Herr Schrader war derartig gereizt, dass er für die Schönheit des Olivenhains, der sich bis ans Haus erstreckte, keinen Blick mehr hatte.

Direkt vor dem Haus trat Frau Schrader, obwohl sie stets darauf achtete, wo sie hintrat, in einen Haufen Pferdemist, und als sie schließlich die paar Stufen zum Haus hinaufsteigen wollten, machte sich eine Viper aus dem Staub.

Frau Schrader hatte jetzt gründlich die Nase voll und wollte ins Hotel zurück. Sie wollte Collina nicht mehr von innen sehen, sie wollte gar nichts mehr sehen und gar nichts mehr kaufen, die ganze Toscana gefiel ihr nicht mehr. Ein kleiner Bungalow in Spanien mit Blick aufs Meer und Hausmeister in einer abgeschlossenen Anlage, das wäre es viel eher. Wo die Häuser sauber und ordentlich und weiß verputzt waren, wo es gepflegten Rasen vor dem Haus gab und keine Wühlmauslöcher, keine Pferdeäpfel und schon gar keine Vipern. Wo der kleine Sparmarkt nur hundert Meter entfernt war und alle deutsch sprachen. Sie hatte keine Lust mehr. Sie wollte abreisen. Sofort.

Herr Schrader nickte nur. Ergeben und resigniert.

Was für ein Tag, dachte Kai, da kann man sich ja nur noch in die nächste Kneipe setzen und sich voll laufen lassen. Und beten, dass man Leuten wie den Schraders nie wieder begegnet.

Collina war in dieser Gegend eins der schönsten Häuser, das er kannte. Mit einem Blick, der seinesgleichen suchte. Doch den hatten die Schraders gar nicht bemerkt.

Als sie zum Auto gingen, drehte er sich noch einmal um. Im Fenster stand Allora und winkte ihm zu. Sie hatte auf ihn gewartet.

Er winkte nicht zurück. Er hatte Sehnsucht nach Anne und versuchte jetzt zum zwanzigsten Mal, sie auf ihrem Handy zu erreichen.

44

Anne hatte in ihren Träumen versucht, Valle Coronata zu rekonstruieren, aber in ihrem Kopf ging alles durcheinander. Waren da drei oder vier Zimmer im Haupthaus, hatte die kleine Mühle ein Bad oder nicht, gab es Licht auf der unteren Terrasse am Naturpool? Konnte man dort überhaupt das Wasser ablassen? Und wenn ja: wie?

Sie wusste gar nichts mehr. Harald hatte völlig Recht, sie brauchte noch sehr viel mehr Informationen.

Es war diesig und schwül, als sie nach dem Frühstück aus dem Hotel trat. Sie wollte irgendwo eine Flasche Wein für Enrico kaufen, als kleine Wiedergutmachung dafür, dass sie schon wieder dort aufkreuzte.

In einem Alimentariladen nur zwei Straßen weiter kaufte sie einen 98er Rosso di Montepulciano und fuhr sofort los. Ihr Handy schaltete sie aus.

Sie hatte große Schwierigkeiten, das Tal wieder zu finden, denn sie hatte auf der Fahrt mit Kai nicht darauf geachtet, wo er langgefahren war. Kai. Am Nachmittag rufe ich ihn an, dachte sie, vielleicht gehen wir ja heute Abend zusammen essen.

Von Ambra aus fuhr sie nach Duddova und nahm die enge Straße und die Schönheit der Landschaft diesmal wesentlich bewusster wahr. In Duddova fuhr sie an der kleinen Kirche und der gewaltigen Kastanie vorbei und bog danach rechts ab. Sie wunderte sich schon, dass die Straße bergauf führte. Das konnte nicht stimmen. Bei der Fattoria »Il Padiglione«, die fast auf der Bergkuppe lag, kehrte sie um. In Duddova fragte sie eine alte Frau mit langen grauen Locken nach dem Weg und verstand kein Wort, als diese erklärte, wo Valle Coronata lag. Immerhin verstand sie die Richtung, bedankte sich und fuhr in einen kleinen Weg hinein, der unter einem Balkon hindurchführte, wodurch man den Eindruck bekam, auf ein Privatgrundstück zu fahren. Aber als sie den Weg weiter durch die Olivenhaine und kontinuierlich bergab fuhr, erinnerte sie sich wieder.

Der zugewachsene Fiat stand unverändert auf dem Parkplatz. Auch danach musste sie Enrico fragen. Langsam ging sie zum Haus, die Flasche Wein in der Hand. Außer dem Singen der Vögel war kein Laut zu hören und niemand zu sehen. Das Haus lag scheinbar verlassen in der Vormittagssonne und erschien noch einladender, noch freundlicher als beim ersten Mal.

Enrico war hinter dem Haus, rannte im Laufschritt ständig zwischen einem Steinhaufen und der Quelle hin und her und stapelte die Steine neben der Quelle. Er trug nur eine Badehose. Sein Körper war sonnengebräunt und durch und durch muskulös, nirgends ein Gramm Fett. Als er sie am Haus stehen sah, hielt er inne und lächelte.

»Ich bin's schon wieder«, sagte sie und überreichte ihm die Flasche. »Hier, wegen der Störung.«

Enrico nahm die Flasche und sah auf das Etikett. »Oh, wunderbar, ein Montepulciano. Den müssen wir zusammen trinken.«

Sie gingen langsam zum Haus.

»Ich will dir noch die Quelle mit Natursteinen einfassen«, sagte er. »Dann kann dir das Erdreich nicht einbrechen und die Quelle verschütten, außerdem sieht es schöner aus. Vielleicht finde ich ja auch noch einen alten steinernen Kopf, einen Dionysos oder etwas Ähnliches, der Wasser spucken kann. Den mauer ich dir dann noch ein.«

Das ist ja unglaublich, dachte Anne und war leicht irritiert, gleichzeitig aber auch erfreut.

»Ich hab es heute Morgen in Siena nicht ausgehalten«, sagte sie vorsichtig. »Ich wollte das Haus unbedingt noch einmal sehen.«

»Das hab ich mir gedacht«, meinte er. »Ich habe schon auf dich gewartet. Wie wär's mit einem Kaffee?«

»Ja. Gern.«

Er ging voran und stieg in seine Arbeitshose, die er über einen Salbeibusch neben der Mühle gehängt hatte. Anne folgte ihm in die Küche. Obwohl es über dem Herd und der Spüle sehr dunkel war, machte er kein Licht, sondern füllte mit fast schlafwandlerischer Sicherheit die Espressokanne mit Kaffee und Wasser und setzte sie auf die kleinste Gasflamme.

»Mach das Haus nicht zu teuer«, sagte sie lächelnd.

»Wieso?« Er sah plötzlich sehr ernst aus.

»Na, wenn du jetzt noch irgendwelche Sachen baust ..., ich glaube, die kann ich mir im Moment nicht leisten. Wenn ich das Haus bezahlt habe, bin ich pleite. Dann darf es in den nächsten zehn Jahren nicht zusammenfallen.«

Enrico blieb stehen und verschränkte seine Hände vor dem Bauch.

»Ich gebe es dir für zwanzigtausend weniger. Kai hat die Summe willkürlich festgelegt, weil er meinte, das sei es wert. Aber ich fand den Preis immer zu hoch. Und die Baumaßnahmen mache ich sowieso. Die wollte ich machen, und die mache ich auch. Wenn du einziehst, ist das Haus perfekt. Ich werde auch noch die Mühle ausgraben und eine Drainage legen. Sonst ist sie zu feucht. Ich bin bisher nur nicht dazu gekommen. Willst du auch im Winter hier leben?«

Anne atmete ganz flach. »Vielleicht. Kann sein ..., ja ... doch ... schon ...«

»Dann brauchst du auch eine Heizung. Es kann hier im Winter verdammt kalt werden.«

»Ja ...« Annes Herz klopfte bis zum Hals.

»Ich hab die Anschlüsse schon gelegt. Es fehlen nur noch die Heizkörper. Ich bau sie dir ein. Aber du bräuchtest dann natürlich einen Gastank im Garten, denn mit den Gasflaschen kommst du nicht weit, die reichen für eine Heizung nicht.«

Anne brach der Schweiß aus. Sie konnte das alles nicht glauben und nicht einordnen. Entweder war sie finanziell ruiniert, wenn er das alles in die Tat umsetzte, oder er musste komplett verrückt sein.

Sie schwieg. Das Wasser im Espressokännchen blubberte. Enrico goss den Kaffee in zwei kleine Espressotassen und stellte sie auf den Tisch. Er holte Zucker und ein paar trockene Kekse und setzte sich.

»Und du?«, fragte Anne. »Seit wann lebst du hier?«

»Seit dreizehn Jahren.«

»Und dir hat die Heizung im Winter nie gefehlt?«

»Nein. Ich brauche nichts. Ich habe auch die beiden Badezimmer nur gebaut, um das Haus eventuell irgendwann mal verkaufen zu können. Mir reicht es, draußen jeden Tag einmal in das kleine Naturschwimmbad zu springen. Ein Badezimmer ist für mich der reine Luxus, und den will ich nicht.«

»Auch im Winter badest du jeden Tag im Pool?«

Enrico nickte. »Ich habe von der Quelle einen Schlauch nach unten zum Schwimmbad gelegt, da kann man sich abduschen. Carla ist letztes Jahr bis November in den Pool gegangen und hat draußen geduscht. Sie gewöhnt sich immer mehr daran.«

»Carla ist deine Frau?«

»Ja. Wir sind nicht verheiratet, aber wir leben seit vielen Jahren zusammen.«

Anne sah zu dem Bild auf, unter dem sie saß. »Ist sie das?«

Enrico nickte.

»Ja. Aber im Moment ist sie bei ihren Eltern in Deutschland. Ihr Vater ist sehr krank. Ich hoffe, dass sie bald wiederkommt.«

Seine Stimme hatte einen sehr sanften, weichen Klang. Dieser herbe, durchtrainierte, muskulöse Mann war offensichtlich überaus sensibel, aber dennoch war sie erneut verunsichert. Enrico und eine Frau? Sie grübelte, warum sie sich das beim besten Willen nicht vorstellen konnte, während sie einen Keks aß und sich in der Küche umsah.

»Diese Küche ist wunderschön. Ich kenne keine schönere.«

»Du hast wahrscheinlich nicht allzu viele toscanische Küchen gesehen.« Enrico schmunzelte.

»Warum willst du überhaupt verkaufen?«

»Das Leben ist mir zu bequem geworden, weißt du … Ich habe hier alles, und es kommt immer mehr dazu. Seit wir vor zwei Jahren Strom bekommen haben, macht mir das Wohnen im Tal keinen Spaß mehr. Ich will bescheidener leben. Ich brauche das alles nicht. Keinen Strom, keine Möbel, keinen Besitz. Im Grunde auch kein Haus. Am liebsten wäre ich nur mit einem Koffer unterwegs. Das ist für mich Freiheit. Aber Carla will das nicht.«

»Und wohin gehst du, wenn du verkaufst?«

»Keine Ahnung. Irgendwas findet sich schon. Und wenn es ein alter VW-Bus ist, in den ich eine Matratze lege. Ein wunderbares Gefühl, nicht zu wissen, was kommt.«

»Oh, mein Gott.« In Anne regte sich bereits eine Spur von schlechtem Gewissen. »Und was sagt deine Frau dazu?«

»Keine Ahnung. Sie weiß es noch gar nicht.«

»Und wenn sie hier bleiben will?«

»Das will sie bestimmt. Aber das geht nicht. Mach dir darüber bloß keine Gedanken.«

Enrico stand auf, wusch die beiden Espressotassen sofort ab und stellte sie auf das frei von der Decke hängende Regal, das bei jeder Berührung hin und her schwang und das Geschirr leise klappern ließ, wie eine sphärische Küchenmusik.

»Das Regal gefällt mir.«

»Ich hab es extra für diese Küche gebaut. Vor diese schiefen Wände kannst du keinen Schrank stellen. Außerdem mag ich keine Möbel. Also – sag mir, was du behalten willst, du kannst alles haben, kein Problem, ich will es nicht mehr.«

Was war das nur für ein Mensch?

»Du hörst dich an, als würdest du dich umbringen wollen.«

»Nein«, jetzt lächelte er endlich wieder. »Das will ich ganz bestimmt nicht. Im Gegenteil. Ich will mindestens neunzig Jahre alt werden, und deshalb versuche ich auch, etwas bescheidener zu leben. Damit mein Geld länger reicht. Und überhaupt. Wenn ich mich umbringen wollte, würde ich Carla das Haus lassen.«

Anne hatte das Gefühl, Enrico schon jahrelang zu kennen, und fühlte sich plötzlich wie zu Hause. Aber im Grunde war es unlogisch, was Enrico sagte.

»Dann verkauf doch das Haus so teuer wie möglich! Dann reicht dein Geld länger! Das verstehe ich nicht!«

»Nein.« Und jetzt wurde er fast heftig. »Nein, ich baue ein Haus, ich restauriere es, ich baue es aus, ich entwerfe es nach meinen Vorstellungen, ich gestalte es. Meine Häuser sind meine Kunstwerke. Das ist nicht das erste Haus, das ich als Ruine gekauft und dann ausgebaut habe. Und während ich arbeite, entsteht in meinem Kopf langsam ein Preis, zu dem ich es verkaufen würde. Und wenn ich diesen Preis gefunden habe, dann steht er fest, und ich ändere nichts mehr daran. Ich handle nicht. Ich diskutiere nicht. Und ich will auch nicht mehr haben, als ich mir selbst zum Ziel gesetzt habe. Ich arbeite schnell. Und ich arbeite gut. Wenn ich mir meine Arbeit adäquat bezahlen lassen würde, wären meine Häuser unerschwinglich. Aber mir geht es sowieso nicht ums Geldverdienen. Mir geht es darum, weiterhin bescheiden leben zu können. Um nicht mehr und nicht weniger.«

»Du bist ein Philosoph.« Dieser Mann zog sie immer mehr in seinen Bann. Er begann sie zu faszinieren. Nicht als Mann, als Mensch. Seine Gedanken, seine Art beeindruckten sie.

»Ach Gott«, meinte er, »ein Philosoph! Nein, Anne, ich lese philosophische Bücher, sicher, aber verstehe ich sie auch? Philosophien anderer sind mir fremd. Ich kann sie mir nicht zu Eigen machen. Ich mache mir meine eigene Philosophie …, aber leider hatte ich noch keine Gelegenheit, sie aufzuschreiben.«

Beide schwiegen einen Moment, dann sagte Enrico: »Ich mache dir einen Vorschlag. Hol deine Sachen und wohn ein paar Tage hier. Das Tal hat eine Atmosphäre, die man langsam auf sich wirken lassen muss, damit man herausfindet, ob man sie mag oder nicht, ob man sie überhaupt aushält. Hier allein zu sein ist eine Art Grenzerfahrung, Anne. Die Stille überfällt dich wie ein Hammerschlag. Es gibt kein Geräusch der Zivilisation, das bis hierher vordringt. Kein Autolärm, keine Stimme, kein Türenschlagen, keine Musik. Absolut nichts. Und dann die Dunkelheit. Die Nacht ist hier so schwarz, wie du es wahrscheinlich noch nie erlebt hast. Und nicht ein einziger kleiner Lichtpunkt von einem Haus, einer

Laterne, einem Scheinwerfer – nichts dringt bis hierher. Unsere Augen sind es gewöhnt, sich in der Nacht an irgendeiner Lichtquelle festzuhalten, das ist eine Art von Hoffnung und die Sicherheit, nicht allein zu sein auf der Welt. Aber das fehlt hier völlig. Jeder Blick verliert sich im totalen Schwarz. Oder im totalen Nichts. Wie du es nennen willst. Das alles ist faszinierend und beängstigend zugleich. Und man kann hier nur leben, wenn man so etwas sein Leben lang gesucht hat. Das solltest du ausprobieren, Anne. Es ist nicht so wichtig, ob in diesem Haus ein Wasserhahn tropft oder ein Fenster nicht richtig schließt. Das bringe ich dir alles in Ordnung. Aber ob du die Einsamkeit aushältst, das ist entscheidend.«

Anne spürte, dass er Recht hatte. »Hast du ein Glas Wasser für mich?«

Enrico nickte und füllte ein Glas unterm Wasserhahn.

Anne erinnerte sich daran, was Harald gestern Abend am Telefon gesagt hatte. Dass sie auf die Klärgrube, die Abflussrohre und die Wasserleitungen achten solle. Dass sie aufpassen sollte, nicht beschissen zu werden. Das war seine Welt. Das waren die Probleme, die Harald beschäftigten. Enrico war ganz anders. Für ihn galt eine Empfindung mehr als eine funktionierende Heizung. Und plötzlich hatte sie das Gefühl, dem Leben viel näher zu sein.

Aber sollte sie wirklich hier bleiben? Hier, in der Einsamkeit, allein mit diesem fremden Mann? Denn im Grunde kannte sie ihn überhaupt nicht, sie wusste nichts über ihn, nur seinen Namen, und der musste nicht stimmen. Niemand wusste, wo sie war. Es war auch sinnlos, eine Adresse anzugeben. »Valle Coronata«, damit konnten nur die paar Alten in Duddova etwas anfangen, sonst niemand. Hierher kam ja noch nicht einmal die Post. Sie lieferte sich diesem Mann völlig aus, wenn sie hier blieb. Sie kannte das Haus nicht und auch nicht den Wald. Sie hatte keine Chance, wenn er nicht so freundlich war, wie es schien. Er war in jedem Fall stärker als sie. An Flucht war nicht zu denken, und ein Handy funktionierte im Tal nicht.

Das ist der nackte Wahnsinn, lass es bleiben, schrie ihr Verstand. »Bella Italia« hat auch seine dunklen Seiten. Vergiss nicht, dass dein Kind hier verschwunden ist. Auch in einem Wald, nur wenige Kilometer von hier entfernt. Aber was hatte sie noch zu verlieren? Einen Mann, der sie betrog, ein Leben in Friesland, das sie anödete, und einen Schmerz, den sie nicht bewältigte. Gut, wenn Enrico ihr etwas tat, würde sie nie gefunden werden, er könnte sie im Wald vergraben, und sie wäre aus dieser Welt verschwunden. So wie Felix. Vielleicht war er hier vergraben und vermoderte unter der Erde nur wenige Meter entfernt. Oder fünfhundert Meter weiter, oder fünf oder fünfzig Kilometer weiter. Irgendwo.

Vielleicht war es ja auch ihr Schicksal, das Gleiche zu erleiden. Vielleicht würde sie in ihrer letzten Sekunde erkennen, was Felix geschehen war. Und ihr Bauch sagte, tu es, bleib hier, ein neues Leben ist auch mit neuen Erfahrungen verbunden. Wenn du davor Angst hast, hättest du auch in Friesland bleiben können.

»Nun?«, fragte Enrico.

»Ich finde deinen Vorschlag großartig«, sagte sie und entspannte sich in diesem Moment, weil ihre Entscheidung gefallen war. »Und wenn es dir wirklich nichts ausmacht, würde ich gern ein paar Tage bleiben. Aber nur, wenn es dir wirklich nichts ausmacht!«

»Wenn man ein Auto kauft, muss man Probe fahren. Wenn man ein Haus kauft, muss man Probe wohnen. Anders geht es gar nicht.«

»Okay.« Anne stand auf. »Dann fahre ich jetzt nach Siena und hole meine Sachen. Soll ich irgendetwas mitbringen? Zum Abendbrot?«

»Ein bisschen Gemüse wäre nicht schlecht …«

»Gut.« Anne trat aus der Küche. Nach der Dunkelheit in der Küche fühlte sie sich durch das Sonnenlicht geblendet. Sie nickte ihm zu. »Dann bis nachher.«

»Bis nachher«, wiederholte Enrico und verschwand wieder im Haus.

Anne ging langsam zu ihrem Auto und konnte gar nicht glauben, was mit ihr geschah.

In Siena kaufte sie ein paar Artischocken, Salat und Tomaten, dazu einen halben Pecorino und hundert Gramm frische Pestosoße. Dann ging sie in ihr Hotelzimmer, um zu packen. Als sie fertig war, war es bereits vierzehn Uhr, aber das junge Mädchen an der Rezeption war nett und berechnete ihr den Tag nicht, obwohl sie erst so spät ausgecheckt hatte. Als sie bezahlte, fiel ihr ein, dass sie das Engelsbild nicht mehr unter dem Bett hervorgeholt und wieder aufgehängt hatte, aber jetzt war es zu spät. Sie sagte nichts, gab ihren Schlüssel ab und verließ das Hotel. Wer weiß, vielleicht würde sie ja noch einmal zurückkehren, vielleicht auch nicht.

Als sie ins Auto stieg, schaltete sie ihr Handy ein und sah auf dem Display, dass Kai bereits mehrmals versucht hatte, sie zu erreichen. Sie rief ihn an. Er nahm sofort ab und war so erleichtert, sie zu hören, als sei sie vier Wochen im Urwald verschollen gewesen und endlich – lebendig – wieder aufgetaucht. Das freute sie, und sie willigte ein, sich mit ihm auf der Piazza Indipendenza zu treffen.

45

Als sie ihn von weitem kommen sah, mit seinem lockeren Gang, seinem gewinnenden Lächeln und seinem etwas zu weiten Anzug, der etwas Rührendes hatte, überlegte sie einen Moment, ob sie nicht doch erst morgen ins Tal fahren sollte. Morgen wäre ja immer noch früh genug, und sie hätte einen Abend und eine ganze Nacht mit Kai, sie könnte endlich einmal das ausleben, wovon sie träumte, seit Harald mit ihrer Exfreundin Pamela ein Verhältnis angefangen hatte. Pamela die Brave, die Nette, die Hilfsbereite, die Immer-zur-Verfügung-Stehende, die Himmel-so-gut-wie-du-möchte-ich-auch-einmal-aussehen-Sagende …, Pamela, die Unscheinbare, das Mauerblümchen …, Pamela, von der sie sich immer vorgestellt hatte, man könne sie mit zwanzig ausgehungerten Strafgefangenen auf einer einsamen Insel aussetzen, und keiner würde sie anrühren. Pamela war eine sichere Bank. Pamela konnte man bitten, die Blumen zu gießen, den Hund spazieren zu führen und dem Mann ein warmes Essen hinzustellen. Und man konnte dennoch beruhigt in Urlaub fahren. Sie hätte Pamela mit Harald in einem Zimmer schlafen lassen, wenn es nötig gewesen wäre – und dann das. So etwas Dreistes! So etwas schier Unvorstellbares.

Anne war vollkommen blind gewesen oder verblendet von Pamelas »Sittsamkeit«, die sie ihr aber offensichtlich nur angedichtet hatte. Es begann zu der Zeit, als der alte Hauke im Sterben lag. Er war vierzig Jahre lang zur See gefahren und ein zäher Bursche, und er lag beinah wochenlang im Sterben. Harald fuhr jeden Tag nach dem Mittagessen zu ihm ins alte Pastorat, um noch vor der Nachmittagssprechstunde nach ihm zu sehen, ihm eine Spritze zu geben und sich wenigstens eine Viertelstunde völlig verworrenes Seemannsgarn anzuhören. Er wusch ihn und bezog sein Bett frisch, stellte ihm Milch in den Kühlschrank und schmierte das Leberwurstbrot für den Abend. Das war Harald: Landarzt und Krankenschwester, Seelsorger und sozialer Notdienst. Er glaubte, auf diese Weise den alten Hauke davor bewahren zu können, in seinen letzten Tagen noch in ein Heim zu kommen.

Der Liebesdienst beim alten Hauke nahm viel Zeit in Anspruch, das war Anne klar. Dass es sich dabei nicht nur um *einen* Liebesdienst handelte, wusste sie nicht.

Genau Haukes Haus gegenüber wohnte ihre Freundin Pamela. Sie war Saxofonistin – wahrscheinlich wirklich eine begnadete – und gab Konzerte in Husum, Heide und Hamburg, manchmal auch in München, Köln oder Wien. Sie spielte überall, wo sie gebraucht wurde. In Kirchen, Konzertsälen oder Turnhallen, ihre CDs verkauften sich mäßig, aber alles zusammen reichte, sie als Musikerin zu ernähren. Pamela sah aus wie eine Witzfigur, wie die Karikatur einer Saxofonistin. Sie trug einen langen strengen Zopf am Hinterkopf, den sie manchmal auch zu einer Schnecke drehte, und wenn sie ganz verwegen war, weil sie auf einen Ball oder ein Dorffest ging, wurde aus dem geflochtenen Zopf ein Mozartzopf, und ihre Haare fielen offen bis zur Taille. Ihr Brillengestell war immer noch das aus ihrer Kindheit: streng, sachlich, unspektakulär und abgrundtief langweilig. Im Alltag trug sie Blusen und schwarze Hosen, wenn es festlich wurde Blusen und schwarze Röcke. Normalerweise hatte sie bequeme Laufschuhe an, mit denen man leicht auch durch die Rhön hätte wandern können, wenn es festlich wurde, trug sie Pumps mit flachem Absatz. Ihr ungeschminktes Gesicht kannte kein verschmiertes Make-up nach einer durchsoffenen Nacht, keine Tränensäcke nach zu viel Champagner, keine Mitesser nach fettem Essen. Sie ließ an ihren klaren Teint nur frische Landluft, Wasser und Nivea. Das war Pamela. Eine Seele. Sie tat Anne gut und gab ihr einen gewissen Halt, denn sie brauchte eine Freundin wie Pamela, die immer da war, wenn ihr Leben aus den Fugen geriet.

Viele Wochen ertrug Pamela klaglos Annes Tränen und die immer gleiche Geschichte von der Osterzeit in der Toscana, als Felix verschwand. Sie hörte auch noch beim hundertsten Mal mit großen erstaunten Augen zu, als würde sie den traurigen Ausgang der Geschichte noch nicht kennen. Sie war wie ein Tagebuch, in das man die immer gleichen Sätze schreiben konnte. Anne hatte nie das Gefühl, sie zu langweilen oder ihr auf die Nerven zu fallen. Pamela nahm sie in den Arm, wiegte sie wie ein Kind und ließ sie weinen. Und Anne glaubte an ihre Freundschaft. Sie dachte, wenn es so etwas wie Loyalität überhaupt gab, dann war sie für ein Wesen wie Pamela eigens erfunden worden.

Wenn Harald den alten Hauke gewaschen und gefüttert hatte, ging er meist noch auf einen Tee hinüber zu Pamela. Das erfuhr Anne jedoch erst, als es schon zu spät und die Affäre schon einige Wochen alt war. Pamela hatte keinen Freund, war viel allein, und die Teestunde mit Harald war für sie eine willkommene Abwechslung. Sie erzählte ihm von ihren letzten Konzerten und von Brahms, Hindemith und Bartok, die sie verehrte. Harald hatte von all dem überhaupt keine Ahnung. Musik kam in seinem Leben nicht vor. Dass er ihr irgendwann bei Blasmusik die langweilige Klein-Lieschen-Bluse aufgeknöpft haben musste, war für Anne heute noch unvorstellbar.

Die Sache flog an einem Oktobernachmittag auf, als der alte Hauke nach seiner Brille greifen wollte und dabei das Milchglas vom Nachtisch stieß, das auf den harten Steinfliesen zerbrach. Er versuchte, die Scherben aufzusammeln, weil er Angst hatte, beim Aufstehen hineinzutreten, dabei wurde ihm schwindlig, und er fiel aus dem Bett. Unglücklicherweise mit dem Gesicht genau in die Glasscherben. Er hatte zahlreiche und tiefe Schnittwunden, sein Blut tropfte auf Bett und Teppich, und als er aufstand auch auf Tisch und Sessel. Das machte ihm Angst. Er geriet in Panik, verwischte das Blut in seinem Gesicht mit den Händen und sah danach aus wie ein Zombie, der nach einem Schlachtfest ein Blutbad genommen hat. Er hatte vergessen, wo das Telefon stand, und schleppte sich ans Fenster, wo er an die Scheibe klopfend laut um Hilfe schrie.

Zu dieser Zeit kam Elsa Sörensen am Haus vorbei, die auf dem Weg zu ihren Enkeln war. Sie hütete sie jeden Nachmittag von fünfzehn bis zwanzig Uhr, während ihre Schwiegertochter in Heide in einem Frisiersalon Dauerwellen legte. Ihr Schwiegersohn arbeitete im Zwei-Wochen-Rhythmus auf einer Bohrinsel in der Nordsee.

Elsa erkannte die grässliche Gestalt am Fenster nicht. Sie rannte ins nächste Haus zu den Martinsens, und Frauke Martinsen alarmierte die Polizei. Die Polizisten, die eine Viertelstunde später bei Hauke ankamen und die Tür aufbrachen, erkannten sofort, dass das Ganze schlimmer aussah, als es war. Sie wuschen dem Alten das Gesicht, brachten ihn zurück ins Bett und fragten ihn, ob er ins Krankenhaus wolle. Da fing Hauke vor Entsetzen an zu strampeln, wie er in den letzten achtundsiebzig Jahren nicht mehr gestrampelt hatte und rief nach seinem Hausarzt Harald Golombek. Haralds Auto stand bei Hauke vor der Tür, aber er war nicht da. Das konnte sich niemand erklären, und nun wurde er überall gesucht. In der Praxis war er nicht, zu Hause auch nicht, und seine Sprechstundenhilfe wusste von keinen weiteren geplanten Hausbesuchen. Sein Handy war ausgeschaltet, man war ratlos. Bis dann Elsa, die im Dorf immer das Gras wachsen hörte, auf die Idee kam, doch mal bei Pamela zu klingeln, es könnte doch sein, dass der Herr Doktor …

Pamela öffnete der Polizei im lindgrün geblümten Morgenmantel, und auch Harald war noch nicht vollständig angezogen, als ihn die Polizisten baten, sich um den alten Hauke zu kümmern.

Das Ganze war bereits eine öffentliche Affäre und Dorfgespräch, bevor Anne und Harald in der Lage waren, über das, was geschehen war, zu reden. Der alte Hauke starb noch am selben Abend an einem Infarkt. Sein Herz hatte die Aufregung und das heftige Strampeln nicht verkraftet.

Anne ging am nächsten Tag zu Pamela. Pamela lächelte, als sie ihr die Tür öffnete, und trocknete gerade ihre Hände an einem Küchenhandtuch ab. Anne lächelte auch, nahm ihr das Kassengestell von der Nase und schlug ihr mit aller Kraft ins Nivea-gepflegte Babyface. Dann marschierte sie an der völlig perplexen Pamela vorbei ins Wohnzimmer, wo verschiedene Saxofone an der Wand hingen, hob die schwere Glasplatte vom Aquarium, in dem knallbunte Neonfische schwammen, nahm ein Saxofon mittlerer Größe von der Wand und tauchte es ins sprudelnde Fischwasser. Das goldene Saxofon sah im Aquarium wunderschön aus, Anne war begeistert. Als sie an der fassungslosen Pamela vorbeiging zischte sie noch: »Ruf mich nie wieder an!« und verschwand aus ihrer Wohnung und aus ihrem Leben.

Als Anne am Abend nach Hause kam, hatte sich Pamela bei Harald längst über sie beschwert. Harald war krebsrot vor Wut und warf seiner Frau vor, sich wie eine hysterische Ziege benommen zu haben, die sich zum Gespött des ganzen Dorfes machte. Wenn Pamela diesen peinlichen Auftritt herumtratschen würde – und das sei zu erwarten –, wäre auch er als Arzt lächerlich gemacht. Die Liebe sei schließlich wie ein Sommergewitter, das einen auf freiem Feld überraschen und in Sekunden völlig durchnässen konnte. Man kann ihm nicht entfliehen, und es ist ungewiss, ob man es überlebt oder nicht, wenn die Blitze um einen herum in die Erde fahren und einem die elektrische Spannung bis zum Halskragen steht. Man ist zwischen Angst und Faszination hin und her gerissen und plötzlich mutterseelenallein auf der Welt. Und er fühle sich, als sei er bereits vom Blitz getroffen und teilweise gelähmt. Unfähig, seine Beine zu bewegen und nach Hause zurückzukehren. Er wisse nur eins: Er habe sich unbekümmert in der Welt, das heißt auf freiem Feld bewegt, und das könne man ihm nicht vorwerfen. Dass das Gewitter über ihn gekommen sei, sei nicht seine Schuld. Auf alle Fälle sei es kein Grund, derartig aggressiv zu reagieren und eine wehrlose Frau nicht nur zu schlagen, sondern auch noch ein kostbares Instrument im Aquarium zu versenken. Annes Verhalten sei schlicht primitiv und für eine Arztfrau absolut unentschuldbar.

Anne hatte vergessen, was er sonst noch alles sagte, er monologisierte ziemlich lange. Sie wunderte sich nur über diesen Mann, den sie so gut zu kennen glaubte und der plötzlich in Gleichnissen sprach, was er bisher noch nie getan hatte. Und sie wunderte sich über sich selbst, denn es gelang ihr, sich mit vollkommen ruhigen

Händen einen Whisky einzuschenken, sich in einen Sessel zu setzen, gelangweilt die Beine übereinander zu schlagen, eine Zigarette zu rauchen und sich bei all dem interessiert selbst zu beobachten. Es war ihr alles so gleichgültig, was er sagte, um sie herum war Eiseskälte, und sie fing noch nicht mal an zu zittern. Es hatte nichts mehr mit ihr zu tun, und sie fühlte sich plötzlich so stark wie eine Frau, die sich seit zwanzig Jahren allein durchs Leben schlägt und die so leicht nichts mehr umhaut. Sie sah Harald zu, wie er im Zimmer auf und ab ging, begeistert von seiner Rede und seinen Argumenten, und stellte ihn sich nackt vor. Die ganze Szenerie erschien ihr plötzlich so albern, dass sie lächeln musste, was Harald als Arroganz interpretierte.

Als er bei seinen philosophischen Abhandlungen zu dem Punkt kam, dass das Leben eben nicht vorausberechenbar sei und nicht der Mensch an sich, sondern nur seine Gefühle wirklich frei seien, stellte sie ihn sich immer noch nackt vor, aber diesmal aus der Pamela-Perspektive, und da spürte sie, wie der Schmerz zurückkam. Das Absurde der ganzen Situation wurde ihr auf einmal bewusst. Harald hatte die Schuldfrage völlig auf den Kopf gestellt und fühlte sich sauwohl in der Rolle des Richters. Sie musste sich Vorträge und Vorwürfe anhören, weil sie ein Saxofon gewässert hatte, was dem vorausgegangen war, schien nicht nur unwichtig, sondern bereits vergessen.

Als er dabei war, Anne zu erklären, dass sich niemand dem Verlangen widersetzen und einem sehnsüchtigen Blick widerstehen könne, unterbrach sie ihn mit der profanen Frage: »Warum schläfst du mit einer Frau, die so erotisch ist wie eine orthopädische Sandale?«

Harald starrte sie an, als hätte sie ihm ein Messer in den Bauch gestoßen. Die Welle seiner psychologischen Erkenntnisse versandete abrupt.

»Findest du?«, fragte er, und klang wie ein verunsichertes Kind, dem man sagt: »Dein Pony steht dir nicht.«

»Das findet wahrscheinlich jeder im Dorf«, antwortete Anne kühl, »und die Frage ist, wer sich hier wirklich lächerlich macht.«

Harald verstummte wie ein bemitleidenswerter Schauspieler, der den Text seines Monologes vergessen hat und wie ein geprügelter Hund die Bühne verlässt.

Anne wollte ihn verletzen, und das war ihr gelungen. Sie sprachen nicht mehr darüber, sie redeten über gar nichts mehr. Sie begrüßten sich nicht, sie verabschiedeten sich nicht, und sie fassten sich nicht mehr an. Anne schlief auf der Couch im Gästezimmer, und er ging ab und zu zu Pamela. Anne verstand die Welt nicht mehr. Sie hatte immer geglaubt, eine Frau, die ihr gefährlich werden könnte, müsste mindestens jünger, schöner, schlanker, klüger und fröhlicher sein.

Aber sie war felsenfest davon überzeugt, ihn zurückzugewinnen. Wenn er das Schweigen satt hatte und den braven Null-acht-fünfzehn-Mauerblümchen-Sex. So tat sie die ganze Affäre als vorübergehende Phase ab, da seine Arzthände von Natur aus eben auch eine sehr mitleidige Ader hatten.

Erst als sie die erste Hindemith-CD in ihrem Schrank entdeckte, bekam sie Angst, ihn für immer zu verlieren.

Anne ging auf Kai zu. Kai hauchte ihr einen Luftkuss neben die rechte Wange.

»Schön, dich zu sehen. Ich kenne nur ein paar Schritte weiter eine angenehme kleine Bar, in der man sogar sitzen kann …«

»Okay, gehen wir.« Annes Herz klopfte, als sie ihn ansah. Er gibt mir das Gefühl, wieder Anfang zwanzig zu sein, dachte sie, und das ist nicht das Schlechteste, was einem passieren kann.

In der Bar bestellten sie beide einen Campari und prosteten sich zu.

»Worauf trinken wir?«, fragte Kai. »Auf Valle Coronata?«

»Na klar«, grinste Anne. »Ich bin zu 99 Prozent immer noch wild entschlossen, es zu kaufen.«

»Wieso 99 Prozent? Gibt es noch irgendwo ein Problem? Mit der Finanzierung?«

Anne schüttelte den Kopf. »Nein, nicht mit der Finanzierung. Ich war heute Vormittag bei Enrico, und er hat mir angeboten, ein paar Tage in Valle Coronata zu wohnen. Ich bin sicher, es wird wundervoll, das eine Prozent halte ich mir nur offen für den Fall, dass mir der Wald bereits nach drei Tagen auf den Kopf fällt.«

Kai runzelte die Stirn, und seine Augen sahen aus, als würden sie in der Mitte zusammenwachsen. »Das heißt, du willst mit …, du willst ein paar Tage bei Enrico wohnen? Bei diesem Spinner? Verdammt noch mal, du kennst ihn doch gar nicht!«

»Glaubst du, er wird mich fressen?«

Kai versuchte zu scherzen. »Nein, wahrscheinlich nicht, bevor du bezahlt hast. Aber …«

»Was ›aber‹?«

»Ich weiß nicht. Er ist furchtbar nett, aber er ist ein komischer Kauz. Ich kann ihn nicht einordnen. Er ist ein Aussteiger, ein Fantast, und sicher hat er irgendwie auch was auf'm Kasten, aber …«, er machte eine Pause und starrte in die Ferne. »Ach verdammt, ich kann es nicht erklären. Wahrscheinlich ist es die beste Methode, das Haus kennen zu lernen, da hast du Recht …«

Er sah sie an und nahm ihre Hand. Anne zuckte unmerklich, weil sie darauf nicht gefasst war, aber sie ließ sie ihm. »Aber ich bin froh, dass ich weiß, wo du bist. Wann fährst du hin?«

»Wenn wir unseren Campari ausgetrunken haben.«

Kai konnte seine Enttäuschung nicht verbergen. »Ich dachte, wir machen einen kleinen Bummel durch die Stadt, klettern vielleicht auf den Torre del Mangia, genießen einen wunderschönen Sonnenuntergang aus luftiger Höhe, hoch über den Dächern der Stadt, und dann lade ich dich im romantischsten Restaurant Sienas zum Abendessen ein …«

Anne seufzte. »Das klingt sehr verführerisch, und ich hätte große Lust dazu …, aber was soll ich denn machen? Ich habe Enrico gesagt, dass ich heute Abend wiederkomme. Er wird auf mich warten. Und ich kann ihn doch nicht anrufen und sagen, dass ich erst morgen Vormittag komme! Ich würde es tun, aber es geht ja nicht!«

Kai bestellte noch zwei Campari. »Was willst du in Valle Coronata tun, wenn du es gekauft hast? Gibt es ein Geheimnis? Suchst du ein Versteck? Erzähl es mir!«

»Frag mich noch einmal, was ich dort tun werde, wenn ich ein paar Tage da war. Dann werde ich es wissen.«

»Und mir meine Frage beantworten?«

»Ja.«

»Versprochen?«

»Versprochen.«

»Nimm dir eine dicke Jacke mit. Es ist feucht und kühl im Tal. Dort hast du mindestens sieben Grad weniger als auf dem Berg und zehn Grad weniger als in der Stadt.«

Anne nickte und lächelte. »Okay. Aber jetzt gehe ich, sonst gibst du mir noch so viele gute Ratschläge, dass ich mir eine Finca auf Mallorca kaufe.« Sie stand auf. »Danke für den Campari.«

Kai stand ebenfalls auf und umarmte sie. »Wir sehen uns spätestens in drei Tagen.«

Anne nickte und ging.

Als sie in der Via Santa Caterina in ihren Wagen stieg, war ihr ziemlich mulmig zumute, und dieses Gefühl ließ sich auch nicht verdrängen, als sie das Radio anschaltete und ihr Lieblingslied »Melodramma« von Andrea Bocelli hörte:

»E questo cuore canta un dolce melodramma, è l'inno dell'amor che canterò per te, è un melodramma che, che canto senza te.«

Erneut keimte die Sehnsucht in ihr auf, und das Lied unterstrich noch ihr Gefühl, wieder eine wunderbare Chance vertan zu haben, sich endlich in Kais Armen völlig fallen zu lassen.

46

In der Küche brannte kein Licht, aber Enrico hatte ausnahmsweise zwei Kerzen auf dem Tisch, zwei auf der Arbeitsplatte und ein Teelicht auf dem schwankenden Regal aufgestellt. Anne faszinierte nicht nur die romantische Atmosphäre, sondern auch Enricos Haltung, zwar Strom zu haben, ihn aber nicht zu benutzen.

»Erzähl mir von dir«, bat Anne. Auf dem Herd kochten die Artischocken, Enrico verfeinerte die Pestosoße mit Sahne und zupfte die Rucolablättchen mit Engelsgeduld und solcher Hingabe, als kenne er jeden Stängel persönlich. Anne fand es beruhigend, ihm dabei zuzusehen, und genoss es, selbst nichts tun zu müssen. Sie zwang sich, immer wieder zum Wasserglas zu greifen und am Rotwein nur zu nippen, um nicht zu schnell müde zu werden.

»Von mir gibt's nichts Interessantes zu erzählen«, meinte Enrico ausweichend.

Anne lächelte. »Das glaub ich dir nicht. Du hast eine ungewöhnliche Art zu leben … und bis hierher, bis man in diesem Tal landet, muss schon einiges passiert sein. Man kommt nicht einfach in Hamburg zur Welt, kauft sich eine Kiste voll Handwerkszeug und landet in Valle Coronata, hinter den sieben Bergen bei den sieben Zwergen!«

»Das stimmt.« Enrico sah Anne an, und sein Blick war freundlich und warm, aber er sprach zögernd.

»Ich war Manager eines großen deutschen Unternehmens …, ich habe mich um alles gekümmert, um die Angestellten, die Produktion …, ich habe neue Ideen eingebracht, bahnbrechende Erfindungen gemacht, die gesamte Software des Unternehmens neu konfiguriert. Ich habe gut verdient, aber nicht genug, denn für meine Erfindungen habe ich keinen Pfennig gesehen. Sie waren sozusagen Eigentum der Firma, weil ich Angestellter war. Das war nicht in Ordnung. Ich habe es gehasst, jeden Tag einen Anzug tragen zu müssen, aber als ich im Rollkragenpullover erschien, gab es unglaublichen Ärger. Schließlich hat mir alles gestunken, und ich habe gekündigt.«

»Was war das denn für ein Unternehmen?«

»Ich rede nicht so gern darüber ...«

»Wir sind doch hier völlig unter uns, und dann kann ich mir wenigstens irgendetwas vorstellen ...«

»Eine Mineralölfirma.«

Anne nickte, aber es verschlug ihr einen Moment die Sprache. »Und dann, nach deiner Kündigung?«

Sie fragt viel zu viel, dachte Enrico, aber sie glaubt wenigstens, was man ihr erzählt. Sie ist eine, die sich sicher fühlt, wenn sie viel über einen Menschen erfährt. Das konnte er gut verstehen, also beantwortete er weiter ihre Fragen.

»Sie haben mir den roten Teppich ausgerollt. Sie boten mir an, für das gleiche Geld nur die halbe Zeit arbeiten zu müssen. Ohne Anwesenheitspflicht. Ich hatte quasi freie Hand. Konnte tun und lassen, was ich wollte. Sie waren nur scharf auf meine Ideen.«

»Das ist doch fantastisch! Einen besseren Job gibt es doch gar nicht!«

Enrico nahm die Artischocken aus dem Topf. Er sprach langsam, war auf der Hut, versuchte sich zu erinnern, wollte jetzt keinen Fehler machen. »Kann sein. Wahrscheinlich hast du Recht. Aber ich hatte gekündigt, also blieb es dabei. Ich habe dir schon mal gesagt ... ich zocke nicht, ich feilsche nicht, und ich lasse nicht mit mir handeln. Wenn ich einen Preis sage, dann bleibt es dabei. Und wenn ich kündige, auch. Also bin ich gegangen.«

Anne verstummte. Was für ein Wahnsinn! Was für ein heller

Wahnsinn, wenn es stimmte, was Enrico gesagt hatte, wenn es dieses Angebot wirklich gegeben hatte.

Enrico redete weiter.

»Es war mir alles zu viel. Ich hatte eine Wohnung, ein großes Auto, eine Freundin, jede Menge Möbel und massenweise Klamotten im Schrank. Ich hatte einen Terminkalender auf dem Schreibtisch und Kreditkarten in der Hosentasche. Ich hatte ein geregeltes Einkommen, eine feste Adresse, und meine Lebensplanung reichte immer bis zum nächsten Urlaub. Jeden Morgen um sieben Uhr dreißig klingelte der Wecker, und jeden Abend gab es die ›Tagesschau‹. Wenn ich Carla zum Essen ins Restaurant einlud, war das ein besonderer Abend, obwohl wir es uns hätten leisten können, dreimal täglich im Restaurant zu essen. Mein Telefon klingelte ständig, ich war immer verfügbar. Meine Zukunftsperspektive hieß: Noch zwanzig Jahre so weiterzumachen und sich zu Tode zu langweilen, dann in Rente zu gehen, anfangen zu leben, zwei Jahre später durch einen Herzinfarkt den Löffel abzugeben und alles den Erben zu hinterlassen. Auf meinem Grabstein hätte gestanden: Er hat das Leben nie kennen gelernt. Und das wollte ich alles nicht. Insofern kam mir die Kündigung ganz recht.«

Enrico legte Anne eine Artischocke auf den Teller und stellte die Pestosoße daneben. »Lass es dir schmecken.«

Anne war irritiert. »Und du? Isst du gar nichts?«

»Doch, aber nicht jetzt. Ich esse sehr wenig und nur selten etwas. Ich habe dir schon mal gesagt, ich versuche, sparsam und bescheiden zu leben. Wenn ich einkaufe, nehme ich nur die Hälfte von dem, was ich brauche. Und wenn ich etwas koche und mich auf das Essen freue, versuche ich, darauf zu verzichten, wenn es fertig ist.«

»Das ist ja furchtbar! Das macht doch keinen Spaß! Du nimmst dir ja die ganze Freude am Leben!«

Enrico lächelt. »Überhaupt nicht. Ich bin zufrieden. Und jetzt lass diese köstliche Artischocke nicht kalt werden!«

Anne begann zu essen, aber sie war enttäuscht. Die behagliche, friedliche und romantische Atmosphäre war verflogen. Sie kam sich beobachtet und gezwungen vor wie ein Kind, das seinen Grießbrei essen muss.

Es war still in der Küche, und Anne versuchte umso mehr, kein Geräusch beim Essen zu machen. Enrico hatte ein undefinierbares, leichtes Lächeln um die Lippen, als erwarte er, jeden Moment ins Nirwana überzugehen. Er spielt mir etwas vor, dachte Anne, genau wie bei unserer Besichtigung, als er mit dem Buch in der Hand auf der Terrasse saß. Er inszeniert sich. Aber warum? Er hat es doch gar nicht nötig. Er ist hier zu Hause, nicht ich. Und ich kaufe das Haus auch, wenn er kein Philosoph ist.

»Und dann?«, fragte sie. »Was hast du nach deiner Kündigung gemacht?«

Enrico saß sehr aufrecht und faltete die Hände in seinem Schoß. »Ich habe alles verkauft. Meine Wohnung, meine Möbel, fast meine gesamte Garderobe. Und mein Auto. Es war ein sehr wertvolles Auto. Ein Mercedes aus dem Jahre 1935. Ein echter Oldtimer, spitzenmäßig gepflegt. Ich wollte ein Segelboot kaufen und um die Welt segeln. Fast ausschließlich von Fischen leben und versuchen, mit meinem Geld bis ans Ende meiner Tage auszukommen. Aber Carla wollte nicht. Sie machte Schwierigkeiten. Sie hatte Angst vor Wasser und Wellen, vor Sturm und Wind, vor der Einsamkeit, sie hatte in ihrem Leben noch nicht mal eine Butterfahrt nach Helgoland gemacht, weil sie es bedrohlich fand, auf schwankendem Boden zu stehen. Sie befürchtete, zu ertrinken oder an Übelkeit und ständigem Erbrechen zu sterben. Vielleicht hatte sie ja auch Recht. Denn Carla hat noch Angst vor dem Tod – ich habe das längst hinter mir.«

»Kannst du segeln?«

»Nein. Oder sagen wir besser: Ich habe es noch nie ausprobiert. Aber es gibt Bücher. Und wenn man sich mental damit auseinander setzt, geht alles. Der Wind ist eine berechenbare Größe. Ebenso das Wasser. Kraft – Schwung – Geschwindigkeit – Masse – alles ist kalkulierbar. Und somit reduziert sich die Gefahr.«

Anne verstand nur zu gut, warum sich Carla geweigert hatte, mit Enrico auf ein Boot zu gehen. Wenn er kein erfahrener Segler war, hätte sie das auch nicht getan.

»Und Carla hatte außerdem ein Problem damit, ihren Job sausen zu lassen, weil sie erst ein halbes Jahr vorher die Leitung eines Kindergartens übernommen hatte. Angeblich machte ihr die Arbeit Spaß, aber ich konnte gut sehen, dass sie hoffnungslos überfordert war, und ich wollte sie da unbedingt rausholen. Ich habe für sie die Dienstpläne und die Kalkulationen gemacht, ich hab Sparpläne für die Küche errechnet und ihr Handwerker beschafft, die die Kita neu gestrichen und zum halben Preis neuen Teppichboden verlegt haben. Ich baute pädagogisches Holzspielzeug, damit sie kein neues kaufen musste, beaufsichtigte die Kinder auf dem Erlebnisspielplatz und bin sogar als Betreuer auf eine kleine Reise ins Fichtelgebirge mitgefahren. Unentgeltlich natürlich. Ich hätte alles für sie getan, aber es hatte keinen Zweck. Sie war für diesen verantwortungsvollen Job nicht geschaffen. Sie war zu weich, zu mitfühlend. Wenn sich ein Kind das Knie aufschlug, weinte sie mehr als das Kind und vergaß in ihrer Panik die Telefonnummer der Feuerwehr. Ich konnte das nicht mit ansehen. Ich redete ihr gut zu. Immer wieder. Und schließlich kündigte sie auch.«

Enrico schenkte sich aus einer Korbflasche ein Glas Wein ein und trank es in einem Zug aus, während Anne immer noch eisern an ihrem Wein nur nippte. Enricos Gesicht war mittlerweile flammend rot.

»Und dann habe ich einen alten Bus gekauft und ihn ausgebaut. Eine kleine Küche, einen ausklappbaren Tisch, zwei Stühle, eine Matratze, ein Schränkchen – das war alles. Es reichte für unsere ganze Habe. Ich wollte um die Welt. Wenn nicht mit einem Boot und auf dem Wasser, dann eben mit einem Bus auf der Straße.«

Obwohl Enrico den Wein getrunken hatte, waren seine Lippen völlig ausgetrocknet. Klebriger Speichel klebte in seinen Mundwinkeln. Anne musste immer wieder hinsehen, und es störte sie gewaltig. Dieser schöne, ausdrucksstarke Mann – und dann so etwas Banales. So etwas banal Ekelhaftes.

»Das ist unglaublich«, sagte sie. »Das wäre auch mein Traum. Einfach losfahren. Sich treiben lassen. Nicht wissen, was einen erwartet. Die Welt sehen.«

»Dann tu es«, sagte Enrico. »Fahr los und versteck dich nicht hier in diesem Tal.«

»Warum hast *du* dich denn dann letztendlich in diesem Tal versteckt?«, konterte Anne schnell, um zu vermeiden, dass Enrico fragte, was sie hier überhaupt suchte. Sie wollte nicht über Felix reden. Nicht heute Abend. Vielleicht später.

»Der alte klapprige Bus ist hier in der Toscana verreckt. Oberhalb Duddova, auf einem Platz, auf dem Holz gelagert wurde. Wir kamen nicht weiter. Beim besten Willen nicht. Ich habe alles versucht, aber er fuhr keinen Meter mehr. Nicht mal bis zur Werkstatt in Ambra. Und dann bin ich bei einem Spaziergang auf Valle Coronata mit einer seit dreißig Jahren zugewucherten Ruine gestoßen und hatte plötzlich das Gefühl, dass hier meine Aufgabe ist. Dass es meine Bestimmung sein könnte, die Mühle wieder aufzubauen und zu beleben. Hier zu leben. An der Quelle. Im Wald. Am Ursprung des Lebens.«

»Wann war das? Ich meine, seit wann bist du hier?«

»Seit dreizehn Jahren. Ich habe erst Valle Coronata und dann auch andere Ruinen aufgekauft und renoviert.«

Dreizehn Jahre, dachte Anne. Dann war er also schon hier, als Felix verschwand. Und La Pecora ist nicht weit. Zu Fuß vielleicht eine Dreiviertelstunde. Gar kein Problem. Vielleicht hatte er irgendetwas gehört, irgendetwas gesehen, vielleicht hatten ihm die Leute im Dorf irgendetwas erzählt, auf dem Markt wird viel geredet …, vielleicht hatte er etwas erfahren, das ihm damals nicht wichtig erschien, aber jetzt wieder einfiel. Vielleicht zu einem Zeitpunkt, als sie und Harald schon längst wieder in Deutschland waren. Enrico war ein Anhaltspunkt. Ein guter Anfang, aber sie wollte noch ein bisschen warten, bevor sie von Felix erzählte.

Enrico stellte den Rucola auf den Tisch und Essig und Öl dazu. Seine Bewegungen waren vollkommen ruhig, die Hände, die kein bisschen zitterten, hätten ohne Probleme auch ein Skalpell führen und filigrane Schnitte setzen können. Er stellte zwei Teller auf den Tisch – offensichtlich hatte er vor, den Salat mitzuessen. Dann setzte er sich und lächelte wie gewohnt. »Guten Appetit«, sagte er.

»Guten Appetit«, murmelte Anne.

Eine Weile sagten sie kein Wort. Anne beobachtete Enrico, wie er aß. Langsam, bedächtig, als mache er sich jeden Bissen bewusst. Wenn er sie ansah, hatte er etwas Abwartendes, Forschendes in seinem Blick …, überheblich wäre das falsche Wort – aber es machte sie unsicher. Sie kam sich vor wie ein Kind, das darauf wartet, dass man ihm sagt, was weiter geschieht.

Und plötzlich stellte sie sich vor, Felix würde die Treppe herunterkommen. Ein großer, kräftiger, blonder junger Mann, braun gebrannt, stark und glücklich. Mit einer viel zu weiten Hose und einem knappen T-Shirt, der grinst und sagt: »Hei, Mama, ich hab deine Stimme gehört, und da dachte ich, guckst du doch mal.« Er würde sie fest umarmen und dann sagen: »Sorry, dass ich mich nicht gemeldet habe die ganze Zeit, war sicher Scheiße von mir und echt nicht gut für euch …, aber weißt du, es war so geil hier, das Leben mit Enrico, das Leben im Wald, die harte Arbeit …, du, das war echt mein Ding. Und wenn ihr gewusst hättet, wo ich bin, hättet ihr mich doch nur nach Hause geholt und wieder ins Gymnasium gesteckt. Und das wollte ich nicht. Ums Verrecken nicht. Nicht böse sein, Mum, okay?«

Er wäre jetzt zwanzig. Felix. Ihr schöner, starker Junge.

47

Als Anne erwachte, war es stockdunkel. Sie wusste nicht, wo sie war, konnte die Hand nicht vor Augen sehen, sie spürte nur, dass sie auf einer Matratze lag, mit einem kleinen Kissen und einer Wolldecke. Langsam tastete sie ihre Umgebung ab. Die Matratze lag auf der Erde, aber da war nichts weiter. Keine Lampe, keine Tasche, nichts. Ihre Jeans, ihre Bluse und die Jacke hatte sie noch an, aber keine Schuhe mehr.

Mein Gott, war sie in der Mühle oder im großen Haus? Sie konnte sich nicht erinnern, wie sie ins Bett gekommen war, sie wusste nur, dass sie den Wein irgendwann nicht mehr nur genippt, sondern in großen Zügen getrunken hatte.

Sie kroch tiefer unter die Decke und steckte sie unter ihrem Rücken fest, um zu verhindern, dass die kühle Nachtluft einen Weg unter die Decke fand – aber es nützte nicht viel. Ihr ganzer Körper vibrierte wie auf einem Schüttelbrett, und jetzt klapperten auch noch ihre Zähne aufeinander.

Wie lange hatten sie noch in der Küche gesessen? Und worüber hatten sie geredet? Verdammt noch mal, sie konnte sich an nichts mehr erinnern. An keine einzige Kleinigkeit. Da war ein tiefes, schwarzes Loch. Einfach ein ganz brutales Nichts. Wer hatte sie ins Bett gebracht? Enrico wahrscheinlich. Er musste sie getragen und sie so fest geschlafen haben, dass sie nichts gemerkt hatte. Das war ihr noch nie passiert. An manche Nächte und Abende erinnerte sie sich nur dunkel, aber sie erinnerte sich.

Sie versuchte die Angst zu unterdrücken, die in ihr aufstieg. Es erschien ihr auf einmal völlig absurd, dass sie in diesem gottverdammten einsamen Tal mit seinen Mauern und Treppen und Schluchten war, das sie nicht kannte … und in einem Haus schlief, das sie ebenso wenig kannte. Und irgendwo war dieser Mann, den sie erst recht nicht kannte. Irgendwo.

Ihre Gedanken überschlugen sich. Sie musste warten, bis es hell wurde. Vorher war es unmöglich, sich zu orientieren. Sie lag auf einer Matratze in einem Raum. Das war nicht das Schlechteste. Vielleicht spielte ihre Fantasie schon wieder verrückt in diesem undurchdringlichen Schwarz, das sie umgab wie eine dumpfe, stickige Moltondecke, die keinen Lichtschimmer und keine Luft zum Atmen durchließ.

Morgen, dachte sie. Morgen wird alles gut. Morgen wird sich alles klären. Morgen werde ich alles verstehen.

Und dann schlief sie wieder ein und spürte nichts mehr. Das Zittern ließ nach, und ihr Körper wurde ganz schwer.

48

Hamburg, 2004

Eduard Hartmann röchelte. Er hatte die Augen geschlossen und lag steif auf dem Rücken, aber er schlief nicht. Carla hatte ihm gerade die Windel gewechselt, den Hintern gewaschen, die verdreckte Bettdecke neu bezogen und den stinkenden Müllbeutel nach draußen gebracht. Jetzt roch es angenehm frisch und sauber im Schlafzimmer. Die Rollläden vor dem Fenster und der Balkontür waren heruntergelassen und der 50er Jahre Kronleuchter in der Mitte des Zimmers gab ein kaltes, milchiges Licht. Carla ging zum Fenster, zog den Rollladen hoch und öffnete das Fenster einen Spalt breit. Dann knipste sie die Nachttischlampe auf dem Nachttisch ihres Vaters an und schaltete den Kronleuchter aus.

»Kannst du es nicht abwarten?«, krächzte ihr Vater bei geschlossenen Augen. »Willst du mich umbringen, oder warum reißt du das Fenster auf? Soll ich mir auch noch eine Lungenentzündung holen?«

Ohne ein Wort zu sagen stand Carla auf und schloss das Fenster wieder.

»Ein bisschen frische Luft würde dir ganz gut tun.«

Der Vater öffnete die Augen und blinzelte. »Was ist das für eine finstere Beleuchtung? Bin ich schon tot? Kommen gleich die Nachbarn mit den Kerzen? Oder haben wir kein Geld mehr für die Stromrechnung?«

Carla, die sich gerade auf den Bettrand ihres Vaters gesetzt hatte, seufzte, stand auf und schaltete die Deckenbeleuchtung wieder an.

»Na also«, grunzte ihr Vater und schloss die Augen wieder.

Carla atmete tief durch. »Papa, ich wollte nur tschüss sagen, in ein paar Stunden geht mein Zug. Ich fahre wieder nach Italien.«

Durch Eduard Hartmanns Körper ging ein Ruck, er rutschte im Bett mindestens zehn Zentimeter höher und starrte Carla an.

»Du bist doch gerade mal drei Tage hier!«

»Drei Wochen, Papa! Nicht drei Tage!« Sie streichelte seine Wange. »Mach dir keine Sorgen! Mama und Susi passen gut auf dich auf, und im Herbst bin ich wieder hier!«

»Das kannst du dir sparen. Im Herbst bin ich tot. Wahrscheinlich bin ich schon nächste Woche tot, aber das ist dir ja egal. Es ist dir zu viel, noch ein paar Tage abzuwarten, bis ich endlich verreckt bin wie ein Stück Vieh, es ist dir ja wichtiger, in dieses miese, heruntergekommene Italien zu fahren, zu diesen ganzen Kanaken und zu diesem dreckigen Habenichts und Herumtreiber … wie heißt er doch gleich …?«

Carla antwortete nicht.

»Na gut, dann fahr! Sieh zu, dass du wegkommst, ich bin dir egal, deine Eltern waren dir ja immer egal! Du warst ein lausiges Kind, jetzt ist eine lausige Erwachsene aus dir geworden!«

»Ich habe dich drei Wochen lang gepflegt, Papa. Tag und Nacht! Ich komme seit drei Jahren regelmäßig, um dich zu pflegen!« In Carlas Augen traten Tränen, und sie nahm seine Hand, obwohl sie sich nicht sicher war, ob sie nicht sich und Alfred dadurch verriet.

»So?«, murmelte Eduard und gähnte. »Ich bin müde, ich muss jetzt schlafen. Morgen wird ein anstrengender Tag.«

Ihr Vater begann leise zu schnarchen, um zu demonstrieren, dass die Diskussion für ihn beendet war. Kein Adieu, kein Händedruck, kein Blick zum Abschied, gar nichts.

Carla beugte sich zu ihm herab und küsste ihn auf die Stirn.

Ihr Vater reagierte nicht.

Dann verließ sie leise das Zimmer.

Vor der Tür wartete ihre Schwester Susi. »Was hat er gesagt?«

»Nichts. Er hat gestänkert. Wie immer. Du weißt ja, wie er ist. Und Alfred ist ihm ein Dorn im Auge.«

Susi nickte. »Hast du noch Zeit für einen kleinen Schluck Sekt?«

Carla sah auf die Uhr, doch dann folgte sie ihr in die Küche.

Susi stellte zwei Gläser Sekt auf den Küchentisch.

»Bleib hier«, sagte sie. »Du kannst bei mir wohnen, Bernd hat damit kein Problem. Und du musst dich auch nicht jeden Tag um Papa kümmern, keine Angst. Wir werden uns abwechseln, außerdem werde ich jetzt zweimal täglich einen Pflegedienst organisieren, das erleichtert die Sache.«

»Er wird jeden Pflegedienst vergraulen, weil niemand sein Gerede auf die Dauer erträgt.«

»Das werden wir ja noch sehen.« Carla hatte Susi immer darum beneidet, wie energisch, wie entschlossen sie war. Sie ließ sich von nichts und niemandem einschüchtern und ging für ihre Überzeugung durchs Feuer. Sie war eine Gerechtigkeitsfanatikerin und machte sich damit das Leben schwer, weil sie überall aneckte, als äußerst schwierig galt und ständig irgendeinen Prozess laufen hatte. Sie war alles andere als harmoniesüchtig und hatte durch ihre Art mehr Feinde als Freunde. Aber Carla beneidete sie wegen ihrer Stärke, sie selbst war das genaue Gegenteil.

»Bleib hier!«, sagte Susi. »Verdammt noch mal, was hast du da verloren? Du hockst in der Einsamkeit, vollkommen isoliert, mit einem Mann, der dich nicht liebt ...«

»Er liebt mich!« Wenn sie an eine einzige Sache auf dieser Welt glaubte, dann daran, dass Alfred sie wirklich liebte.

»Aber er schläft nicht mit dir!«

Carla zuckte mit den Schultern und machte ein verlegenes Gesicht. »Das nicht, aber ... ich weiß nicht, ich glaube, das hat viele Gründe ...«

»Welche?« Susi war knallhart.

»Keine Ahnung, aber ich bin sicher, es hat nichts mit mir zu tun.«

»Redet ihr nicht darüber? Sagst du ihm nicht, was du willst? Was du vermisst?«

Carla schüttelte den Kopf. »Ich kann es dir nicht erklären, aber mit Alfred kann man über so was nicht reden.«

Susi verdrehte den Kopf und blickte zur Zimmerdecke.

»Mäuschen, das ist doch alles eine einzige große Scheiße! Diese Beziehung taugt vorne und hinten nicht! Du vegetierst im Wald vor dich hin, ohne Telefon, in krankhafter Sparsamkeit, ohne Spaß, ohne Fernsehen, ohne Freunde ... was soll denn das? Du brauchst Menschen, du brauchst Abwechslung, du brauchst eine sinnvolle Beschäftigung, vor allem brauchst du eine Freundin, mit der du reden kannst, bevor du in diesem Sumpf erstickst!«

Carla rieb sich die ungeschminkten Augen und lächelte.

Himmel, wenn ich das machen würde, dachte Susi, ich würde aussehen wie eine Schlampe vom Kiez, die drei Tage nicht aus dem Bett gekommen ist. Aber meine kleine Schwester marschiert mit diesem ungeschminkten Gesicht durch die Gegend, dabei würde sie fantastisch aussehen mit ein bisschen Augenmake-up und einem Hauch von Rouge ... Seit sie diesen Mann kennt, richtet sie sich zugrunde. Systematisch. Tut mit traumwandlerischer Sicherheit nur noch das, was schlecht für sie ist und sie ins Unglück stürzt.

»Das stimmt schon, eine Freundin wäre schön«, sagte Carla. »Es ist verdammt still bei uns, denn Alfred und ich reden auch nicht viel miteinander. Worüber auch? Wenn ich aus Deutschland zurückkomme, fällt mir das Schweigen sehr schwer, aber dann … Nach ein paar Tagen hab ich mich daran gewöhnt. Und irgendwann verliert man die Lust, überhaupt noch den Mund aufzumachen.«

»Ach du Heiliger!« Susi war entsetzt. »Ein Grund mehr, zurück nach Deutschland zu kommen. Bitte, Carla!«

Carla schüttelte den Kopf. »Das geht nicht. Alfred kann ohne mich nicht leben und ich nicht ohne ihn.«

»Irgendwie ist dir nicht zu helfen.« Susi hatte für Alfred nur Verachtung übrig.

»Du kennst ihn zu wenig«, sagte Carla sanft. »Er ist ein fantastischer Mensch.«

»Himmel, Carla, er behandelt dich wie ein kleines Kind! Merkst du das nicht? Er kontrolliert dich von morgens bis abends!« Susi regte sich schon wieder auf. »Er will wissen, mit wem du dich triffst, mit wem du telefonierst, was du sagst, du könntest ja über ihn reden, du könntest ja was Falsches sagen, du könntest ja irgendjemand verraten, in welchem Erdloch ihr haust!«

»Hör auf, Susi!« Carla nahm Susi das, was sie sagte, nicht übel, sie lächelte sogar. »Er hat Angst um mich. Er macht sich eben schnell Sorgen. Und das würde er nicht tun, wenn er mich nicht lieben würde. Nur darum will er immer wissen, wo ich bin. Das ist das ganze Geheimnis.«

Susi seufzte. »Du bist wirklich nicht zu retten.« Sie wollte Carla Sekt nachschenken, aber diese hielt schnell ihre Hand übers Glas. »Für mich nicht mehr, ich muss los.«

In diesem Moment kam Carlas und Susis Mutter in die Küche. Carla stand auf und nahm sie in den Arm. Ihre Mutter flüsterte:

»Nimm Papa nicht übel, wie er ist, ja? Er kann nun mal keine Gefühle zeigen, und dann ist er lieber ekelhaft, als dass er gar nichts sagt.«

Carla nickte. »Soll ich noch mal zu ihm reingehen?«

»Das kannst du, aber er schläft jetzt.«

Als Carla ins Schlafzimmer kam, lag ihr Vater ganz still auf dem Rücken. Die Augen, die tief in ihren Höhlen lagen, waren geschlossen. Das Röcheln hatte aufgehört.

»Tschüss, Papa«, flüsterte Carla.

Als sie sich über ihn beugte, raunte er: »Ich bin auf der Fahrt in die Hölle, mein Kind.«

»So was darfst du gar nicht denken. Und auch nicht sagen.«

»Doch, meine Kleine, so ist das. Aber vielleicht bleibt der verdammte Karren noch mal im Dreck stecken und ich kann die Ankunft herauszögern, bis du wiederkommst ...«

Sein lippenloser Mund verzog sich zu einem schwachen Grinsen, und Carla wusste, dass dies eine Liebeserklärung sein sollte. Wahrscheinlich die größte, zu der ihr Vater überhaupt fähig war.

49

Der ICE 241 »Klaus Störtebeker« aus Westerland hatte bereits neunzehn Minuten Verspätung, als Carla zehn Minuten vor der regulären Abfahrtzeit auf den Bahnhof kam. Sie klemmte sich ihren Koffer zwischen die Beine und drückte sich mit dem Rücken ganz dicht an eine Säule, damit keiner von den Jugendlichen, die mit Bierflaschen in der Hand herumstanden, die Gelegenheit nutzen und sie vor den Zug schubsen konnte. Sie hasste die kreischenden, gewaltigen Züge, die in den Bahnhof rauschten wie eine Naturkatastrophe, als würden nicht hunderte von verletzlichen Menschen in unmittelbarer Nähe stehen. Mit sechzehn hatte sie mit ansehen müssen, wie das Bein eines alten Mannes zwischen Bahnsteig und U-Bahn eingeklemmt wurde. Dort, wo eigentlich nur eine Lücke von zwei, drei Zentimetern war, steckte ein Oberschenkel, der normalerweise einen Durchmesser von dreißig, vierzig Zentimetern hat. Es dauerte über eine Stunde, bis der Mann von der Feuerwehr mit Schneidbrennern befreit war und abtransportiert werden konnte. Carla bekam einen Nervenzusammenbruch und hatte das Bild des Mannes nie vergessen können. Man erzählte ihr, sie hätte auf dem Bahnsteig geweint und geschrien und wäre von Polizisten beruhigt und schließlich nach Hause gefahren worden – sie selbst wusste gar nichts mehr davon.

Nur dieser Mann – dieser alte eingeklemmte Mann sah aus wie ihr Vater, als er vor einigen Jahren noch aus dem Haus ging mit Hut und Mantel und meist auch mit einem Regenschirm. Sie sah in ihm zeitlebens ihren Vater, der von einer U-Bahn niedergewalzt und besiegt worden war. Es gab so vieles, was stärker war als der Mensch. Sogar stärker als der allmächtige Vater einer kleinen Tochter. Und jetzt lag er da in diesem Haus mit den gelben Backsteinen und den bräunlichen Rollläden und trotzte dem Tod. Und wollte einfach nicht begreifen, dass dieser Feind unbesiegbar war.

Neben ihr stand ein Bundeswehrsoldat und rotzte unaufhörlich lautstark auf die Erde. Auf dem Bahnsteig konnte man die gelblich klebrigen Schleimpfropfen deutlich sehen, die dort jetzt wahrscheinlich tagelang vor sich hin trocknen würden. Carla ekelte sich derart, dass sie pausenlos schlucken musste, um den Brechreiz zu unterdrücken. Und dann dachte sie an Alfred, dem auch ständig der trockene Speichel in den Mundwinkeln klebte, weil er zu wenig trank, und dessen Zähne immer gelber und grünlicher wurden, weil ihm Zahnpasta zu teuer war. Alfred, den sie liebte, aber den sie schon ewig nicht mehr geküsst hatte. Allein bei dem Gedanken daran wurde ihr übel.

Der Soldat neben ihr bekam einen Niesanfall und nieste immer wieder in seine offene Hand. Zwischen den einzelnen Attacken betrachtete er interessiert den Schleim zwischen seinen Fingern. Carla versuchte, nicht hinzusehen, versuchte zu ignorieren, was neben ihr geschah, und konzentrierte sich darauf, vor Ekel nicht ohnmächtig zu werden. Nicht hier, auf dem windigen Bahnsteig. Sie wollte nicht zu guter Letzt noch in ein Krankenhaus in Altona eingeliefert werden und zwei Tage in einem beigefarbenen Krankenzimmer mit Neonröhre über dem Bett und einem Kruzifix an der gegenüberliegenden Wand verbringen. Sie wollte ein ruhiges, stilles Abteil erreichen, mit einem angenehmen Menschen als Gesellschaft. Sie wollte nach Hause. Nach Italien. Nach Valle Coronata. Zu Alfred. Oder besser: Zu Enrico. In ihren Gedanken war er immer »Alfred«, aber er mochte es nicht, wenn sie ihn so nannte, sie würde sich wieder umgewöhnen müssen. Aus irgendeinem Grund, den sie nicht kannte, gefiel ihm der Name ›Enrico‹ besser. Sie verstand es nicht, aber sie respektierte es. Schließlich konnte sich jeder so anreden lassen, wie er wollte.

Dass Alfred vor seiner Heirat mit Grete »Heinrich« mit Nachnamen geheißen hatte, wusste Carla nicht. »Enrico« – das italienische Pendant für »Heinrich«.

Der Bundeswehrsoldat nieste immer noch, als die Bahn einfuhr. Der Zug bremste mit einem ohrenbetäubenden Quietschen, und Carla wollte gerade ihren Koffer greifen, als der Bundeswehrsoldat einen schnellen Schritt auf sie zumachte, mit seinen verrotzten, schmierigen Fingern ihren Koffer nahm und sagte: »Lassen Sie mal, ich heb Ihnen den Koffer rein, kein Problem.« Carla erstarrte. Aber sie konnte nichts dagegen tun und lächelte gequält. Es war ohnehin zu spät, der Griff war mit dem Rotz des Soldaten bereits beschmiert.

Carla taumelte durch den Zug auf der Suche nach ihrem Abteil, der Soldat immer dicht hinter ihr. Als sie stehen blieb, um noch einmal nach ihrer Platzkarte zu sehen, stürzte der Soldat fast über sie, da er mit dem plötzlichen Stopp nicht gerechnet hatte. Schließlich fand sie ihr Abteil. Es war leer. Erleichtert sank sie auf einen Platz am Fenster, der Soldat kam nach, wuchtete ihren Koffer auf das Gepäcknetz direkt über ihrem Kopf und lächelte. »Danke«, sagte Carla. »Echt nett von Ihnen.«

Der Soldat lächelte ebenfalls und setzte sich Carla direkt gegenüber. »Hier ist ja genug Platz. Kann ich ja gleich hier bleiben.« Seine Nase war rot und feucht, und er wischte sie sich mit dem Unterärmel seiner Uniform ab. Carla versuchte sich nicht anmerken zu lassen, wie entsetzlich sie das alles fand, und schloss entnervt die Augen.

Sie war erschöpft. Vollkommen übermüdet von den Nächten am Bett ihres Vaters.

Von dem ständigen Aufspringen aus dem Tiefschlaf, wenn er stöhnte, jammerte oder schrie. Wenn er rief, weil seine Windel voll war oder er ein Schmerzmittel brauchte.

Sie hatte in den letzten Wochen nie länger als zwei Stunden am Stück geschlafen. Und jetzt hatte sie Zeit. Bis München waren es sechs Stunden. Der Soldat war eklig, aber sie fürchtete sich nicht vor ihm. Er würde niesen, aber er würde ihr sonst nichts tun. Also schlang sie sich den Trageriemen ihrer Handtasche zweimal um den Ellenbogen, klemmte die Tasche zwischen Taille und Zugwand, ließ ihren Kopf gegen ihre am Haken hängende Jacke sinken und schlief ein.

Als Carla kurz vor München erwachte, war sie allein im Abteil. Der Soldat war nicht mehr da, aber er hatte einen Gruß hinterlassen und auf die beschlagene Scheibe »Gute Reise« geschrieben.

50

Mareike hatte das Gefühl, einen Marathonlauf hinter sich zu haben, so müde war sie, als sie die Tür aufschloss. Gleich hinter der
Tür zog sie die Schuhe aus und hängte ihre Umhängetasche an die
Garderobe. Sie war heute Morgen um halb sechs in den Grune-
wald, Jagen 17, gerufen worden, weil ein Jogger dort einen Toten
gefunden hatte. Sie hatte den ganzen Tag ermittelt, und jetzt erst,
nach zwanzig Uhr, hatte sich durch die Autopsie herausgestellt,
dass der alte Mann ohne Fremdeinwirkung an einem Herzinfarkt
gestorben war. Einen ganzen Tag mühevolle, nervenaufreibende
Kleinarbei, und alles für die Katz. Jetzt wollte sie nur noch eine
Kleinigkeit essen, ein bisschen fernsehen und den Mann vergessen,
der so unglücklich gestürzt war, dass er mit seinem Gesicht im Stacheldraht hängen geblieben war.

»Jan! Edda! Seid ihr da?«, rief sie und zog ihr dünnes Leinen-
blouson aus.

Eine Tür sprang auf, und ein elfjähriger Junge stürmte auf sie zu
und flog ihr um den Hals. »Hi, Mama!«

Mareike gab ihm einen Kuss und wuschelte ihm durchs Haar.

»Wo ist Edda?«

»Bei Mona. Aber sie kommt um neun zurück, hat sie gesagt.«

»Na hoffentlich. Und Bettina?«

»Die ist beim Elternabend. Weißt du doch!«

»Ach ja, richtig. Hab ich ganz vergessen.« Mareike ging in die
Küche, Jan folgte ihr.

Im Kühlschrank war in einem kleinen Topf noch ein Rest Hüh-
nersuppe.

»Hast du schon Abendbrot gegessen?«

Jan nickte. »Bettina hat mir was gemacht, bevor sie gegangen ist. Ach übrigens, in meinem Zimmer läuft ein Computerspiel, kann ich weitermachen?«

»Na klar. Was ist mit Schularbeiten?«

»Alles fertig.« Jan verschwand in seinem Zimmer. Mareike stellte den Topf auf den Herd und schaltete ihn an.

Vor dreizehn Jahren war es Bettina und Mareike endlich gelungen, die dreijährige Edda zu adoptieren. Dem war ein sechsjähriger Kampf mit den Behörden vorausgegangen. Ein Mitarbeiter im Jugendamt fand Mareike damals mit ihren dreiundvierzig Jahren zu alt, ein anderer lehnte es grundsätzlich ab, einem lesbischen Paar ein Kind zu vermitteln. Jeder fand ein anderes Haar in der Paragraphensuppe, aber Mareike und Bettina schafften es, mit Sturheit, Beharrlichkeit und der Unterstützung eines Anwalts alle Bedenken auszuhebeln. 1991 adoptierten sie Edda und zwei Jahre später den einjährigen Jan, was keine Schwierigkeit mehr darstellte.

Bettina war überglücklich und in ihrem Element. Sie liebte beide Kinder abgöttisch und schaffte es problemlos, die Kindererziehung mit ihrem Beruf als Schulsekretärin zu vereinbaren, während Mareike kaum zu Hause war und zwölf Stunden am Tag arbeitete. Vor drei Jahren war die ganze Familie nach Berlin gezogen. Karsten Schwiers leitete die Neuköllner Mordkommission und hatte Mareike in sein Team geholt. Mareike wurde von ihren Kollegen nicht unbedingt gemocht, aber geachtet, denn es war klar, dass sie Karstens Nachfolgerin werden würde, der im kommenden Jahr in Rente gehen wollte.

Karsten und Mareike waren über ihr kollegiales Verhältnis hinaus zu Freunden geworden, es gelang ihnen aber nie, ihren größten Fall des Kindermörders zu lösen, der in Berlin-Neukölln, im Hahnenmoor bei Braunschweig und auf Sylt drei kleine Jungen ermordet und ihnen postmortem die Eckzähne herausgebrochen hatte.

Vor fünfzehn Jahren hatte die Mordserie plötzlich aufgehört. Karsten und Mareike gingen davon aus, dass der Täter ums Leben gekommen, wegen eines anderen Deliktes verhaftet worden oder ins Ausland geflüchtet war, aber es lastete ihnen immer noch auf der Seele, dass sie die Akte unverrichteter Dinge schließen mussten.

Auf dem Tisch lag Jans Schmöker »Ivanhoe, der schwarze Ritter«, den er gerade las, ein Sachbuch über Süßwasserfische, da er sich sehnlichst ein Aquarium wünschte, die Einzelteile seines Füllers und ein hoffnungslos zerfleddertes Mathebuch, das mindestens schon dreimal für jeweils zwei Jahre von Kinderhänden misshandelt worden war. Mareike räumte alles neben den Brotkorb und setzte sich.

Jan war ein Kind, das keinerlei Probleme machte. In der Schule brachte er sehr gute Leistungen, ohne dass er sich dafür groß anstrengen musste, er war nicht gerade ordentlich, aber sportlich und fröhlich und liebte seine beiden Mütter Bettina und Mareike abgöttisch.

Edda dagegen steckte mitten in der Pubertät und quälte sich mit Ach und Krach durch die Schule, da sie sich für ihr Bauchnabelpiercing, das sie sich heimlich hatte stechen lassen, wesentlich mehr interessierte als für ihre katastrophalen Englischzensuren. Edda war ständig beleidigt, launisch wie Königinmutter, grundsätzlich mit nichts zufrieden, und außer ihren Freundinnen gingen ihr alles und jeder auf die Nerven.

Mareike schaltete den kleinen Fernseher an, der auf dem Küchenschrank stand, rührte einmal kurz die Suppe um und zappte durch die Programme. Bettina hasste es, wenn beim Essen ferngesehen wurde, sie wollte nicht schuld sein an der Verblödung der Kinder, wie sie sagte, aber Mareike brauchte jetzt ein paar bunte Bilder. Es war ihr einfach zu still in der Küche.

Auf RTL gab es eine Doku-Soap über schwer erziehbare Kinder, der Mareike bereits nach wenigen Sekunden keine Chance mehr gab, auf Sat 1 lief eine Wissens-Show, auf VOX eine billige Krimiserie, die sie langweilig fand, Pro Sieben nervte mit einer Musik-show für Kids, das Erste zeigte eine Liebesschnulze, und im Zwei-ten lief ein Reportagemagazin. Mareike ließ das zweite Programm laufen, weil es sie am ehesten interessierte, und hörte mit halbem Ohr hin, wie der Moderator über die skandalösen Zustände auf deutschen Autobahnen berichtete, während sie sich Teller und Be-steck zusammensuchte. Die Suppe war fast heiß, als der Modera-tor das nächste Thema, unaufgeklärte Kindermorde in Italien, an-kündigte.

Mareike nahm die Suppe vom Herd und stellte den Ton lauter.

Der Bericht zeigte Sardinien, wo in den letzten fünf Jahren vier kleine Mädchen ermordet aufgefunden worden waren. Alle vier waren an verschiedenen Stränden an Land gespült worden, aber sie waren nicht ertrunken. Ihr Mörder hatte sie erschlagen und dann – wahrscheinlich von einem Boot aus – ins Wasser geworfen. Die Polizei hatte noch keinerlei Anhaltspunkt, wer der Täter sein könnte. Freiwillige DNA-Tests in der Umgebung der Orte, wo die Mädchen gewohnt hatten, brachten keine Ergebnisse.

Geht's den Kollegen in Italien also auch nicht anders als mir, dachte Mareike und fand den Gedanken einen Moment sehr tröstlich.

Als Nächstes berichteten die Reporter über kleine Jungen, die in der Toscana auf unerklärliche Weise verschwunden und nicht wieder aufgetaucht waren. Der deutsche Junge Felix war 1994 im Urlaub beim Spielen ganz in der Nähe des Ferienhauses ver-schwunden. Die Eltern hatten ein Haus bei Ambra in der Nähe von Montebenichi gemietet und mussten ohne Kind und unverrichte-ter Dinge nach Deutschland zurückkehren.

Ohne nachzudenken nahm Mareike ganz automatisch einen Stift und notierte sich die Namen der Orte. Ihre Suppe wurde kalt, während sie weiter zuhörte.

Filippo wohnte in dem kleinen Ort Badia a Ruoti, ebenfalls in der Nähe von Ambra.

1997 verschwand er auf dem Schulweg spurlos. Und schließlich Marco, der sich im Herbst 2000 am See mit seinen Freunden treffen wollte, dort aber nie ankam.

Das Magazin zeigte die wunderschöne Landschaft dieser Gegend und die Stellen, wo sich drei Jungen scheinbar in Luft aufgelöst hatten, ohne dass irgendjemand irgendetwas beobachtet hatte.

Bei der italienischen Polizei ging niemand davon aus, dass die Kinder noch lebten, aber ohne Leichen konnten sie wenig tun. So hatten sie ihre Ermittlungen irgendwann ergebnislos eingestellt.

Als Mareike die Bilder der vermissten Jungen sah, bekam sie am ganzen Körper eine Gänsehaut. Alle drei waren blond, sehr schlank, sehr zart und klein für ihr Alter. Alle drei waren zwischen zehn und dreizehn Jahren alt und hatten eine verblüffende und – wie Mareike fand – gespenstische Ähnlichkeit mit Daniel, Benjamin und Florian.

»Ich bin wieder da!«, brüllte Edda aus dem Flur.

»Prima! Und sogar pünktlich!«, brüllte Mareike zurück und versuchte, dennoch keinen Satz von dem Bericht zu überhören.

Edda riss die Küchentür auf. »Du siehst fern?«, tönte sie. »Und dann noch beim Essen? Willst du verblöden?«

»Edda, sei mal bitte ganz kurz ruhig, ich will hier was hören ...«

Edda machte ein beleidigtes Gesicht. »Kaum bin ich zu Hause, meckerst du rum. Aber ich kann ja wieder gehen, wenn es dir lieber ist.« Edda verließ die Küche und schmiss die Tür hinter sich zu.

Mareike verdrehte die Augen und seufzte. Dann konzentrierte sie sich wieder auf den Fernseher, aber die Reportage war nach einem kurzen Statement des Maresciallo der Carabinieri, Albano Lorenzo, zu Ende. Er hatte seine Besorgnis zum Ausdruck gebracht, dass die Toscana nun auch allmählich in die Kriminalität abrutschen könnte. Die Toscana, in der die jungen Menschen ihre Eltern noch achteten und eine Perspektive hatten, in der Verbrechen früher einfach nicht vorgekommen waren und man seine

Kinder unbesorgt im Wald spielen und einen Sack voll Geld auf der Straße stehen lassen konnte – er war auch am nächsten Tag noch da.

Mareike schaltete den Fernseher aus und zündete sich eine Zigarette an.

Ich wusste ja gar nicht, dass es in Italien so blonde Jungen gibt, dachte sie. Und wenn unser Mörder aus Deutschland abgehauen und nach Italien gegangen ist? Möglich wäre es, und es würde erklären, warum die Mordserie in Deutschland so plötzlich aufhörte. Auch in Italien waren die Kinder im Abstand von jeweils drei Jahren verschwunden. Verflucht noch mal, dachte sie, jetzt sehe ich diesen verdammten Mörder schon überall. Aber es könnte doch sein! Viele Menschen wanderten aus und zogen in den Süden. Warum nicht auch unser Mörder?

Sie holte das Telefon aus dem Flur und rief Karsten Schwiers an. »Karsten«, sagte sie, »hast du eben das Reportagemagazin im Zweiten gesehen?«

Karsten hatte nicht, und sie schilderte ihm das Gesehene so detailliert wie möglich. Sie fügte auch ihre Vermutung hinzu und fragte ihn, ob sie nicht mal mit den Kollegen in der Toscana Kontakt aufnehmen sollten …

»Ich bitte dich«, sagte Schwiers. »Ich bitte dich wirklich, Mareike.« Diesen Ton kannte sie zur Genüge. So gestelzt redete er immer, wenn er sie für übergeschnappt hielt.

»Unser Mörder hat eine Macke. Er hat seine Opfer immer für uns in Szene gesetzt. Damit wir es ein bisschen nett hatten am Tatort.« Jetzt wurde er sarkastisch, aber Mareike sagte nichts. »Es hat fabelhaft funktioniert, wir sind ihm trotz dieser riskanten Mätzchen nicht auf die Schliche gekommen. Warum sollte er sich jetzt plötzlich in der italienischen Pampa die Mühe machen, die Leichen verschwinden zu lassen? Du weißt, das ist das größte Problem.«

»Ich weiß«, sagte sie tonlos.

»Also wie man da in der Handschrift des Mörders eine Ähnlichkeit oder gar Übereinstimmung entdecken kann, kann ich nicht ganz nachvollziehen.«

»Es ist nur so ein Gefühl, Karsten. Ein diffuses Bauchgefühl.«

»Hm.« Karsten wollte jetzt nichts dagegen sagen, denn Mareikes Intuitionen waren schon oft verblüffend richtig gewesen und hatten bereits mehrmals bei Ermittlungen ins Schwarze getroffen.

»Ich dachte, wir schicken den Carabinieri mal ein Fax und bitten um ein paar Infos.«

»Mareike …, in Südafrika, China und Usbekistan sind bestimmt auch kleine Kinder verschwunden. Wir können nicht mit der ganzen Welt korrespondieren und alle Fälle vergleichen!«

»Schon gut, war ja nur so ne Idee.«

»Nicht böse sein. Wir sehen uns morgen?«

»Sicher.« Mareike legte auf.

Bettina kam um zehn nach Hause. Auf dem Elternabend von Jans Klasse war im Grunde nur die bevorstehende Klassenfahrt besprochen worden, und Bettina ärgerte sich, überhaupt hingegangen zu sein. Mit Klassenreisen kannte sie sich aus. Die Infos, die andere Eltern, deren Kinder zum ersten Mal wegfuhren, wie nasse Schwämme aufsaugten, brauchte sie nicht.

Mareike blätterte in einem Merian-Heft über Florenz, als sie ins Zimmer kam.

»Nanu?«, staunte Bettina lächelnd. »Seit wann interessierst du dich für Michelangelo und da Vinci?«

»Seit mir Kollege Mohrs den ganzen Tag was von der Toscana vorgeschwärmt hat. Ich war da noch nie. Du?«

Bettina schüttelte den Kopf.

»Was hältst du davon, wenn wir in den Herbstferien mal in die Toscana fahren? Ich bin echt neugierig geworden.« Das entsprach sogar der Wahrheit.

»Edda und Jan werden dir was husten, wenn du den ganzen Tag durch Kirchen und Museen rennst!«

»Ach was. Wir suchen uns ein kleines Ferienhaus auf einem malerischen Hügel mit traumhafter Aussicht, umgeben von Olivenhainen, Weinbergen und Zypressenwäldern ..., wir können wandern und Fahrrad fahren, und außerdem kommt der Chianti in dieser Gegend aus der Wasserleitung.«

»Das ist ein Argument! – Aber so ganz ohne Mord und Totschlag? Hältst du das aus?«

»Natürlich«, log Mareike, ohne rot zu werden.

Bettina setzte sich auf Mareikes Sessellehne und umarmte sie. »Das hört sich absolut fantastisch an! Einfach zu schön, um wahr zu sein.«

51

Siena, Juni 2004

Als Anne gegangen war, stand Kai Gregori eine Weile unschlüssig in Siena auf der Straße herum und überlegte, was er mit dem angebrochenen Abend anfangen sollte. Gelangweilt malte er mit der Schuhspitze Kreise und Muster auf die Specksteine, mit denen die Straße gepflastert war, und merkte dabei, wie verschwitzt seine Füße in den Slippern waren, die er stets ohne Strümpfe trug. Eine Dusche wäre jetzt nicht schlecht, aber er wusste, dass er sich nur selten aufraffen konnte, noch einmal auszugehen, wenn er einmal zu Hause war. Und es war einfach noch zu früh, um zu Hause rumzusitzen.

Kai beschloss, kurz im Büro vorbeizugehen. Er überquerte zügig den Campo und bog direkt hinter dem Palazzo Pubblico in die Via del Porrione ein. Von außen sah er, dass die Fensterläden des Büros fest verschlossen waren, Monica war also bereits zu Hause. Umso besser.

Monicas Schreibtisch war so tadellos aufgeräumt, als wolle sie keine Fingerabdrücke hinterlassen. Dafür lagen auf seinem eigenen stets Akten, Fotos, Exposés, Briefe, Broschüren und Notizen herum, ein Durcheinander, das Monica jeden Abend stur zu einem Stapel aufschichtete, was ihn jedes Mal aufregte, aber wohl nicht mehr zu ändern war. Denn was Monica tun wollte und für richtig hielt, das tat sie. Da konnten sie keine Bitte, kein Befehl, keine Drohung und kein Erdbeben umstimmen.

An seinem Computerbildschirm klebten mehrere Nachrichten mit Monicas Handschrift: Die Schraders hatten sich beschwert, dass sie einen wertvollen Urlaubstag mit dem sinnlosen Besichtigen absurder Immobilien verloren hatten. – Zum Teufel mit den Schraders. – Dottore Manetti erwartete seinen Anruf morgen Vormittag um zehn, das Notariat für das Appartement in Castelnuovo Berardenga war am kommenden Dienstag um fünfzehn Uhr dreißig, und der Verkauf von Casa del Muro war für Donnerstag um zehn Uhr dreißig geplant.

Nichts weiter Wichtiges. Er knipste die Schreibtischlampe aus und verließ das Zimmer. In der Küche guckte er noch schnell in den Kühlschrank. Das Übliche. Zwei Tüten Milch, ein Stück Pecorino, drei Joghurt und eine offene Flasche Prosecco, in deren Hals ein silberner Teelöffel steckte, um die Kohlensäure nicht entweichen zu lassen. Für ihn waren das Humbug und fauler Zauber. Er probierte einen Schluck. Der Prosecco schmeckte bereits labberig. Daher nahm er die offene Flasche mit und verließ das Büro.

Auf dem Campo setzte er sich in der Nähe des Brunnens auf die Erde. Die Steine waren angenehm warm. Der Juni war ohnehin sein liebster Monat. Die Tage waren lang, aber der Sommer war noch frisch und jung und machte Lust auf mehr. Nicht so wie im August, wenn man die Hitze bereits satt hatte und sich der Sommer in seiner Schwüle und Schwere einfach nur klebrig und dumpf anfühlte.

Er trank den Prosecco langsam. In Momenten wie diesem war er nicht gern allein.

Er beobachtete die Paare, die Touristen, die Sienesen, die langsam vorbeischlenderten oder eilig einer Gasse zustrebten. Er hatte mit niemandem etwas zu tun. Wenn er jetzt hier auf dem Campo tot umfiele, dann würde das zwar auffallen, und irgendjemand würde die Ambulanza rufen, aber es würde auch niemanden wirklich kratzen. Er war ein Mensch, um den keiner trauern würde. Und obwohl er mitten in der Stadt wohnte, war er im Grunde auf dieser verfluchten Welt genauso allein wie ein Enrico, der sich ständig in irgendeinem Wald verkroch und heilfroh war, wenn niemand seinen Waldfrieden störte. Lag es an ihm, Kai, dass bisher noch keine Frau wirklich bei ihm bleiben wollte? Wahrscheinlich. Weil ihm jede nach einer gewissen Zeit auf die Nerven ging, weil jede irgendwann seinen eingefahrenen Trott störte und weil er kommentarlos tun und lassen wollte, was ihm gerade in den Kopf kam. Er wollte kein »wo kommst du denn jetzt her?« oder »du musst doch was essen« oder »das ist schon die zweite Flasche« hören. Er wollte nur hier auf dem Campo seinen Kopf in einen Schoß legen, auf die Dunkelheit warten, die Sterne zählen und schließlich schweigend, aber nicht allein nach Hause gehen. Dann vielleicht noch gemeinsam auf der Terrasse eine Flasche Rotwein trinken, irgendwann unvermittelt aufstehen und ins Bett gehen. Die Gläser stehen lassen bis zum nächsten Abend oder bis zum nächsten Gewittersturm, der sie kurzerhand auf die Straße fegen würde. Er wollte um Gottes willen niemanden um sich haben, der die Gläser automatisch mit in die Küche nahm, sie in die Spüle stellte und voll Wasser laufen ließ. Er wollte das grelle Licht der Küchenbeleuchtung nicht sehen, wenn er von der nächtlichen, mondbeschienenen Terrasse ins dunkle Schlafzimmer ging.

Es wurde langsam dunkel. Die hohen Häuser, die den Campo begrenzten, waren bereits in weiches gelb-rötliches Scheinwerferlicht getaucht. Kai erhob sich mühsam. Vom Sitzen auf den harten

Steinen taten ihm alle Knochen weh. Aber der Prosecco schmeckte nach mehr. Bis zur nächsten Bar waren es nur wenige Schritte.

Als er nach Hause kam und sich mühsam am Treppengeländer hochzog, war es bereits halb zwei. Er hatte – wie immer – zu viel getrunken. Allerdings war er noch nicht betrunken genug, um nicht zu merken, dass in dieser Nacht in seinem Treppenhaus irgendetwas anders war als sonst. Augenblicklich gingen bei ihm alle Warnlampen an, er war hochkonzentriert und äußerst wachsam. Die Wirkung des Alkohols schien in diesem Moment komplett verflogen. Langsam und so leise wie möglich schlich er Stufe für Stufe höher und versuchte dabei zu erspüren, woher sein Unbehagen kam.

Und plötzlich wusste er es. Es war der merkwürdige, Ekel erregende Geruch. Wie eine Mischung aus faulem Gras, Rattenpisse, saurer Milch und überreifen Feigen.

Auf der letzten Treppenstufe vor seiner Wohnungstür saß Allora und grinste. Ihr oberer rechter Schneidezahn war pechschwarz.

»Was suchst du hier?«, raunte er leise. Er hatte keine Lust, das ganze Haus aufzuwecken.

Allora antwortete nicht, sondern kicherte.

Er hatte insgeheim befürchtet, dass es irgendwann so kommen würde. Seit Wochen schlich ihm Allora hinterher. Wartete in Ruinen, versteckte sich hinter Bäumen und Büschen, lauerte an der Schotterstraße. Nur um ihn zu sehen, um einen Blick zu erhaschen. Wenn er sie entdeckt hatte, ignorierte er sie nach Möglichkeit, tat oft sogar, als würde er sie nicht bemerken. Den Gedanken an sie hatte er jedes Mal, wenn er wieder in Siena in seinem Büro oder zu Hause in seiner Wohnung war, erfolgreich verdrängt, obwohl er ahnte, dass es nicht beim Beobachten bleiben würde. Irgendwann würde es Allora sicher nicht mehr genug sein, ihn nur aus der Ferne zu verehren. Und jetzt war es so weit. Jetzt saß sie vor seiner Tür wie ein ausgesetzter Straßenköter.

»Du kannst hier nicht bleiben«, sagte Kai. »Du kannst auch nicht in meine Wohnung.« Merkwürdigerweise fürchtete er sich plötzlich vor dieser verwahrlosten Kreatur.

Er hatte den Satz kaum ausgesprochen, da begann Allora mit einem schrecklichen Gejaule, wie ein junger Hund, dem man bei lebendigem Leibe das Fell über die Ohren zieht. In Panik schloss er seine Tür auf und zog Allora in die Wohnung. Augenblicklich hörte das Geheul auf, und Allora schnaufte vor Erleichterung. Kai ging in die Küche, und Allora trabte hinterher. Kai nahm eine Tüte Orangensaft aus dem Küchenschrank, schnitt die Tüte auf und goss ein großes Glas randvoll.

»Hier. Trink erst mal was.«

Allora nahm das Glas gehorsam und trank den Saft in einem Zug aus. Sie strahlte und schmatzte vor Begeisterung, während sie sich immer wieder mit der Zunge über die Lippen fuhr.

»Du musst baden«, sagte er. »So kannst du hier nicht bleiben. Du saust mir ja alles ein.«

Über Alloras Gesicht huschte ein Schatten von Traurigkeit, ihre fröhliche Stimmung war wie weggeblasen, aber sie nickte tapfer.

Kai ging – gefolgt von Allora – ins Bad. Er hatte vor drei Jahren, als er in diese Wohnung zog, am Bad kaum etwas verändert. Teils, weil er keine Lust und keine Zeit hatte, aber auch, weil das Bad etwas an sich hatte, das er originell fand. Über dem Waschtisch und in der Dusche waren noch Reste von alten venezianischen Kacheln vorhanden. Die Stellen, an denen die Kacheln herausgebrochen waren, hatte er mit wasserfester, gräulicher Farbe gestrichen, was wider Erwarten gut aussah und das Bad noch lebendiger machte. Die Armaturen waren aus Messing, überladen, verschnörkelt und überaus kitschig, was dem Ganzen eine besondere Note gab. Eigentlich war das Bad so schräg, dass es schon wieder schön war. Er hatte dem Ganzen mit einem Spiegel in einem pompösem Goldrahmen und verspielten Wandlampen aus Murano-Glas noch eins draufgesetzt. Einziges Stiefkind in diesem Bad war die Wanne. Sie stand auf Löwenfüßen und sah aus, als würde sie umkippen, wenn man sich nur über den Rand lehnte, um ein Handtuch vom Boden aufzuheben. Die Emaille war durch den Wasserfluss etlicher Jahrzehnte und den ständig tropfenden Wasserhahn angerostet, und auf dem Boden hatte sich ein gelblicher Streifen abgezeichnet, der auch nicht mehr wegzuscheuern war.

Eigentlich hatte sich Kai eine neue Wanne kaufen wollen, aber er war irgendwie nicht dazu gekommen, und da er sie nie benutzte, war es ihm dann irgendwann egal.

Jetzt spülte er sie mit der Dusche einmal flüchtig aus, verschloss den Abfluss mit dem Wannenstöpsel, und während das warme Wasser dampfend und mit Macht einströmte, betete er, dass die Wanne dicht sein möge.

Badezusatz. Verflucht noch mal, so etwas hatte er gar nicht im Haus. In seiner Not kippte er einen Schuss Wollwaschmittel ins Wasser. Was für weiche Wolle gut war, konnte für zarte Haut nicht schlecht sein.

Bei allem, was er tat, sah ihm Allora fasziniert zu, und sie schnupperte begeistert den Duft des Wollwaschmittels.

Es dauerte keine fünf Minuten, bis die Wanne voll war. Fantastisch, dachte er. Gar nicht so übel. Vielleicht sollte ich in Zukunft doch mal baden. Allora zog sich in Windeseile aus und stieg in die Wanne. Er konnte gar nicht anders, er musste sie einfach ansehen. Sie hatte einen schönen Körper. Das harte, entbehrungsreiche Leben und die viele Arbeit brachten bessere Erfolge als ein Fitnessstudio.

Sie spürte seine Blicke nicht. Sie versank in den Schaumbergen des Wollwaschmittels, schloss die Augen und grunzte wohlig.

»Lass dir Zeit«, sagte er. »Ich bin nebenan.«

Im Wohnzimmer öffnete er die Terrassentür weit. Warme, laue Nachtluft strömte herein. Er ging einen Moment auf die Terrasse und atmete tief durch. In seiner Badewanne lag Allora. Die Caspar Hauserin von San Vincenti. Er hatte das dumpfe Gefühl, dass da ein Riesenproblem auf ihn zukam. Offenbar schien er derartige Geschöpfe anzuziehen. Schon, als er noch ein Kind war. Alle herrenlosen Hunde und verwahrlosten Katzen kamen zu ihm und wichen nicht mehr von seiner Seite, als wüssten sie instinktiv, dass er der Einzige war, der helfen konnte. Ein Vogel, der aus dem Nest fiel, landete mit ziemlicher Sicherheit vor seinen Füßen, Schildkröten schleppten sich zum Sterben in seine Nähe. Und nun Allora. Es beschämte ihn, dass ihm vernachlässigte Tiere einfielen, wenn er an Allora dachte.

Er ging wieder hinein und zu seiner Bar. So nannte er einen Mauervorsprung über einem tiefen Fenster, auf dem er die Flaschen mit den harten Getränken aufgereiht hatte. Kai griff nach einer Flasche Whisky und goss sich ein Wasserglas halb voll. Der erste Schluck schoss ihm wie ein Pfeil durch den Kopf, sodass er erschrocken innehielt, aber danach durchflutete ihn eine wohlige Wärme, und er beruhigte sich wieder.

So in Gedanken versunken saß er fast eine Dreiviertelstunde. Von Allora war kein Laut zu hören. Einen Moment dachte er, dass ihr vielleicht etwas passiert sein könnte, aber dann verwarf er den Gedanken sofort wieder. Schließlich war sie alt genug, um allein in der Wanne zu liegen.

Kommet ruhig alle zu mir, die ihr mühselig und beladen seid, dachte er amüsiert und nahm einen tiefen Schluck. Dabei fiel ihm die sonst immer leicht hochnäsige Monica Benedetti ein. Vor einem knappen Jahr war sie an einem heißen Augustnachmittag völlig unvermittelt in seinem Büro in Tränen ausgebrochen. Es waren nicht einfach Tränen. Es war ein Meer von Tränen. Er befürchtete schon, sie würde innerlich vertrocknen, wenn er nicht schleunigst eine Mineralwasserflasche besorgte, um nachzufüllen …, und dann hatte sie sich ihren ganzen Kummer von der Seele geredet, während er ihr ein Kleenex nach dem anderen reichte. Sie erzählte von ihrem Freund Antonio, der gerade an diesem Morgen seine Zahnbürste und seine CDs aus ihrer Wohnung geholt hatte. Seit drei Monaten hatte er ein Verhältnis mit einer Irina, die er im Café von Gianna Nannini kennen gelernt hatte, als sie ein Eis aß, das ein normaler Mensch in dieser Größe eigentlich nicht essen konnte, ohne sich zu übergeben. Von da an hatten sie jeden Tag ein Eis bei Gianna Nannini gegessen, bevor sie sich in Irinas Dachkammer in die Arme fielen.

Das alles und noch viel mehr erzählte Monica, und es interessierte ihn nicht die Bohne. Während er inständig hoffte, sie möge endlich die Tränenströme bremsen und aufhören zu reden, tröstete er sie und hörte zu und nickte und stimmte ihr zu, und schließlich sagte sie ihm, er wäre ein netter Mensch. Ein echter Freund, wenn man mal einen bräuchte.

Monica trauerte eine Woche. Dann lernte sie Geraldo kennen, kam strahlend ins Büro und meinte, ihr täte jede Träne Leid, die sie um diesen stronzo, diesen Antonio, vergossen hätte. Kai nickte auch dazu, und Monica ging wieder dazu über, ihn zu siezen, was sie während ihres Kummers eingestellt oder vergessen hatte.

Sein Freund Bodo, den er aus seiner Schulzeit kannte und zu dem Kai noch losen Kontakt hatte, der sich darin erschöpfte, alle halbe Jahre mal gemeinsam einen über den Durst zu trinken, erschien damals in Köln gleich mit drei Koffern, zwei Taschen und Wellensittich Rambo unangemeldet vor seiner Tür. Leichenblass, übernächtigt und ohne Geld. Bodo hatte zu dieser Zeit noch zu Hause gewohnt. Jetzt war seine Mutter gestorben, und er hatte das Gefühl, jeglichen Halt im Leben verloren zu haben. Kai schien ihm der geeignete Ersatz zu sein. Allein, keine Kinder, große Wohnung, ideal. Bodo wohnte vier Wochen bei Kai. Abend für Abend blieb der Fernseher aus, Bodo leerte eine Flasche Whisky nach der andern und erzählte sein Leben, manche Episoden mehrmals. Bis ihn Kai schließlich vor die Tür setzte. Mit Sack und Pack und Wellensittich Rambo. Hätte er dies damals nicht getan – Bodo würde wohl heute noch bei ihm wohnen.

Und jetzt Allora. Allora rührte ihn. Sie war ihm nicht gleichgültig wie Monica, und man konnte nicht mit ihr umspringen wie mit Bodo. Allora hatten eine Elfe, ein Troll oder ein außerirdisches Pärchen auf diese Welt gespuckt. Allora war entweder ein Geschenk oder ein Schicksalsschlag. Auf alle Fälle war sie ein Problem.

Kurz vor drei stand sie plötzlich im Zimmer und roch wie sein Pullover, wenn er ihn frisch gewaschen hatte. Sie trug seinen blaugrün gestreiften Bademantel und lächelte.

»Was hast du mit deinem Zahn gemacht?«, fragte er.

»Allora«, sagte sie und zuckte die Achseln.

Kai breitete ein Laken auf der Couch aus und holte ein Kopfkissen und eine Decke. In seinem Kopf drehte sich alles. Der Whisky hatte ihm den Rest gegeben. Er musste jetzt unbedingt schlafen. Allora beobachtete alles, was er tat, mit absolutem Unverständnis, sagte aber keinen Ton.

Als er fertig war, ließ sie den Bademantel fallen und verkroch sich unter der Decke.

»Gute Nacht, ich weck dich zum Frühstück.« Damit verließ er das Zimmer.

»Allora«, murmelte Allora, und es hörte sich an wie »danke«.

Es war wie ein Strudel, ein Sog, der ihn aus der dunklen Tiefe des Schlafes nach oben zog, während seine Träume durcheinander wirbelten und es in seinem Hirn kein Oben, kein Unten, kein Rechts und kein Links mehr gab. Es dauerte eine Weile, bis er begriff, dass er wirklich in seinem Bett lag, dass links die Tür und rechts das Fenster war und dass ein kleiner, magerer Arm sich um ihn geschlungen hatte und eine ebenso kleine, magere Hand seinen Bauch kraulte. Sie war warm und weich, drückte sich fest an ihn und pustete ihren Atem wie einen sanften Sommerwind in seinen Nacken. Als er ganz wach war und allmählich begriff, dass sich Alloras nackter Körper an seinen schmiegte, betete er um Kraft. »O nein, bitte nicht, das schaff ich nicht, da komm ich nicht gegen an, o mein Gott, was soll das, was machst du mit mir …«

Aber es war nicht Gott, es war Allora, deren Hand über seinen Körper wanderte, bis er es nicht mehr aushielt und sich zu ihr umdrehte. Seine Lippen fanden ihr Gesicht, und seine Hand machte sich ebenso auf die Suche. Als er einen weichen Flaum spürte und seine Finger langsam zu kreisen begannen, fing Allora leise an zu singen. Und es hörte sich an wie eine Glocke. Wie das Angelusläuten der mittelalterlichen Kapelle in San Vincenti.

52

Anne erwachte, als die aufgehende Sonne mit ihrem rötlich orangefarbenen Licht schlagartig die Gespenster der Nacht vertrieb. Die Atmosphäre im Mühlenzimmer war derart unwirklich und fantastisch, dass sie augenblicklich von einem tiefen Glücksgefühl erfüllt war. Alles war gut. Alles war in Ordnung. Sie hatte nur Angst gehabt, weil sie die Einsamkeit, das Tal und vor allem Enrico nicht kannte. Das war alles. Sie sah auf die Uhr. Halb sechs. So früh. Enrico war sicher noch nicht wach.

Sie sah sich in der Mühle um. Es war etwas anderes, ob man ein Zimmer besichtigte oder ob man darin aufwachte. Zum Beispiel hatte sie vorher gar nicht registriert, wie schön und groß der Kamin war. Enrico hatte ein eisernes Ofenbild in die Rückwand eingemauert, das spielende Kinder auf einer Wiese zeigte. Neben dem Kamin hingen gerahmte Fotos von der Ruine. Eigentlich waren darauf nur Mauerreste, überwucherte Steine und morsche, schwarze Balken zu sehen. Sie konnte sich gar nicht vorstellen, wie man den Mut aufbringen konnte, aus diesem verwilderten »Nichts« wieder so ein Schmuckstück zu erschaffen. Enrico war ein Künstler. Nicht nur ein Philosoph, sondern auch jemand, der richtig zupacken konnte, um etwas Schönes entstehen zu lassen. Denn Ästhetik war ihm offensichtlich sehr wichtig. In die halbmeterdicke Natursteinwand hatte er hier und da kleine steinerne Regale oder Nischen eingebaut, ab und zu einen dicken Feldstein freigelassen und dann die Wand um den Stein herum weiß verputzt. Er hatte winzige Fensterchen, so groß wie ein halbes Blatt Papier, in die Mauer gebaut, in einem lag ein besonders schöner Stein, in einem anderen stand eine winzige Blume in einer ebenso winzigen Vase. Vor dem Fenster hing ein Halbedelstein an einer schmiedeeisernen Kette und reflektierte funkelnd das Licht. Davor stand ein kleiner Tisch mit nur einem Stuhl. Wenn man an diesem Tisch saß, hatte man einen wundervollen Blick über das gesamte enge Tal und den Bachlauf bis hin zum Parkplatz. Das würde ihr Schreib- und Leseplatz werden, beschloss Anne, von hier aus könnte sie auch immer rechtzeitig sehen, wenn jemand kam und sich den beiden Häusern näherte.

Die Mühle war ein einziges, aus lauter Kleinigkeiten komponiertes Kunstwerk. Und der Komponist war ein Künstler, dem es nicht um Praktikabilität, sondern um Schönheit ging.

Anne stand langsam auf und streckte sich. Merkwürdigerweise fühlte sie sich ausgeruht und frisch. Ihre Schuhe standen ordentlich nebeneinander neben der Tür. Enrico musste sie ihr ausgezogen und dort hingestellt haben. Sie zog sie an, denn sie wollte sich noch weiter in der Mühle umsehen, und stieg langsam die hölzerne Stiege zum unteren Mühlenraum hinunter.

Dieser Raum war wesentlich dunkler als der obere, der Blick aus dem Fenster war nicht so beeindruckend, da man sich nur unwesentlich höher als der Bachlauf befand. Aber es war ein Zimmer zum Verkriechen, mit einem dicken Schmöker in einem bequemen Sessel, unter einer warmen Leselampe, an einem düsteren, stillen Tag. Das kleine Bad, das sich dem unteren Mühlenraum anschloss, gefiel ihr. Es war winzig und rustikal. Die dunklen Deckenbalken und die alten Deckenmattoni wirkten wie eine schützende

Decke über einem Menschen, der sich allein in der Tiefe der Mühle auszog und dadurch so unendlich verletzlich wurde, wenn er in die Dusche stieg. Enrico hatte den Rahmen des Spiegels über dem Waschbecken selbst geschnitzt, und eine kleine Jugendstillampe gab diffuses Licht. Nicht genug, um sich zu schminken, aber allemal genug, um sich wohl und heimisch zu fühlen. Auch dieses Bad war eher ein Versteck. Man schloss hinter sich die Tür und war allein auf der Welt. Anders als im großen Bad des Haupthauses, das einem ein freies, helles Gefühl vermittelte, in das die Sonne schien und in dem man sich groß fühlte durch die Weite des Raumes, der einen umgab.

Das ist doch mein Haus, dachte Anne. Hier habe ich beides. Hier habe ich alles. Hier kann ich mich entfalten und wachsen und ich kann mich zurückziehen und reduzieren auf das Wesentliche. Valle Coronata war Burg und Keller, Berg und Tal, Sonne und Schatten. Es war grenzenlose Freiheit und lebendig Begrabensein zugleich.

Anne ging zu der gläsernen Tür, die auf die kleine Mühlenterrasse führte, der Schlüssel steckte von innen, sie schloss auf und trat hinaus.

Enrico schwamm im Naturpool. Ruhig und langsam, als bemühe er sich, das Wasser nicht zu bewegen und kein Geräusch zu machen. Er lächelte, als er sie sah.

Dann stieg er langsam aus dem Wasser. Vollkommen nackt.

Enrico spürte, dass sie sich bemühte, nicht zu genau hinzusehen, aber sie tat es dennoch. Er merkte auch, dass sie den Anschein erwecken wollte, es wäre alles ganz normal, vollkommen natürlich, aber es gelang ihr nicht. Enrico fand ihre Unsicherheit rührend und lächelte.

»Gut geschlafen?«, fragte er, während er sich am Poolrand mit dem Gartenschlauch abspritzte.

Anne nickte nur.

»Nimm doch auch ein Bad«, meinte er. »Es ist unglaublich erfrischend und bringt den Kreislauf so richtig in Schwung.«

»Nein, danke.« Anne fröstelte, wenn sie das Wasser nur ansah. »Ein Kaffee tut's auch.«

Anne hatte den Kaffee bereits gekocht, alle Lebensmittel, die sie fand und die irgendetwas mit Frühstück zu tun haben könnten, auf ein Tablett gestellt und nach draußen gebracht. Sie deckte gerade den Tisch unterm Nussbaum, als Enrico dazukam. Er hatte sich Shorts und einen Pullover übergezogen und strahlte.

»Das riecht ja richtig gut.«

Er setzte sich und goss den Kaffee ein. »Hörst du die Vögel?«, fragte er. »Hier im Tal gibt es unglaublich viele. Glücklicherweise. Sie sind mein Wecker. Wenn sie bei Sonnenaufgang anfangen zu singen, bin ich wach und stehe auf.«

»Ich war gestern Abend sehr müde, glaube ich«, wagte Anne einen vorsichtigen Vorstoß, um herauszufinden, was geschehen war und wie Enrico darüber dachte.

»War wohl alles ein bisschen viel für dich. Is ja auch klar.« Enrico war zart und verständnisvoll. Wie eine Mutter, die zu ihrem Kind, das sich verbrannt hat, sagt: »Es ist meine Schuld, Schatz, ich hätte dir sagen müssen, dass die Herdplatte heiß ist.«

Er redete weiter. »Du bist plötzlich zusammengeklappt und eingeschlafen. Ich hab versucht, dich wach zu kriegen, aber das war unmöglich.«

»War ich ohnmächtig?«

»Vielleicht. Kann sein. Jedenfalls hab ich dich einfach in die Mühle getragen, hingelegt und dich schlafen lassen.«

»Danke.«

Enrico beschmierte sich ein hartes Stück Schwarzbrot derartig dick mit Butter, dass Anne allein vom Hinsehen übel wurde. Sie selbst trank nur den Kaffee und Wasser aus der Quelle. Sie hatte weder Hunger noch Appetit.

»Passiert dir das öfter?«, fragte Enrico.

»Eigentlich nicht.« Anne überlegte. »Obwohl – in den letzten Jahren verschwimmen mir immer häufiger Traum und Wirklichkeit. Ich weiß nicht mehr, was ich geträumt habe und was wirklich passiert ist. Träume sind manchmal so real, dass ich sie für bare Münze nehme, und die Wirklichkeit erscheint mir manchmal so irreal, dass ich das Erlebte einfach zu den Akten lege und mir sage, mach dich nicht verrückt, es war ja nur ein Traum.«

»Das kenne ich gut.« Enrico lächelte. Er wusste schon lange nicht mehr, was Wahrheit und was Lüge war. Sein Leben war ein einziger Wirrwarr an Geschichten. An echten und erfundenen, er hatte keine Vergangenheit, nur eine vage Vorstellung von seiner Vergangenheit, und die wechselte jeden Tag. Dann legte er sich eine neue Geschichte zurecht, die ihm gefiel und die er sich merken konnte, und die erzählte er immer und immer wieder, wenn er gefragt wurde, bis er nicht mehr gefragt wurde und die Geschichte wieder vergaß. Und wenn er wochenlang geschwiegen hatte, war seine Vergangenheit wie ein weißes Blatt Papier, das neu beschrieben werden wollte.

»Vielleicht komme ich hier ein bisschen zur Ruhe«, sagte sie. »Vielleicht gelingt es mir hier, mich neu zu sortieren.«

»Was hast du denn erlebt?«

Sie überlegte noch, warum sie es ihm eigentlich nicht erzählen mochte, als Kai auf dem Parkplatz hielt und langsam zum Haus heraufkam. Anne sah auf die Uhr. Halb acht. Sie starrte ihn an wie eine Fatamorgana, denn sie hätte ihr Vermögen verwettet, dass Kai kein Mensch war, der freiwillig so früh aus den Federn kam.

Kai trank erst einmal in Ruhe einen Kaffee, dann machten sie den Compromesso, den Vorvertrag, der – wenn auch nicht notariell beglaubigt – vor Gericht seine Gültigkeit hatte. Kai hatte die Standardformulierungen im Kopf und setzte einen formlosen Vertrag auf, den er mit Durchschlag schrieb und in dem Enrico bestätigte, das Haus zu einem Preis von zweihunderttausend Euro verkaufen zu wollen, während Anne ihrerseits versicherte, das Haus zum Preis von zweihunderttausend Euro kaufen zu wollen. Als Anzahlung zahlte sie zehn Euro. Würde Anne Valle Coronata jetzt doch nicht kaufen, wären die zehn Euro für sie verloren, würde Enrico es an einen anderen verkaufen, müsste er Anne die zehn Euro nicht nur zurück-, sondern noch zehn Euro draufzahlen. So regelte es das italienische Gesetz.

»Ein Blödsinn«, meinte Kai. »Wollt ihr nicht eine reelle Anzahlung, von – sagen wir mal – fünfzigtausend Euro machen? Dann seid ihr beide auf der sicheren Seite!«

Aber Enrico lehnte ab und schüttelte den Kopf. »Mit Geld ist man nie auf der sicheren Seite. Vertragsstrafen bringen gar nichts. Wenn Anne sich das Ganze bis zum Notartermin noch einmal anders überlegt und das Haus doch nicht haben will, dann ist das in Ordnung. Ich für meinen Teil werde es keinem anderen geben. Darauf hat sie mein Wort. Und mein Wort wiegt schwerer als fünfzigtausend Euro.«

Anne schwieg und bekam eine Gänsehaut. Wo gab es auf dieser Welt noch Menschen mit einem derartigen Ehrenkodex? Enrico faszinierte sie immer mehr, und sie wusste plötzlich, dass sie ihm vertraute. Voll und ganz.

Kai zog nur die Augenbrauen hoch. Für ihn war Enrico kein Geschäftsmann, sondern ein Spinner, der über kurz oder lang fürchterlich auf die Nase fallen würde. Es gab an jeder Ecke Menschen, die es förmlich rochen, wo irgendjemand über den Tisch zu ziehen war, und Enrico eignete sich vorzüglich dazu. Aber er sagte nichts. In diesem Fall würde sicher alles gut gehen. Das hatte er im Gefühl.

Enrico unterschrieb als Erster. Ungewöhnlich langsam, mit hohen steilen Buchstaben. Er malte seinen Namen förmlich, und Anne hatte den Eindruck, dass er in seinem Leben noch nicht allzu oft unterschrieben hatte, was sie merkwürdig fand. Als Manager eines Mineralölkonzerns hatte er wahrscheinlich zigmal am Tag eine Unterschrift geleistet.

Sie sah auf das unterschriebene Blatt und stutzte. »Du heißt Alfred?«

»Ja, leider«, Enrico lächelte. »Aber nur offiziell. Nur, wenn ich unterschreiben muss. Ansonsten bin ich Enrico. Mit diesem Namen fühle ich mich wohler.«

Anne nickte. Sie kannte nur wenige Leute, die mit ihrem Namen zufrieden waren. Felix war es. Er war von seinem Namen begeistert gewesen, seit ihm seine Oma erzählt hatte, dass »Felix« »Der Glückliche« bedeutete. Und glücklich war er.

Als sie alle drei unterschrieben hatten, standen sie auf und gingen zum Parkplatz. Anne hatte ihre Handtasche dabei, aber Enrico hatte nicht nur das Geschirr auf dem Tisch unter dem Nussbaum stehen lassen, auch die Haustür stand sperrangelweit offen. Er meinte, nichts Wichtiges im Haus zu haben, das er unbedingt einschließen müsse. Und wenn jemand irgendetwas stehlen (er sagte: »mitnehmen«) sollte, dann solle er es halt nehmen. Er würde es sicher nötiger brauchen als er und hätte hoffentlich seine Freude daran.

Kai warf Anne einen »Da-siehst-du-mal-was-er-für-einen-Knall-hat-Blick« zu, und Anne grinste. Die drei stiegen in Kais schwarzen Jeep, und Kai fuhr los. Richtung San Vincenti.

Kai zeigte Enrico Casa Mèria, eine Ruine in der Nähe von San Vincenti. Er erklärte, dass dort bis vor zwei Jahren die alte Giulietta gewohnt hatte, die im Dorf nur die Hexe, Giulietta la strega, genannt wurde. Sie lebte dort zusammen mit einer Verrückten, die sich um Giulietta gekümmert und nach deren Tod das Haus in Brand gesteckt hatte. Mittlerweile hatte Brombeergestrüpp die Mauerreste der Ruine überwuchert, aber Enrico hatte einen Blick dafür, was man aus einem Haus machen konnte und was nicht.

Zum großen Teil waren die Decken eingestürzt, die verkohlten Balken lagen auf lockeren Steinen oder waren heruntergebrochen und ragten in den Himmel. Da sie Interesse signalisieren wollte, hatte Anne versucht, in den unteren Zimmern herumzuklettern, aber ihr fehlte die Fantasie, sich in den verkohlten Trümmern ein schönes, fertiges Haus vorzustellen. Außerdem zerkratzte sie sich die nackten Beine im Gestrüpp und ließ es bleiben. Sie setzte sich auf die Wiese und beobachtete die beiden Männer, die sich jeden Winkel ansahen. An Enricos Waden lief bereits das Blut hinunter – er schien es weder zu bemerken, noch störte es ihn. Kai hielt sich ziemlich zurück und sagte wenig, offensichtlich akzeptierte er Enrico als Fachmann für Ruinen.

Anne sah sich um. Merkwürdigerweise fühlte sie sich hier noch einsamer als im Tal, weil das Haus freier lag und die schützenden Berge ringsum fehlten. Man konnte zwar San Vincenti in der Ferne auf dem Hügel liegen sehen, aber zu Fuß waren es mindestens vierzig bis fünfzig Minuten, schätzte Anne. Nein, das gefiel ihr nicht. Da war ihr Valle Coronata tausendmal lieber.

Nach einer Dreiviertelstunde hatten die beiden alles inspiziert. »Okay«, sagte Enrico. »Dann rede mit Fiamma. Ich kaufe es, aber ich zahle nicht mehr als dreißigtausend.«

»Und wenn die Gemeinde fünfunddreißigtausend haben will?« Kai hatte keine Ahnung, was die Ruine kosten sollte, es war nur ein Versuchsballon, um Enrico besser einschätzen zu können.

»Dann nehme ich es nicht.«

Kai seufzte vernehmlich und fluchte innerlich. Immer diese verdammte Prinzipienreiterei. Es würde ein hartes Stück Arbeit werden, mit Fiamma zu reden. Mit ihrem Mann, dem Bürgermeister, war es einfacher. Der war weich und gutmütig und nach zwei Flaschen Chianti zu allem bereit, aber Fiamma hatte im gesamten Valdarno den Ruf, dass man sich an ihr sämtliche Zähne ausbeißen konnte. Und sie führte die Verhandlungen. Jedenfalls immer dann, wenn es um Geld ging.

53

Anne sagte Kai, dass sie noch zwei, drei Tage in Valle Coronata bleiben wolle, und Kai machte sein »Du-musst-es-ja-wissen-Gesicht«, das er ständig parat hatte, weil er es in seinem Beruf häufig einsetzen musste. Dann versprach er, die Angelegenheit mit Fiamma so schnell wie möglich in Angriff zu nehmen, und brauste davon.

Es war ein warmer Tag. Der Lavendel vor der Badezimmertür duftete so stark, dass Anne ihn bis zum Nussbaum riechen konnte. Lavendel, Rosmarin, Salbei …, alles blühte üppig vor der Mühle, die Grillen zirpten, und Anne hatte das Gefühl, zum ersten Mal in ihrem Leben alles richtig zu machen.

Enrico war bereits seit anderthalb Stunden im Haus und meditierte, als Aldo, ein Olivenarbeiter aus Duddova, auf seinem Mofa angeknattert kam und direkt vor der Küchentür anhielt. Enrico schaute oben aus dem Schlafzimmerfenster. Aldo grinste mit seinem zahnlosen Mund, und Enrico fragte: »Buonasera, Aldo. Perché sei venuto? Ch'è successo?« Enrico war höflich, aber nicht übermäßig freundlich, da er es überhaupt nicht ausstehen konnte, überrascht zu werden. Dass das aber einzig und allein seine eigene Schuld war, weil man ihn telefonisch nicht erreichen konnte, schien er einfach nicht zu begreifen.

Aldo hatte viel Zeit. Mit seinem eingefrorenen Dauergrinsen stieg er langsam vom Mofa und klopfte sich den Staub aus der Arbeitshose, während er Anne eingehend musterte. Im Gegensatz zu Enrico, der sich um solche Dinge nie Gedanken machte, wurde Anne schlagartig bewusst, was sich Aldo jetzt denken musste. Enricos Frau war in Deutschland, und hier saß eine andere auf der Terrasse, in Shorts und Sandalen, mit einem Sonnenhut auf dem Kopf und einem Buch in der Hand. Sie machte alles andere als den Eindruck einer Besucherin, die nur mal für ein paar Minuten vorbeigekommen war. Wahrscheinlich bezog sich Aldos Dauergrinsen auf die Tatsache, dass es endlich wieder eine schöne Geschichte gab, über die man sich in Duddova mindestens zwei Tage lang das Maul zerreißen konnte.

»Carla mi ha chiamato«, sagte Aldo, aber in diesem Moment verschwand Enricos Kopf im Fensterrahmen, und er kam die Treppe herunter. Er kam nicht – er flog. Wenn er wollte, konnte er so schnell sein wie ein Zwanzigjähriger.

Gut, dass er uns nicht zusammen erwischt hat, dachte Anne. Wenn wir jetzt beide die Treppe heruntergekommen wären, das wäre schlimmer gewesen. Aber einer oben, einer unten – das ging ja gerade noch.

Aldo meinte, Carla hätte ihn angerufen und gebeten, Enrico zu sagen, dass sie heute um achtzehn Uhr in Montevarchi auf dem Bahnhof ankäme. Enrico möge sie doch bitte abholen.

»Certo«, sagte Enrico. »Natürlich. Das mach ich doch. Danke, Aldo. Danke, dass du extra gekommen bist, um mir das auszurichten.«

»Gern geschehen«, brummte Aldo, und »geht ja nicht anders.« Anne glaubte, aus seiner Stimme ein gewisses Unverständnis herauszuhören. Diese bekloppten Deutschen, die einsam wohnten und noch nicht mal ein Telefon hatten. Damit schadeten sie nicht nur sich selbst, wenn mal was passierte, sondern machten auch den Nachbarn nur Umstände.

Enrico verschwand in der Küche und kam Sekunden später mit einer Flasche Prosecco wieder heraus, die er Aldo in die Hand drückte.

»Grüße deine Frau von mir! Und nochmals vielen Dank.« Jetzt strahlte Aldo übers ganze Gesicht, nahm die Flasche, klemmte sie

317

auf seinen Gepäckträger, nickte Anne kurz zu, stieg auf sein Mofa und fuhr wieder davon.

»Ich werd mich dann auch auf die Socken machen«, sagte Anne. »Ich nehme wieder dasselbe Hotel in Siena, das ich hatte. Es ist gar nicht so furchtbar teuer, und es ist okay. Aber ich denke, wir bleiben in Kontakt. Ich lasse mir jetzt das Geld aus Deutschland schicken, und dann machen wir nächste oder übernächste Woche den Vertrag. Ja?«

»Kommt überhaupt nicht infrage. Du bleibst hier. Wir haben zwei Häuser! Das ist ja wohl genug für drei Menschen! Da kannst du dir das Hotel sparen.« Enrico war dermaßen bestimmend, dass es ihr sauer aufstieß.

»Und Carla …?« Anne hatte ein verdammt mulmiges Gefühl, was diese fremde Frau betraf. »Was soll sie denken, wenn ich hier bereits wohne? Es reicht schon, wenn dieser Aldo jetzt lauter Schauergeschichten herumposaunt, nachdem er mich gesehen hat. Und Carla hat ja noch keine Ahnung, dass ich das Haus kaufen will. Willst du es ihr nicht erst mal schonend beibringen, wenn ihr allein seid?«

»Nein«, sagte Enrico.

»Meinst du nicht, dass sie einen Schock kriegt, wenn sie mich hier antrifft?«

»Nein«, sagte Enrico wieder, und Anne zuckte zusammen. Dieses ›Nein‹ klang wie ein Eiswürfel, der in ein leeres Wasserglas fällt.

Enrico war äußerst gelassen. »Sie wird keine Umstände machen. Glaub mir.«

Anne verstummte irritiert. Was sollte sie jetzt machen? Bleiben? Oder doch fahren?

Enrico schien Annes Unsicherheit zu spüren und fügte hinzu: »Außerdem müsst ihr euch kennen lernen. Carla liebt dieses Haus. Aber noch mehr liebt sie ihren Garten, ihre Blumen, ihre Kräuter rings ums Haus. Das ist alles ihr Werk. Das sind ihre Kinder. Sie muss wissen, wem sie all das überlässt. Und es wird leichter für sie sein, wenn sie dich mag.«

»Oh, mein Gott!« Anne schob sich den Pony aus der schweißnassen Stirn. Sie hatte jetzt erst recht Lust abzuhauen, all das hinter sich zu lassen. Sie wollte ein Haus kaufen – aber auf diesen ganzen Psychoterror konnte sie gut verzichten.

Sie drehte sich um und ging in die Mühle. Verdammt noch mal, das war Enricos Beziehung, und das war auch Enricos Problem. Sie hatte damit überhaupt nichts zu tun. Sieh's locker, sagte sie sich, du hast mit dem Kerl nicht geschlafen, also brauchst du auch kein schlechtes Gewissen zu haben. Und wenn du das Haus nicht kaufst, kauft es ein anderer. Im Grunde kann es dir scheißegal sein, wie diese Carla reagiert.

Das alles sagte sie sich, aber sie glaubte selbst nicht daran. Sie nahm ihr Handy und stieg auf den Berg, um Harald und ihre Mutter anzurufen.

Sie erwischte Harald in der Mittagspause. Er hatte gerade ein tiefgekühltes Fertiggericht, Königsberger Klopse mit fünf Rosenkohlröschen und drei Kartoffelstücken, in die Mikrowelle geschoben. »Ein fürchterliches Essen«, sagte er. »Schlimmer als im Krankenhaus. Aber was soll man machen?« Er bemühte sich, in seinem Satz keinen Vorwurf durchklingen zu lassen.

Vielleicht vermisst er mich wenigstens als Köchin, dachte Anne, wenigstens das.

Sie sagte ihm, dass sie das Haus so gut wie gekauft habe, der Vorvertrag sei bereits unterschrieben. Danach machte sie eine Pause und wartete auf Vorwürfe, Ermahnungen oder zumindest Vorträge – aber es kamen keine. Harald war ganz sanft, als er sagte: »Du wirst es schon richtig machen.«

Das nahm ihr den Wind aus den Segeln. Sie war auf eine längere Verteidigungsrede gefasst gewesen.

»Und, wie geht's dir?«, fragte sie.

»Es ist ruhig im Moment. In der Praxis sind hauptsächlich Touristen, die sich den Pelz verbrennen oder in Seeigel treten.

Eigentlich könnte ich eine Weile dichtmachen und zu dir kommen.«

Anne traute ihren Ohren nicht. Alles hatte sie erwartet, aber nicht diese Töne aus dem Mund ihres Mannes. Er schnurrte ja geradezu.

»Warte bis ich das Haus gekauft habe, ja? Bis Enrico und Carla ausgezogen sind. Dann können wir hier schalten und walten wie wir wollen, und dann brauche ich dich bestimmt.«

»Ich wollte eigentlich nicht nur als Möbelpacker kommen.« Jetzt war er doch leicht verschnupft.

»So hab ich das auch nicht gemeint.« Ein bisschen hatte sie es schon so gemeint. Und das wusste Harald auch. Es war wunderbar, wenn jemand da war, der schnell und problemlos die Lampen anbringen, die Gasflaschen auswechseln und Regale aufhängen konnte. Aber am allerwichtigsten war, dass Harald jetzt nicht hier auftauchte und versuchte, ihr das Haus noch auszureden. Sie wollte, dass er erst kam, wenn alles unter Dach und Fach und nicht mehr rückgängig zu machen war.

»Dann sag mir Bescheid, wenn es so weit ist. Falls nicht gerade eine Sommergrippe-Welle anrollt, komme ich.«

»Das ist nett von dir.«

Beide schwiegen erneut. Die Verlegenheit auf beiden Seiten war deutlich, und Anne beendete das Gespräch. Es gab nichts mehr zu sagen.

Anne ging langsam zurück zum Haus und dachte unwillkürlich an die Geschichte mit Pamela zurück, obwohl sie es heute fast lächerlich und ihre Reaktionen damals reichlich kindisch und übertrieben fand. Heute würde sie sicher kein Saxofon mehr im Aquarium versenken, heute würde sie sich an ihren Schminktisch setzen, sich viel Zeit für ein sorgfältiges Make-up lassen, den Lippenstift auftragen, der ihm noch nie gefallen hatte, und sich ihrerseits auf die Suche machen. Ein Quickie wäre nicht schlecht, vielleicht würden auch drei oder vier oder fünf daraus werden – je nachdem. Wie du mir, so ich dir. Du weißt ja gar nicht, wie weh so was tut.

Damals, in diesem verfluchten Jahr vor zehn Jahren, verlor sie alles, was ihr einmal wichtig gewesen war. Den Sohn und häppchenweise auch den Mann. Und sie hatte keine Freundin, keine Schwester mehr. Das lag nicht an Pamela. Pamela war ein Nichts und ein Niemand. Pamela war keine wirkliche Freundin. Anne hatte sie benutzt und ausgenutzt. Wahrscheinlich wusste sie das und hatte darum auch keine Skrupel. Pamela war unglaublich bequem und praktisch, vollkommen anspruchslos und immer verfügbar. Pamela war wie ein Hund, der schwanzwedelnd mit einem Fremden Gassi geht.

Irgendwie und unmerklich hatte sich die Sache mit Pamela verläppert. Harald und Anne waren verstummt, sie sprachen über nichts mehr. Und so unterblieben auch die Fragen: »Wo kommst du denn jetzt um diese Zeit her? Es ist kurz vor eins!« oder: »Hat es bei Frau Hansen derart verflucht lange gedauert?« oder: »Seit wann gehst du zum Kegeln, du hast dich doch früher nicht dafür interessiert?« Es war alles egal. Anne fragte nicht, und er sagte nichts. Harald erwähnte auch den Namen Pamela nie wieder, und Anne hatte sie aus ihrem Leben gestrichen. Sie vergaß sie sogar zeitweise. Für Anne existierte Pamela nicht mehr.

Pamela zeigte sich Harald gegenüber von ihrer sensiblen Seite. Oder von ihrer zickigen. Wie man's nimmt. Manchmal stellen sich beide Eigenschaften deckungsgleich dar. Natürlich war sie wütend wegen des Saxofons, aber das Schlimmste war, dass Anne sie geschlagen hatte. Diese Demütigung konnte sie nicht ertragen. Wie sehr *sie* ihre Freundin gedemütigt hatte – daran dachte sie natürlich nicht.

Anne bekam sie jedoch nicht mehr zu fassen, und Pamela hatte keine Gelegenheit, Anne ihren Hass und ihre Verachtung spüren zu lassen. Aber Harald erreichte sie. Er lag ihr immer noch zu Füßen, versuchte, ihr das Verhalten seiner Frau zu erklären, und kaufte ihr ein neues Saxofon. Aber sie war so eindimensional gestrickt, dass sie nicht anders konnte, als ihre Wut auf ihn zu projizieren. Er verlor an Attraktivität, weil er mit Anne verheiratet war. Sie nahm ihm übel, dass er die gleiche Adresse hatte wie sie. Er konnte ihr zehntausendmal beteuern, dass mit Anne zu dieser Zeit weniger als nichts lief – sie glaubte ihm kein Wort. Der Herr Doktor war der Mann einer Irren, einer Gewalttätigen, der Herr Doktor tanzte auf allen Hochzeiten, aber niemals im richtigen Takt. Zu keinem Zeitpunkt spürte sie, dass sie mit Leichtigkeit hätte siegen können, sondern sie redete sich so lange ein, dem Herrn Doktor nicht mehr über den Weg trauen zu können, bis sie ihn schließlich verlor. Er hatte es satt, ihre Spitzen und Bösartigkeiten ständig anhören zu müssen, er hatte es satt, auf dem Markt schief angeguckt zu werden. Er war im Dorf nicht mehr der Vater, der seinen Sohn verloren hatte, sondern der, der mit einer Frau schlief, die auf dem Feuerwehrball immer sitzen blieb, wenn alle anderen tanzten.

Er machte ihr keine Szene. Er wollte keine Aussprache, er ging einfach nicht mehr hin, und die Affäre schlief so unspektakulär ein, wie sie begonnen hatte. Anne bemerkte es erst viel später. Als die Hindemith-CD aus dem Schrank verschwunden war.

Anne lebte zu dieser Zeit wie ein Roboter. Lächelte, wenn jemand die Praxis betrat, und lächelte, wenn er wieder ging. Sie nahm Blut ab, untersuchte Urinproben, ordnete die Patientenkartei und flötete: »Frau Soundso, kommen Sie bitte …« Sie öffnete und schloss zigmal am Tag die Kabinen eins und zwei – »wenn Sie sich bitte obenrum schon mal frei machen würden …« – und wusste schon nach wenigen Minuten nicht mehr, wer in welcher Kabine war. Sie machte Termine, stellte Telefonate zu Harald durch, gab gute Ratschläge, hörte sich Klatsch und Tratsch an und wusste am Abend nicht mehr, wer in der Praxis gewesen war.

Wenn sie kochte, kochte sie die gleichen Mengen wie früher, aber es waren kaum zu bewältigende Berge, weil Felix nicht mehr da war und sie selbst nicht mitaß. Harald beschwerte sich nie. Wenn er aus der Praxis kam, machte er sich einen Teil davon warm und aß vier, fünf Tage lang dasselbe. Ohne Murren. Vielleicht merkte er genauso wenig wie sie, was er aß. Nach dem Mittagessen legte er sich immer bis drei auf die Couch im Wohnzimmer, faltete die Hände überm Bauch, schloss die Augen und lag bewegungslos da. Man konnte ihm nicht ansehen, ob er schlief, einfach nur nachdachte oder tot war.

Um 15 Uhr begann er mit den Hausbesuchen, um sechzehn Uhr dreißig war er wieder in der Praxis. Wenn etwas Unvorhergesehenes passierte, kam er auch schon mal später. Die Patienten hatten Verständnis dafür, weil sie es zu schätzen wussten, dass sie sich nicht in die Praxis quälen mussten, wenn sie mit vierzig Grad Fieber im Bett lagen.

Am Abend ging Harald fast immer weg. Er hielt es zu Hause nicht aus. Das Schweigen brachte ihn fast um den Verstand. Sie fragte ihn nicht, wohin er ging und wann er wieder kam, es interessierte sie einfach nicht. Über Handy war er immer zu erreichen. Für die Patienten und für Anne. Aber sie rief nie an. Einmal ertappte sie sich dabei, dass sie seine Handynummer bereits vergessen hatte. Es war ihr peinlich, nachschlagen zu müssen, als eine Nachbarin sie darum bat, weil ihr Mann starke Bauchschmerzen bekommen hatte.

Sonntags besuchten sie regelmäßig Annes Eltern in Hamburg, die ein kleines Reihenhaus in der Nähe des Flughafens hatten. Anne machte es wahnsinnig, dass jedes Gespräch alle paar Minuten durch das Dröhnen der landenden oder startenden Maschinen unterbrochen wurde, und die Tassen auf dem Tisch auf den Untertassen hüpften und schepperten, aber ihre Eltern hörten es schon nicht mehr. Das lag nicht daran, dass sie taub geworden waren, aber sie hatten sich dermaßen daran gewöhnt, dass sie es einfach nicht mehr registrierten. Man gewöhnte sich offenbar an alles. Das wenigstens war ein tröstlicher Gedanke.

Dennoch waren diese Sonntagnachmittage schwer auszuhalten. Denn unweigerlich kam das Gespräch doch immer wieder auf Felix, obwohl Harald und Anne es zu vermeiden suchten und jedes Thema geschickt umschifften, das darauf hinauslaufen könnte. Aber Annes Mutter schaffte es, jeden Sonntag in Tränen auszubrechen, und stellte dabei immer die gleichen Fragen, die ihr niemand beantworten konnte. Das dauerte meist eine halbe Stunde. Während Mutter schluchzte, nahm Vater eine Illustrierte und blätterte sie durch. Sein Mund war nur noch ein scharfer Strich, seine Lippen waren verschwunden. Man hätte keine Briefmarke dazwischen schieben können. Harald fixierte die Tischdecke und rührte in seinem Kaffee, obwohl gar kein Zucker darin war. Er rührte zwanzig Minuten oder länger. Bis Mutter fertig war.

Annes Mutter konnte weinen – Anne nicht. Sie konnte sich auch mit einem Stück Kirschkuchen trösten – Anne nicht.

Sie hatte niemand, mit dem sie reden konnte, aber sie wollte auch niemanden haben. Es war wie mit einem Erdbeben: Eine Woche lang wird im Fernsehen darüber berichtet, und die Anteilnahme ist groß – dann ist die Katastrophe vergessen, obwohl die Betroffenen noch jahrelang unter den Folgen leiden. Das ist so und wird wohl auch immer so sein, weil jedes Leid den Außenstehenden auf die Nerven geht, wenn sie immer und immer wieder davon hören müssen. Das hält kein Mensch aus. Irgendwann verwandelt sich Mitleid dann in Ablehnung und Aggression. Kein Freund und keine Freundin hätte sie ertragen, wenn sie monatelang von Felix geredet hätte. Also versuchte sie es erst gar nicht und blieb mit ihren Gedanken allein. Sie freute sich immer auf die Minuten vor dem Einschlafen. Dann war sie in Gedanken bei Felix, und keiner störte sie dabei. Und jedes Mal betete sie um einen Traum, in dem er bei ihr sein konnte.

Es war an einem Winterabend Ende Januar. Ein Samstag. Das genaue Datum hatte sie vergessen. Es war verdammt kalt, weil es so windig war. Der Sturm heulte ums Haus, die alte Kastanie vor dem

Küchenfenster ächzte bedenklich. Anne hatte Angst, dass sie aufs Dach krachen könnte. Eigentlich war ihr das zwar relativ egal, aber in diesem Fall hätte der Baum mit ziemlicher Sicherheit das Fenster zum Kinderzimmer zerschlagen, und das hätte sie nicht ertragen. Eine Nacht, in der ein eisiger Wind durch Felix' Zimmer und über sein Bett pfiff, war für sie eine schreckliche Vorstellung.

Anne hatte in ihrem Zimmer am Computer gesessen, war ziellos im Internet herumgesurft und wollte jetzt nach unten gehen, um ein bisschen fernzusehen, solange der Strom noch da war.

Im Sessel saß Harald. Im ersten Moment erschrak sie, weil sie dachte, er wäre – wie fast jeden Samstag – im »Störtebeker« zum Skatspielen. Aber er war nicht beim Skat, er saß im Wohnzimmer und sah sie an. Er hatte kein Glas in der Hand, keine Zeitung, kein Buch, keine Fernbedienung, nichts. Er saß einfach nur da. Sie war etwas verunsichert, aber sie fragte ihn auch nicht, was los war. Sie nahm die Fernsehzeitung, warf einen Blick hinein und wollte an ihm vorbeigehen, um den Fernseher einzuschalten. In diesem Moment griff er ihren Arm und zog sie auf seinen Schoß. Nach so langer Zeit zum ersten Mal. Er hielt sie mit seinen starken Armen fest umschlungen. Es tat so unbeschreiblich gut. Anne hatte das Gefühl, seit Tagen im Ozen zu treiben, und endlich kam jemand, der sie in ein Boot zog, in eine Decke hüllte und das Blut in den erfrorenen Gliedern wieder zum Pulsieren brachte. Sie wünschte sich Stunden, Tage so bei ihm liegen zu bleiben, aber es waren nur Minuten. Beide hatten immer noch kein Wort gesagt, als er sie einfach hochhob und nach oben ins Schlafzimmer trug.

Man konnte nicht behaupten, dass nun das Glück in das friesische Arzthaus eingezogen wäre, aber beide redeten wieder miteinander, zumindest über die wichtigsten, die organisatorischen Dinge. Das trug sehr zur Entspannung bei, die Atmosphäre war nicht mehr derart zum Zerreißen gespannt, dass man das Gefühl haben musste, das Haus würde explodieren, wenn jemand »Guten Morgen« sagte oder wenn es an der Tür klingelte. Anne fürchtete sich nicht mehr davor, Harald morgens in der Küche oder im Bad zu begegnen, sie lernte sogar langsam, ihm zur Begrüßung zuzulächeln.

Allmählich wusste sie wieder, was der Begriff »zu Hause« eigentlich bedeutete, sie schwebte nicht mehr im luftleeren Raum, von der Trauer gänzlich aufgelöst. Sie hatte wieder einen Körper, war wieder eine Frau. Harald hatte sie dazu gemacht.

Da Anne dieses Haus wieder als ihr Nest und ihre Fluchtburg akzeptieren konnte, fing sie an zu putzen. Sie schrubbte die Fußböden, behandelte die Teppiche mit Teppichschaum, überstrich kleine Schönheitsfehler an den Wänden mit weißer Farbe, scheuerte die klebrigen Gewürzregale, wischte die Schränke aus und wusch die Gardinen. Und fühlte sich von Tag zu Tag wohler.

Manchmal musste sie mitten in der Arbeit innehalten, weil sie ein Ziehen im Unterleib hatte. Es war unangenehm und ungewohnt. Etwas Derartiges hatte sie schon ewig nicht mehr gespürt. Jedes Mal ging sie zur Toilette, um zu sehen, ob ihre Tage eingesetzt hatten – aber da war nichts. Und langsam keimte in ihr ein Gedanke, den sie schon jahrelang nicht mehr gehabt hatte. Ein Gedanke, der ihr während ihrer Schul- und Studienzeit ständig Albträume verursacht hatte. Bis sie Harald kennen gelernt und zum ersten Mal das Gefühl gehabt hatte, an den Richtigen geraten zu sein. Sie hängte ihr Studium an den Nagel, heiratete Harald und bekam Felix. Plötzlich war alles normal und legal und nicht mehr schmutzig und verboten. Sie war keine Schlampe mehr, sondern eine Mutter, die von Eltern, Freunden, Bekannten und dem Staat ihren Segen erhalten hatte. Ein beruhigendes Gefühl. Danach nahm sie ein paar Jahre die Pille, und als sie sie absetzte, hatten sie in ihren Sexualpraktiken andere Prioritäten gesetzt, die einfach eine Schwangerschaft verhinderten. Anne fühlte sich wohl dabei und hatte auch nie den Eindruck, dass Harald irgendetwas fehlte.

Der Gedanke, dass er etwas vermisst haben könnte, kam ihr zum allerersten Mal, als Pamela aus der Versenkung auftauchte.

Und nun plötzlich dieses ständige Ziehen und dieses komische Gefühl. Und ihre Tage waren schon eine Woche überfällig. Natürlich hatten sie nicht aufgepasst an diesem stürmischen Januarabend. Sie waren zu sehr damit beschäftigt, sich wieder neu kennen zu lernen und zu erobern und die schwache Glut einer erloschenen Liebe neu zu entfachen. Als die Leidenschaft wieder zu lodern begann, verloren beide fast den Verstand. Und schließlich lag sie in seinen Armen. Weinend. Endlich ins Leben zurückgekehrt.

Nach acht Tagen machte Anne den Test. Als der Teststab auf ihrem Schreibtisch lag, tigerte sie minutenlang durch die Wohnung, unfähig zu lesen oder irgendetwas Sinnvolles zu tun, und versuchte herauszufinden, was sie sich wünschte. Ja oder nein, positiv oder negativ, ein Problem oder kein Problem, etwas Neues oder alles beim Alten. Sie wusste es einfach nicht. Nach fünf endlosen Minuten zwang sie sich ins Arbeitszimmer zu gehen. Ihr Herz klopfte bis zum Hals, ihr Gesicht glühte, und sie konnte kaum laufen, so weich waren ihre Knie. Sie fühlte sich wie eine Angeklagte, die das Urteil der Geschworenen erwartet: schuldig oder nicht schuldig.

Ein kurzer Blick genügte. Der Test war klar und eindeutig. Schuldig. Es blieb eben nie ohne Folgen, wenn man den Kopf verlor. Felix war verschwunden, aber nun machte sich ein neues Kind auf den Weg. Und da war auf einmal nicht das geringste Gefühl. Nur Fassungslosigkeit.

Am Sonntag darauf machten Anne und Harald einen Spaziergang. Der Herr Doktor und seine Gattin wanderten durchs Dorf wie schon seit einem Dreivierteljahr nicht mehr. War Pamela ein Thema für den Dorfklatsch gewesen, so war es jetzt sicher diese offensichtliche und zur Schau gestellte Versöhnung. Anne hoffte nur inständig, dass nicht gerade jetzt das Handy klingelte und Harald wegmusste, weil der alte Knut sich das Bein gebrochen, Johann vom Trecker gefallen war oder die kleine Meike einen Blinddarmdurchbruch hatte. Sie wollte mit ihm reden. Gleich. Auf dem Deich. Mit dem Blick aufs Meer. Oder aufs Watt. Je nachdem, ob das Wasser da war oder nicht.

Das Wasser war nicht da. Er hatte den Arm um ihre Schulter gelegt, und sie gingen langsam auf dem Deich entlang, rechts die Winterwiesen mit vereinzelten Schafen und links der braun-graue Wattschlamm so weit das Auge reichte. Und dann sagte sie es ihm.

Erst starrte er sie an, als wäre sie quittegrün und gerade aus einem Ufo gestiegen, dann stieß er einen Schrei aus, riss die Arme in die Höhe, als wolle er den lieben Gott aus dem Himmel zerren und an sich drücken, dann lachte er laut, hob Anne in die Höhe und wirbelte sie ein paarmal im Kreis herum, sodass sie flog wie ein Kettenkarussell, dann brüllte er: »Das ist ja großartig!« und machte Purzelbäume den Deich hinunter, kam immer mehr ins Trudeln, bis er völlig erschöpft, strahlend und schwer atmend vor dem Weidezaun liegen blieb.

Der Herr Doktor rollt sich in Schafscheiße, dachte Anne und fand die Vorstellung ihres eigentlich sehr bedächtigen Mannes, der sonst immer mit beiden Beinen fest im Leben stand, umwerfend.

Er war völlig aus dem Häuschen. Er freute sich, er machte Pläne, er träumte, er war restlos glücklich. Felix war vergessen. Es fing alles noch mal von vorne an. Ein neues Kind – ein neues Glück. Und diesmal würde er aufpassen. Richtig. Rund um die Uhr. So etwas würde ihm nicht noch einmal passieren. Dieses Kind würde er aufwachsen sehen. Es würde heiraten und studieren. Enkelkinder würden auf seinen Knien tanzen, und dieses Kind würde nach ihm sterben. Lange, lange nach ihm. Wie es sich gehörte.

Anne wurde immer stiller. Je mehr er redete, umso mehr sträubte sich etwas in ihr. Als er schließlich anfing zu erzählen, wie er Felix' Zimmer umbauen, umstreichen, neu möblieren wollte, stand ihr Entschluss fest. Auch wenn sie Harald damit das Herz brechen würde.

Als Harald in seiner winzigen Werkstatt im Keller anfing, eine Wiege zu bauen, sagte Anne ihm, er solle damit aufhören. Es werde kein neues Baby geben. Harald legte so langsam sein Werkzeug aus der Hand, als würden ihm gerade in diesem Moment fünfzig Gedanken durch den Kopf schießen und als versuche er, sie alle in dieser Sekunde zu ordnen. Aber er hatte verstanden und war nicht in der Lage, irgendetwas zu sagen.

Und dann begann eine neue Zeit des Schweigens, nur unterbrochen von knappen Bemerkungen, barschen Fragen und kurzen Befehlen. »Hat jemand angerufen?« – »Wieso hast du kein Brot gekauft? Ich hatte es dir gesagt!« – »Räum den Wintergarten leer! Ich brauche den Platz!« – »Wo ist die Stromrechnung? Sie lag auf dem Tisch!« – »Hör zu, dann weißt du auch, was ich meine!«

Harald trauerte um ein Wesen, das er noch nicht kannte, Anne um einen Sohn, den sie zehn Jahre lang geliebt hatte. Er trauerte um ein Leben, das er gerade wieder neu beginnen wollte, sie um ein Leben, das sie für immer verloren hatte.

Anne wurde den Gedanken nicht los, dass Felix eines Tages wiederkommen könnte. Und dann durfte sein Platz in ihrem Haus nicht besetzt sein. Harald konnte sich eher vorstellen, dass ein Meteorit in ihrem Garten einschlagen als dass Felix eines Tages lebendig vor der Tür stehen könnte.

Vielleicht war sie nach Italien gefahren, um Harald zu beweisen, dass sie ihn finden würde. Tot oder lebendig. Wahrscheinlich wollte auch sie endlich einen Schlussstrich ziehen und damit ihre Ehe retten. Aber bis dahin war es noch ein langer Weg.

54

Kai hatte hin und her überlegt, ob er noch einmal zu Hause vorbeifahren sollte, um sich zu rasieren und ein frisches Hemd anzuziehen. Schließlich drückte er aufs Gas und machte doch noch den Umweg über Siena. Das würde ihn zwar mindestens anderthalb Stunden kosten, aber er hatte gehört, dass bei Fiamma das äußere Erscheinungsbild sehr viel ausmachte. Fiamma war eine harte Nuss. Man sagte ihr nach, das Schlimmste sei ihre Unberechenbarkeit. Es hing alles von ihrer Laune ab. Ob man freundlich empfangen wurde und Fiamma sich für eine Idee begeisterte oder ob man nach fünf Minuten wieder vor die Tür gesetzt wurde, war reine Glückssache.

Kai hoffte, dass Fiamma heute ausnahmsweise mal nicht mit dem falschen Bein aufgestanden war, und besorgte in der Nähe seiner Wohnung in der Via di Salicotto bei einem kleinen, sündhaft teuren Alimentarihändler noch schnell eine Flasche Grappa für den Bürgermeister und in einem Blumengeschäft einen Topf mit weißen Margeriten für Fiamma.

Unter einem Berg Decken vollkommen verschwunden, was jetzt im Sommer eine Tortur sein musste, schlief Allora immer noch. Sie schlug um sich, als er sie sanft wachrüttelte, und erst, als sie ihn erkannte, strahlte sie und sagte »allora«, was so viel hieß wie: »Guten Morgen, was machen wir heute? Egal, ich bleibe auf alle Fälle bei dir.«

Er verstand sie genau und sagte: »Nein, ich bringe dich jetzt nach Hause. Ich muss sowieso mit Fiamma reden. Zieh dich an, dann fahren wir los.«

Alloras Augen blitzten. Zornig und voller Angst, dass er sie loswerden wollte. Aber sie sagte nichts, sondern zog sich ihr Kleid über, ging in die Küche, riss den Kühlschrank auf, nahm eine Flasche heraus, setzte sie an den Hals und trank sie in einem Zug leer.

Kai kam erst dazu, als sie den letzten Schluck nahm. »Bist du verrückt?«, schrie er. »Das war Wein!«

Allora zuckte die Achseln, ließ die Flasche fallen, die auf dem Steinfußboden zerbrach, rannte gegen den Tisch und rülpste »allora«, während sie aus der Küche stolperte.

Von da an trottete sie ohne ein weiteres Wort friedlich hinter ihm her.

Als sie in San Vincenti ankamen, sah Kai gerade noch, wie der Bürgermeister aus seinem Haus stürmte und in seinem kleinen grünen Fiat mit quietschenden Reifen davonfuhr. Kai parkte seinen Wagen kurz vor dem Haus des Bürgermeisters, Allora sprang aus dem Auto und war augenblicklich verschwunden. Es war Kai ganz recht, er wollte sie bei dem Gespräch sowieso nicht dabeihaben, da er nicht wusste, wie sie reagieren würde, wenn sie erfuhr, dass die Ruine ihrer geliebten Nonna verkauft werden sollte.

Kai setzte sein charmantestes Lächeln auf, als er den Türklopfer betätigte, man konnte ja nie wissen, ob man nicht bereits beobachtet wurde.

Wenige Sekunden später flog die Tür auf, und Fiamma brüllte: »Buongiorno«, was klang, als würde man einen Hammer in eine Blechschüssel fallen lassen.

Kais »Buongiorno« war umso sanfter, was Fiamma augenblicklich versöhnlich stimmte.

Sie trug ein viel zu enges, geblümtes Kleid, ihre langen schwarzen Haare waren wüst nach oben gesteckt und wirkten wie ein zerstörtes Vogelnest. Ihre leuchtend roten Lippen gaben ihrer stolzen Gestalt eine gewisse Strenge.

»Was wollen Sie?«, fragte sie viel zu laut.

»Mi scusi, Signora«, sagte er. »Mein Name ist Kai Gregori, ich bin Makler aus Siena, und ich habe eine Frage. Es geht um das Haus der verstorbenen Giulietta, um Casa Mèria.«

»Fünf Minuten«, meinte Fiamma. »Mehr Zeit habe ich nicht. Aber kommen Sie um Gottes willen rein, es muss ja nicht die ganze Straße mithören.«

Kai bedankte sich mit einem Lächeln, sagte: »Permesso« und folgte Fiamma ins Haus.

Im Flur überreichte er ihr die Margeriten und den Grappa. »Für Sie und Ihren Mann.«

»Danke«, meinte sie kurz und legte beides auf eine Kommode im Flur. »Kommen Sie mit.«

Im Wohnzimmer setzte sie sich auf eine ihrem Kleid ähnlich geblümte Couch, die beiden Blumenmuster waren irritierend. Sie versank fast völlig in den weichen Kissen, und als sie die Beine übereinander schlug, waren ihre Knie höher als ihre Brust.

Mein Gott, wie unbequem, dachte Kai und hockte sich nur auf die Sesselkante.

»Wunderschön haben Sie es hier«, sagte er, und Fiamma lächelte geschmeichelt.

»Schießen Sie los«, forderte sie ihn auf und machte wieder ein grimmiges Gesicht.

»Es geht um Casa Mèria der verstorbenen Giulietta. Meines Wissens gehören Haus und Grundstück der Gemeinde San Vincenti. Ich habe einen Interessenten, der die Ruine kaufen möchte.«

»Wen?«

»Enrico Pescatore. Er ist ein Deutscher, aber er lebt seit vielen Jahren in Italien und hat schon mehrere Ruinen wieder aufgebaut. Ausschließlich mit alten Materialien. Sehr liebevoll, sehr schön.«

Fiamma winkte ab. Um die Schönheit ging es ihr nicht. »Porcamiseria! Ein Deutscher. Schon wieder ein Deutscher. Überall sind Deutsche und Amerikaner. Das ist ja fürchterlich. Möchten Sie was trinken?«

»Gerne. Ein Glas Wasser, bitte.«

Fiamma versuchte, sich aus der Couch zu wuchten, dazu musste sie die Beine spreizen, um sich hochzustemmen. Kai wusste gar nicht, wo er hingucken sollte, es war ihm schrecklich unangenehm, und er verfluchte sich insgeheim, dass er ein Glas Wasser gewollt hatte.

»Die Deutschen kaufen eigentlich nur die Ruinen, die so einsam liegen, dass kein Italiener sie haben will«, sagte er, um die Peinlichkeit zu überspielen. »Und dann bauen sie die Häuser wieder auf und machen Schmuckstücke daraus. Manchmal denke ich, sie geben sich dabei noch mehr Mühe als die Italiener, weil ihnen die Schönheit dieser Gegend viel bewusster ist. Die Italiener, die von Geburt an hier leben, kennen es ja gar nicht anders und wissen es viel weniger zu schätzen.«

Fiamma holte aus der angrenzenden Küche eine Karaffe Wasser und zwei Gläser. »Madonna, was reden Sie für einen Unsinn«, knurrte sie.

Kai zuckte zusammen. Das war drastisch. Er wusste sich nicht anders zu helfen und ging sofort zum Angriff über.

»Wollen Sie überhaupt verkaufen?«

»Sicher.« Fiamma trank ihr Glas in einem Zug leer.

»Und wie viel soll die Ruine kosten?«

»Fünfundzwanzigtausend«, sagte Fiamma und ließ sich schon wieder ins Sofa fallen. »Aber ich verkaufe nicht an einen Deutschen.«

Kai war entzückt über den niedrigen Preis – er hatte mit mehr gerechnet –, aber Fiamma war ein verdammt harter Brocken.

Kai holte tief Luft, irgendetwas musste ihm jetzt einfallen. »In diesem Fall ist es ein bisschen anders«, begann er. »Enricos Vater war Italiener und hieß Alfredo Pescatore. Er hatte eine deutsche Frau, und die Familie lebte in der Nähe von Palermo. Als Alfredo, der Maurer war, vom Gerüst fiel und tödlich verunglückte, ging seine Frau mit den Kindern zurück nach Deutschland. Die Sehnsucht nach Italien ließ Enrico sein ganzes Leben nicht los, aber erst als er Ende dreißig war, konnte er seinen Traum verwirklichen und nach Italien zurückkehren. Die Toscana liebte er ganz besonders, darum fing er an, hier alte Häuser oder Ruinen zu restaurieren.«

»Aha. Er ist also im Grunde ein Italiener.« Fiamma zündete sich eine extrem dünne Zigarette an, die nur den Durchmesser eines Strohhalms hatte und in ihren derben Fingern mit den klobigen Ringen albern wirkte. »Soso.«

»Er liebt Italien, Italien ist seine Heimat. Und er hat eine ganz entzückende Frau, die sich sozial sehr engagiert. Ich bin sicher, dass sie sich auch in San Vincenti nützlich macht.«

Dieses Argument zog. Für soziales Engagement war Fiamma sehr empfänglich, und sie wurde nachdenklicher. Kai wusste, dass er dabei war, sie langsam weich zu kochen.

»Im Moment haben die beiden allerdings ein Problem, da sie ihr Haus verkauft und kein Dach überm Kopf haben.«

»Junger Mann«, sagte Fiamma und rekelte sich wieder umständlich aus der Couch hoch, »ich sagte fünf Minuten, und vier Minuten sind um. Aber meinetwegen kann dieser Enrico die Ruine haben. Für dreißigtausend. Denn ich kenne die beiden ja gar nicht.«

»Abgemacht«, triumphierte Kai und grinste. Fiamma war ein Schlitzohr, aber letztendlich hatten sie beide gewonnen.

Fiamma zog ihr Kleid glatt, fuhr sich mit der Hand durch die wüste Frisur, was keinerlei Wirkung hatte, und lächelte. »Junger Mann, ich hab vergessen, wie Sie heißen?«

»Kai. Kai Gregori. Ich wohne in Siena, und da habe ich auch mein Büro.«

»Kai… Porcamadonna…, das ist doch kein Name! Das ist eine Abkürzung. Aber wovon?«

»Nein, nein, das ist keine Abkürzung, das ist ein Name, ein deutscher Name«, fügte er leise hinzu. Jetzt war er doch verunsichert.

Fiamma lächelte immer noch. »Also gut, Kai ..., eins sollten Sie wissen. Wenn Sie nicht so furchtbar nett und so verdammt tüchtig wären, und wenn Sie nicht so wundervolle blaue Augen hätten ..., dann würde ich die Ruine vielleicht nicht an diesen Enrico verkaufen.«

Kai saß immer noch im Sessel, und Fiamma baute sich jetzt vor ihm auf. Zum ersten Mal hatte er Fluchtgedanken. Wer weiß, was Fiamma noch alles einfiel, wenn er nicht schleunigst machte, dass er wegkam.

Sie beugte sich zu ihm hinunter und hauchte ihm direkt ins Gesicht.

»Wie wär's mit einem kleinen Schluck? Finden Sie nicht, dass wir etwas zu feiern haben?«

»Natürlich«, meinte Kai so gelassen wie möglich, »aber ist es dazu nicht noch ein bisschen früh? Es ist gerade mal elf, und außerdem muss ich noch fahren.«

Fiamma lachte laut auf. »Man merkt, dass Sie kein Italiener sind.«

»Sagten Sie nicht, Sie wären in Eile?«

Fiamma öffnete seine Flasche Asti Spumante. »Für Geschäfte nehme ich mir immer Zeit.« Sie nahm aus einem dunkelbraunen, glatt geschliffenen, glänzenden Wandschrank zwei Sektkelche und schenkte sie voll. Dann setzte sie sich zu Kai auf die Sessellehne. Ihre pralle Brust war direkt vor seinen Augen, was er fast als Vergewaltigung empfand. Fiamma drückte ihm ein Glas in die Hand.

»Salute!«

Sie stießen an und tranken. Kai versuchte, sich auf Monica Benedetti zu konzentrieren. Vielleicht konnte er sie ja per Gedankenübertragung dazu animieren, ihn anzurufen. Aber so sehr er sich auch anstrengte, sein Handy klingelte nicht.

»Sie sind hier in San Vincenti immer herzlich willkommen, Kai«, schnurrte Fiamma und sprach das »a« und das »i« einzeln aus, was komisch klang.

»Das ist sehr freundlich, Signora …« Kai war äußerst vorsichtig.

»Fiamma. Nennen Sie mich Fiamma«.

»Gut. Fiamma.«

»Wissen Sie, mein Mann hat furchtbar viel Arbeit und ist viel unterwegs …«

»Ich werde sicher bald mal wiederkommen, spätestens zum Compromesso …, aber jetzt muss ich los, ins Büro …« Er zog eine Visitenkarte aus seiner Jackettasche. »Hier meine Karte. Sie können mich jederzeit anrufen.«

Fiamma schob sich mit einem Augenaufschlag die Karte in den Ausschnitt.

Kai trank sein Glas aus, stellte es auf den Couchtisch aus blauen und weißen Kacheln und stand auf. Er reichte Fiamma die Hand, aber sie hielt ihm die Wange hin.

»Es hat mich sehr gefreut.« Er küsste sie auf beide Wangen.

»Mich auch«, flüsterte sie.

Kai ging zur Tür. »Wir sehen uns«, sagte er noch und: »Ciao, Fiamma.«

Über diese Vertraulichkeit war sie ganz entzückt und winkte ihm nach, als er zügig durch den Vorgarten ging, in sein Auto stieg und ähnlich fluchtartig startete und losfuhr wie der Bürgermeister, der kurz zuvor sein Haus verlassen hatte.

55

Als Enrico Carla auf dem Bahnsteig in Montevarchi in den Arm nahm und auf die Wange küsste, war der erste Satz, den er zu ihr sagte: »Ich hab eine gute und eine schlechte Nachricht für dich.«

Sie sah ihn ängstlich und auch ein bisschen skeptisch an. »Was ist passiert?«

»Ich habe Valle Coronata verkauft«, sagte er und lächelte. »Jedenfalls so gut wie. Wir gehen in den nächsten Tagen zum Notar.« Sie war leichenblass, und er überlegte, ob es an dem lag, was er ihr gesagt hatte.

»Und jetzt die gute Nachricht.« Ihre Stimme klang zerbrechlich und kalt.

»Die Frau, die das Tal kauft, ist sehr nett.«

»Wie soll ich das verstehen?«

»So, wie ich es sage. Ich rede nie durch die Blume und nie um den heißen Brei herum. Das weißt du doch.«

Sie sah ihn an, und ihr Blick sagte nur den einen Satz, den er so deutlich empfand, als sei er ihr auf die Stirn geritzt: Du bist gemein.

»Im Moment wohnt sie bei uns in der Mühle«, fuhr er fort. Jetzt war es sowieso egal. Jetzt hatte er ihr das Schlimmste bereits gesagt, jetzt konnte sie ruhig alles erfahren. »Sie hat sich in Deutschland von ihrer Familie eine Auszeit genommen und hat sich auf Anhieb in Valle Coronata verliebt. Ich denke, es stört dich sicher nicht, wenn sie in der Mühle bleibt, bis wir ausziehen. Sie müsste ja sonst ins Hotel, und ich glaube, wenn sie den Kaufpreis bezahlt hat, ist sie pleite.« Er lachte.

Carla lachte nicht. »Und wo sollen wir dann wohnen?«

»Ich habe bereits eine wundervolle Ruine gefunden. Sie wird dir gefallen. Wir gehen nächste Woche zum Notar. Ich schätze, vier Wochen …, dann habe ich ein, zwei Zimmer fertig, in denen wir uns provisorisch einrichten können. Den Rest baue ich dann in Ruhe.«

Carla schwieg. Enrico zog sie kurz an sich. »Es ist Sommer, Carla. Da leben wir sowieso nur draußen. Wenn du willst, können wir auch unter freiem Himmel schlafen.« Er nahm ihr Gepäck. »Komm, lass uns gehen.«

Sie trottete stumm neben ihm her, und er wusste, was sie jetzt dachte. Warum tust du das alles, ohne mich zu fragen? Ohne es mit mir zu besprechen! Warum stellst du mich immer vor vollendete Tatsachen? Warum redest du nie mit mir, wenn du unserem Leben eine komplett andere Richtung geben willst? Sicher dachte sie so, aber sie sagte es nicht. Sie war nicht in der Lage, ihm Vorwürfe zu machen, sondern so grenzenlos enttäuscht, dass jedes Wort zu nichtig, zu klein gewesen wäre.

Jede andere Frau hätte ihr Gepäck genommen und wäre mit dem nächsten Zug zurück nach Deutschland gefahren. Aber nicht Carla. Carla tat seit vielen Jahren alles, was er von ihr verlangte, und ertrug stoisch, was er ihr zumutete. In manchen Nächten, wenn er allein war und bei absoluter Dunkelheit am Tisch saß, um besser denken zu können, hatte er überlegt, ob dies Carlas Stärke oder Schwäche war. Er wusste es nicht. Aber es war wichtig für ihn, dass sich zumindest daran nichts änderte.

»Wie geht es deinem Vater?«

»Schlecht«, sagte sie. »Er leidet sehr darunter, dass ich wieder nach Italien gefahren bin.« … Und es wäre besser gewesen, wenn ich bei ihm geblieben wäre, jetzt, wo du mein geliebtes Tal verkauft hast …, hätte sie eigentlich noch hinzufügen wollen, aber sie tat es nicht.

Enrico nickte. Der Satz klang ihm ohnehin in den Ohren. Er hatte mit den Jahren gelernt, alles zu hören, was sie verschwieg, hinunterschluckte oder mühsam in sich hineinfraß.

Als sie im Tal ankamen, hatte Anne den Tisch unterm Nussbaum gedeckt und das Abendbrot vorbereitet, und Enrico beschloss, den beiden Frauen das Feld zu überlassen. Er wollte sich aus allem heraushalten.

Carla begrüßte Anne freundlich und distanziert, Anne versuchte, sich so oft wie möglich mit Carla solidarisch zu zeigen, und war um einen besonders herzlichen und warmen Ton bemüht. Dennoch war die Atmosphäre äußerst unangenehm.

Carla stocherte in ihrem Salat herum, als würde er vor Maden nur so wimmeln, und würgte dann an einem Stück Käse, als sei es aus Hartgummi. Als sie es endlich heruntergeschluckt hatte, murmelte sie »Entschuldigung« und rannte ins Haus.

»Willst du nicht nach ihr sehen?«, fragte Anne Enrico.

Enrico schüttelte den Kopf. »Es ist schon in Ordnung. Das hat sie manchmal.«

Anne stieg die toscanische Treppe hinauf und konnte von der Terrasse aus durch die verglaste Tür ins Schlafzimmer sehen. Carla saß auf dem Bett und weinte. Anna klopfte an die Tür. »Carla, kann ich reinkommen?«

Carla sah sie aus verweinten Augen wütend an, stand auf und zog die Gardine vor der Terrassentür mit einem Ruck zu. Das war deutlich. Anne hörte, dass das Schluchzen wieder einsetzte, und ging langsam die Treppe hinunter.

Enrico war es egal. Carla musste sich eben mal richtig ausweinen. Das konnte nicht schaden. Er war rundum zufrieden. Es war gut und richtig, dass Anne Valle Coronata kaufte, und Carla würde es irgendwann verstehen und ihm verzeihen. So wie sie ihm bisher immer alles verziehen hatte.

56

Kai kannte Dottore Bartolini, den Notar in Montevarchi, sehr gut, er wickelte all seine Immobiliengeschäfte über ihn ab. Er hatte mehrmals mit Bartolini telefoniert, die Kaufverträge aufsetzen lassen und mit Anne jede Passage durchgesprochen. Anne war ihm dankbar dafür, sie machte sich am Rand der Kopie Notizen, obwohl sie sich ihrer Sache völlig sicher war. Sie vertraute sowohl Kai als auch Enrico absolut.

Enrico lehnte es ab, die Verträge vorher zu lesen. »Misstrauen ist keine gute Geschäftsgrundlage«, sagte er. »Wenn ich der Meinung wäre, dass ich betrogen werde, sollte ich nicht in diesem Land leben.«

»Fiamma ist raffiniert«, meinte Kai, »sie hat ein paar Passagen ändern lassen, ich würde sie dir gern erklären.«

»Ich werde es ja hören, wenn der Notar den Vertrag vorliest«, bremste Enrico. »Ich habe wirklich Wichtigeres zu tun, als mich schon vorher mit schrecklichen Verträgen zu befassen. Am liebsten würde ich alles mit Handschlag regeln.«

Er ist wirklich nicht von dieser Welt, der Spinner, dachte Kai zum wiederholten Mal, denn er wusste ganz genau, dass Enrico beim Durchlesen der Verträge höchstens die Hälfte, beim nuscheligen Vorlesen Bartolinis wahrscheinlich kein einziges Wort verstehen würde.

Die beiden Notariate fanden am selben Tag unmittelbar hintereinander statt. Anne trug ein leichtes Sommerkleid mit blassrosa Blumenmuster, das genau zu ihrer Stimmung passte. So leicht und glücklich hatte sie sich seit Felix' Verschwinden nicht mehr gefühlt. In ihrer Handtasche war ein bankbeglaubigter Scheck über hundertachtzigtausend Euro, Enrico hatte wahrhaftig darauf bestanden, noch zwanzigtausend Euro mit dem Preis runterzugehen.

Enrico trug eine dunkle Cordhose und ein auberginefarbenes Hemd, seine Haare waren frisch gewaschen und lockten sich am Hinterkopf, aber er sagte nicht viel. Er lächelte nur und reichte allen Anwesenden schweigend die Hand.

Er sieht aus wie ein Italiener, dachte Anne, ich muss ihn bei Gelegenheit mal nach seinen Eltern fragen. Es kann einfach nicht sein, dass nicht wenigstens ein kleiner Teil römischen oder neapolitanischen Blutes in seinen Adern fließt.

Im Kaufvertrag stand die Fantasiesumme von sechzigtausend Euro, um Notarkosten und Steuern zu sparen. »Das ist nichts Besonderes, das wird überall in Italien so gemacht«, beruhigte Kai Anne. »Und zwar ganz offen, vor den Augen der Notare.« Anne war darüber erschrocken und amüsiert zugleich.

»Dunque«, sagte Bartolini, lächelte breit, sah jeden der Anwesenden eindringlich an, indem er über den Brillenrand blickte, und begann zu lesen. Jeder zweite Satz wurde von ihm kommentiert, jede Bemerkung begann mit »dunque«, was so viel hieß wie »also« und offensichtlich sein erklärtes Lieblingswort war.

Anne verstand kein Wort. Während des Lesens und Erklärens, das bestimmt eine halbe Stunde in Anspruch nahm, gab sich Anne ihren Träumen hin und wartete auf den Moment, in dem Valle Coronata endlich ihr gehörte.

»Dunque«, sagte Bartolini. »Altre domande?« Kai sah Enrico und Anne fragend an, Enrico schüttelte den Kopf, und Anne tat es ihm nach.

Daraufhin fragte der Notar noch einmal, ob beide mit der Verkaufssumme von hundertachtzigtausend Euro einverstanden seien, anschließend nahm er den bankbeglaubigten Scheck, prüfte ihn lange, legte ihn mitten auf den Tisch und ließ Enrico, alias Alfred Fischer, und Anne Golombek unterschreiben. Danach wurden die beiden Ausfertigungen des Compromesso, des Vorvertrags, in dem die tatsächliche Kaufsumme vermerkt war, feierlich in tausend Schnipsel zerrissen. Fotokopien hatten vor Gericht keine Gültigkeit.

Enrico steckte den Scheck in seine Hosentasche. Einfach so, als wäre es ein ganz gewöhnliches Stück Papier. Annes Herz klopfte bis zum Hals. Ihr Gesicht glühte vor Freude. Jetzt gehörte ihr Valle Coronata, und ein neues Leben begann.

Vor der Tür umarmte sie Enrico mit großer Herzlichkeit. Sie hatte das Gefühl, endlich einmal Glück gehabt zu haben. Glück, das darin bestand, diesem sonderbaren, aber so wunderbaren Mann begegnet zu sein.

Anne wartete in einem Café, bis auch der Vertrag zwischen Fiamma und Enrico unter Dach und Fach war. Anschließend lud Fiamma alle zusammen noch zu einem Glas Prosecco ein. Sie hatte grellrot geschminkte Lippen und küsste Kai und Enrico auf die Wangen, sodass beide mit ihren roten Lippenstiftflecken ziemlich albern aussahen. Dann gab sie Kai einen freundschaftlich-anzüglichen Klaps auf den Hintern und flüsterte, indem sie ihn einfach duzte: »Dein Freund Enrico gefällt mir, er gefällt mir sogar sehr, obwohl …, für einen Halbitaliener kann er verdammt schlecht Italienisch. Und dieser fürchterliche Akzent!« Sie raufte sich die kunstvoll frisierten Haare und sah nun endlich wieder so wüst aus wie gewohnt.

Kai zuckte die Achseln. »Frag ihn, woran das liegt. Ich hab keine Ahnung.«

Fiamma schwang die Hüften und tänzelte mit ihrem Sektglas zu Enrico. »Wie geht es Ihrer Frau?«, schnurrte sie und sah ihm tief in die Augen.

»Gut«, sagte Enrico. »Aber sie fühlte sich heute Morgen nicht wohl, deshalb ist sie zu Hause geblieben.«

»Woher können Sie so gut Italienisch?«, fragte sie prompt und schenkte ihm ein breites Lächeln.

Enrico war einen Moment irritiert. Er wusste, dass sein Italienisch mehr als zu wünschen übrig ließ. Wollte Fiamma ihn auf den Arm nehmen oder einfach nur nett sein? Zum Glück war er von Kai über dessen Notlüge vorgewarnt worden.

»Mein Vater war Hafenarbeiter in Palermo«, erklärte er ohne zu zögern. »Meine Eltern hatten eine winzige Wohnung am Meer, die ich aber nur von Fotos kenne. Erinnern kann ich mich daran nicht, denn als ich drei Jahre alt war, fing mein Vater ein Verhältnis mit der Bedienung einer kleinen Fischbraterei an, und meine Mutter ging mit mir zurück nach Deutschland. Sie war so wütend und verletzt, dass sie nie wieder ein Wort Italienisch sprach.«

»Ich dachte, Ihr Vater verunglückte tödlich, als er vom Gerüst fiel?«, meinte Fiamma irritiert.

»Nein, nein.« Enrico schenkte Fiamma sein charmantestes Lächeln. »Er brannte mit dieser Frau durch. Aber für meine Mutter war er so gut wie tot, und sie schämte sich auch, verlassen worden zu sein, deshalb erzählte sie lieber die erfundene Geschichte von einem Unglück. Und ich habe die Geschichte manchmal übernommen, ohne mir viel dabei zu denken.«

Dieses schwere Schicksal, verbunden mit einer Notlüge der armen Verlassenen, beeindruckte Fiamma noch mehr. »Sie Armer!«, schmachtete sie. »Was hatten Sie doch für eine schreckliche Vergangenheit! Haben Sie noch Kontakt zu Ihrem Vater?«

»Nein, er ist seit zehn Jahren tot«, sagte Enrico. »Er wurde im Hafen von einem herabstürzenden Container erschlagen.«

Fiamma verstummte. Hatte dieser junge Makler also doch die Wahrheit gesagt. Sie war eigentlich davon ausgegangen, belogen worden zu sein. Aber das, was Enrico alles erzählte, glaubte sie sofort, und es rührte sie zutiefst.

»Ich werde Sie in Casa Mèria ab und zu besuchen, wenn ich darf?«, meinte Fiamma zuckersüß und fuhr sich mit dem angefeuchteten Mittelfinger unter den Augen entlang, um eventuell verschmiertes Make-up wegzuwischen.

»Aber natürlich«, log Enrico, »Sie sind jederzeit herzlich willkommen.« Dabei war diese Ankündigung für ihn die schlimmste Drohung, die Fiamma aussprechen konnte. Überraschungsbesuche konnte er überhaupt nicht gebrauchen, wenn er ein neues Haus baute. Auch Anne war ein Unsicherheitsfaktor. Sie würde einsam sein in Valle Coronata und sich langweilen. Sicher würde sie ab und zu auf die Idee kommen, ihn und Carla zu besuchen. Es gab nur einen Ausweg: Er musste sein Handy von nun an den ganzen Tag über eingeschaltet lassen, damit sich etwaige Besucher vorher anmelden konnten. Obwohl er nichts so sehr hasste, als wenn das Telefon klingelte. Außerdem bestand die Gefahr, dass

Carla anfing zu telefonieren, sich zu verabreden, mit irgendjemandem zu treffen und dummes Zeug zu erzählen. Das wollte er nicht. Das musste er verhindern. Noch hatte er keine Idee, was er machen konnte, aber er befürchtete, dass er nie wieder so ungestört leben würde wie in Valle Coronata, und das machte ihn nervös. Vielleicht war es doch ein Fehler gewesen, das Tal zu verkaufen.

57

Carla hatte den Tisch gedeckt, eine Flasche Wein aufgemacht und Panzanella vorbereitet, ein bäuerliches Resteessen, das Enrico besonders liebte: altes Weißbrot, aufgeweicht, ausgedrückt und zerkrümelt, dazu Zwiebeln, Tomaten, Sellerie, Basilikum, Salz, Pfeffer, Essig und Öl. Das Ganze ergab einen sommerlichen Brotsalat, der würzig, säuerlich und frisch schmeckte und noch dazu satt machte. Der Pfiff einer Panzanella war allerdings der Thunfisch, der ebenso hineingehörte, den Carla aber weglassen musste, da Enrico ihn nicht aß. Er verabscheute die brutalen Fangmethoden der Thunfischfänger und wollte nicht schuld sein am Tod und Leid der Fische.

»Ist es passiert?«, fragte Carla kühl, als Enrico und Anne den Weg heraufkamen.

»Ja, es ging alles völlig problemlos.« Enrico wirkte erleichtert.

»Glückwunsch«, meinte Carla vollkommen resigniert zu Anne.

Anne umarmte Carla, die es mit sich geschehen ließ. »Ich bin so glücklich …, und es tut mir so Leid, dass du darunter leidest.«

»Schon gut«, sagte Carla. »Man kann nicht alles haben.« Sie goss in jedes der Gläser ein bisschen Wein. »Lasst uns zur Feier des Tages anstoßen. Weil wir jetzt obdachlos sind.«

»Irrtum«, sagte Enrico, »wir sind jetzt Besitzer einer wunderschönen, bis auf die Grundmauern heruntergebrannten Ruine.« Er fand Gefallen an seiner Ironie, Carla blieb ernst. Die drei prosteten sich zu und tranken einen Schluck.

»Ach übrigens«, meinte Carla zu Enrico, »in der Mühle ist eine Schlange. Ich habe die Türen zugemacht, damit sie nicht raus kann. Vielleicht fängst du sie, bevor wir die ganze Flasche Wein ausgetrunken haben.«

»Aber es wäre doch gar nicht verkehrt, wenn sie wieder rauskriecht?« Anne leuchtete Carlas Logik nicht ganz ein. »Oh, mein Gott, ich muss da heute Nacht schlafen!«

»Tja«, meinte Carla, und zum ersten Mal lächelte sie sogar, »das gehört alles auch zum Leben in Valle Coronata.« Sie ging ins Haus und kam unmittelbar danach mit zwei großen, selbst abgefüllten Wasserflaschen wieder. »Es ist doch ganz einfach. Wenn ich die Tür zumache, weiß ich, dass die Schlange noch da ist. Lasse ich sie offen, bin ich ewig unsicher, wenn Enrico sie nicht auf Anhieb findet. Ich kann ja nicht stundenlang dasitzen und die Tür beobachten!«

Anne nickte. Sie hatte sowohl den Seitenhieb als auch den Grund für Carlas Verhalten verstanden.

»Was für eine Schlange?«, fragte Enrico. »Eine Natter oder eine Viper?«

Carla zuckte die Achseln. »Genau weiß ich das nicht. Aber sie ist ziemlich lang. Wird wohl eine Natter sein. Eine Zornnatter vielleicht.« Sie wandte sich an Anne. »Die Zornnattern greifen sofort an und beißen fürchterlich. So ein Biss gibt ekelhafte Wunden, die nur schwer heilen, aber er ist wenigstens nicht giftig.«

Enrico rannte los. Er holte einen großen Pappkarton und einen Stock aus dem Magazin und stürmte in die Mühle. Anne folgte langsam.

»Wie tötest du sie? Mit diesem Stock? Wäre ein Spaten nicht besser?«

»Ich töte sie gar nicht«, sagte Enrico. »Ich fange sie und bringe sie zurück in den Wald. Und hoffe, dass sie nicht so bald wiederkommt.«

Anne seufzte. In dieser Nacht würde sie weniger gut schlafen.

Enrico durchsuchte die Mühle Stück für Stück, Meter für Meter.

»Bleib in der Tür stehen«, rief er Anne zu. »Und wenn sie abhaut, sag mir Bescheid.«

Es dauerte zwanzig Minuten, bis er die Schlange fand, die sich zwischen einer Bücherkiste, einem Holzkorb und der Kaminumrandung zusammengerollt hatte. Es war unmöglich, sie in dieser Position in den Pappkarton zu bugsieren. Also scheuchte er sie auf und stupste sie mit dem Stock so lange, bis sie sich nicht länger zusammenrollte, sondern endlich flüchtete. Sie schlängelte sich an einem Regal hoch, wand sich um eine tönerne Löwenstatue und versuchte dann, über den Teppich in Richtung Treppe zu flüchten. Enrico schnitt ihr mit dem Stock immer wieder den direkten Weg ab, bis sie keine andere Chance mehr hatte und in den Pappkarton kroch. Enrico riss den Pappkarton hoch, lief aus der Mühle und rannte im Laufschritt den Berg hoch in den Wald.

Anne ging zu Carla und setzte sich zu ihr unter den Nussbaum an den Tisch.

»Manchmal ist es gut, einen Mann im Haus zu haben«, sagte Carla leise und fischte einzelne Selleriestückchen aus der Panzanella.

»Und manchmal ist es besser, keinen im Haus zu haben«, meinte Anne.

Carla musste lächeln, Anne ebenfalls. Das Eis war gebrochen.

Als die Sonne untergegangen war, wurde es schlagartig sehr kühl. Anne und Carla zogen sich nach dem Essen dicke Jacken und dicke Socken an, um draußen sitzen bleiben zu können. Enrico blieb barfuß und im kurzen Hemd und behauptete, nicht zu frieren. Es regnete nicht, aber ein böiger Abendwind wehte ums Haus, sodass die Tischdecke mit Steinen beschwert werden musste. Der Nussbaum rauschte und erinnerte Anne an windige Tage am Meer.

Carla kochte heißen Tee und holte Butterkekse aus der Küche. Enrico saß weit zurückgelehnt auf seinem Stuhl und hatte die Augen geschlossen, als meditiere oder träume er. Carla goss Enrico, Anne und sich Tee ein und faltete erwartungsvoll die Hände.

»Warum bist du hier?«, fragte sie. »Warum hast du Valle Coronata gekauft? Ich versuche gerade, mich mit dem Gedanken anzufreunden, irgendwo anders wieder ganz von vorn zu beginnen, und wenn es Enrico Spaß macht, wieder ein Haus aufzubauen, dann ist es auch gut so … Aber ich wüsste doch gerne, warum eine Frau wie du sich hier in dieser Dunkelheit und Einsamkeit verkriechen will. Ohne Mann, der einem die Schlangen aus dem Zimmer fängt.«

»Ich habe vor zehn Jahren meinen Sohn verloren«, sagte Anne leise. »Felix. Er war zehn Jahre alt. Ein kleiner, zarter, blonder Junge. Wir haben Urlaub in La Pecora gemacht, das ist nicht weit von hier.«

»Ich kenne La Pecora«, bemerkte Carla schnell, um Anne nicht zu unterbrechen. »Enrico hat es restauriert.«

Enrico schlug die Augen auf. Anne sah ihn an, aber er erwiderte ihren Blick nicht, sondern starrte in die Dunkelheit.

»Es war Karfreitag 1994. Felix hat draußen am Bach gespielt, circa hundert Meter vom Haus entfernt. Noch vor Einbruch der Dunkelheit haben wir ihn zum Abendessen gerufen, aber er kam nicht. Wenige Minuten später setzte ein fürchterliches Gewitter ein, es war kalt und windig, es schüttete wie aus Eimern, Felix trug nichts weiter als Shorts und ein T-Shirt. Harald, mein Mann, ist sofort losgerannt, um ihn zu suchen. Er hat die ganze Nacht gesucht und noch weitere zwei Wochen. Rund um die Uhr. Aber er hat ihn nicht gefunden.«

»Habt ihr die Polizei eingeschaltet?«, fragte Carla. Man sah ihr deutlich an, dass ihr das, was Anne sagte, sehr nahe ging.

»Natürlich. Am nächsten Morgen haben Polizisten mit Hunden den ganzen Wald durchgekämmt, Taucher haben im See gesucht … Die Aktion dauerte ein paar Tage, aber sie haben nichts gefunden. Nicht den geringsten Hinweis. Keine Spur. Nichts von seiner Kleidung. Gar nichts. Nach zwei Wochen mussten wir zurück nach Hause, und ich habe Felix bis heute nicht wieder gesehen.«

»Und das hältst du nicht aus«, flüsterte Carla. »Dieses Nichtwissen, was mit ihm passiert ist …?«

Anne nickte.

»Jetzt bist du hier, weil du glaubst, dem Geheimnis vielleicht doch irgendwie auf die Spur zu kommen?«

Anne nickte und blickte zu Boden.

Carla legte ihre Hand auf Annes. Endlose Sekunden sagte niemand ein Wort. Anne starrte in ein Windlicht, in dem Mücken knisternd verbrannten. Und dann erzählte sie von den Ostertagen vor zehn Jahren, als Felix verschwand.

Als sie fertig war, lief sie ins Haus, um ein Bild von Felix zu holen.

Enrico wusste ganz genau, von wem sie sprach. Er hatte den besagten Karfreitag vor zehn Jahren, als ihm das Gewitter den Jungen geradezu in die Arme getrieben hatte, nie vergessen. Das gibt es nicht, dachte er fassungslos, das darf nicht wahr sein. Da habe ich vor wenigen Stunden das Haus an die Mutter dieses Jungen verkauft? Was für ein Wahnsinn! Und jetzt will sie hier leben …, ganz in seiner Nähe?

Anne kam mit dem Foto zurück und legte es auf den Tisch.

»So sah er damals aus. Wenn ich nur wüsste, ob er noch lebt oder nicht. Ob er an diesem Karfreitag ermordet und irgendwo vergraben oder ob er entführt worden ist. Vielleicht haben ihn Kinderhändler irgendwohin verkauft oder er ist von einem internationalen Pornoring verschleppt worden. Kann ja alles sein. Er wäre jetzt zwanzig. Ich kann nicht trauern, ich kann ihn nicht beweinen, und ich kann keinen Frieden finden, wenn ich nicht weiß, was ihm passiert ist.«

Carla sah lange auf das Bild. »Ich hab dieses Kind noch nie gesehen. Aber ich glaube, ich war 1994 über Ostern auch in Deutschland. Mein Vater hatte einen Herzinfarkt.«

Sie reichte Enrico das Bild, der es stirnrunzelnd betrachtete. »Ich kenne den Jungen nicht«, sagte er kopfschüttelnd zu Anne, »aber ich helfe dir gerne suchen, wenn du willst.«

Niemand kannte diesen Felix so gut wie er. Mehrere Tage hatte er mit ihm in der Mühle verbracht, aber er wusste es nicht mehr genau. Waren es zwei? Oder drei? Oder sogar vier?

Eine Woche vor Ostern hatte er ihn bei einem Spaziergang zufällig in der Nähe von La Pecora am Bach spielen sehen. Von da an hatte er ihn tagelang beobachtet und bereits das Fläschchen mit dem Äther ständig dabei. Er wollte für den richtigen Moment vorbereitet sein. Dieser Junge faszinierte ihn. Er trug unglaublich ernsthaft und konzentriert Holzstücke und Stöcke zusammen, schleppte Steine heran und sammelte Moos, um den Bachlauf zu stauen und sich an dem kleinen, selbst geschaffenen See eine Höhle zu bauen. Er arbeitete tagelang unermüdlich, stand mit seinen dünnen weißen Beinen stundenlang im eisigen Bachwasser und sang manchmal vor sich hin. Immer dasselbe Lied. Ein Lied, das Enrico nicht kannte.

An jenem Karfreitag war Felix ziemlich weit den Berg hinaufgestiegen, um noch mehr Holz zu suchen. Er war so eifrig und so beschäftigt, dass er vom Gewitter völlig überrascht wurde und auch das Rufen seiner Mutter nicht hörte.

Enrico tauchte in dem Moment auf, als Felix bereits vollkommen durchnässt war, vor Kälte zitterte und schreckliche Angst vor Donner und Blitz hatte. Er wagte es nicht, über die Wiese zurück zum Haus zu laufen. Enrico war für ihn der Retter in der Not, und er vertraute ihm sofort. Enrico hatte keine Schwierigkeiten, ihn zu überreden, sich einige Minuten in sein Auto zu setzen, bis das Gewitter vorbei war. Dieser Junge war nicht misstrauisch wie Benjamin. Er hatte keine Fluchtgedanken, Enrico musste ihn noch nicht einmal an die Hand nehmen. Er kam die paar Meter zum Auto einfach mit, ja er rannte fast und stieg sofort ein.

Das Gewitter war ein Glücksfall für Enrico. Er hatte lange überlegt, wie er den Kleinen von seiner Höhle am Wasser weglocken könnte, aber dass es so leicht werden würde, hatte er sich nicht vorgestellt.

»Ich fahr dich die paar Meter nach Hause«, hatte er gesagt, als er den Motor startete, und der kleine Junge strahlte.

Als der gebrauchte Jeep, den er mittlerweile längst verschrottet hatte, jedoch in die entgegengesetzte Richtung davonfuhr, war es für Felix längst zu spät.

Nach wenigen Minuten, vielleicht waren es auch nur Sekunden, begriff Felix, dass der Mann ihn niemals nach Hause fahren würde, und die nackte Angst stand in seinem Gesicht.

»Keine Sorge«, beruhigte ihn Enrico, bremste abrupt und drückte Felix ein mit Äther durchtränktes Taschentuch aufs Gesicht. Felix' Kopf sackte sofort weg, und Enrico konnte die lange Strecke durch den Wald unbehelligt weiterfahren. In Valle Coronata brachte er ihn sofort in die Mühle. Carla war nicht da. Niemand war da. Sie waren ganz allein und hatten alle Zeit der Welt.

»Du bist ja so still?«, fragte Carla. »Was ist denn los?«

Enrico schreckte aus seinen Gedanken hoch. »Das gibt es nicht«, sagte er langsam. »Das gibt es nicht, dass ein Kind einfach verschwindet. Nicht hier in dieser Gegend. Hier sitzen doch keine Menschenhändler und Pornohändler im Wald und warten auf kleine Jungs! Ich kann mir auch nicht vorstellen, dass hier ein mysteriöser Kindermörder sein Unwesen treibt. Dann hätte er schon öfter gemordet. Nicht nur einmal. Und dann hätte man die Leichen gefunden.«

»Wie denn?«, fragte Anne. »Hier gibt es überall einsame Häuser, und zu fast jedem Haus gehören mehrere Hektar Grund. Wenn man da jemanden vergräbt …, wie soll die Leiche jemals gefunden werden?«

»Hier kommt auch nie jemand vorbei«, ergänzte Carla, »man kann stundenlang graben, ohne dass es jemand mitbekommt. Das ist in Deutschland schon schwieriger.«

»Stimmt«, log Enrico. »So hab ich mir das noch gar nicht überlegt.« Die Diskussion begann ihm Spaß zu machen. Es war ein Spiel mit dem Feuer, und das reizte ihn.

»Aber was glaubst du denn, was mit Felix passiert ist?«, wandte sich Anne an Enrico und nahm den Faden wieder auf. »Wenn für dich all die Möglichkeiten und Theorien nicht infrage kommen …, hast du denn eine bessere Idee?«

»Es muss ein dummer Zufall gewesen sein. Dein Sohn war einfach zur falschen Zeit am falschen Ort. Vielleicht gab es einen Unfall mit einem Wein- oder Olivenbauern. Vielleicht hat ihn jemand mit seinem Trecker überfahren, oder ein Wilderer hat ihn versehentlich erschossen, oder der Hund eines Hirten hat ihn zu Tode gebissen, weil Felix wegrennen wollte und vielleicht hingefallen ist. Alles Dinge, durch die ein Mensch, der hier lebt, in arge Schwierigkeiten kommen kann. Da stehen eventuell Existenzen auf dem Spiel. Und deswegen hat derjenige Felix' Leiche einfach verschwinden lassen. So wie ihr sagt, irgendwo vergraben oder in eine alte Zisterne geworfen.«

»Das hilft mir aber nicht weiter.« Anne zündete sich eine Zigarette an. Die erste an diesem Tag. »Das sind auch alles nur Vermutungen. Und solange ich seine Leiche nicht gesehen habe, gehe ich davon aus, dass er noch lebt.«

»Dass du ihn suchst verstehe ich ja«, meinte Enrico. »Aber warum kaufst du dir dann gleich ein Haus? Vielleicht führt dich deine Suche ja sehr schnell sehr weit weg …?«

»Das kann sein. Aber mein Gefühl hat mir in den vergangenen Jahren immer wieder gesagt, dass ich nach Italien muss. Ich hatte Heimweh nach diesem Land, weil ich spürte, dass Felix hier irgendwo ist. Damals haben wir ihn verlassen, als wir unverrichteter Dinge zurück nach Deutschland fuhren, jetzt will ich ihm endlich nahe sein.«

Wie schnell könnte ich deine Suche ein für alle Mal beenden, dachte Enrico, aber ich tue es nicht. Den Teufel werde ich tun.

»Ich denke gerade an die beiden schwachsinnigen Söhne von Giacomo,« überlegte Carla. »Sie sind jetzt über vierzig und fahren den ganzen Tag auf ihren Vespas durch die Gegend. Sie tauchen überall auf, wo man sie am wenigsten erwartet. Ab und zu helfen sie ein paar Tage bei Waldarbeiten, aber wenn sie keine Lust mehr haben, hören sie einfach auf und hängen mit ihren Bierflaschen irgendwo herum. Sie gehen nie ins Dorf, das haben ihre Eltern ihnen verboten, weil sie sich für ihre Söhne schämen. Und manchmal sind sie dann wieder ein paar Monate verschwunden, weil sie in der psychiatrischen Klinik in Siena sind.«

Enrico winkte ab. »Hier laufen viele komische Figuren rum, weil man in Italien nicht weggesperrt wird so wie in Deutschland. Wer nicht freiwillig in die Klinik geht, wird auch nicht eingeliefert. Die Eltern kümmern sich um solche Gestalten. Und wer alt und verrückt ist, wird einfach in Ruhe gelassen. Aber die Söhne von Giacomo halte ich für harmlos. Ich glaube, sie tun keiner Fliege was.«

»Das weiß man nicht. Das weiß man vorher nie. Erst wenn wirklich was passiert ist, sind hinterher alle schlauer.«

»Was soll ich tun?«, fragte Anne relativ hilflos. »Soll ich zu diesem Giacomo gehen und seine Söhne fragen, ob sie Ostern 1994 in La Pecora waren und meinen Sohn umgebracht haben? Das ist doch Blödsinn!«

»Wir könnten zumindest herausfinden, ob sie zu dieser Zeit in der Klinik waren oder nicht.«

»Harald hatte damals hunderte von Flugblättern an die Bäume gehängt und in den umliegenden Dörfern mit jedem gesprochen, den er getroffen hat. Niemand hatte etwas gesehen oder bemerkt.

Es war wie verhext. Nur einer alten Frau fiel ein paar Tage später ein kleiner blonder Junge in einem grauen Porsche auf.«

»Ein Alimentarihändler in Castelnuovo Berardenga fährt einen silbergrauen Porsche«, sagte Enrico. »Niemand weiß, wo er das Geld für diesen Wagen herhat. Die meiste Zeit steht der Porsche nur in seiner Garage hinterm Haus und wird von seinem Besitzer gehegt und gepflegt. Höchstens einmal im Monat fährt er damit nach Florenz. So langsam, dass er den ganzen Verkehr aufhält. Und jeder fragt sich, was er da in Florenz eigentlich zu suchen hat ...«

»Woher weißt du das alles? Und warum erzählst du so was nie?«

»Ich kann nicht das ganze dumme Zeug weitererzählen, das beim Baustoffhändler geredet wird. Da hätte ich ja viel zu tun.« Der Ton zwischen Enrico und Carla war gereizt.

»Wie heißt der Alimentarihändler?« Anne wollte beim Thema bleiben.

»Enzo Martini. Glaube ich. Sicher bin ich mir nicht, denn wir sind ja nur ganz selten in Castelnuovo Berardenga.«

»Aber was soll ich machen?« Anne merkte jetzt, dass alles anders war, als sie es sich vorgestellt hatte. Sie war viel zu naiv gewesen. Es hörte sich so schön an: Ich fahre nach Italien und suche mein Kind. Ich fange da an, wo es vor zehn Jahren verschwunden ist. Irgendwo werde ich schon eine Spur, einen Hinweis finden, ich werde irgendwie herausfinden, was damals geschehen ist.

So hatte sie gedacht. Und jetzt wusste sie, wem ein silbergrauer Porsche gehörte, sie hatte von zwei schwachsinnigen Männern erfahren, die sinnlos in der Gegend herumfuhren und leicht durch Zufall einem kleinen Jungen im Wald hätten begegnen können, und doch kam sie nicht weiter. So etwas funktionierte im Film oder in Romanen – die Realität sah leider ganz anders aus.

Anne war vollkommen resigniert. Es war so sinnlos. Sie benahm sich wie eine Idiotin – sie hätte zu Hause in Friesland bleiben sollen. Und wahrscheinlich hatte auch Harald wieder mal Recht gehabt. Sie hätte damals dieses zweite Kind bekommen und ein neues Leben anfangen sollen. Es wäre jetzt acht. Vielleicht wäre es wieder ein Junge geworden. Ein Junge wie Felix.

»Du kannst gar nichts machen«, unterbrach Enrico ihre Gedanken. »Eigentlich kann nur die Polizei wirklich etwas in Bewegung setzen. Aber ich kann mir nicht vorstellen, dass nach zehn Jahren in dem Porsche noch eine verwertbare Spur zu finden ist.«

»Ich bin müde, ich glaube, ich gehe ins Bett.« Anne stand auf. Mit einem Mal war sie so deprimiert, dass es ihr schwer fiel, sich zu bewegen. »Gute Nacht. Und danke für alles.«

Sie ging in die Mühle und schloss die Tür von innen ab. Plötzlich stellte sie es sich schrecklich vor, bald im Tal allein zu sein.

58

Anne schlief sofort ein. In ihrem Traum sah sie sich festgeschnallt auf einem Operationstisch, gleißend helle Lampen blendeten sie, sodass sie nur mit Mühe die mit Mundschutz und Hauben vermummten Gestalten erkennen konnte, die sich über sie beugten. Sie hatte Angst. Panische Angst. Sie bäumte sich auf in ihren Gurten, ihre Hilflosigkeit brachte sie fast um den Verstand. Was macht ihr mit mir? Sie wollte schreien, aber es kam nur ein Röcheln. Die Gestalten beugten sich tiefer. Sie war sicher, dass sie grinsten, obwohl sie es nicht sehen konnte. Ich bin gesund, was soll das? Tränen schossen ihr in die Augen, vielleicht hatten sie Mitleid.

Plötzlich erkannte sie ihn. Es war Enrico, der den Mundschutz herunterzog, seine Brille abnahm und auf die Gläser spuckte. Anschließend verrieb er den gelblichen, undurchsichtigen und sehr zähen Speichel zu einem klebrigen Brei.

»Deine Mutter hatte einen Unfall«, sagte er und setzte die Brille, durch die seine Augen nun nicht mehr zu sehen waren, wieder auf. »Wir werden dir jetzt ihr Herz verpflanzen.«

Annes Augen weiteten sich vor Entsetzen, das grelle Licht machte sie blind, die Lampen drehten sich, immer schneller und schneller, bis sie zu einem Strudel wurden und in einem winzigen roten Punkt verschwanden.

Sie wollten sie töten.

Sie wimmerte. »Warum? Ich bin gesund. Bitte, gebt ihr Herz einer anderen!«

»Hast du ihr Testament nicht gelesen?« Die Frage erschreckte sie, und sie fühlte sich, als hätte man soeben einen Scheiterhaufen unter ihr entzündet.

»Aber ich bin gesund!« Anne glaubte zu ersticken, sie wollte sich bewegen, aber sie konnte nicht. Nur flüstern konnte sie noch. »Ich bin noch jung. Was soll ich mit dem Herz einer alten Frau? Enrico. Hilf mir! Tu mir das nicht an!«

»Sie wollte es so. Du sollst werden wie sie.«

»Nein!« Anne hatte keine Kraft mehr. Die Spritze kam immer näher. In Haralds Augen, die sie jetzt ohne Schwierigkeiten ebenfalls erkannte, blitzte der Triumph. Sie überlegte fieberhaft, ob es noch einen Ausweg geben könnte.

»Harald, wenn du mir hilfst, bleibe ich bei dir. Nur bei dir. Ich verkaufe das Haus in Italien. Vielleicht werden wir noch ein Kind haben. Ich werde es versuchen, das verspreche ich dir!«

Aber die vermummte Gestalt, die Harald war, schüttelte den Kopf und sagte kein einziges Wort. Auch der Mundschutz bewegte sich nicht, fast so, als bräuchte er keinen Atem. Gnadenlos und unerträglich langsam schob ihr Enrico die Nadel in die Vene.

Er war ihr Henker. Ihr wurde schwindlig. Die Zunge fiel ihr aus dem Mund.

Ich bin tot, dachte sie, so ist das also. So einfach.

Schweißgebadet wachte Anne auf. Ihr T-Shirt war feucht und klebte am Körper. Sie spürte einen leichten Luftzug, der vor allem in Bodennähe wehte, da die Tür nicht dicht war. Zwischen Tür und Boden war ein zwei bis drei Zentimeter breiter Spalt. Anne fröstelte. Sie stand auf und schaltete das Licht an. Draußen schrie ein Vogel erschrocken auf. In ihrer Reisetasche fand sie ein frisches T-Shirt und zog es über. Dann öffnete sie die schwere Bodenklappe, hakte sie an der Wand fest und stieg langsam die primitive Holztreppe ins untere Mühlenzimmer hinab.

Es war dunkel. Sie fluchte, weil sie keine Taschenlampe dabeihatte. Sie würde sich eine kleine Lampe kaufen, die sie immer in der Hosentasche mit sich herumtragen konnte. Dieses Tal war das schwarze Loch dieser Erde. Ohne Lampe war man verloren.

Der geringe Lichtschein von oben beleuchtete nur die ersten Treppenstufen. Sie musste unbedingt sämtliche Glühbirnen in beiden Häusern austauschen, Enrico hatte fast überall nur Fünfundzwanziger eingeschraubt, um Strom zu sparen. Mit Licht konnte er sowieso wenig anfangen.

Am Ende der Treppe tastete sie sich langsam an der Wand entlang, um den Lichtschalter zu erfühlen. Dabei betete sie, nicht in einen der Skorpione zu fassen, die überall in den Ritzen saßen, an den Decken klebten und in Schuhen, Pullovern und Handtüchern Unterschlupf suchten. Anne schwor sich, gleich am nächsten Morgen die Mühle Millimeter für Millimeter abzusaugen und hoffentlich alle Skorpione, Spinnen und Tausendfüßler, die hier überdimensionale Ausmaße hatten, auszurotten. Carla lehnte solche Aktionen ab. Sie tötete keine Spinne, keinen Skorpion, keinen Ohrenkneifer und keinen Tausendfüßler – da war sie genau wie Enrico. Manchmal trug sie Skorpione, die sie zum Beispiel in einem Topf oder in einer Tasse fand, in den Garten, aber meistens ließ sie die Tiere, wo sie waren. Daher hatten sie sich in den letzten Jahren ungehindert ausbreiten und vermehren können und hatten die beiden Mühlenhäuser voll im Griff.

Das Licht aus dem Mühlenzimmer beleuchtete die kleine Terrasse vor dem Naturpool notdürftig. In der Nacht war das Wasser schwarz und kräuselte sich leicht im Wind. Anne dachte an die Schlangen, Frösche und Molche, die sich in dem schwarzen Wasser und dem dichten Algenwuchs am Rand versteckten. Irgendwann werde ich hier an dieser Stelle einen richtigen Pool bauen, dachte sie, einen, der hell und blau gestrichen ist und glasklares Wasser hat. Ein bisschen Chlor und eine Umwälzpumpe, die das Wasser ständig reinigt, werden dafür sorgen, dass sich Molche und Kröten nicht mehr so zu Hause fühlen. Ich werde morgens in der ersten Morgensonne ein Bad nehmen und kann völlig sicher sein, dass sich keine Schlange um meinen Knöchel wickelt und mir kein Frosch auf die Schulter springt.

Der Gedanke daran machte sie regelrecht fröhlich, aber sie wusste auch, dass dazu ein umfangreicher Umbau notwendig war. Der alte Pool musste weggerissen und der neue fachmännisch neu gebaut werden. Mit einem Technikraum für Leitungen, Absperrventile, Pumpen und Sandfilter. Vielleicht konnte sie bei dieser Gelegenheit den Pool auch noch um ein paar Meter vergrößern.

Aber das war Zukunftsmusik. Das kostete ein Vermögen, und jetzt war sie erst mal pleite.

Sie ging ins Bad und setzte sich auf die Toilette. Erst als sie mit pinkeln fertig war, sah sie, dass kein Klopapier da war. Auch ein Tempotaschentuch oder irgendetwas Vergleichbares gab es nicht. Genervt stand sie auf und zog sich die Unterhose hoch. So etwas konnte sie auf den Tod nicht ausstehen. Aber jetzt war es halb fünf. Spätestens in zwei Stunden würde sie duschen.

Direkt aus dem Hahn trank sie kaltes Wasser. Der Wein hatte sie durstig gemacht. Sie dachte darüber nach, warum sie hier in der Mühle fast immer von Albträumen heimgesucht wurde, viel mehr als sonst. Manchmal hatte sie monatelang keinen einzigen, und hier wachte sie fast jede Nacht in Panik auf.

Wahrscheinlich muss ich mich wirklich erst an die Stille und die

Dunkelheit gewöhnen, tröstete sie sich, aber das Unbehagen blieb. Und erneut kam die Angst in ihr hoch, wie sie es aushalten sollte, allein hier zu leben. Irgendetwas beunruhigte sie stark, das spürte sie, aber sie wusste nicht, was.

Nachdem sie getrunken hatte, fühlte sie sich wesentlich besser. Sie überlegte, ob sie wach bleiben und bis zum Sonnenaufgang etwas lesen sollte, aber als sie sich hinlegte, spürte sie, wie müde sie noch war.

In Enrico und Carla habe ich Freunde gefunden, dachte sie, gut, dass sie in Casa Mèria wohnen werden. Es war beruhigend, einen Ort zu wissen, wo man jederzeit hingehen konnte und wo jemand war, der einem half. Was wäre das Leben hier ohne Enrico und Carla, dachte sie ein wenig pathetisch, bevor sie in unruhigen Schlaf fiel.

59

Am Morgen hatte Carla bereits Kaffee gekocht, als Anne völlig verschlafen um Viertel nach acht aus der Mühle kam.

»Habe ich vor dem Frühstück noch Zeit zu duschen?«, fragte sie.

Carla nickte. »Kein Problem. Enrico ist auch noch nicht so weit. Er packt das Auto voller Werkzeug, weil er heute schon mit dem Bau in Casa Mèria anfangen will.«

Anne gähnte und stolperte zurück in die Mühle.

Eine Viertelstunde später fühlte sie sich erfrischt und vollkommen ausgeschlafen, als sie sich an den Frühstückstisch zu Carla setzte.

»Mich hat das, was du gestern Abend erzählt hast, nicht losgelassen«, sagte Carla. »Bevor ich mit Enrico nach Italien ging, hab ich als Kindergärtnerin gearbeitet. Kinder sind etwas Wundervolles. Ich kann gut nachempfinden, wie du dich fühlst und was du durchgemacht haben musst.«

»Es hat mir gut getan, davon zu erzählen«, meinte Anne. Der Kaffee war stark und heiß und wärmte sie bis in die Zehenspitzen.

»Du kannst mir so oft und so viel von Felix erzählen, wie du willst. So wie es gut für dich ist. Ich hör dir gern zu. Und ich wüsste gern noch viel mehr über ihn.«

»Moment.« Anne stand auf. »Funktioniert der kleine CD-Player, der in der Mühle auf dem Schreibtisch steht?«

Carla nickte. Anne rannte ins Haus und ließ die Tür weit offen. Kurz darauf ertönte eine hohe Stimme, der glockenhelle Sopran eines Jungen. Felix sang:

»An den Ufern des Mexiko River zieht ein Wagen so ruhig dahin, ach, ich bin ja so glücklich und zufrieden, weil ich ein Cowboy bin.

Bin im Westen von Texas geboren, mit den Pferden, da kenn ich mich aus, seht dort drüben am Waldesrande steht mein geliebtes Farmerhaus.

Wenn am Abend die Feuer entflammen, dann schlägt höher mein Cowboyherz, und ich träum von vergangener Liebe und von Treue und Sehnsucht und Schmerz.

Wenn ich einmal muss reiten ins Jenseits, wenn gekommen mein letzter Tag, dann grabt mir, ihr Cowboys, als Letztes an den Ufern des River mein Grab.«

Anne kämpfte mit den Tränen und konnte kaum sprechen. »Es war sein Lieblingslied. Er hat es unentwegt gesungen. Pausenlos. So, dass es uns schon auf die Nerven ging.« Sie lächelte unglücklich. »Jetzt würde ich alles drum geben, wenn er es noch einmal singen würde.«

»Spiel es noch mal«, bat Carla. »Ich habe selten so eine schöne Kinderstimme gehört.«

»Wir hatten die Aufnahme auf Kassette, und ich hab sie dann auf CD pressen lassen, damit sie mir bloß nicht verloren geht.« Anne schaltete den CD-Player erneut ein.

Im ersten Moment war es wie ein Déjà-vu-Erlebnis. Diese klare Kinderstimme. Enrico drehte sich um und glaubte für den Bruchteil einer Sekunde, Felix zu sehen, wie er den Berg hinuntersprang und direkt auf ihn zukam. Doch dann versuchte er, seinen Verstand einzuschalten und sich selbst zu sagen, dass dies nicht möglich sein konnte, und natürlich war da niemand auf dem Weg, als er noch einmal hinsah.

Enrico atmete schnell, ihm war heiß. Die Kinderstimme hörte er immer noch. Bewusst hielt er den Atem an, um besser hinhören zu können, und da erkannte er das Lied. Es war das Lied, das Felix am Bach gesungen hatte. Dadurch war er überhaupt erst auf ihn aufmerksam geworden.

Enrico setzte sich bei weit geöffneter Tür einen Moment auf den Beifahrersitz und schloss die Augen. Die Worte, die er hörte, brannten in seiner Seele: »… ich träum von vergangener Liebe und von Treue und Sehnsucht und Schmerz. Wenn ich einmal muss reiten ins Jenseits, wenn gekommen mein letzter Tag, dann grabt mir, ihr Cowboys, als Letztes an den Ufern des River mein Grab.«

Er sah, wie Anne aufstand und einen CD-Player zurück in die Mühle brachte.

Felix, dachte er, verdammt noch mal, Felix, dass diese Frau deine Mutter ist, das konnte ich doch nicht ahnen.

Als Enrico sich wieder im Griff und sein Atem sich beruhigt hatte, ging er langsam zurück zum Haus.

Nach dem Frühstück fuhr Enrico sofort los. Carla wollte Wäsche waschen und sauber machen. Anne fragte, ob sie helfen könne, aber Carla lehnte ab. Anne hatte das Gefühl, dass sie ihre Ruhe haben wollte.

Also verschob Anne ihr Insektenvernichtungsprogramm in der Mühle auf später und machte sich zu Fuß auf den Weg nach La Pecora. Sie wollte Eleonore unbedingt erzählen, dass sie die Mühle gekauft hatte und dass sie nun Nachbarinnen waren.

Der Weg nach La Pecora war anstrengend. Es ging lange steil bergauf. Anne war derartige Fußmärsche nicht gewohnt und machte mehrere Pausen. Zwischendurch klingelte ihr Handy. Es war Kai.

»Können wir heute Abend feiern?«, fragte er.

»Wir können. Wo treffen wir uns?«

»Um sieben in Siena auf dem Campo? Ich weiß in der Nähe ein kleines Restaurant. Nicht touristisch, nicht übermäßig teuer, aber vorzüglich.«

»Ich freue mich«, sagte Anne und legte auf. In diesem Moment kam ihr der Gedanke, dass sie heute Abend vielleicht ihre Zahnbürste in ihre Handtasche stecken sollte. Ihr Herz klopfte vor Aufregung, sie fühlte sich wie ein junges Mädchen vor ihrem ersten Rendezvous und stieg den Berg nun wesentlich zügiger hinauf als vorher.

Eleonore war gerade dabei, Aprikosenmarmelade einzukochen, als Anne in La Pecora ankam. Sie freute sich über Annes Besuch und beglückwünschte sie zum Kauf von Valle Coronata.

Gemeinsam saßen sie auf der Terrasse und entkernten Aprikosen, als Eleonore dieselbe Frage stellte wie Carla am Abend zuvor. »Was hat dich bewogen, dieses einsame Tal zu kaufen?«

Und genau wie am Vorabend erzählte Anne die ganze Geschichte und wiederholte auch kurz die Spekulationen, die sie über Felix' Verschwinden angestellt hatten.

Und dann sagte Eleonore etwas Entscheidendes: Es waren noch weitere Kinder verschwunden. 1997 ein elfjähriger Italiener, Filippo, der auf seinem Weg zum Schulbus immer zehn Minuten durch den Wald gehen musste und eines Morgens nicht in der Schule ankam; und im Jahre 2000 Marco, der bereits dreizehn, aber ziemlich klein für sein Alter war, sodass er jünger wirkte. Er hatte sich mit Freunden an einem See in der Nähe von Cennina verabredet, aber am See warteten seine Freunde vergebens. Marco blieb bis heute verschwunden. Genauso wie Filippo.

Eleonore war eine Krimiliebhaberin. Sie las ausschließlich Kriminalromane und interessierte sich sehr für die beiden Fälle, als sie von den verschwundenen Kindern gehört hatte.

Also war doch nicht auszuschließen, dass in dieser Gegend ein unheimlicher Kindermörder sein Unwesen trieb und die Leichen so sicher versteckte, dass keine bisher gefunden worden war. In diesem Moment schwand Annes Hoffnung, Felix könnte vielleicht doch noch am Leben sein. Aber sie wunderte sich, dass Enrico und Carla offenbar nichts von den beiden anderen vermissten Kindern gehört hatten.

60

Als Anne auf der Piazza del Campo in Siena ankam, war sie über eine Stunde zu spät und äußerst gereizt. Es war alles schief gegangen an diesem Nachmittag. Sie hatte zu lange mit Eleonore geredet, hatte sich nicht rechtzeitig auf den Rückweg gemacht und war viel zu spät, staubig, verschwitzt und kaputt im Tal angekommen. Dennoch hätte die Zeit gerade noch für eine heiße Dusche gereicht. Sie wollte sich nur schnell die Haare waschen, föhnen und dann nach Siena aufbrechen.

Aber im Tal gab es keinen Strom und somit auch kein fließendes Wasser, da die Wasserpumpe nicht arbeitete. Nach einem kurzen, aber heftigen Gewitter war die Hauptsicherung herausgesprungen, und Carla wusste nicht, wo Enrico den Schlüssel zum Stromhäuschen aufbewahrte. Enrico war von Casa Mèria noch nicht zurück. Er arbeitete sicher bis Sonnenuntergang, und das war so gegen einundzwanzig Uhr.

Anne war dem Wahnsinn nahe. Sie freute sich so auf den Abend mit Kai und fühlte sich klebrig und schmutzig. Sie überlegte, ob sie den Berg hinaufsteigen sollte, wo sie mit ihrem Handy Empfang hatte, um ihn anzurufen und die Verabredung abzusagen …, aber sie hatte das Gefühl, keinen Meter mehr gehen zu können. Schon gar nicht bergauf.

Mit dem Wasser aus dem dunkelgrün veralgten Pool wusch sie sich notdürftig und verfluchte Carla wegen ihrer Unwissenheit und Unselbstständigkeit. Aber Carla sah nirgends ein Problem. Es gäbe Schlimmeres als einen Stromausfall. An so etwas müsse man sich in Valle Coronata gewöhnen, meinte sie.

Anne ließ sich auf keine weiteren Diskussionen ein. Sie zog sich frische Sachen an, schminkte sich flüchtig, warf ihre wichtigsten Schminkutensilien samt Zahnbürste in ihre Handtasche und brauste los.

Auf dem felsigen Feldweg kurz vor Duddova kam ihr ein Trecker entgegen, der stur auf sie zuhielt und selbstverständlich erwartete, dass sie die kurvige steile Schotterstraße rückwärts zurückfuhr, bis sich eine Ausweichmöglichkeit ergab. Sie hatte Lust auszusteigen und diesem tumben Waldarbeiter zu erklären, wie einfach es wäre, mit dem Trecker in das Olivenfeld auszuweichen, aber dazu fehlten ihr die Worte. Außerdem hielt dieser Einheimische sie sicher für eine Touristin und war dementsprechend halsstarrig. Noch kannte er sie nicht. Noch wusste niemand, dass sie die neue Besitzerin und Bewohnerin von Valle Coronata war.

Das Ausweichmanöver kostete sie weitere fünf Minuten, und es war zwanzig vor sieben, als sie endlich auf die asphaltierte Landstraße Richtung Siena einbog.

Für Anne war Siena die schönste Stadt der Welt, sie hatte nur einen Schönheitsfehler: Es gab keine Parkplätze. Mittlerweile hatte sie es sich zur Angewohnheit gemacht, beim Stadio Comunale zu parken und dann zum Campo zu laufen, aber an diesem Abend waren die Zufahrtsstraßen zum Stadion total verstopft. Anne stand im Stau und sah nervös aus die Uhr. Fünf nach sieben. Es würde noch ewig dauern, bis sie auf dem Campo war. Hoffentlich hatte Kai jede Menge Geduld.

Der Stadion-Parkplatz war gesperrt, Hunderte kurvten durch die Gegend, um für ein Fußballspiel, das morgen stattfand, Karten zu kaufen.

»Es soll offensichtlich nicht sein«, schimpfte Anne vor sich hin. »Der liebe Gott legt seine Hand über mich und bewahrt mich vor allen moralischen Verfehlungen und fleischlichen Sünden, es soll wirklich nicht sein, verdammt noch mal.« Wütend schlug sie auf das Lenkrad und schlängelte sich hupend und rücksichtslos an einer wartenden Autoschlange vorbei.

Eine grüne Ampel, noch eine, sie fuhr zügig und wusste nicht mehr, wo sie war. Sie spürte nur, dass sie sich immer mehr aus dem Stadtzentrum entfernte.

Als sie mit dem fließenden Verkehr bis hinter die Stadtmauer geschwemmt wurde, beschloss sie anzuhalten und auf die Karte zu gucken, aber sie musste noch über drei weitere Kreuzungen fahren, bis sie endlich ein Schild mit einem Straßennamen entdeckte. Viale Giuseppe Mazzini, das war auf ihrer Karte ganz oben am Rand. Sie wendete mit quietschenden Reifen, um durch das Porta Olive und dann Richtung Palazzo Salimbeni zu fahren, aber die Straßenführung war dermaßen verwirrend und ganz anders, als auf ihrer Karte eingezeichnet, sodass sie beim Porta Camollia landete. Das lag weit hinter dem Stadion, wo sie herkam, und war das Stadttor Sienas, das am weitesten von der Piazza del Campo entfernt war.

Kurz vor halb acht. Anne war nahe daran, den Verstand zu verlieren, und überlegte, einfach umzukehren und gemütlich zurück ins Tal zu fahren, um in der Stille unter dem Nussbaum bei einer

Flasche Wein den Tag ausklingen zu lassen, als ihr Handy klingelte. Die Ampel wurde grün, hinter ihr hupte ein Laster. Sie drückte auf den grünen Gesprächsannahmeknopf und brüllte ins Telefon, ohne sich zu vergewissern, ob es auch wirklich Kai war, und ohne zu hören, was er zu sagen hatte: »Ich komme. Irgendwann komme ich, wenn ich in dieser Scheiß-Stadt erstens zum Campo und zweitens einen Parkplatz finde!« Dann schaltete sie das Handy aus.

Sie kurvte eine weitere Viertelstunde durch die Gegend und parkte schließlich an der Piazza della Libertà, doch wieder in der Nähe des Stadions. Dann marschierte sie weitere zwanzig Minuten zu Fuß und kam schließlich um zehn nach acht auf dem Campo an. Gestresst und vollkommen erschöpft. Der Schweiß lief ihr in kleinen Rinnsalen übers Gesicht, und ihre Wimperntusche hinterließ schmale gräuliche Streifen auf dem Make-up.

Am Brunnen sah sie ihn stehen. Das Hemd offen, die Ärmel des leichten Sommerjacketts hochgekrempelt, die Hände in den Taschen. Er sah aus, als pfiffe er leise ein Lied vor sich hin. Verflucht noch mal, sieht der Kerl gut aus, dachte sie, und ich komme hier an wie eine Gewitterhexe, die drei Tage auf ihrem Besen durch den Sturm geritten ist.

Er lachte, als er sie kommen sah.

»Ich bin völlig fertig«, sagte sie statt einer Begrüßung. »Sag jetzt nichts, sonst springe ich dir an den Hals.«

Er legte ihr den Arm um die Schultern und zog sie herunter auf eine Stufe des Brunnenrands. »Setz dich erst mal und ruh dich aus. Und dann überlegen wir, was wir machen.«

»So kann ich unmöglich essen gehen, ich klebe! In Valle Coronata war der Strom weg, ich hatte einen Gewaltmarsch nach La Pecora hinter mir und konnte noch nicht mal duschen!« Sie sah ihn an und brachte sogar ein Lächeln zustande. »Heute ist einfach alles schief gegangen.«

»Ich lade dich zu einer Dusche und einem eisgekühlten Drink

auf meiner Terrasse ein. Was hältst du davon? Es sind nur ein paar Minuten zu Fuß. Danach können wir immer noch essen gehen.«

»Ich kann zwar keinen Schritt mehr laufen, aber das hört sich wundervoll an.«

Sie stand langsam auf und streckte sich. »Lass uns gehen. Du hast bestimmt auch einen Stuhl oder Sessel, in dem man bequemer sitzt als hier auf diesen Steinen.«

Sie sagte »Sessel«, dabei dachte sie eigentlich nur an sein Bett.

Kai war dankbar, dass Anne duschte und nicht badete wie Allora, sonst hätte er ihr als Badezusatz auch Wollwaschmittel anbieten müssen. Als sie fertig war, kam sie in seinem blau-grün gestreiften Bademantel auf die Terrasse und setzte sich in einen Liegestuhl. »Jetzt geht's mir gut«, verkündete sie, und er konnte sich nicht erinnern, jemals eine Frau so schön gefunden zu haben wie diese in seinem riesigen Frottee-Bademantel.

Er reichte ihr einen Campari-Soda mit Zitrone und prostete ihr mit seinem Whisky zu. »Salute«, sagte er, »auf dass du glücklich wirst in Valle Coronata!«

Anne nickte und schwieg. Während sie langsam und in winzigen Schlucken trank, genoss sie den Blick über die Stadt. »Fantastisch«, flüsterte sie. »Diese Aussicht ist einfach traumhaft! Mein Tal hat eher etwas vom Fichtelgebirge, aber das hier ist Italien!«

»Vielleicht hättest du dir doch noch andere Objekte ansehen sollen. Die meisten Häuser haben einen weiten, tollen Blick, und vielleicht wird dir das im Tal irgendwann einmal fehlen.«

»Vielleicht, vielleicht, vielleicht«, meinte sie nachdenklich. »Das weiß man alles nicht, aber irgendetwas in diesem Tal zieht mich magisch an. Dieser Ort hat mich verhext, er hat etwas Besonderes, das ich nicht beschreiben kann. Ich hatte bei unserer Besichtigung auch nicht das Gefühl, zum ersten Mal dort zu sein, es war alles so vertraut … Nein, Kai, es ist schon richtig so. Irgendwie hat mich das Schicksal in dieses kleine Paradies gespuckt, und jetzt bin ich gespannt, was mit mir passiert.« Sie rührte mit ihrem Strohhalm im Campari herum. »Weißt du was«, sagte sie, »wir gehen jetzt ins Bett, und dann erzähle ich dir, warum ich wirklich nach Italien gekommen bin und was ich hier will.«

Sie stand auf und lächelte. Dann nahm sie ihn an der Hand und zog ihn von der Terrasse.

Kai war fassungslos. Natürlich hatte er damit gerechnet, dass der Abend im Bett enden könnte – aber so etwas hatte er nicht erwartet. Er folgte ihr widerstandslos, und sein Herz klopfte wie wild. Das Blut rauschte in seinen Ohren, und er war so aufgeregt, als wäre es das allererste Mal.

61

Anfangs hatte Enrico nur gespürt, dass er auf der Baustelle nicht allein war. Er hatte es rascheln hören, obwohl er den Zement in die Mauerritzen klatschte und die Kelle laut und unangenehm kratzte, wenn er über die groben Steine schabte. Zuerst dachte er an eine Schlange, aber Schlangen flüchteten sofort, wenn ihre Ruhe durch den Betrieb und den Krach einer Baustelle gestört wurde. Ihm fiel kein Tier ein, das nicht spontan die Flucht ergreifen würde, und das beunruhigte ihn.

Er wurde vorsichtiger, wachsamer und sah sich häufiger um. Dennoch hatte er ständig das Gefühl, beobachtet zu werden. Selbst wenn er an der dröhnenden Betonmischmaschine stand und den Sand in die Trommel schaufelte, fühlte er einen Blick in seinem Nacken.

Kein Mensch war unterwegs. Im Moment war weder Jagdzeit, noch wuchsen Pilze, und nur zum Spaß gingen Italiener nicht spazieren. Das war günstig. Er musste sich mit dem Bau beeilen. Wenn man keine Baugenehmigung besaß, war es besser, die Behörden vor vollendete Tatsachen zu stellen und auf ein Condono zu hoffen. In diesem Fall musste man zwar Strafe bezahlen, aber der Schwarzbau wurde anschließend akzeptiert und musste nicht abgerissen werden.

Bisher hatte er noch nie Baugenehmigungen eingeholt und immer Glück gehabt. Er hasste es, sich vom verlängerten Arm des italienischen Gesetzes in Gestalt eines kleinen, dickbauchigen Geometers vorschreiben zu lassen, wie er sein Haus zu bauen hatte. Und er verachtete zutiefst all die Kleingeister, deren größtes Bestreben es war, gesetzestreu zu leben, sich an die Vorschriften zu halten und dutzende von Genehmigungen einzuholen, um dann letztendlich ein Haus zu bauen, das sie so gar nicht wollten, das aber anders nicht genehmigt worden wäre.

Er war ein Künstler, und Kunst hatte viel mit Spontaneität zu tun. Er wollte morgens beim Frühstück entscheiden, ob er das Fenster höher oder tiefer, schmaler oder breiter bauen oder vielleicht doch lieber eine Tür daraus machen wollte. Jede seiner Entscheidungen hatte etwas mit Ästhetik zu tun, und das ließ er sich von diesem Geometer, der seine Ambitionen nie verstehen würde, nicht kaputtmachen.

Carla hatte er inzwischen zweimal hierher gebracht, damit sie Casa Mèria kennen lernen konnte. Auf den ersten Blick war sie wenig begeistert gewesen. Sie wollte die Terrasse an der Südseite, er an der Nordseite. Es war ihr egal, dass man vom Weg aus die Terrasse sehen konnte, die Sonne war ihr das Wichtigste. »Es wird ja wohl kein Problem sein, einen Sonnenschirm aufzustellen,« meinte sie. »Aber so können wir auch im Frühling und Herbst noch draußen sitzen, wenn es im Schatten längst zu kühl ist.«

Enrico fand die kühle Nordseite wesentlich geeigneter, weil sie vom Weg aus nicht einzusehen war, und der Blick auf die tiefe Schlucht und den dunklen Wald beruhigte ihn. Die ständige Suche nach Sonne und Wärme hielt er für einen frauenspezifischen Tick, er selbst saß lieber im Schatten, und wenn es unbedingt sein musste, dann eben mit einem dicken Pullover.

Carla konnte letztendlich reden und argumentieren, wie sie wollte: Im Endeffekt baute *er* das Haus und die Terrasse und zwar genau so, wie er es wollte. Da hatte sie nicht mehr Einfluss als der Geometer oder die italienische Gesetzgebung.

Nur einmal, als er vor zehn Jahren Valle Coronata restaurierte, war es richtig schwierig geworden. Er hatte gerade den Naturpool mit Zement ausgegossen, als der Maresciallo di Forestale auftauchte und ein Heidentheater veranstaltete, weil Enrico für diese Baumaßnahme keine Erlaubnis hatte.

Enrico erinnerte sich noch, dass er innerlich noch nie dermaßen in Panik geraten war wie in diesem Moment. Er war überrascht, irritiert und vollkommen verunsichert. Sein Verstand pumpte nur einen einzigen Gedanken durch seine pochenden Schläfen: »Zeit gewinnen!« Augenblicklich legte er den Spaten aus der Hand und setzte sein charmantestes Lächeln auf. Dann lud er den Maresciallo zu einem Glas Vin Santo ein und schenkte ihm zwei Flaschen Grappa di Brunello, die er selbst nicht trank, aber für Bestechungsversuche immer im Haus hatte.

Er erklärte, dass er dem natürlichen Teichbett nur eine gewisse Stabilität hatte geben wollen, da nach jedem Regen die Mauern herausbrächen und das Tal überschwemmten. Das Wasser liefe darüber hinaus in die Mühle und hätte schon ein paarmal wichtige Papiere seiner wissenschaftlichen Arbeit vernichtet. Es sei so feucht in der Mühle, dass er Asthma und seine Freundin Rheuma in den Knien bekommen habe.

Er habe ja keine Ahnung gehabt, dass eine derartige Maßnahme, die nur dem Tal, dem Haus und der Natur zugute kommen sollte, einer Genehmigung bedurfte. Darum hatte er hart und schnell gearbeitet, um weiteren Schaden abzuwenden und außerdem seiner Freundin einen Gefallen zu tun, die diesen Pool liebte und fast das ganze Jahr hindurch darin badete. Es hätte nicht mehr lange gedauert, und dieser kleine Naturpool im Herzen des Tals wäre durch die Gewalt des Wassers für immer zerstört gewesen. Aber er, Enrico, schwöre, dass er nie wieder einen Sack Zement verarbeiten werde, ohne vorher eine Erlaubnis eingeholt zu haben. Er achte und respektiere die italienischen Gesetze, weil sie sinnvoll und gerecht seien, soweit er das als Deutscher beurteilen könne, denn leider wisse er viel zu wenig davon, was zum größten Teil an den Sprachschwierigkeiten liege. Aber er nehme sich auch deshalb jeden Abend zwei Stunden Zeit, seine Sprachkenntnisse zu vergrößern und zu vervollkommnen.

Dann zeigte er dem Forestale-Chef, der in Italien auf dem Land mehr zu sagen hatte als ein Bürgermeister und von allen gefürchtet wurde, das Haus, das er beinah aus dem Nichts erschaffen hatte, und die Bilder der verfallenen Ruine.

Der Maresciallo war beeindruckt von diesem integren Deutschen, der so viel Arbeit investierte, so viel Geschmack hatte und es offensichtlich auch allen recht machen wollte.

Nach zwei Stunden bedankte er sich für den Grappa, verzichtete auf eine Strafe und erst recht auf den Abriss des kleinen Naturpools und verabschiedete sich von seinem amico Enrico herzlich, denn er war davon überzeugt, dass die Welt besser wäre, wenn es mehr Menschen gäbe, die so dächten wie Enrico.

Seitdem hatte Enrico in Valle Coronata Ruhe und konnte schalten und walten, wie er wollte. Und genauso wollte er es auch in Casa Mèria handhaben.

Und nun war da irgendjemand, der ihn beobachtete.

Das war das Schlimmste, was er sich vorstellen konnte, denn solange der Unbekannte sich nicht zeigte, konnte er ihn nicht zur Rechenschaft ziehen, verjagen oder angreifen.

Erst nach drei Wochen sah er zum ersten Mal ihren Schatten zwischen den Bäumen verschwinden. Einen Kopf, der zwischen den Zweigen wie ein heller Punkt leuchtete.

Zwei Tage später sah er sie deutlicher. Sie stand hinter einer Zypresse und kaute auf ihren blond-weißen strohigen Haaren, während sie ihn mit ihren dunklen Augen fixierte. Sie hatte nicht vor zu fliehen. Sie starrte ihn an, als wolle sie ihn an die Natursteinmauer nageln, die er erst am Morgen hochgezogen hatte. Er war sich nicht sicher, ob ihr Blick Angst oder Aggression signalisierte. Wahrscheinlich beides.

»Buongiorno«, sagte er und bemühte sich freundlich zu sein, obwohl er Lust hatte, dieses Wesen, das ihn schon seit geraumer Zeit beobachtete, belästigte und vor allem irritierte, mit einer Schaufel zu erschlagen.

Sie antwortete nicht, sondern knurrte nur, was wie das warnende Grollen eines großen Hundes klang.

»Hau ab«, rief er. »Du hast hier nichts zu suchen!«

Allora schüttelte langsam den Kopf und fasste mit beiden Händen an ihr Herz. Dann spuckte sie verächtlich aus.

»Allora«, raunte sie und kratzte sich zwischen den Schenkeln, bevor sie sich auf einen Baumstumpf setzte und Enrico weiter fixierte. Bewegungslos, mit einem eindringlichen Blick, der noch nicht mal durch einen Wimpernschlag unterbrochen wurde.

In einem Zimmer zu ebener Erde, in dem der Fußboden noch festgetretener Lehmboden und die Decke noch offen war, hatte Enrico Werkzeuge und Gartengeräte untergestellt, die er ständig im Gebrauch hatte. Mit zwei Schritten war er in dem Raum und griff eine Forke, mit der er auf Allora losging.

Wendig wir eine Katze glitt Allora vom Baumstumpf, sprang mit ein paar Sätzen zur Seite, entging knapp der Forke und verschwand kreischend wie ein verletzter Affe im Wald.

Enrico hatte diese seltsame Gestalt noch nie gesehen und glaubte nicht, dass er sie für immer verjagt hatte. Er rammte die Forke in die Erde und überlegte, ob er es wirklich fertig gebracht hätte, diese weißhaarige und auf ihre Art irgendwie schöne Hexe mit den scharfen Spitzen der Mistgabel aufzuspießen.

62

Allora rannte. Wie sie noch nie gerannt war. Dieser Mensch, den sie vor vielen Jahren einmal für einen Engel gehalten und noch nie zu berühren gewagt hatte, hatte versucht sie aufzuspießen. Ihre Brust schmerzte, sie spürte förmlich die Eisenspitzen, die in ihrem Fleisch steckten, und sie rannte, um diesem Schmerz zu entfliehen.

Sie rannte eine Stunde oder länger, sie wusste es nicht, weil sie nicht darauf achtete. Der Schmerz in ihrer Brust wurde immer stärker. Ich sterbe, dachte sie, und rechnete jeden Moment damit, dass ihr Herz aufhören würde zu schlagen. Aber es hämmerte unermüdlich und immer stärker in ihrer Brust, das Blut pulsierte hinter ihrer Stirn.

Plötzlich blieb Allora stehen. Sie schnaufte und versuchte, ihren rasenden Atem zu beruhigen. Nach einigen Sekunden hatte sie sich einigermaßen beruhigt und stand vollkommen unbeweglich. Nur ihre Nase kräuselte sich, und ihre Nasenlöcher blähten sich auf wie die Nüstern eines Pferdes. Sie hatte Trüffel gerochen.

Allora fiel auf die Knie und schnüffelte den Waldboden ab. Unter einer krüppeligen Eiche, deren Schösslinge sich nach allen vier Himmelsrichtungen reckten, war der Geruch für Allora so intensiv, dass sie sich die Nase kratzen musste, bevor sie anfing zu graben.

Der prächtige Sommertrüffel, den sie aus dem Waldboden grub, war so groß wie ein Katzenkopf und mit groben, schwarzen Warzen übersät. Allora lehnte sich an die Eiche, streckte ihre Beine weit von sich und grunzte behaglich. Sie hatte keine Schmerzen mehr, so sehr freute sie sich, dass sie wieder einmal ihren Lieblingspilz gefunden hatte.

Zuerst leckte sie ihn sorgfältig sauber, spuckte die Erde aus und zerkaute danach einige Eichenblätter, um den bitter-säuerlichen Geschmack des Waldbodens loszuwerden. Und dann begann sie, langsam und genüsslich an dem Pilz zu nagen, und dachte an Enrico, von dem sie nicht wusste, wie er hieß.

Es musste jetzt ungefähr zehn Jahre her sein, als sie ihn bei ihren Streifzügen zum ersten Mal bemerkt hatte. Von da an war sie ihm oft hinterhergelaufen, weil sie ihn so schön fand. Schöner als all die andern, zu denen sie sich ins Bett legte. Sie sah ihn, wie er nackt durch den Fluss watete, bis zu einer Stelle, in der sich das Wasser staute wie in einer kleinen Badewanne. Wenn er sich wusch, rieb sie sich zwischen den Beinen, bis sie wohlig wegsackte und einschlief.

Er war der erste Mensch, bei dem sie so etwas spürte wie Scham. An den sie sich nicht herantraute, den sie nicht ansprach, dem sie sich nicht zeigte. Er war für sie etwas ganz Besonderes, er hatte Kraft und Schönheit, ein Engel eben.

Vor zehn Jahren, als er die Ruine in Valle Coronata in ein fantastisches Haus verwandelte, kam sie fast jeden Tag und beobachtete ihn bei der Arbeit. Sie wartete auf den Moment, wenn er sich die staubigen Sachen auszog, um sich im Bach zu waschen. Er war immer allein. Trug Steine, Zementsäcke und ganze Balken auf seinen Schultern. Meistens sogar im Laufschritt, als könne ihm kein Gewicht dieser Welt etwas anhaben.

Wenn er bei Einbruch der Dunkelheit aus dem Tal verschwand, ging sie ins Haus, strich mit der Hand sanft über die frisch verputzten Wände und stellte sich vor, es wäre seine Haut. Sie streichelte die unverputzten Mauersteine, die aus der Wand herausragten und bildete sich ein, es wären seine Muskeln, seine Arme, sein Hintern. Dann saß sie in der Dunkelheit auf der Treppe, die von der Küche ins obere Stockwerk führte, und wünschte, er würde ganz still hereinkommen und sich neben sie setzen.

Aber in der Nacht kam er nie. Allora wusste, dass er auf dem Holzplatz oberhalb Duddova in einem verrosteten Bus saß und mit einer blonden Frau Abendbrot aß. Auch das hatte sie beobachtet.

Als zwei Räume des Hauses fertig waren, kam die Frau ins Tal. Sie stellten einen Tisch und zwei Stühle vor die Küchentür und aßen von nun an ihr Abendbrot auf dem Hof. Wenn es dunkel wurde, zündeten sie eine Kerze an. Sie sprachen wenig. Meistens schwiegen sie. Das Wenige, das sie zueinander sagten, konnte Allora nicht verstehen, ihr Versteck im Wald war zu weit entfernt.

Wenn es draußen zu kühl wurde oder wenn die Kerze heruntergebrannt war, gingen sie ins Haus und legten sich auf eine Matratze auf den neu verlegten Fußboden aus alten verwitterten Mattoni. Allora schaute manchmal durchs Fenster, aber sie sah nie, dass sie sich berührten.

Er war eben der Unberührbare. Ein anderer Grund kam ihr gar nicht in den Sinn.

Die Frau war immer da. Sie ging selten weg. Sie pflanzte Blumen und fütterte Katzen. Zuerst waren es zwei, dann fünf, dann zehn. Allora hatte keine Möglichkeit mehr, im Haus herumzugehen und sich ihm nahe zu fühlen. Sie war wütend auf die Frau und kam immer seltener, zumal der Mann sich nicht mehr im Bach wusch, seit er ein Badezimmer gebaut hatte.

So vergingen einige Monate. Der Bus war verschwunden, und es kamen immer mehr Möbel und Sachen ins Haus. Ein- oder zweimal im Monat machte Allora einen Spaziergang nach Valle Coronata, hockte ein paar Stunden in ihrem Versteck und beobachtete die beiden. Der Mann saß viel vor der Tür und las, während die Frau ständig mit ihren Pflanzen beschäftigt war. Das gesamte Umfeld des Hauses hatte sie bereits gartenmäßig angelegt, hatte Rosmarin, Salbei und Lavendel an der frisch gemauerten Hauswand gepflanzt, Königskerzen gesetzt und Margeriten wuchern lassen. Auf der toscanischen Treppe zur oberen Terrasse stand auf jeder Stufe ein Topf mit verschiedenfarbigen Geranien, auf den Fensterbänken blühten Veilchen, in Terracottatöpfen wuchsen Basilikum, Petersilie und Schnittlauch. Vor dem Abhang zum Bach hatte sie als natürliche Grenze Sonnenblumen, Rosen und Chrysanthemen gesetzt – Valle Coronata war ein einziges Blumenmeer.

Im darauf folgenden Frühjahr, als Allora kam, um die blühenden Tulpen und Hyazinthen im Tal zu sehen, war die Frau nicht da. Allora wartete. Aber sie kam nicht, auch nicht am Abend, als es dunkel und kalt wurde.

Am nächsten und am übernächsten Tag war Allora wieder da, aber die Frau blieb verschwunden. Allora jubelte innerlich. Irgendwann würde sie wieder mal ins Haus gehen und sich auf die Matratze legen, auf der er schlief.

Sie bemerkte, dass der Mann den Bachlauf verändert hatte. Der kleine Teich, in dem sich der Wasserfall gesammelt hatte, bevor er – aufgehalten durch einen Felsvorsprung – langsam weiterfloss, war trockengefallen. Der schöne Teich mit seinen wilden Uferpflanzen, den mit Moos bewachsenen Steinen und dem morastigen Gras an den Stellen, die immer wieder überschwemmt wurden, sah tot, verwahrlost und trostlos aus. Allora schüttelte sich vor Abscheu und bekam eine Gänsehaut am ganzen Körper. Neben dem leeren Teich lagen Zementsäcke, die mit Plastikfolie bedeckt waren, ein Sandhaufen war aufgeschüttet, und ein Betonmischer wartete auf seinen Einsatz.

Sie verstand überhaupt nicht, was das alles bedeuten sollte, sie war einfach nur traurig.

Es war kurz vor Ostern, und sie hatte in San Vincenti viel zu tun. Am Gründonnerstag musste sie die Kirche putzen: die Heiligenfiguren abstauben, das Altartuch austauschen, die Lampenschalen auswaschen, die Bänke wachsen, die Beichtstühle aussaugen und den Boden fegen und wischen. Den Blumenschmuck musste sie jeden Tag verändern. Am Gründonnerstag standen nur Gräser im Altarraum, am Karfreitag wurden alle Blumen entfernt, und für die Osternacht und das Hochamt am Sonntag fuhr Fiamma sogar höchstpersönlich zum Markt, um Blumen aller Sorten in Hülle und Fülle einzukaufen.

Allora räumte außerdem die Sakristei auf, sortierte die Priestergewänder aus, die während des Winters von Motten zerfressen worden waren, und als sie eine Flasche Messwein fand, trank sie sie aus. Anschließend legte sie sich auf eine Kirchenbank und schlief zwei Stunden, bis sie von Fiamma geweckt und geohrfeigt wurde.

Auch die kleine Piazza vor der Kirche musste sauber gefegt und die Zwischenräume der Pflastersteine von Unkraut befreit werden.

Nicht nur in der Kirche, auch im Haus des Bürgermeisters wurde Großputz gemacht, Fiamma scheuchte Allora wie ein Feldwebel von morgens bis abends von einer Arbeit zur nächsten. Allora hatte keine Chance, zu verschwinden und einen Spaziergang ins Tal zu machen. Immerhin brauchte sie von San Vincenti nach Valle Coronata zweieinhalb Stunden, auch wenn sie viel rannte und mehr hüpfte und sprang als ging.

In der Messe der Osternacht stand sie in der kleinen Kirche von San Vincenti ganz still hinter einer Säule und war wie hypnotisiert von dem Licht ihrer Osterkerze, die sie in den Händen hielt.

»Lieber Gott«, betete sie, »beschütze den Pfarrer und den Bürgermeister, den Geometer, den Baustoffhändler und den Engel im Tal. Mach, dass sie alle hundert Jahre alt werden, und hilf, dass nichts passiert. Nicht in San Vincenti und auch nicht drum herum. Mach, dass kein Feuer und keine Sintflut und kein Erdbeben kommen, und pass auf, dass kein Stern vom Himmel fällt.« Sich selbst und Fiamma schloss sie in ihre Gebete nicht ein.

Als sie damit fertig war, versuchte sie, einen Blick des Pfarrers zu erhaschen, aber der sah sie nicht an. Er zwinkerte ihr noch nicht einmal zu. Allora war ein bisschen enttäuscht und beschloss, so bald wie möglich wieder unter seine Decke zu kriechen und ihm den Rücken zu wärmen.

Am Ostermontag hatte Fiamma keine Aufgaben für sie. Niemand beachtete sie, und Allora machte sich auf den Weg.

Die Atmosphäre im Tal war eigentümlich. Alle Fenster und Türen der beiden Häuser waren geschlossen, was Allora noch nie erlebt hatte. Weder der Mann noch die Frau waren zu sehen. Aber als sie ganz still war und den Atem anhielt, hörte sie ein leises Wimmern, beinah wie das Jaulen einer Katze.

Allora bohrte in der Nase und wartete ab. Das Jaulen verstummte manchmal für wenige Minuten, setzte aber immer wieder ein. Als sie ein hohes, schrilles Quietschen hörte, zuckte sie zusammen und fing an zu zittern. Angst kroch ihr langsam den Nacken empor. Was war da los? Sollte sie einfach hingehen und anklopfen? Aber sie wagte es nicht. Der Engel war kein Mensch, bei dem man einfach auftauchen und »allora« sagen konnte. Der Engel hatte etwas an sich, vor dem sie zurückschreckte. Als wäre er mit einem unsichtbaren Stacheldraht umwickelt, der einen verletzte und die Haut aufschlitzte, wenn man zu nahe kam.

Und zum ersten Mal kam ihr der Gedanke, dass der Engel vielleicht gar kein Engel war.

Die Sonne war längst untergegangen, und die Nacht brach herein. Im Wald wurde es schnell dunkel, viel schneller als auf freiem Feld. Allora dachte noch nicht an den Rückweg, sie starrte unverwandt in Richtung Mühle. Die Laternen links und rechts neben der Tür brannten nicht, und auch im Haus war alles dunkel.

Als Allora das Haus kaum noch erkennen konnte, wurde ihr klar, dass sie die Zeit vergessen hatte, jetzt konnte sie nicht mehr zurück. Sie würde im Wald übernachten müssen. Plötzlich hörte sie einen Schrei. Einen lang anhaltenden Schrei, der gar nicht mehr enden wollte. Und in diesem Moment wusste Allora, dass das keine Katze war, sondern ein Mensch.

Allora hielt sich die Ohren zu, bis der Schrei verstummte. Danach war es totenstill. Kein Laut drang mehr aus der Mühle zu ihr herüber. Sie rieb sich die Augen, die brannten, als hätte sie zu nahe am Feuer gesessen und zu lange in die Flammen gestarrt.

Sie war wie gelähmt. Saß in ihrem Erdloch, unfähig, sich zu bewegen. Langsam kroch ihr die Kälte in die nackten Füße und die Beine hinauf. Allora wühlte sich noch tiefer in ihr Erdloch und häufte Zweige, Blätter und Moos um sich herum, alles, was sie erreichen konnte, ohne ihre Kuhle zu verlassen. Dann umschlang sie ihre Beine mit den Armen, legte ihr Kinn auf die Knie und wartete weiter. Ihr Atem ging gleichmäßig, ihr Herz schlug jetzt langsamer. Aber sie war hellwach, konzentrierte all ihre Sinne auf die stille Mühle. Doch da war nichts mehr. Kein Laut. Kein Ton. Fenster und Türen blieben geschlossen, der Mann kam nicht mehr aus dem Haus.

Das Käuzchen schrie. So wie das Käuzchen in der Nacht geschrien hatte, als die alte Giulietta gestorben war. Ihre geliebte Nonna.

Allora wusste am nächsten Morgen nicht, ob sie die ganze Nacht so gesessen und gewacht oder ob sie geschlafen hatte.

Im Morgengrauen hörte sie, wie die hölzerne Küchentür in den Angeln quietschte. Die Sonne kam gerade mit den ersten Strahlen über die Bergkuppe, als der Mann aus dem Haus trat. In seinen Armen trug er einen leblosen Jungen, genau so, wie sie ihre Nonna getragen hatte. Der Kopf des Jungen hing weit nach hinten gekippt über dem linken Unterarm des Mannes, der Mund stand offen. Seine blonden Haare bewegten sich leise im Wind. Den rechten Unterarm hatte der Mann unter den Knien des toten Kindes, die Beine baumelten schlaff hin und her, als er mit ihm zum ausgetrockneten Teich ging und ihn behutsam hineinlegte.

Wenig später begann die Betonmischmaschine mit ohrenbetäubendem Krach zu rotieren, sodass Allora die Flucht ergriff. Der Mann, den sie von nun an nie wieder Engel nannte, hatte sie nicht bemerkt.

Alloras Glieder waren steif und kalt, ihr Atem ging flach, sie musste so viel denken, dass ihr das Laufen schwer fiel. Sie brauchte drei Stunden bis San Vincenti. Niemand fragte sie, wo sie in der Nacht gewesen war.

Sie ging in ihr Zimmer und kroch in ihr Bett, ohne sich die Erde von den Armen und Beinen zu waschen. Sie zog sich die Decke über die Ohren und versuchte zu verstehen, was sie gesehen hatte, aber es gelang ihr nicht.

Also verschloss sie das Geschehene fest in ihrem Herzen und sprach mit niemandem darüber. Aber sie ging auch nie wieder nach Valle Coronata. Zehn Jahre lang nicht.

Der Duft und der Geschmack des Trüffels umnebelten Alloras Sinne. Minutenlang dachte sie gar nichts und war vollkommen glücklich dabei. Aber dann fiel ihr der Mann wieder ein, der das Haus der Nonna aufbaute, und erneut stieg die Wut in ihr hoch wie brennende Magensäure, die einen bitteren Geschmack hinterlässt. Sie versuchte den letzten Bissen des herrlichen Pilzes ausgiebig zu schmatzen und so lange wie möglich nicht hinunterzuschlucken, aber der Gedanke an ihn kam wie ein lästiger Schluckauf immer wieder hoch.

Er war mit der Forke auf sie losgegangen und hatte versucht sie aufzuspießen. Genau so sah der Satan mit dem Dreizack aus, den sie auf einem Heiligenbildchen in einem der Gebetbücher in San Vincenti gesehen hatte. Darunter stand »Satan, Welt und ihre Rotten können nichts mehr tun, als meiner spotten. Lass sie spotten, lass sie lachen, Gott wird sie zuschanden machen.« Don Matteo hatte ihr den Satz ein paarmal vorgelesen, als sie ihn danach fragte, und sie hatte ihn sich gemerkt.

Und wieder drehte sich die Betonmischmaschine vor dem Haus der Nonna. Genau wie damals in Valle Coronata.

Sie überlegte einen Moment und knirschte mit den Zähnen. Dann sagte sie »allora«, und es klang wie ein Versprechen.

63

Wenige Tage nachdem dies geschehen war, hatte Enrico Casa Mèria so weit fertig, dass er zumindest provisorisch mit Carla einziehen konnte. Das Dach war dicht, und in zwei Räumen hatte er die Wände verputzt und Fußböden gelegt. Ein Tisch, zwei Stühle und eine Kommode, auf der eine Propangasflasche zum Kochen und eine Schüssel als Spüle standen, dienten als Küche, im zweiten Raum lag eine Matratze zum Schlafen – das war alles. Carla stellte Blumen aufs Fensterbrett, hängte ein Bild von einer verwitterten toscanischen Holztür an die Wand und einige ihrer Halsketten vors Fenster, um der Küche wenigstens den Hauch einer persönlichen Note zu geben. Geschirr und Vorräte stapelte sie in diversen Kisten an der Wand, auf den Tisch stellte sie Kerzen.

Enrico hatte einen Tank mit 2 000 Litern Wasser kommen lassen. Ein langer Schlauch lief vom Wassertank bergab hinter eine Natursteinmauer und diente als Waschgelegenheit und Dusche zugleich. Carla hatte auf einigen Steinvorsprüngen Seife, Shampoo und Zahnbürsten in Zahnputzgläsern abgestellt, einen Spiegel angebracht und Handtücher in einen Baum gehängt. So zeigte sie ihren guten Willen, mit dem provisorischen Bad, dem spartanischen Leben und der neuen Situation zurechtzukommen.

Enrico meinte, der jetzige Zustand würde ihm zum Leben vollkommen ausreichen. Am liebsten wäre es ihm, sie würden die Möbel, die sie noch in Valle Coronata gelassen hatten, nie mehr abholen. Besitz fand er belastend. Vielleicht hatte er Valle Coronata auch verkauft, um wenigstens einige Monate diesen wundervollen

Zustand, nur das absolut Allernötigste zu besitzen, genießen zu können.

Carla schwieg dazu, und Enrico wusste, dass sie völlig anders dachte. Sie liebte ihren kleinen Schreibtisch, an dem sie Briefe schrieb, malte, Italienisch lernte oder Handarbeiten machte, sie liebte das Regal mit den wenigen Büchern, die sie besaßen, und sie brauchte ihren rustikalen Schrank, in dem sie ihre Kleidung, Bettwäsche und Handtücher in Ordnung halten konnte. Sie litt unter jeder Kiste, mit der sie sich zufrieden geben musste.

Enrico strich ihr sanft übers Haar, so sanft, dass er sie kaum dabei berührte, und sagte: »Keine Sorge, ich mache das Haus fertig. Es wird Küche und Bad, Schlaf- und Wohnzimmer haben. Wir werden auch alles, was dir wichtig ist, aus Valle Coronata holen. Und wenn du das nächste Mal in Deutschland bist, baue ich dir sogar wieder einen Pool.«

Carla lächelte. Das alles tat er nur für sie. Ihre Schwester würde nie verstehen, dass so etwas Liebe war.

64

Nachdem Carla und Enrico in ihre zwei provisorischen Zimmer des Casa Mèria gezogen waren, hatte Anne in Valle Coronata eine Woche lang weder einen Menschen gesehen oder gehört, noch ein Wort mit irgendjemandem gewechselt.

Es war morgens um halb zehn, als sie den Motor eines Wagens hörte. Sie hatte gerade geduscht, ihre Haare waren noch nass, und sie trug eine uralte Jeans und eine leichte, geblümte Bluse. Anne hielt den Atem an, stand bewegungslos und hoffte inständig, sie habe sich getäuscht.

Aber als das Wagengeräusch immer näher kam, schnürte sich ihr die Kehle zu vor Angst. Da kommt jemand, dachte sie, werd jetzt nicht sonderbar und hör auf zu spinnen, das ist völlig normal. Wahrscheinlich sind es nur Spaziergänger oder ein Liebespaar, das einen schönen Platz für ein Picknick sucht. Wenn du bei jedem Motorengeräusch Panik kriegst, musst du zurück nach Deutschland oder in die Therapie. Vielleicht hat sich auch jemand verfahren, will dich besuchen oder will dir etwas sagen. Schließlich bist du telefonisch nicht zu erreichen.

Es war überhaupt nichts Außergewöhnliches, dass auf Waldwegen Autos fuhren. Kein Mensch war dadurch irritiert. Nur hier in Valle Coronata erschien es wie eine Bedrohung.

»Hallo Anne«, sagte Kai, als er aus seinem schwarzen Jeep stieg. »Ich hoffe, ich komme nicht zu früh und nicht ungelegen, aber du bist nun schon eine halbe Ewigkeit allein in diesem gottverlassenen Tal, und ich habe nichts von dir gehört. Und da hab ich mir Sorgen gemacht, und Sehnsucht hatte ich auch.« Er atmete tief aus nach dieser Rede und grinste charmant.

»Nicht eine halbe Ewigkeit, eine Woche! Aber es kam mir wie eine Ewigkeit vor. Da hast du Recht.«

»Du siehst wundervoll aus. Die Einsamkeit bekommt dir gut!« Er küsste sie auf beide Wangen.

»Danke für die Blumen.« Anne glaubte ihm kein Wort, sondern fühlte sich schrecklich unattraktiv in ihren verwaschenen Jeans und mit den nassen Haaren. »Wenn du Kaffee kochst, mach ich mich schnell fertig.«

Sie gingen ins Haus, und Anne rannte die enge Treppe zum Schlafzimmer hinauf.

Kai sah sich in der Küche um. Sie war perfekt aufgeräumt. Anne hatte nur unwesentliche Dinge verändert, aber es erschien ihm alles sehr viel sauberer als vorher. Vielleicht lag es auch daran, dass jetzt in der Küche Licht brannte, während bei Enrico immer alles dunkel gewesen war.

Dort, wo das Bild von Carla über der Sitzecke gehangen hatte, hing jetzt ein Foto von Felix. Er stand in Badehose am Strand von Kreta, hatte entschlossen die Unterlippe vorgeschoben, grinste fröhlich und spannte stolz und auch ein wenig ironisch die winzigen Muskeln seiner spindeldürren Ärmchen. Das Bild war bei ihrem letzten Griechenlandurlaub gemacht worden, neun Monate vor Felix' Verschwinden.

Das Bild faszinierte Kai. Es strahlte so viel Lebenslust, Mut und Entschlossenheit aus, Kai konnte sich gut vorstellen, was Felix für ein zartes, aber vergnügtes Kind gewesen war. Er hatte sich schon mehrmals den Kopf zerbrochen, wie er Anne bei ihrer ausweglosen Suche nach Felix helfen konnte, aber es fiel ihm keine Strategie ein. Es war einfach zu lange her.

Als Anne umgezogen und mit geföhnten Haaren zurück in die Küche kam, zischte der Espressokocher, und Kai war gerade dabei, die Milch in einer kleinen Kanne aufzuschäumen, in der sie mit einem engen Sieb, das man hoch- und runterdrückte, quasi gestampft wurde.

»Lass uns auf die Terrasse gehen«, sagte Anne und stellte Espressotassen, Zucker, eine Flasche Mineralwasser und einen Früchtekorb auf ein Tablett.

Unter dem Nussbaum war es um diese Zeit noch sehr schattig.

»Es tut mir Leid, dass ich mich so lange nicht hab blicken lassen«, meinte Kai. »Aber ich hatte viel Arbeit, habe ein Haus in der Nähe von Greve im Chianti verkauft und eins am Meer in Castiglione della Pescaia und musste ständig hin und her fahren. Und fahr mal von Siena aus kurz ans Meer, da ist der halbe Tag weg.«

»Ich weiß.«

»Und du? Wie ist es dir ergangen, hier so allein?« Er wusste nicht, warum, aber Anne kam ihm irgendwie verändert vor. Ruhiger, in sich gekehrter. Und auch ein bisschen blasser, was bei dem heißen Sommerwetter eigentlich ungewöhnlich war.

»Es war okay. Nicht direkt einfach, aber okay.«

»Erzähl.«

»Es war ungewohnt. Und so unglaublich still. Als Carla und Enrico noch hier waren, konnte man doch immer ab und zu mal was sagen, wir haben ja nicht stundenlang geschwiegen. Und plötzlich war da nichts mehr. Nur Stille. Ich kam mir ein bisschen komisch vor. Aber Angst hatte ich eigentlich nicht. Ich dachte, nachts kriege ich die große Panik, aber das passierte gar nicht. Ich hab geschlafen wie ein Bär und bin Gott sei Dank immer erst aufgewacht, als es schon hell war.«

Dass die permanente Angst vor irgendetwas Ungewissem sie fast um den Verstand brachte, erzählte sie Kai nicht. Tagelang wusste sie deswegen nichts mit sich anzufangen. Sie versuchte, sich zu beschäftigen, um zu vergessen, wo sie war, aber es gelang ihr nicht. Sie ging in die Küche, kochte sich einen Espresso und trank ihn nicht. Sie wusch Wäsche und topfte eine Geranie um, nur um irgendetwas zu tun. Sie zupfte Unkraut aus dem Kies im Hof, obwohl sie sich blöd dabei vorkam. Sie setzte sich auf der oberen Terrasse vor dem Schlafzimmerfenster in einen Liegestuhl und versuchte zu lesen, aber schlug das Buch jedes Mal spätestens nach einer Viertelstunde wieder zu, weil sie sich auf keinen einzigen Satz konzentrieren konnte. Sie ging spazieren und fürchtete sich bei jedem Schritt vor der immer näher kommenden Nacht.

Sobald dann die Sonne hinter den Bergen versank und die Dämmerung hereinbrach, ging sie ins Haus, setzte sich an den Küchentisch und verzweifelte fast, wenn sie an den langen Abend dachte. Das Tal war ihr wie ein Paradies vorgekommen, als sie abends mit Carla und Enrico unter dem Nussbaum gesessen, geredet, gegessen, getrunken und gelacht hatte. Jetzt, so allein, war es die Hölle.

Stille und Einsamkeit empfand sie wie eine dicke Decke, die über ihr lag und ihr die Luft zum Atmen nahm. Das hatte sie nicht so empfunden, als sie mit Enrico im Tal Probe gewohnt hatte.

Kein Lebewesen war in ihrer Nähe, kein Laut war zu hören, nur der Wasserfall rauschte ungerührt Tag und Nacht.

Es war ein Fehler gewesen, Valle Coronata so überstürzt zu kaufen, ein riesengroßer Fehler. Das wurde ihr jetzt schmerzlich bewusst.

»Da bin ich ja heilfroh«, sagte Kai. »Ich hatte schon befürchtet, du könntest deinen Entschluss vielleicht bereits bereuen.« Er nahm ihre Hand. »Ich habe heute den ganzen Tag Zeit, lass uns irgendetwas Schönes unternehmen. Du musst ja hier auch mal raus.«

Anne nickte. Etwas Besseres konnte sie sich im Moment überhaupt nicht vorstellen. Sie war Kai unendlich dankbar.

In den letzten vier Wochen hatte sie sich mehrmals mit Kai getroffen, hatte ein paarmal bei ihm übernachtet. Er war ein guter Liebhaber und ein angenehmer Unterhalter, sie amüsierte sich gut mit ihm, in seiner Gegenwart konnte sie für ein paar Stunden vergessen, weshalb sie eigentlich hier war. Sie fühlte sich sicher und frei in seiner Nähe, viel jünger, als sie eigentlich war, und ungeheuer weiblich. Viele gute Gründe, die Beziehung aufrechtzuerhalten. Sie überlegte oft, ob sie eigentlich in Kai verliebt war, aber sie wusste es nicht genau. Wenn sie Sehnsucht nach ihm hatte oder wenn sie sich auf ihn freute, fühlte es sich fast so an. Vielleicht war Verliebtsein anders, wenn man kein junges Mädchen mehr war. Sie kannte die Mechanismen einer Beziehung nur allzu gut, da gab es kaum noch Überraschungen.

Tagsüber wollte sie Kai nicht stören, aber abends hatte sie immer große Lust, ihn anzurufen. Doch dazu hätte sie im Dunkeln den Berg hinaufsteigen müssen, und das wagte sie nicht. Allein die Tatsache, dass im Tal kein Handyempfang war und das Telefon gar nicht klingeln konnte, machte sie ganz verrückt.

»Ich glaube, ich brauche einen Fernseher«, meinte sie plötzlich völlig unvermittelt. »Es ist schrecklich, wenn man nie eine menschliche Stimme hört. Und wenn es nur die des Tagesschausprechers ist. Außerdem weiß ich überhaupt nicht mehr, was in der Welt passiert. Wenn irgendwo eine Atombombe hochgeht – hier kriegt man es garantiert nicht mit.«

»Ich kann mich für dich drum kümmern. Ich kenne jemand, der Satellitenschüsseln installiert.«

»Und?«, fragte er nach einer Pause. »Hast du wegen Felix schon irgendwas unternommen? Ich habe das Foto in der Küche gesehen, es ist wunderschön!«

Anne nickte. »Ja, es ist toll, das find ich auch. Aber unternommen hab ich noch nichts. Vielleicht sollten wir Kontakt zu den Familien der anderen beiden verschwundenen Kinder aufnehmen. Ich weiß nicht, was dabei rauskommen soll, aber versuchen sollten wir es. Kannst du mir helfen? Mein Italienisch reicht niemals für derartige Gespräche.«

»Natürlich. Die Frage ist nur, wie wir an die Adressen kommen. Wir könnten den Pfarrer fragen, oder die Carabinieri …«

»Oder wir versuchen es in der Bar. Da erfährt man normalerweise alles.«

»Stimmt«, sagte Kai und biss in einen Apfel. »Die Idee ist klasse. Aber jetzt sag mir erst mal, wo wir heute hinfahren. Nach Montalcino? Nach Pienza? Nach San Gimignano? Was kennst du noch nicht?«

»Lass uns nach Montalcino fahren«, sagte Anne und stand auf. »Da kann ich ein bisschen Wein kaufen. Aber ich habe eine Bedingung.«

»Kein Problem.«

»Wenn wir wiederkommen, übernachtest du bei mir in Valle Coronata. Einverstanden?«

»Einverstanden.«

Kai beugte sich vor und küsste sie auf den Mund, bevor sie mit dem Tablett im Haus verschwand.

65

Allora wollte unbedingt wissen, wer jetzt in Valle Coronata wohnte, seit der Mann mit der Forke und der blonden Frau in das Haus ihrer Nonna gezogen war. Außerdem war sie neugierig, ob sich in all den Jahren, in denen sie nicht mehr da gewesen war, irgendetwas verändert hatte.

Auf dem Weg nach Valle Coronata hatte sie sich einen Splitter in den Fuß getreten. Sie saß auf einem Baumstumpf, saugte an ihrem großen Zeh und fluchte leise. Dann lief sie weiter. So lange, bis sie den Schmerz nicht mehr spürte.

Das Tal lag still und friedlich da, so wie sie es in Erinnerung hatte. Die Blumen blühten wie früher, nur die Rosmarin-, Lavendel- und Salbeibüsche waren riesig geworden und reichten inzwischen bis ans Küchenfenster.

Allora hockte sich in ihr altes Versteck, das sie problemlos wiederfand, und wartete. Vielleicht schlief ja jemand im Haus. Sie stand auf und ging ein Stück weiter, bis sie den Parkplatz im Blick hatte. Dort sah sie lediglich einen kleinen alten Fiat, dessen Reifen bereits mit Unkraut umwuchert waren. Mit diesem Auto war lange keiner mehr gefahren. Offensichtlich war wirklich niemand im Haus.

Allora lief geduckt durch den Wald, der dem Haus gegenüber direkt an den Bach grenzte, und ließ das Haus nicht aus den Augen. Ab und zu blieb sie stehen und horchte. Nichts. Kein Laut. Nichts rührte sich.

Heute waren die Fenster und Türen genauso geschlossen wie damals, aber heute war kein leises Jaulen zu hören.

Vom Parkplatz her schlich sie vorsichtig zum Haus, kletterte zuerst die toscanische Treppe hoch und sah ins Schlafzimmer. Das Bett unter einem riesigen Moskitonetz war ordentlich gemacht, eine beigefarbene Leinendecke mit eingewebtem Muster lag darüber. Auf der Kommode dem Bett gegenüber waren ein Spiegel aufgestellt und Schminkutensilien aufgereiht.

Allora schlich weiter. Ins Wohnzimmer konnte sie nicht hineinsehen, dafür hätte sie eine Leiter gebraucht. Das Gästezimmer war ebenso aufgeräumt wie das Schlafzimmer, unmöglich zu sagen, ob in dem Bett in den letzten Tagen jemand geschlafen hatte oder nicht.

Dann sah Allora in die Küche und erstarrte. Sie leckte die leicht staubige Scheibe ab, um besser sehen zu können. Auf dem Foto über der Sitzecke erkannte sie den kleinen Jungen, den der Mann, den sie einmal Engel genannt hatte, auf den Armen getragen und im ausgetrockneten Teich, in dem jetzt wieder Wasser war, einbetoniert hatte. Ihr Herz klopfte wie wild. Sie versuchte zu verstehen, warum sie hier in dieser Küche das Bild dieses Jungen sah, aber sie konnte nicht denken, hatte das Gefühl, als sei ihr Kopf mit Watte ausgestopft. Vor Wut und Verzweiflung schlug sie mit der Stirn gegen die Scheibe, fester, immer fester, und sie spürte dabei keinen Schmerz. Erst als die Scheibe der Tür zerbrach und ihr das Blut übers Gesicht lief, kamen langsam die ersten Gedanken wieder, die sie zu sortieren versuchte. Sie hieß Allora. Die Sonne schien, und es war heiß. Sie war im Wald, im Tal, und das Haus war leer. Niemand war da, und niemand hatte sie gesehen. Allora brach einige hervorstehende Glassplitter aus dem Rahmen, die sie noch hätten verletzen können, und kroch durch die Öffnung ins Innere der Küche.

In der Spüle standen zwei benutzte Espressotassen. Irgendjemand hatte hier heute Morgen Kaffee getrunken.

Allora tat das, was sie auch im Wald machte. Sie ging auf die Knie und durchschnüffelte das ganze Haus. Ein leichter Duft schwebte in der Luft. Der Duft gefiel Allora. Aber sie roch auch angefaulten Salat im Komposteimer, Käse im Kühlschrank, Staub auf dem Geschirrregal und Schimmel unter der Spüle. Sie roch die verbrannten Spinnweben in der Steckdose, die vor kurzem noch benutzt worden war, sie roch das Wachs auf den Mattoni, die Feuchtigkeit in den Gardinen, roch die einzige Nuss im Korb, die ranzig war, und im Bett den spezifischen Geruch einer Frau.

Dann ging sie langsam wieder zurück in die Küche und nahm vorsichtig Felix' Bild vom Haken.

66

Der Mann war nicht da, da war sie ganz sicher. Während sie im Gebüsch saß und das Haus beobachtete, hatte die blonde Frau unaufhörlich Steine in einer Schubkarre zusammengesammelt, zum Weg gefahren, ausgeschüttet und dann fein säuberlich verteilt, sodass ohne große Zwischenräume Stein an Stein passte. Offensichtlich wollte sie den Weg vor dem Haus pflastern. Sie schwitzte, und sie tat Allora Leid, weil Allora wusste, wie lang der Weg von Casa Mèria nach San Vincenti war. Um nach San Vincenti zu laufen, benötigte man ungefähr genauso viel Zeit, wie man brauchte, um der Nonna ihre Minestrone zu kochen. Und die Minestrone kochte lange, denn die Nonna hatte keine Zähne mehr gehabt und konnte die Karotten und Kartoffeln nur mit der Zunge am Gaumen zerdrücken. Allora stellte sich vor, dass die blonde Frau mit dem Pflastern des Weges sicher erst fertig sein würde, wenn sie so alt wäre wie die Nonna gewesen war, als sie starb. Und deswegen tat ihr die blonde Frau Leid.

Aber allmählich wurde Allora auch ungeduldig, denn solange die Frau diese dumme Arbeit machte, konnte sie selbst nicht ins

Haus. Und sie wollte doch das Bild dem Mann auf den Tisch legen. Sie hatte nie ganz verstanden, was sich damals in Valle Coronata abgespielt hatte und warum das Kind tot gewesen war, aber sie wusste, dass es sein Kind war. Er hatte es getragen, er hatte es in den Teich gelegt, es gehörte ihm. Darum musste er auch das Bild haben. Es gehörte nicht der Frau in Valle Coronata, sie war schließlich fremd in dem Haus, es gehörte dem Mann mit der forcona. Obwohl sie wütend auf ihn war und ihn fürchtete. Aber sie stellte sich vor, irgendjemand hätte ein Bild von der Nonna, dann müsste es auch ihr gehören. Sie hatte die Nonna gepflegt und hatte sie in die Kirche getragen, als sie tot war. Und sie hatte die Nonna geliebt. Bestimmt hatte der Mann das Kind auch geliebt.

Als sie daran dachte, wie schön es wäre, ein Bild der Nonna immer mit sich herumtragen zu können, liefen ihr die Tränen übers Gesicht. Dann wäre sie nicht ganz tot. Mittlerweile fiel es ihr richtig schwer, das Bild der Nonna in ihrem Herzen immer wieder lebendig zu machen, sich an sie zu erinnern und sie leibhaftig vor sich zu sehen. Sie wusste zum Beispiel gar nicht mehr so genau, was die Nonna für eine Nase gehabt hatte. Sie glaubte, eine dicke, leicht verbogene, mit dicken Poren, die aussahen wie kleine Löcher ..., aber sie war sich nicht mehr so sicher.

Nein, das Bild musste der Mann haben. Auch wenn er der Satan war. Aber sie wagte nicht, es ihm direkt zu geben, sie hatte Angst, er würde sie wirklich mit der Teufelskralle durchbohren. Darum musste sie es schaffen, das Bild heimlich auf den Tisch zu legen und zu verschwinden.

Die Frau legte die Steine immer noch. Allora gähnte. Dabei flog ihr eine Fliege in den Mund, und sie musste spucken, aber sie hatte die Fliege bereits verschluckt und fing an zu würgen. Offensichtlich hatte die Frau etwas gehört, denn sie hielt mit ihrer Arbeit inne und sah sich um. Allora hörte auf zu würgen und zu atmen. Aber sie hatte einen derartig starken Hustenreiz, dass sie fast erstickte, als sie versuchte, ihn zu unterdrücken. Ihr sonst so blasses Gesicht war knallrot und hatte inzwischen fast die Farbe ihres auf der Stirn getrockneten Blutes.

In diesem Moment streckte sich die Frau, beugte ihren schmerzenden Rücken langsam auf und ab und ging dann ins Haus.

Allora hustete herzhaft und konnte endlich die tote Fliege ins Gebüsch spucken. Dann tastete sie nach dem Foto, das sie unter ihr Hemd geschoben hatte. Es war warm und ein wenig feucht. Sie holte es heraus und sah es in Ruhe an. Mit dem Finger strich sie leicht die Arme des Jungen entlang und lächelte.

In diesem Moment kam die Frau wieder. Sie hatte ein Buch in der Hand und ging ums Haus herum. Wenig später hörte Allora die Hängematte in ihrer rostigen Aufhängung quietschen.

Endlich war der Moment gekommen. Sie stand auf und schlich lautlos ins Haus.

67

Die Fenster des Jeeps waren alle geöffnet, und Anne genoss den warmen Fahrtwind, als sie durch die Crète fuhren. Die Hügel und Felder waren jetzt, in der heißesten Zeit des Sommers, braun, die Wiesen vertrocknet, und zusammen mit dem Grau der bizarren Kalkfelsen bot diese einmalige Landschaft einen fast trübseligen Anblick.

»Hast du die Crète schon mal im Frühling gesehen?«, fragte Kai. »Um diese Zeit ist sie am schönsten. Auf allen Hügeln hast du dann das frische leuchtend grüne Sommergetreide, das sich im Wind bewegt wie die Wellen eines Ozeans. Es ist fantastisch. In der Crète verkaufe ich die Häuser fast nur im Frühling.«

»Ich bin gespannt drauf.« Anne schloss die Augen. Sie versuchte diesen wunderbaren Moment festzuhalten. Alle Probleme schienen endlos weit weg zu sein, und sie genoss einfach nur die Fahrt durch die Toscana, ohne an Felix denken zu müssen. Der Gedanke an ihn war wie ein Stachel im Fleisch, der immer wieder schmerzte, wenn man ihn berührte, doch heute war ein Tag, an dem sie den Schmerz vergessen konnte.

»Hast du Lust, dir ein Benediktinerkloster, die Abbazia di Monte Oliveto Maggiore anzugucken? Wir kommen direkt dran vorbei.«

»Ja, klar, warum nicht.«

Kai fuhr die engen Haarnadelkurven zügig und sicher. Der Wagen schien mit der Straße verwachsen zu sein. Anne war normalerweise eine schlechte Beifahrerin. Sie fuhr lieber selber, denn sie spürte jede Unsicherheit des Fahrers, konnte es überhaupt nicht leiden, wenn der Wagen zu untertourig oder zu hochtourig gefahren wurde, sie hatte immer das Gefühl, die Gefahr und die Fehler anderer eher zu ahnen als der, der am Steuer saß, und konnte sich selten entspannen. Bei Kai war das anders, sie war völlig relaxed und hatte Lust, seinen Nacken zu streicheln, aber dann ließ sie es doch.

Als sie die Abtei erreichten, standen auf dem Parkplatz schon fünf große Reisebusse.

»Bitte nicht«, stöhnte Anne. »Bitte jetzt keine Touristenmassen, die sich durch ein Kloster schieben. Lass uns die Abtei ein andermal besichtigen. Vielleicht im Winter, wenn keine Touristen hier sind.«

»Okay.« Kai sah aus, als hätte Anne ihm vollkommen aus der Seele gesprochen.

Die kurvige Strecke zog sich noch bis kurz vor Buonconvento hin, ein mittelalterliches Städtchen, das von einer beeindruckend hohen und völlig intakten Stadtmauer umgeben war. Als sie dann von der Bundesstraße Richtung Rom nach wenigen hundert Metern nach Montalcino abbogen, schlängelte sich die Straße kilometerlang langsam höher und höher, Montalcino auf der Höhe des Berges immer im Blick.

Kai parkte direkt neben dem Castello am höchsten Punkt von Montalcino und schlenderte dann mit Anne durch die engen Gassen, die ab und zu einen fantastischen Blick ins Tal erlaubten. Er hatte den Arm um Annes Schultern gelegt. Wir sehen aus wie ein Paar, das seit Jahren verheiratet ist, dachte Anne amüsiert, dabei bin ich mit einem ganz anderen Mann verheiratet, der jetzt wahrscheinlich gerade auf die Uhr sieht, einen Blick ins Wartezimmer wirft und sagt: »Noch drei Patienten, dann ist Mittagspause. Hoffentlich erzählt Frau Böhme nicht wieder so viel …«

Anne war von dem Städtchen begeistert. Nicht so klein wie Ambra, nicht so groß wie Siena, beschaulich, aber nicht ausgestorben.

»Wenn ich in einer Stadt leben müsste, dann vielleicht in dieser«, dachte sie laut. »Siena mag ich auch sehr, aber ich brauche zehn Jahre, bis ich mich da nicht mehr verlaufe.«

In einer kleinen Osteria fanden sie einen winzigen Tisch auf dem Balkon, unter dem es gut fünfzig Meter steil nach unten ging und dessen Geländer bedenklich wackelte. Doch der Blick über das Tal bis hin nach San Quirico war atemberaubend.

»Auf dem Rückweg fahren wir aber auf jeden Fall noch kurz in Sant' Antimo vorbei«, meinte Kai, während er genüsslich in ein mit Leberpaste bestrichenes Crostino biss. »Das ist eine der schönsten Kirchen, die es gibt. Die Legende sagt, Engel hätten sie im Laufe einer einzigen Nacht erbaut. Die Säulen sollen sie auf ihren Häuptern und die Steine in ihren Händen getragen haben.«

»Du siehst zwar nicht so aus, aber du bist ein hoffnungsloser Romantiker, stimmt's?«, fragte Anne.

»Ich bin in Italien einer geworden. Früher war ich ganz anders. Früher war ich ein eitler Yuppie, der zweimal im Monat zum Friseur ging, ein Vermögen für ein Aftershave ausgab, sich ab und zu in seiner chromglänzenden Küche ein Bistro-Baguette in der Mikrowelle warm machte, beim Essen die Börsennachrichten auf ntv verfolgte, kurz mit der Bank telefonierte, um danach in einer neonbeleuchteten Künstlerbar so viele Gin-Tonic zu trinken, bis das Stehen schwer fiel. Meine Bekanntschaften und Affären dauerten im Schnitt von zweiundzwanzig bis drei Uhr früh, meine Wäsche erledigten einmal in der Woche Reinigung und Wäscherei, mein Badezimmer war schwarz gefliest, und meine einzigen Haustiere waren die Grippeviren, die ich einmal im Jahr vom Büro mit nach Hause brachte.« Er grinste schief. »Ich glaube, romantisch ist was anderes.«

Anne lachte. »Unglaublich. Und ich war die treu sorgende Ehefrau und Mutter, die jeden Tag drei Mahlzeiten aus dem Hut zauberte, Hund, Katze und Meerschweinchen fütterte, dem Mann den passenden Schlips rauslegte und die Manschettenknöpfe zufummelte, wenn wir ins Theater gingen, die in der Praxis Krankenschwester, MTA, Sprechstundenhilfe und Buchhalterin war und zu Hause Nachhilfelehrerin für Schularbeiten aller Art. Ich war die, die die Küche wischte, den Gehweg fegte und die Äpfel erntete, die sich für die gesamte Familie die Weihnachtsgeschenke überlegen musste und die, die sich nie eine Affäre leistete. Weil ich viel zu viel Schiss hatte, dass es rauskommen könnte. Meine Romantik hieß: im Sommer eine Reise nach Gran Canaria, im Winter eine Woche Skifahren in Saas Fe. Und spazieren gehen am Strand. Aber eigentlich nur, wenn Probleme zu besprechen waren.«

Jetzt lachte Kai. »Wunderbar. Aber eins ist mir nicht klar. Woher hattest du das Geld für Valle Coronata? Und das Geld, hier Wochen oder Monate oder Jahre, ich weiß es ja nicht, einfach so bleiben zu können? Ohne irgendwas zu tun?«

Die Kellnerin brachte Papardelle mit Cinghale, Bandnudeln mit Wildschweinsoße, für beide.

»Meine Patentante hat mir was vermacht. Sie ist vor einem Jahr an Knochenkrebs gestorben. Sie hatte außer mir niemanden, und wir haben uns richtig gut verstanden. Als sie krank war, hab ich mich monatelang bis zu ihrem Tod um sie gekümmert. Aber dass sie so viel auf der hohen Kante hatte, hab ich nicht geahnt.«

»Und die Praxis? Wie läuft der Laden ohne dich?«

Anne zuckte die Achseln. »Weiß ich nicht. Irgendwie. Keine Ahnung. Wenn ich noch länger hier bleibe, wird Harald vielleicht jemanden einstellen. Aber ich hab mir einfach mal eine Auszeit von der Ehe genommen. Und daran ist Harald nicht ganz unschuldig.«

»Eine andere Frau?«

»Auch. Aber der Hauptgrund ist Felix. Seit seinem Verschwinden ging es mit unserer Ehe bergab. Wir haben einfach unterschiedlich getrauert, und das zu tolerieren haben wir beide nicht geschafft. Ich wollte wissen, was passiert ist, Harald wollte das nach einer gewissen Zeit nicht mehr. Ganz am Anfang war sein Schmerz so groß, dass er nur noch wütend war und voller Tatendrang. Er war zwanzig Stunden am Tag unterwegs, suchte, setzte alles in Bewegung, was in Bewegung zu setzen war, während ich wie gelähmt zu Hause saß und wartete und nichts machen konnte. Ich konnte mich einfach nicht bewegen. Das verstand er nicht. Nach ein paar Monaten hatte sich bei mir nicht viel geändert, obwohl ich im Kopf immer durchspielte, was ich noch alles versuchen könnte. Vor allem in Italien. Und bei Harald war die Luft raus. Irgendwann schloss er mit der ganzen Sache ab und lebte nach dem Motto, man sollte sich nicht über Dinge verrückt machen, die man eh nicht mehr ändern kann.«

»Überspitzt formuliert.«

»Natürlich überspitzt formuliert. Aber auf diesem Level kamen wir einfach nicht mehr zusammen. Völlig unmöglich.«

»Das verstehe ich.«

Eine Weile schwiegen beide. Dann fragte Kai: »Möchtest du noch Fleisch? Oder Fisch?«

Anne schüttelte den Kopf. »Nein danke, ich bin satt. Aber ein Kaffee wäre nicht schlecht.«

Kai winkte der Kellnerin. »Nicht hier. Den nehmen wir in der Fiaschetteria. Wenn du in Montalcino bist, musst du dieses Café unbedingt kennen lernen.«

68

Carla wurde es in der Hängematte schnell zu heiß. Sie klappte das Buch zu, das Enrico ihr zum Lesen gegeben hatte und das sie schrecklich langweilte. »Schuld und Sühne« von F. M. Dostojewski. Schon mit den komplizierten Namen in diesem Buch kam sie nicht zurecht, und die schwülstige Sprache fand sie einfach schwierig und entsetzlich. Sie war erst auf Seite dreiundfünfzig und hatte gerade einen dreizehn Seiten langen Brief gelesen, der aus nur einem einzigen Absatz bestand. Verstanden hatte sie kaum etwas. Es war eine Quälerei, fand Carla, aber was sollte sie machen? In wenigen Tagen würde Enrico anfangen, mit ihr darüber zu diskutieren, er würde ihr Fragen stellen und immer nur müde lächeln, wenn sie eine Frage nicht beantworten konnte. Sie hasste das, sie fand ihn bei diesen Gelegenheiten unerträglich arrogant, und sie wusste ganz genau, dass er – wenn er wollte – in der Lage war, nur Fragen zu stellen, die sie nicht beantworten konnte. Dieses schreckliche Buch hatte siebenhundertdreißig Seiten. Die schaffte sie nie.

Dafür brauche ich Jahre, dachte sie, vor allem, wenn ich jeden Tag nur drei Seiten lese, weil es so öde ist und weil ich regelmäßig dabei einschlafe. Aber sie wusste, dass Enrico das Buch unzählige Male gelesen hatte. Immer und immer wieder, als gäbe es nur dieses eine auf der Welt. Er konnte es seitenweise auswendig und hatte schon oft an langen Winterabenden daraus rezitiert. Dass Carla einmal dabei eingenickt war, merkte er erst, als sich ihr Atem veränderte und sie leise anfing zu schnarchen. Daraufhin hatte er das Buch wie einen Schatz behutsam unter den Arm genommen und war ohne ein Wort zu Bett gegangen. Mehrere Tage hatte er nicht mit Carla gesprochen. Als sie es nicht mehr aushielt, hatte sie ihm versprochen, das Buch bei nächster Gelegenheit selbst zu lesen. Und jetzt war es an der Zeit, ihr Versprechen einzulösen. Sie verfluchte innerlich den Abend, als sie eingeschlafen war. Wäre das nicht passiert, hätte sie sich diese unerträglichen siebenhundertdreißig Seiten ersparen können.

Wie benommen ging sie ins Haus. Die Hitze lastete auf ihr wie ein schwerer Wintermantel in einem überheizten Raum. Sie blinzelte, als sie aus dem grellen Sonnenlicht in die dunkle, kühle Küche trat, und musste einen Augenblick warten, bis sich ihre Augen an die veränderten Lichtverhältnisse gewöhnt hatten.

Ein paar Sekunden später sah sie es, denn sie stand unmittelbar davor. Felix' Bild lag auf dem groben Holztisch und leuchtete regelrecht auf dem dunklen Braun. Das Foto, das vor kurzem noch in Valle Coronata gehangen hatte. Sie hatte es sich oft angesehen und jedes Mal nachempfinden können, wie sich Anne fühlte und was sie empfunden haben musste, als Felix nicht mehr nach Hause gekommen war.

Carla starrte fassungslos auf das Bild und setzte sich. Sie schob sich die schweißnassen Haare aus der Stirn und sah, dass ihre Hand kaum merklich zitterte. Was war hier los? Wie kam das Bild auf diesen Tisch? Kurz bevor sie sich zum Lesen in die Hängematte gelegt hatte, war sie noch durch die Küche gegangen und hatte ein Glas Wasser getrunken. Das Foto hatte nicht auf dem Tisch gelegen, das wusste sie ganz genau. Aber wer hatte es hier hingelegt? Und warum?

Anne? Nein, das war unmöglich. Sie hätte sie kommen sehen und auch gehört. Von der Hängematte aus hatte man den Weg zum Haus gut im Blick. Außerdem hätte sich Anne gemeldet. Sie hätte gerufen, wäre sicher auch noch einen Moment geblieben, um einen Schluck zu trinken. Und warum sollte sie das Foto hierher bringen? Sicher nicht, um es zu zeigen, denn Anne wusste, dass sowohl Enrico als auch Carla das Bild kannten. Es gab also gar keinen Grund. Anne war ja glücklich darüber, dass sie es hatte, dass es an diesem wunderbaren Platz in Valle Coronata hing, und vor allem, dass sie es ertragen konnte, ihren Sohn immer wieder anzusehen. Nein. Anne konnte es nicht gewesen sein. Aber wer dann?

Enrico? Nein. Auch da gab es keinen Grund. Normalerweise hupte Enrico immer einmal kurz, wenn er den Weg heraufgefahren kam, damit sie Bescheid wusste, und außerdem, warum sollte er das Bild aus Valle Coronata holen und hier heimlich auf den Tisch legen? Nein, das ergab alles keinen Sinn.

Doch außer Anne, Enrico und ihr selbst kannte niemand sowohl Valle Coronata als auch Casa Mèria. Kai vielleicht noch. Dieser Makler. Aber der hatte ja nun mit ihnen so gut wie gar nichts zu tun. Auch für Kai fiel ihr kein Grund ein, den heimlichen Bilderboten zu spielen.

Der Rahmen fehlte. Carla erinnerte sich, dass das Foto an der Wand hinter einem Glasträger gehangen hatte. Vielleicht war der Rahmen kaputt. Das war ja möglich. Aber trotzdem kam ein Foto nicht von allein kilometerweit von einem Tal ins andere geflattert. Carla spürte, wie sie augenblicklich stechende Kopfschmerzen bekam. Sie stand auf und trank Wasser, das in einer Karaffe immer bereitstand. Es war lauwarm, aber das störte sie nicht. Sie trank ausgiebig, um ihre Kopfschmerzen loszuwerden und den Kopf wieder freizubekommen.

Irgendetwas ging hier vor. Irgendetwas war passiert. Irgendetwas, das mit Anne und ihrem Sohn zusammenhing. Seit diese Frau hier war, hatte sich etwas verändert, das spürte Carla, aber sie wusste nicht, was.

Enrico war nicht da. Er war nie da, wenn man ihn brauchte. Sie wollte ihn mit diesem Mysterium konfrontieren, wollte hören, was er für eine Erklärung parat hatte. Er, der immer alles wusste, alles einordnen konnte und nie in Verlegenheit kam. Er, der an nichts

Mystisches glaubte, an keinen Zufall, nichts Übersinnliches und nichts Parapsychologisches. An keine Zauberei, keine Hexerei und keine Telepathie. Er glaubte nur an sich und an das, was er sah und hörte und was er befühlen und begreifen konnte. Sie freute sich jetzt fast über das merkwürdige Auftauchen des Bildes, denn sie wollte ihn ein einziges Mal sprachlos erleben, fassungslos, ohne Antwort und ohne einen einzigen vernünftigen Gedanken, der dieses Phänomen erklären könnte.

Sie war wütend, dass er nicht da war, weil sie nicht wusste, wie sie die Zeit totschlagen sollte, bis er endlich kam.

Carla nahm das Bild und schob es im Nebenzimmer zwischen zwei Bildbände von der Toscana und blieb einen Moment am Fenster stehen. In der Ferne auf einem Hügel sah sie Montebenichi im Sonnenschein. Felix' Foto, dachte sie, verdammt noch mal, hier liegt Felix' Foto auf meinem Tisch. Es ist eine Nachricht, aber ich kann sie beim besten Willen nicht verstehen.

69

Auf dem Rückweg hatten Kai und Anne hinter dem Fahrer- und dem Beifahrersitz zwei Korbflaschen mit je siebzehn Litern Montalcino, der in Valle Coronata in Flaschen abgefüllt und verkorkt werden sollte. Anne schlief fast während der gesamten Fahrt. Sie wachte erst auf, als der Jeep auf der Schotterstraße durch die Olivenhaine rumpelte.

»Wir sind ja schon da«, murmelte sie verschlafen. »Wie schön! Ich hab die ganze Strecke verschlafen und meinen Mittagsschlaf nachgeholt.«

»Dann bist du ja heute Abend und heute Nacht richtig fit!« Kai grinste, und Anne grinste zurück. Sie spürte ein leichtes Kribbeln im Unterleib, das sie in diesem Moment sehr genoss. Es war ein deutliches Zeichen, wie sehr sie sich darauf freute, mit Kai zu schlafen.

Während in Duddova die Sonne noch schien und die alten Männer zum abendlichen Plausch auf der Straße saßen, war die Sonne in Valle Coronata bereits hinter den Bergen verschwunden. Obwohl es ein extrem heißer Tag gewesen war, spürte Anne hier im Tal die feuchte Kühle, die einen umschloss wie ein klammes Tuch.

»Valle Coronata ist nicht die Toscana«, sagte Anne. »Der italienische Sommer findet hier nicht statt.«

»Was ist es dann?«

»Ein weißer Fleck auf der Landkarte«, sagte Anne lächelnd. »Ein Paradies, das erst von mir entdeckt worden ist.«

Kai fuhr den Jeep bis vor die Küche, um die schweren Korbflaschen nicht so weit tragen zu müssen.

Anne entdeckte die kaputte Scheibe der Küchentür sofort. Der erste Einbruch, dachte sie, das ging ja schnell. Sie war unendlich dankbar, dass sie in dieser Nacht nicht allein sein würde, und beschloss, Kai zu bitten, bei ihr zu bleiben, bis die Tür repariert war.

Anne stieg aus und ging zur Küchentür. Unwillkürlich sah sie zu Boden und bemerkte die eingetrockneten Blutstropfen auf dem Mattoniboden. Danach hob sie den Kopf und blickte in die Küche. Zwei Sekunden lang stand sie völlig bewegungslos, dann stieß sie einen gellenden Schrei aus.

70

Beim Baustoffhändler war es so voll, dass Enrico schon überlegt hatte, vielleicht besser am nächsten Morgen wiederzukommen. Aber dann würde er den halben Vormittag mit Einkäufen verlieren, und das war noch schlimmer. Also blieb er und versuchte Ruhe zu bewahren. Jetzt nach Feierabend kauften die Handwerker der ganzen Gegend die Materialien für den nächsten Tag, ersetzten fehlendes Werkzeug und nutzten das Treffen im negozio ferramento für einen kleinen Plausch. Viele versuchten mit Enrico ins Gespräch zu kommen. Enrico blieb freundlich, aber hielt sich spröde zurück und antwortete nur so knapp wie möglich.

»Du hast Casa Mèria, das Haus der alten Hexe, gekauft?«, fragte Mario, der Waldarbeiter.

Enrico nickte.

»Die Alte, die verbrannt ist?«, wollte Piero wissen.

»Die ist nicht verbrannt. Die war schon tot, und dann hat diese Irre das Haus angezündet.«

Enrico hatte schon von »dieser Irren« gehört, aber er hatte sie noch nie gesehen. Es interessierte ihn auch alles nicht, er wollte nur endlich bedient werden.

»Baust du das Haus wieder auf?«

Enrico nickte erneut.

»Hast du denn schon eine Genehmigung?« Marios Stimme rutschte ganz hoch bei dieser Frage.

»Noch nicht.« Das waren genau die Gespräche, die Enrico so hasste, denn alles, was beim Baustoffhändler in Erfahrung gebracht wurde, wurde noch am selben Abend in Windeseile im ganzen Dorf verbreitet.

»Und? Baust du schon?«

»Noch nicht.« Enrico lächelte und schaute in eine andere Richtung. Er hatte noch zweieinhalb Monate Zeit. Erst dann begann die Jagd, erst dann würde hin und wieder ein Jäger vorbeikommen und sehen, dass das Haus wieder aufgebaut worden war. Meist lud er die Jäger, die er traf, zum Wein ein und tat freundlich, dann wurden sie nicht bösartig und zeigten ihn auch nicht bei der Forestale an.

Die Italiener schoben die Schweigsamkeit des Deutschen seinen Sprachschwierigkeiten zu und verloren das Interesse an ihm. Enrico wartete geduldig noch eine weitere halbe Stunde, bis er endlich bedient wurde und zumindest einen Großteil der Schrauben bekam, die er zum Bauen der Fenster brauchte.

Auf dem Rückweg nach Casa Mèria sah er, dass ein schwarzer Jeep hinter ihm herfuhr. Als er sich umdrehte, blendete der Jeep auf, und Enrico erkannte Anne und Kai. Er winkte in den Rückspiegel und beschleunigte. Der Jeep folgte.

Enrico stöhnte auf. Was wollten die beiden heute Abend bei ihm? Der Überraschungsbesuch passte ihm gar nicht. Er hatte seit heute Morgen um sieben gearbeitet und dann die vertrödelte Zeit beim Baustoffhändler ertragen, die mehr an seinen Nerven gezehrt hatte als fünf Stunden Steine schleppen. Er dachte nur daran, wie gern er jetzt die Arbeitshose ausziehen und sich den Zementstaub, der zusammen mit Schweiß am Körper klebte, abwaschen würde. Nach smalltalk oder gepflegter Konversation war ihm jetzt überhaupt nicht zumute.

Zeiten wie in Valle Coronata, wo ihn niemand kannte, niemand besuchte, weil diese Adresse auch offiziell noch gar nicht existierte, würde es wohl nie wieder geben.

Carla stand schon vor dem Haus, als beide Wagen nacheinander den Weg hinunterrollten. Sie lächelte und umarmte Anne und Kai zur Begrüßung.

»Schön, dass ihr mal vorbeikommt«, sagte sie und versuchte, ihre Stimme munter klingen zu lassen, aber insgeheim überlegte sie fieberhaft, ob dieser Überraschungsbesuch mit dem Foto auf ihrem Küchentisch zusammenhängen könnte.

»Du wirkst so bedrückt?«, bemerkte Enrico sanft zu Anne, und Anne nickte nur. Carla strich er zur Begrüßung leicht über die Schulter.

»Macht es euch schon mal bequem«, meinte er. »Ich dusche kurz. Fünf Minuten, und dann will ich wissen, was los ist.«

Anne und Kai setzten sich unter einen knorrigen Feigenbaum. Carla fand ihn besonders schön und hatte dort eine kleine Sitzecke eingerichtet. Sie ging ins Haus, um den Wein zu holen.

Kai und Anne sahen sich um. »Unglaublich, was Enrico in dieser kurzen Zeit alles geschafft hat«, meinte Anne. »Er arbeitet wie ein Tier. Und hast du ihn mal beobachtet? Er macht fast alles im Laufschritt.«

»Anne«, Kai nahm ihre Hand und sprach sehr leise, »was wollen wir hier? Enrico und Carla werden in Valle Coronata nicht eingebrochen haben.«

»Nein. Aber irgendwo müssen wir anfangen. Vielleicht haben sie eine Idee, einen Verdacht? Wir können jetzt nicht in Valle Coronata rumsitzen und versuchen, das Ganze zu verdrängen!« Anne war Kai gegenüber ungehaltener, als sie es eigentlich wollte, aber es machte sie nervös, dass sie von ihrem Platz aus direkt die Stelle beobachten konnte, wo sich Enrico abseifte und duschte. Es schien ihn nicht im Geringsten zu stören, dass man ihm dabei zusah.

In diesem Moment kam Carla mit Wasser, Wein, Oliven, Käse und etwas Brot zum Tisch. »Mehr haben wir leider nicht im Haus«, sagte sie, während sie das Tablett abstellte.

»Das ist doch toll«, meinte Anne. »Wir haben sowieso keinen großen Hunger.«

Kai verzog das Gesicht und grinste. Er hatte fürchterlichen Hunger.

Enrico hatte sich eine kurze Hose und ein T-Shirt angezogen, kam an den Tisch, während er sich noch die Haare abtrocknete, und setzte sich.

»Was ist los?«, fragte er. »Was ist passiert?«

Carla verschüttete beim Eingießen ihr Mineralwasser, so sehr zitterten ihre Hände, aber niemand achtete darauf.

»Vorweg mal eine Frage, Enrico«, sagte Anne. »Warum hast du gesagt, hier in dieser Gegend seien keine Kindermorde geschehen? In unmittelbarer Nähe sind außer meinem Felix noch zwei andere Kinder verschwunden. Filippo und Marco. Filippo war elf und Marco dreizehn. Wenn so etwas passiert, reden die Leute wochenlang darüber. In den Bars, in den Geschäften, auf dem Markt, auf der Piazza, überall. Ich hab es ja selbst erlebt. Und ihr habt von all dem nichts mitbekommen?«

»Ich hab das wirklich nicht gewusst«, hauchte Carla. Auf ihren Wangenknochen bildeten sich hektische rote Flecken.

»Ich hab es gewusst«, sagte Enrico leise und sah zu Boden. »Kann sein, dass Carla es nicht mitbekommen hat, ich glaube, sie war beide Male zufällig in Deutschland.«

»Von Felix' Verschwinden hast du auch gewusst?«

Enrico nickte.

»Und als Felix verschwand, ist Carla auch in Deutschland gewesen?«

»Ja«, sagte Carla, »das hab ich dir doch gesagt. Mein Vater hatte einen Herzinfarkt.«

Anne machte eine flüchtige Geste, die so viel bedeutete wie: stimmt, hatte ich vergessen. Sie sah Enrico an. Ihr Blick war wütend und ihre Stimme klang leicht schrill.

»Und warum hast du mir nichts von den beiden andern vermissten Kindern erzählt?«

»Ich wollte dir keine Angst machen, Anne.« Enricos Stimme war warm und herzlich. »Du hattest doch wirklich schon genug Sorgen und Probleme. Und ich wollte dir vor allem die Hoffnung nicht

nehmen, deinen Felix vielleicht doch eines Tages lebend wiederzu-
finden. Vielleicht war es ein Fehler, kann sein, ich weiß es nicht,
aber wenn ich etwas falsch gemacht haben sollte, dann tut es mir
sehr Leid. Entschuldige, Anne.«

Anne war augenblicklich nicht mehr wütend, sondern eher be-
schämt, und fragte leise: »Du glaubst also nicht, dass er noch lebt?«

Enrico schüttelte den Kopf. Carla drückte ihre Hand vor den
Mund, weil sie kurz davor war zu weinen. Anne fragte unbeirrt
weiter.

»Dann ist hier in dieser Gegend also doch ein Kindermörder
unterwegs, der alle paar Jahre zuschlägt und die Leichen so gut versteckt, dass sie wahrscheinlich niemals gefunden werden?«

»Das kann gut sein. Ja«, sagte Enrico und vermied es, Anne anzusehen.

Eine Weile sagte niemand etwas.

Anne holte tief Luft. »Ich glaube, der Kindermörder ist heute in
Valle Coronata eingebrochen.«

»Was?« Enrico spürte eine leichte Form von Schwindel und
konzentrierte sich auf seinen Atem.

Da Anne in ihrer Tasche hektisch nach Zigaretten suchte, schaltete sich Kai ein und erklärte: »Wir haben heute eine Fahrt nach
Montalcino gemacht. Als wir losfuhren, war in Valle Coronata alles okay, aber als wir wiederkamen, war die Scheibe der Küchentür
eingeschlagen. Auf der Erde war Blut. Der Täter muss sich an der
kaputten Scheibe geschnitten haben. Wir haben das ganze Haus
auf den Kopf gestellt. Es ist alles da. Es fehlt nichts, es ist nichts
durchwühlt worden.«

»Sogar mein Geld in der Küchenschublade war noch vollzäh-
lig«, warf Anne ein.

»Es fehlt nur ein Foto! Das Foto von Felix, das über dem
Küchentisch hing. Nur das ist gestohlen worden. Nur dieses eine
Bild.« Kai sah Enrico und Carla auffordernd an. »Was soll das? Wir
verstehen es einfach nicht.«

Carla sprang auf, murmelte eine Entschuldigung und rannte ins Haus.

»Was hat sie denn?«

»Keine Ahnung.« Enrico wollte sich jetzt nicht über Carla Gedanken machen. Er war irritiert, schwer irritiert. Und er konnte es überhaupt nicht ausstehen, wenn er in eine Situation gebracht wurde, die er nicht mehr überschauen konnte und nicht mehr verstand. »Das macht doch keinen Sinn!«, sagte er kopfschüttelnd. »Wer bricht denn in Valle Coronata ein, nur um dieses Foto zu stehlen?«

»Das weiß ich eben auch nicht!« Anne rauchte mit tiefen Zügen. »Aber ich könnte mir vorstellen, dass es der Mörder war. Der Mörder von Felix. Vielleicht ist er zufällig in Valle Coronata vorbeigekommen, war ein bisschen neugierig, hat in die Küche geguckt, und da hat er ein Foto von dem Jungen gesehen, den er vor zehn Jahren umgebracht hat. Natürlich wollte er es haben. Unbedingt. Als Erinnerung. Oder als Trophäe. Wie auch immer. In seiner Erinnerung war der Mord schon fast verblasst, aber plötzlich war alles wieder da. Plötzlich sah er alles wieder so vor sich, wie es damals gewesen war, er durchlebte den Mord noch einmal und ergötzte sich daran. Und er wird sich immer wieder daran ergötzen, denn jetzt hat er ja das Foto. Und nur so erklärt es sich auch, dass er überhaupt kein Interesse daran hatte, mein Geld oder meinen Laptop zu klauen.«

Carla kam wieder. Sie hatte sich kaltes Wasser ins Gesicht geklatscht und war knallrot. »Was ist, was habt ihr gesagt?«

Kai wiederholte mit knappen Worten, was Anne gemeint hatte. Carla nickte und setzte sich.

»Geht es dir nicht gut?«, fragte Anne sie.

»Doch, doch.« Carla versuchte zu lächeln.

Enrico hatte das Gefühl, dass sein Herz kurz aussetzte und dann unregelmäßig weiterholperte. Was war da los? Gab es irgendjemanden, der zu viel wusste?

»Habt ihr die Polizei gerufen?«, wollte Carla wissen.

»Wegen eines Fotos, das einen Wert von zwanzig Euro hat? Die halten uns für verrückt!« Kai schüttelte den Kopf.

»Irgendetwas geht in Valle Coronata vor, das mit Felix zu tun hat. Aber ich versteh's nicht.« Anne zündete sich die nächste Zigarette an.

»Wenn es der Mörder war«, überlegte Enrico, »dann wäre es ein derartig unglaublicher Zufall, das kann ich mir nicht vorstellen. Ich glaube sowieso nicht an Zufälle. Ich glaube auch nicht an das Schicksal, das unsere Wege auf geheimnisvolle Weise lenkt, und wir können nichts dagegen tun. Nein. Das ist Einbildung. Immer wenn wir Menschen uns irgendetwas nicht erklären können, bringen wir den Zufall ins Spiel, und dann sind wir aus dem Schneider. Es muss eine Erklärung dafür geben, dass Felix' Bild verschwunden ist, wahrscheinlich eine ganz simple, wir kommen bloß nicht drauf.«

»Aber was kann denn bei diesem Einbruch dahinterstecken? Sag's mir! Was gibt es denn für eine einfache, harmlose Erklärung? Ich wäre ja froh, wenn du eine hättest! Ich will jetzt bloß keine Philosophien hören, ich will wissen, was in Valle Coronata passiert ist und was das mit meinem Sohn zu tun hat!«

Enrico schwieg. Ebenso Carla und Kai. Eine endlose Minute lang sagte niemand ein Wort.

»Ist in Valle Coronata überhaupt schon einmal eingebrochen worden? Habt ihr vielleicht schon mal etwas Ähnliches erlebt?«

Carla schüttelte den Kopf. »Nein. Nie. Gott sei Dank. Aber ich weiß von einigen einsam gelegenen Häusern, in die eingebrochen worden ist. Es waren immer Junkies. Beschaffungskriminalität. Sie haben nach Geld gesucht, dann haben sie ein paar Flaschen Wein mitgenommen und sind abgehauen. Wir sind zum Glück bisher verschont geblieben. Enrico hat immer gesagt, Valle Coronata findet keiner. Es liegt zu versteckt. Da hat er sich wohl geirrt.«

Ich irre mich nicht, dachte Enrico, ich irre mich nie.

Eine kleine Katze sprang auf Enricos Schoß. Er streichelte sie sanft und setzte sie dann wieder auf die Erde. Die Katze sprang sofort wieder auf seinen Schoß, und Enrico ließ sie sitzen und streichelte sie weiter. »Wenn du willst, Anne, können Carla und ich jederzeit bei dir in Valle Coronata übernachten. So lange, bis du keine Angst mehr hast. Oder bis du herausgefunden hast, was passiert ist.«

»Nicht nötig. Ich bleibe heute Nacht bei Anne. Und wenn sie möchte, auch noch in den nächsten Tagen.« Kai war sehr energisch, und es war ihm egal, was Enrico und Carla dachten. Aber die beiden reagierten überhaupt nicht darauf.

»Es gibt übrigens viele Kinder, die so aussehen wie Felix. Vielleicht hat ihn jemand verwechselt?«, meinte Enrico.

»Vielleicht, vielleicht, vielleicht.« Anne stand auf, ihr Gesicht glühte immer noch. Sie nahm ein Glas Wein und schüttete es in einem Zug hinunter. »Vielleicht hat irgendjemand meinen Felix ja auch ganz aus Versehen ermordet. Vielleicht sollte es ein ganz anderer sein, und trotzdem ist Felix tot. Bitte, bring mich nach Hause, Kai, ich hab solche Kopfschmerzen, mein Kopf platzt fast.«

Kai stand ebenfalls auf und nahm Anne fest in den Arm, um sie zu halten.

»Vielen Dank für alles«, sagte er zu Enrico und Carla. »Wir melden uns.«

Dann ging er langsam mit Anne zum Auto.

»Sie ist spinös«, sagte Enrico leise zu Carla, als die beiden außer Sichtweite waren. »Aber das ist ja auch ganz klar. Sie muss sich erst an die Stille, die Einsamkeit, die Dunkelheit, an dieses völlig andere Leben in der Natur gewöhnen. In dieser Situation sieht man manchmal Sachen, die gar nicht da sind, und denkt Dinge, die gar nicht wahr sind.«

»Aber das Foto ist doch definitiv verschwunden! Das hat sie sich doch nicht eingebildet!« Carla verstand nicht, warum Enrico so etwas sagte.

»Weißt du es? Warst du dabei? Sie ist in einer Ausnahmesituation. Valle Coronata ist so etwas wie eine Grenzerfahrung. Und Mütter tun manchmal merkwürdige Dinge, wenn sie einen so schmerzlichen Verlust erlitten haben. Vielleicht hat sie das Bild selbst abgenommen und vernichtet, weil sie mit der Geschichte abschließen wollte. Weil sie nicht mehr so viele Stunden am Tag an Felix erinnert werden wollte. Weil sie hier ist, um ein neues Leben zu beginnen. Weißt du das?«

»Und die kaputte Tür? Und das Blut auf der Erde? Wenn sie ein Bild loswerden will, schmeißt sie es weg. Fertig. Dafür muss sie nicht auch noch ihr eigenes Haus ramponieren. Diese Theorie haut irgendwie nicht hin. Aber warte mal einen Moment.«

Carla lief ins Haus.

Sie hat ja Recht, dachte Enrico. Anne, die ein großes Sicherheitsbedürfnis hatte, würde nicht ihre Haustür zerstören, nur um ein Bild loszuwerden. So etwas taten nur Verrückte, und verrückt war Anne nicht. Enrico dachte fieberhaft nach, aber er hatte immer noch keine Idee, was passiert sein könnte.

Carla kam wieder und legte wortlos das Foto auf den Tisch.

Enrico starrte sie fassungslos an. »Du?«, fragte er tonlos. »Du warst in Valle Coronata und hast die Tür aufgebrochen, um das Foto zu holen? Carla – hast du den Verstand verloren?«

Carla lächelte müde. »Ich habe heute die Straße gepflastert. Als mir zu heiß wurde, bin ich ins Haus gegangen, um etwas zu trinken. Ich habe aus der Karaffe getrunken, die auf dem Küchentisch stand. Anschließend bin ich wieder rausgegangen und habe mich in die Hängematte gelegt, um ein bisschen zu lesen. Eine Viertelstunde vielleicht. Dann wurde es mir auch in der Hängematte zu heiß, und ich bin zurück ins Haus. Und da lag auf dem Küchentisch dieses Foto.«

Enrico glaubte Carla jedes Wort. Er spürte, wie ihm kalt wurde. Eiskalt. Noch nie hatte er sich so ohnmächtig, so hilflos gefühlt.

»Warum hast du vorhin nicht gesagt, dass du das Bild hast?«

»Damit auch Kai und Anne glauben, was du vorhin geglaubt hast? Nämlich, dass ich es war? Nee, nee. Wer das Bild hat, ist es gewesen. So einfach ist es doch. Und es ist auch die einzig mögliche Erklärung. Nein, niemals werde ich sagen, dass ich das Foto habe, und du sag es bitte auch nicht, Enrico, ja?«

Enrico nickte nur.

»Ich geh jetzt ins Bett«, sagte Carla. »Ich bin todmüde, und ich glaube, wir kommen heute Abend auch nicht weiter. Komm, lass uns schlafen, morgen fällt uns vielleicht irgendetwas ein, was wir heute übersehen haben.« Sie fühlte sich jetzt wesentlich besser. Dadurch, dass sie Enrico das Foto überlassen hatte, hatte sie auch die Verantwortung abgegeben. Ihre Nervosität war verflogen. In diesem Moment war es ihr sogar egal, wie das Foto auf ihren Tisch gekommen war, sie wollte nur noch schlafen und sich nicht mehr darüber den Kopf zerbrechen.

»Ja, ja, ich komme auch gleich«, sagte er, ohne sie anzusehen und ohne ihr einen Kuss auf die Wange zu geben. »Gute Nacht.«

Carla ging ins Haus.

Enrico blies die Kerze aus und blieb in der Dunkelheit regungslos sitzen.

Er musste nachdenken. Irgendetwas war geschehen. Die ganze Sache war ihm entglitten, er hatte die Kontrolle verloren. Irgendjemand wusste Bescheid und fing jetzt an, ein Spiel mit ihm zu spielen. Und im Moment war ihm dieser Unbekannte mindestens einen Zug voraus.

Die Nacht war kühl, aber er ging nicht ins Haus, um sich einen Pullover zu holen. Seine Gedanken rasten.

Allmählich wurde das Zirpen der Grillen weniger. Und leiser. Es dauerte noch fast eine Stunde, dann war alles still. Und in diesem Moment wusste er, wer das Spiel mit ihm spielte.

Anne. Natürlich. Es war eben doch kein Zufall gewesen, dass sie gerade *das* Haus gekauft hatte, in dem er ihren kleinen Sohn getötet hatte. Zufälle gab es nicht. Er hätte schon viel eher darauf kommen können. Wieso war ihm auch nicht aufgefallen, dass sie sich viel zu schnell für Valle Coronata entschieden hatte? So überstürzt kaufte man kein Haus. Normalerweise sah man sich mehrere Objekte an, bevor man sich entschied. Anne hatte nur dieses eine gesehen. Sie wollte nur dieses eine. Sie war nach Italien gekommen, um Valle Coronata zu kaufen. Der Makler war nur Tarnung. Er war nur das Mittel zum Zweck gewesen, um unauffällig an ihn herantreten und wie eine ganz normale Interessentin erscheinen zu können. Er war viel zu vertrauensselig gewesen, er hätte gleich misstrauisch werden müssen.

Anne wusste alles. Sie wusste, dass ihr Sohn tot und dass er der Mörder war. Ihre Freundschaft war nur gespielt, ihre Freundlichkeit nur Fassade, um ihren Hass zu überdecken. Warum hatte sie so lange damit gewartet, bis sie erzählte, dass sie ihren Sohn suchte? Weil sie Angst gehabt hatte, dass er ihr das Haus nicht verkauft hätte, wenn er den wahren Grund gekannt hätte. Sicher. Er hätte es ihr auch nicht verkauft. Da hatte sie völlig Recht.

Sie war raffiniert. Sie wollte Beweise. Erst würde sie ihn zappeln lassen und versuchen, ihn unsicher und nervös zu machen. Sie genoss es, Macht über ihn zu haben. Sie wollte ihm demonstrieren, dass er die Kontrolle verloren hatte. Sie wollte seine Angst sehen, und irgendwann würde sie den Pool aufreißen und ihn auffliegen lassen.

Der Coup mit dem Foto war großartig. Sie hatte es geschickt eingefädelt und es wahrhaftig geschafft, ihn völlig aus der Fassung zu bringen.

Er erinnerte sich noch an den Morgen, als er den Wagen mit Werkzeug beladen hatte und vom Parkplatz her plötzlich Felix' helle Kinderstimme singen hörte. Jenes Lied, das Felix damals am Bach gesungen hatte. Er hatte sich maßlos erschrocken, einen Moment war es geradezu unheimlich gewesen, diese Stimme zu hören. Da hatte sie mit dem Psychoterror bereits begonnen. Und auch das war ihm nicht aufgefallen.

Aber eine Frage blieb: Woher wusste Anne das alles? Wie hatte sie ihn gefunden? Wenn sie beobachtet hätte, wie Felix damals zu Ostern bei dem Gewitter in sein Auto gestiegen war, wäre sie sofort zur Polizei gegangen. Und wenn sie gesehen oder gehört hätte, dass Felix in Valle Coronata war, wäre sie ebenfalls zur Polizei gegangen und hätte ihn gerettet. Das konnte also nicht sein.

Zehn Jahre war das jetzt her. Zehn Jahre lang hatte es keine Fragen gegeben, keine Nachforschungen, nichts. Er war völlig unbehelligt geblieben. Auch was Filippo und Marco betraf, war ihm niemand auf die Spur gekommen. Er war nie in Verdacht geraten. Es hatte nie ein Gespräch mit einem Polizisten gegeben. Und dann tauchte plötzlich die Mutter des einen Jungen aus dem Nichts auf und kannte des Rätsels Lösung? Warum ging sie nicht sofort zur Polizei, ließ ihn festnehmen und den Pool von Spezialisten aufreißen? Nur um ihn zu quälen? Um ihre Rache länger auszukosten?

Auf diese Fragen musste es eine Antwort geben, wenn er seinen Frieden wiedererlangen wollte. Sicher rechnete sie nicht damit, dass er sie durchschaut hatte. Das war sein Vorteil. Jetzt ging es Zug um Zug, und es würde nicht diese Frau sein, die ihn am Ende schachmatt setzte. So weit würde er es nicht kommen lassen. Er hatte noch nie verloren, und er würde auch diesmal nicht verlieren.

Als Carla am frühen Morgen aus dem Haus kam, sah sie, dass Enrico immer noch am Tisch saß. In derselben Haltung, in der sie ihn vor mehreren Stunden verlassen hatte. Sie blinzelte verschlafen ins blasse Morgenlicht und beschloss, nicht weiter darüber nachzudenken, sondern erst einmal einen Kaffee zu kochen.

71

»Das Wetter schlägt um«, sagte Kai, als sie auf dem Rückweg waren. »Es ist jetzt schon verdammt windig, morgen wird es regnen.«

Kai hatte die lange Strecke von Casa Mèria nach Valle Coronata gewählt, die nur durch den Wald führte. Eine Fahrzeug- oder Alkoholkontrolle der Carabinieri war das Letzte, was er heute Abend noch gebrauchen konnte. Er fuhr durch San Vincenti, sah sich aufmerksam um, ob Allora vielleicht irgendwo am Straßenrand hockte, aber er sah sie nirgends. Dann nahm er die kurvige Schotterstraße nach Montebenichi, bog im Ort kurz vor der Osteria rechts in einen holprigen Feldweg ab, dessen Zustand sich kontinuierlich verschlechterte, je weiter sie fuhren. Nach etwa zwei Kilometern passierten sie den Abzweig nach La Pecora. Kai sah zu Anne hinüber, aber in ihrem Gesichtsausdruck hatte sich nichts verändert.

Plötzlich schrie Anne auf. Kai trat auf die Bremse, und in diesem Moment lief unmittelbar vor ihnen ein Rudel Wildschweine über den Weg.

Dann fuhren sie langsam weiter durch dichten Tannenwald bis Il Padiglione und danach die Serpentinenstraße hinunter bis Duddova, von wo aus sie auf den schmalen Weg nach Valle Coronata abbogen.

»Valle Coronata ist nicht mehr heilig«, meinte Anne nachdenklich. »Es ist entweiht. Irgendjemand war in meinem Haus, ist vielleicht durch alle Räume gegangen, hat meine Kleidung durchwühlt, meine Bettdecke berührt, meine Haarbürste benutzt und in meinen Spiegel geschaut. Gut, er hat nichts kaputtgemacht, aber es ist nicht mehr wie früher. Es ist ein verdammt mieses Gefühl, dass jemand ohne mein Wissen im Haus war. Verstehst du das?«

»Natürlich. Wenn du irgendwo Holz hast, vernagle ich dir heute Abend noch schnell die Küchentür.«

Anne hatte in ihrem Schrank noch eine Flasche Rotwein, die sie aufmachte, während Kai die Glasscherben der Küchentür zusammenfegte und dann die Öffnung mit zwei Brettern provisorisch verschloss.

»Nicht besonders schön«, meinte er, »aber man hat ein besseres Gefühl.«

»Ich frage mich, ob der Mörder das Bild wirklich durch Zufall entdeckt hat …«, überlegte Anne. »Denn wenn es so war, dann muss das für ihn auch ein Schock gewesen sein. Er guckt nichts ahnend in eine Küche und sieht das Foto seines Opfers! Stell dir das mal vor! Ich kann auch nicht ganz glauben, dass das ein Zufall gewesen sein soll. Da gebe ich Enrico Recht. Denn schließlich ist Felix in La Pecora verschwunden. Valle Coronata ist ein geschlossenes Tal, da geht kein Mensch einfach nur mal so spazieren. Was hat Valle Coronata mit La Pecora zu tun?«

Kai zuckte nur die Achseln.

»Auf alle Fälle weiß der Mörder jetzt, wer ich bin und warum ich hier bin. Und das ist – verdammt noch mal – auch kein gutes Gefühl. Oder er wusste die ganze Zeit, wer ich bin und warum ich hier bin, und ist gezielt nach Valle Coronata gekommen. Vielleicht, um ein bisschen rumzuschnüffeln, um zu sehen, ob ich schon etwas rausgekriegt habe. Und bei dem Foto konnte er einfach nicht widerstehen. Das musste er haben. Und diese zweite Möglichkeit ist ein noch mieseres Gefühl.« Annes Gesicht glühte. »Ich hab Angst, Kai. Ich hab eine richtige Scheißangst. Weil ich jetzt weiß, dass ich ganz nahe dran bin. Weil ich jetzt weiß, dass es diesen Mörder hier wirklich noch irgendwo gibt und dass er hier immer noch frei herumläuft. Aber wenn ich auch nur daran denke, noch eine einzige

Nacht allein in diesem verdammten Haus zu verbringen, wird mir schlecht. Ich glaube nicht, dass ich das kann.«

Kai setzte sich zu Anne und legte seine Hand auf ihren Arm. »Nun mal langsam. Deine Theorie, dass der Mörder das Foto gestohlen hat, könnte stimmen. Etwas Logischeres ist mir jedenfalls auch noch nicht eingefallen. Aber es ist eben auch nur eine Theorie! Es muss nicht der Mörder sein! Verrenne dich nicht zu sehr in diesen Gedanken! Und ist dir mal aufgefallen, dass du ständig von ›dem Mörder‹ sprichst? Heute Morgen warst du dir noch nicht einmal sicher, ob Felix wirklich tot ist oder vielleicht doch noch lebt. Hast du die Hoffnung aufgegeben? Nur weil sein Foto geklaut worden ist?«

»Ich glaube, dass er tot ist. Ich glaube es zu wissen. Ich habe die Hoffnung aufgegeben, dass er eines Tages als erwachsener junger Mann vor mir steht. Ja, das hab ich.«

»Heute? Durch diese mysteriöse Geschichte?«

Anne nickte. »Ja. Das war das Zeichen.«

Eine halbe Stunde später gingen sie schlafen. Anne lag in Kais Armbeuge und dankte dem Himmel, dass sie nicht allein war. Auch wenn sie sich den Abend und die Nacht ganz anders vorgestellt hatte.

Um sechs Uhr früh wurde Anne wach. Sie lauschte auf Kais regelmäßige Atemzüge und das leise Rauschen des Nussbaumes vor dem Fenster. Vereinzelt fingen Vögel an zu singen, und je mehr die Dämmerung voranschritt, umso lauter wurde das Gezwitscher. Vor wenigen Tagen war dies hier noch das Paradies für mich, dachte sie wehmütig, ich habe mich hier absolut sicher gefühlt, und jetzt sehne ich mich nach Friesland.

Immer wieder kreiste in ihrem Kopf nur die eine Frage: Was hat La Pecora mit Valle Coronata zu tun? Wie stehen die beiden in Verbindung? Wo ist der Zusammenhang? Wieso kommt der Mörder aus La Pecora hierher? Ich werde mit Eleonore reden, dachte sie, Eleonore wusste so viel, vielleicht hatte sie eine Erklärung.

Um sieben rüttelte sie Kai wach, der die Augen aufschlug, herzhaft gähnte und sie in seine Arme zog. »Weißt du, was ich jetzt mache? Ich springe in den Pool zu all den Kröten, Molchen und Schlangen, und du kommst mit!«

»Nein!« Anne entwand sich seinem Arm und rannte zur Tür. »Tu, was du nicht lassen kannst, aber ich dusche lieber.«

Als Kai aus dem Pool stieg, klapperte er mit den Zähnen und schimpfte. »Ein widerlicher Tümpel! Eiskalt, weil andauernd diese Unmengen Quellwasser durchfließen, und dann hat mich ständig was an den Beinen berührt. Wahrscheinlich nur Algen und Wasserpflanzen, aber ich hab richtig Panik gekriegt. Es ist mir völlig unverständlich, wie Enrico da jeden Tag reingehen konnte. Du musst das Ding unbedingt wegreißen und dir einen vernünftigen Pool bauen. Ohne Tiere, ohne Schlamm und ohne Algen. So ist das ja ekelhaft!«

Kai ging zu Anne unter die Dusche und fuhr mit dem Finger über ihren Körper. »Stell dir vor, du bist unter Wasser und du weißt nicht, was das ist …«

Anne schlang ihre Arme um seinen Hals und zog ihn fest an sich. »Nicht, Kai, mach mir keine Angst …«

Kai nahm sie in den Arm und hielt sie fest. Anne schloss die Augen, genoss das warme Wasser, das über ihr Gesicht lief, und seine Hand, deren Berührungen sich dem Fluss des Wassers anzupassen schienen. Und dann ließ sie sich fallen und schwamm auf einer Welle davon, die sie vergessen ließ, dass sie Angst hatte und in einem Haus wohnte, das ihr von Stunde zu Stunde unheimlicher wurde.

Nach dem Frühstück fuhr Kai ins Büro. Anne wusste, dass er jede Menge Termine hatte, und bat ihn nicht, am Abend wiederzukommen. Sie wollte sich trotz ihrer Unsicherheit nicht so unselbstständig aufführen wie eine Vierzehnjährige und ihn auch nicht unter Druck setzen. Aber als sein Auto hinter der Bergkuppe verschwunden war, bereute sie bereits, das nächste Wiedersehen nicht fest vereinbart zu haben.

Anne sah einen kaum zu bewältigenden Berg Zeit und Angst vor sich. Sie konnte jetzt unmöglich in Valle Coronata bleiben. Eilig stellte sie das Frühstücksgeschirr in die Spüle, stopfte ihr gesamtes Bargeld ins Portemonnaie, verschloss sämtliche Fenster und Türen sorgfältig, ging erneut durch alle Zimmer, um noch einmal alles zu kontrollieren, und verließ das Haus. Seit Kai weggefahren war, war noch nicht einmal eine Viertelstunde vergangen.

72

»Ach du lieber Gott«, sagte Eleonore. »Ich kann mich kaum noch an all die Dinge erinnern, ich vergesse doch so schnell ...« Eleonore atmete schwer, die grauen Haare klebten ihr in der Stirn, aber ihre tiefen Grübchen verliehen ihrem Gesicht einen fröhlichen Ausdruck. »War wohl doch ein bisschen viel, die Unkrautjäterei in der Hitze, aber wenn ich so einen Anfall von Arbeitswut kriege, muss ich ihn unbedingt ausnutzen!« Sie lächelte und fuhr sich mit ihrem staubigen Jackenärmel durchs Gesicht. »Jetzt trinken wir beiden Hübschen erst mal ein kühles Zitronenwasser, und dann werde ich für dich scharf nachdenken.«

Zwei Minuten später kam sie mit zwei großen Gläsern eiskaltem Brunnenwasser wieder, in die sie den Saft einer halben Zitrone gespritzt hatte. »La Pecora und Valle Coronata ... Tja ... Wie hängt das zusammen? Gar nicht, glaube ich. Das eine hat mit dem andern nichts zu tun, außerdem ist ein riesiger Berg dazwischen.« Eleonore setzte sich, und Anne trank dankbar das kalte, erfrischende Zitronenwasser.

»Wann hast du La Pecora gekauft?«

»1996. Im Sommer. Pino und Samantha hatten über einen Makler inseriert, ich hab die Anzeige gelesen und mich dann sofort in das Haus verliebt. Wahrscheinlich ging's mir genauso wie dir, ich bin auch eine Frau von schnellen Entschlüssen.« Ihr Teint war jetzt krebsrot, aber sie wirkte insgesamt beneidenswert gesund.

»Kanntest du Valle Coronata?«

»Nein. Ich hab es erst kennen gelernt, als Enrico anfing, mir mein Haus hier umzubauen. So, dass ich einen Teil davon vermieten konnte. Enrico hat mich irgendwann mal in Valle Coronata zum Essen eingeladen.«

»Enrico ist also das einzige Verbindungsglied«, murmelte Anne. »Er hat Valle Coronata aus- und La Pecora umgebaut. Aber das hilft uns überhaupt nicht weiter.«

»Das denke ich auch.«

»Und du warst nicht zufrieden mit ihm? Das wundert mich, denn ich finde, das, was er macht, ist toll!«

»Es sieht teilweise gut aus, ja. Aber das ist für mich auch alles. Er ist ein Ästhet. Es kommt ihm nur auf den äußeren Schein, auf die Wirkung an, aber handwerklich ist er ein Dilettant. Das wirst du schon noch merken, wenn du länger in dem Haus wohnst. Wenn der Winter mit dem wochenlangen Regen kommt. Wenn es wie Hechtsuppe durch die Fenster zieht, weil sie nicht richtig schließen, wenn das Wasser zur Tür hereinläuft, wenn das warme Wasser versagt und dich die Heizung im Stich lässt, weil er nie bei einem Klempner zugeschaut und nur die billigsten Rohre gekauft hat. Er hat alles irgendwie und mehr schlecht als recht zusammengeschraubt, und die Klärgrube läuft über, weil er die Abflüsse nicht bergab, sondern bergauf verlegt hat. Irgendwann merkst du, dass die Drainage nichts taugt und das Dach nicht richtig isoliert ist, weil die Wände anfangen zu schimmeln. Und du wirst wütend, wenn du den Kamin nicht benutzen kannst, weil er dich einräuchert, denn für Enrico ist ein Kamin ein Steinsockel und ein Loch in der Decke, aber das

418

reicht eben nicht … Ach, ich könnte noch stundenlang so weiter-
reden …«

»Du bist sauer auf ihn?«

»Natürlich bin ich sauer auf ihn. Er hat hier umgebaut wie ein
Verrückter. Alles im Laufschritt. Alles husch, husch! Mühe gegeben
hat er sich nicht, aber das habe ich damals nicht gemerkt. Jeden
baulichen Fehler schmierte er mit Zement zu und setzte einen
schönen Stein davor. Und all diesen Schrott verkaufte er mir dann
als seine ›Kunst‹. Ich war begeistert. Ich hab ihm alles geglaubt. Bis
ich dann in dem Haus wohnte, eins nach dem andern kaputtging
und ich endlich kapierte, was er im Grunde für ein Schaumschlä-
ger ist. Darum arbeitete er auch immer allein, er hatte nie einen
Gehilfen. Ich bin sicher, er macht nur Learning by Doing, denn ich
glaube, es gibt nichts, was er je richtig gelernt hat. Aber das wird er
natürlich nie zugeben. Ich habe jedenfalls noch Heerscharen von
Handwerkern durch dieses Haus geschickt, bis alles einigermaßen
funktionierte.«

»Das war 1996?«

Eleonore nickte. »Vielleicht hat er sich auch so fürchterlich mit
La Pecora beeilt, weil er noch im November anfing, eine neue
Ruine auszubauen. Casa Lascone, oberhalb von Badia a Ruoti.
Kennst du das Haus?«

Anne schüttelte den Kopf.

»Ich war ein paarmal dort. Auf den ersten Blick macht es den
Eindruck, als habe er sich mit dem Ausbau von Casa Lascone ein
bisschen mehr Mühe gegeben. Aber bei ihm weiß man ja nie. Nach
außen sieht immer alles fabelhaft aus.«

»Du bist der erste Mensch, den ich treffe, der nicht die allerbeste
Meinung von Enrico hat. Das wundert mich richtig.«

Eleonore zuckte die Achseln. »Möchtest du ein Glas Wein?«

»Nein danke. Es ist viel zu heiß. Und ich will nachher noch nach
Siena. – Weißt du, was aus Casa Lascone geworden ist?«

»Ein Belgier hat es gekauft. Enrico hat es wie immer spottbillig abgegeben. Wahrscheinlich, weil er wegen seines Pfusches ein schlechtes Gewissen hatte.« Sie kicherte. »Und stell dir vor, jetzt hab ich vor kurzem im Ort gehört, dass der Belgier wütend ist, weil sein Pool ständig Wasser verliert. Er wird ihn wohl aufreißen müssen.« Sie sah Anne freundlich an. »Ich wünsch es dir wirklich nicht, aber ich denke, du wirst in Valle Coronata noch große Probleme kriegen.«

Anne musste lachen. »Herrlich, wie du schimpfen kannst. Und wie ging es dann weiter?«

»Dann wurde es hier in der Toscana immer schwieriger, preiswerte Ruinen zu finden, die man ausbauen konnte. Die Preise explodierten. Das weiß ich von Carla, mit der ich mich ein paarmal unterhalten habe, wenn ich sie auf der Post oder auf dem Markt getroffen habe. Enrico suchte sogar in Umbrien, obwohl er eigentlich hier in der Gegend weiterbauen wollte. Denn Carla wollte Valle Coronata auf keinen Fall verlassen. Darum wundert es mich ja auch so, dass er an dich verkauft hat.«

»Nach allem, was du erzählst, wundert es mich auch.«

»Aber Enrico hatte mal wieder Glück. Hörte im Dorf das Gras wachsen und erfuhr von einer Ruine unterhalb Solata. La Roccia. Diese Ruine hat er ganz billig bekommen und ausgebaut. Aber ich weiß nicht, wie, ich war nie dort. Niemand war dort. Ich kenne keinen, der ihn da während des Ausbaus besucht hat. Die wenigsten wissen, wo das Haus überhaupt genau liegt. Ich würde es auch nicht finden. Ich glaube, er hat in Florenz irgendwann durch Zufall einen Mann kennen gelernt, der es ihm sofort abgekauft hat. Das war erst vor zwei Jahren. Na ja, und jetzt baut er wohl in der Nähe von San Vincenti, wie ich gehört hab.«

»Ja, und da wohnt er auch schon. Vier Wochen hat er gebraucht, dann konnte er bereits in ein Zimmer einziehen.«

»Siehst du!« Eleonore zog verächtlich die Mundwinkel herunter. »Das kann doch nichts werden. Wo solide Baufirmen mit fünf

Mann sechs Monate arbeiten, baut Enrico allein drei Monate? Das muss mir erst mal einer erklären, wie das gehen soll.«

»Er hat wenig von seiner Vergangenheit erzählt«, meinte Anne. »Er spricht einfach nicht gern über sich. Was weißt du von ihm?«

»Auch nicht viel. Ich weiß nur, dass er überall rumerzählt, er wäre früher in Deutschland Manager gewesen. Aber mein Urinstinkt sagt mir, dass das nicht stimmt. Wenn dieser gute Mann Manager war, bin ich die Königin von England.«

»Wieso?«

»Hast du mal gesehen, wie er unterschreibt? Er schreibt nicht – er malt die Buchstaben. Wie ein Mensch, der in seinem Leben erst dreimal unterschrieben hat, und nicht wie einer, der am Tag dreißigmal unterschreiben musste. Seine Buchführung macht er mit Bleistift auf Karopapier, seine Ordner sehen aus wie ein Schnellhefter in der zweiten Klasse Grundschule. Er hat nicht die geringste Ahnung von Computern, Internet oder sonst was, die gesamte moderne Kommunikation ist an ihm spurlos vorübergegangen. So ein Mensch kann vielleicht im Wald überleben, aber kein Unternehmen leiten. Wenn man ihn reden hört, kann er alles, weiß alles und hat alles schon mal gemacht. Aber wenn man dann ein bisschen hinter die Kulissen guckt und ihm auf den Zahn fühlt, merkt man, dass alles nur vorgetäuscht, alles Lüge ist. Oder sagen wir mal besser, dass es Größenwahn ist. Er ist ein Größenwahnsinniger, Anne! Er wird auch nie sagen: ›Davon hab ich keine Ahnung, das kann ich nicht …‹, nein, er sagt: ›Das Hochhaus konstruiere ich dir in einer Woche samt der Berechnung einer Brücke über den Pazifischen Ozean.‹«

Anne war sprachlos. »Ich weiß jetzt nicht, ob du so redest, weil du so wütend auf ihn bist, oder ob du ihn wirklich so gut kennst.«

»Du musst mir das alles nicht glauben, ich will dich auch nicht überzeugen, aber ich habe mir meine Meinung über ihn gebildet. Er ist ein netter Kerl. Immer freundlich und charmant, keine Frage. Wenn du ihm gegenüberstehst, gerätst du sofort in seinen

Bann und glaubst ihm alles, was er sagt. Du vertraust ihm und schenkst ihm dein letztes Hemd. Und kaum bist du wieder allein, merkst du, wie er dich über den Tisch gezogen hat. Ich habe einfach beschlossen, mich von ihm nicht mehr einwickeln und belügen zu lassen.«

Anne schwieg. Was Eleonore gesagt hatte, brachte sie ganz durcheinander. Es stimmte, sie vertraute Enrico völlig und hätte wirklich ihr letztes Hemd für ihn gegeben. Aber hatte sie sich so in ihm getäuscht? Oder hatte Eleonore eine bösartige Ader, die sie geschickt hinter ihrer kumpelhaft freundlichen Art verbergen konnte?

»Ich glaube, ich könnte jetzt doch ein Glas Wein vertragen«, meinte Anne. Eleonore grinste, stand auf und verschwand in der Küche.

Als sie mit dem Wein zurückkam, sagte sie: »Was für ein wundervoller Tag, herrliches Wetter, wir sind gesund und munter, haben keine Sorgen, lass uns das Leben genießen, und dabei kann der Wein nicht schaden.«

Und dann erzählte Anne ihr von dem Einbruch in Valle Coronata und dem mysteriösen Verschwinden des Fotos.

73

Anne spürte einen leichten Schwindel, als sie gegen zwei von La Pecora zurück nach Valle Coronata fuhr. Der Wein hatte sie schwerfällig und schläfrig gemacht. Sie registrierte kurz, dass im Haus alles unverändert war, legte sich ins Bett und schlief sofort ein.

Aus dem Tiefschlaf schreckte sie von einem Motorengeräusch auf, so nah und so laut, wie sie es noch nie gehört hatte. Sie fuhr aus dem Bett. In ihrem Kopf drehte sich alles, als sie ans Fenster stürzte. Direkt vor ihrer Küchentür, die sie nicht abgeschlossen hatte, stand ein Jeep. Er war so nah, dass man vom Trittbrett der Beifahrertür direkt in die Küche hätte treten können, ohne den Boden zu berühren.

Auf dem Hof ging ein Mann in Armeestiefeln, Militärhose und Bomberjacke breitbeinig auf und ab und grinste anmaßend, als sie das Fenster aufriss und in ihrem gebrochenen Italienisch, das durch ihre Aufregung nicht besser wurde, fragte, was das solle und was er auf ihrem Grundstück zu suchen habe. »Che cosa vuole?«

Es war ja nicht nur das Grundstück. Der kleine Hof zwischen Küche und Mühle war ihr sommerliches Wohnzimmer, die dreiste Vorfahrt des Jeeps eigentlich ein Hausfriedensbruch.

Er spürte ihre Unsicherheit und grinste noch unverschämter. Er stellte sich noch breitbeiniger hin und stemmte die Arme unangenehm siegessicher in die Hüften.

Anne sah nur seine hellblauen, stechenden Augen. Was für böse Augen, dachte sie, o mein Gott, was für Augen, was soll ich nur tun? Enrico hatte ganz Recht. In der Nacht war sie sicherer. Da konnte sie in der Dunkelheit verschwinden, jetzt hatte sie dagegen keine Chance, er würde ihr folgen und wäre sicher schneller und stärker als sie.

»Vattene!«, kreischte sie. »Hau ab, das ist mein Haus! È mia casa. Vattene!« Dazu machte sie eine wütende Geste, indem sie den Zeigefinger weit von sich streckte und in Richtung Wald zeigte. Aber der Mann schüttelte nur den Kopf, fasste in seine Jackentasche, zog ein Päckchen Zigaretten heraus, schnappte sich eine Zigarette mit den Lippen und zündete sie an, als habe er alle Zeit der Welt.

Anne ging vom Fenster weg, rannte die Treppe hinunter und zwängte sich am Jeep vorbei ins Freie. Jetzt stand sie vor dem grinsenden Eindringling, dem die Situation offensichtlich äußerst gut gefiel.

Und dann redete er. Er sprach schnell, hart und aggressiv. Jedes Wort kam ihr vor wie eine Ohrfeige, und sie verstand kein Wort.

»Non ho capito niente«, sagte sie, und der Mann wiederholte seine Tirade, ohne dass Anne auch nur ein kleines bisschen schlauer daraus wurde.

»Ich hab immer noch nichts verstanden«, wiederholte sie. »Und jetzt hauen Sie ab, oder ich rufe die Polizei!« Dass sie die Polizei ohne Telefon und ohne Handyempfang gar nicht rufen konnte, wusste der Typ hoffentlich nicht. »Wenn Sie ein Problem haben, schreiben Sie mir einen Brief!«

Jetzt verschränkte sie wütend und abwehrend die Arme vor der Brust und wünschte sich in diesem Moment nichts sehnlicher als ein Pfefferspray in ihrer Hand.

Der Mann holte tief Luft und fing an zu brüllen. Er schlug mit der flachen Hand auf die Motorhaube seines Armeejeeps und ging danach – unentwegt weiterbrüllend – auf Anne zu und bedrohte sie mit der Faust, mit der er vor ihrem Gesicht herumfuchtelte. Anne wich immer weiter zurück, bis sie im wahrsten Sinne des Wortes mit dem Rücken an der Mühlenwand stand. Sie roch seinen Atem, der nach Alkohol stank. Was für ein primitiver Kerl, dachte sie, was für ein ungehobeltes Arschloch, was für ein mieses Schwein. Und ein weiteres Mal versuchte sie verzweifelt, aus diesem Albtraum aufzuwachen.

Der Mann fluchte, so viel verstand Anne. Und plötzlich ging er zu seinem Auto, riss die Fahrertür auf und sprang hinein. Aus dem offenen Fenster schrie er ihr noch zu, dass er wiederkommen werde. Wenn es nötig sein sollte, jeden Tag. Bis sie kapiert hätte, dass er ein Recht habe, hier zu sein. Er habe das Wegerecht und könne so oft er wolle durch ihren Innenhof fahren, um zu seinem Grundstück zu gelangen.

Schließlich fuhr er langsam los. Er kroch geradezu über den Hof, bremste, sah sich nach Anne um, als wolle er doch noch einmal zurückkommen, bis er endlich durch den Bach, direkt am Naturpool vorbeifuhr und im Wald verschwand.

Sie hörte noch lange das Motorengeräusch, während sie mit dem Fuß die Fahrspuren im Kies, die der Jeep hinterlassen hatte, zuschob. Die letzten Sätze hatte sie verstanden. Was meinte er mit dem »Wegerecht«? War da mit dem Vertrag etwas schief gelaufen? Hatte Kai irgendetwas übersehen? Gab es einen Passus im Vertrag, den er ihr nicht übersetzt oder falsch erklärt hatte? Oder war sie gar betrogen worden?

Anne rannte ins Haus und holte aus dem kleinen Sekretär im Kaminzimmer den Kaufvertrag. Dann schloss sie sorgfältig jedes Fenster und jede Tür, verriegelte alles, was zu verriegeln war, und ging zu ihrem Auto.

Schon wieder war jemand aufgetaucht, der ihr Angst machte. Aber vor allem wollte sie wissen, woran sie war. Jetzt sofort. Wenn er das nächste Mal wiederkam, wollte sie ihm Paroli bieten oder ein Missverständnis aus der Welt schaffen können.

Erst auf dem Weg nach Siena fiel ihr ein, dass sie den Mann gar nicht gefragt hatte, wie er hieß und in wessen Auftrag er überhaupt gekommen war.

74

Anne fuhr diesmal durch das Porta Romana nach Siena hinein und fand auf Anhieb einen Parkplatz vor dem Ospedale Psichiatrico S. Nicolo, einem gewaltigen und Respekt einflößenden Gebäude. Es war jetzt zehn vor fünf, sie freute sich darauf, Kai zu überraschen, und hoffte inständig, dass er schon zu Hause war.

Anne schlenderte die Via Roma hinunter und ließ sich Zeit. Der

Betrieb in der Stadt nahm zu, einige Geschäfte öffneten erst jetzt nach der langen Siesta.

Sie kaufte in einem winzigen Laden eine Flasche Rotwein, gefüllte Tortellinis, Rucolasalat und hundert Gramm Prosciutto, geräucherten Schinken, der gut zum Rucola passte. Wenn sie Kai schon überfiel, wollte sie wenigstens etwas zum Abendbrot mitbringen, sie wusste, dass in seinem Junggesellenkühlschrank meist gähnende Leere herrschte. Kai ging lieber in die kleine Trattoria an der Ecke, wenn er Hunger hatte, als sich selbst etwas zu kochen. Auf die Dauer war das ein teures Leben, denn auch in einer schlichten Trattoria war unter zwölf Euro kein Pastagericht mehr zu bekommen.

Als Anne die Piazza del Campo erreichte, überlegte sie, ob sie sich noch einen Moment auf dem Platz in die Sonne setzen sollte, aber dann entschied sie sich dagegen. Das konnte sie immer noch tun, wenn Kai nicht zu Hause sein sollte. Sie spürte, dass sie unwillkürlich immer schneller ging. Obwohl sie sich erst vor wenigen Stunden in Valle Coronata getrennt hatten, konnte sie es kaum erwarten, ihn zu sehen.

Seit sie Kai kannte, tauchte Harald immer seltener in ihren Gedanken auf, und sie sehnte sich danach, mehr Zeit mit Kai zu verbringen. Die Vorstellung, er könnte plötzlich wieder aus ihrem Leben verschwinden, erschreckte sie. Die Tage in Valle Coronata wären unendlich, ohne Kai erschien ihr Italien leer und kalt. Er fehlte ihr, das musste sie sich jetzt eingestehen, er fehlte ihr an jedem Tag, den sie allein verbrachte, und noch mehr fehlte er ihr in der Nacht.

Ein tiefes Glücksgefühl erfüllte sie, als sie an den bevorstehenden Abend dachte, und beinah vergaß sie den merkwürdigen Jeepfahrer in Valle Coronata und den eigentlichen Grund ihres Besuches.

In der Via dei Rossi blieb sie einen Moment stehen und sah zu seinen Fenstern hinauf. Das Haus lag jetzt am Nachmittag im

Schatten, und die Fenster waren geöffnet. Annes Herz klopfte wie wild. Er war also zu Hause, denn sie wusste, dass er immer die Fensterläden schloss, wenn er die Wohnung verließ.

Die Haustür war nur angelehnt. Im Hausflur roch es muffig. Das war ihr bei ihrem ersten Besuch gar nicht aufgefallen, aber da hatte sie nur an sein Bett gedacht und auf nichts anderes geachtet.

Ihr Herz klopfte wie wild, und sie spürte, dass sie flammend rot war, als sie auf den Klingelknopf drückte. Ein paar Sekunden vergingen, dann hörte sie in der Wohnung eine Tür schlagen und danach etwas rumoren, als würde jemand eine Schublade mit diversen Schlüsseln und allerlei Kleinkram durchsuchen. Anne wartete gespannt. Nach zwanzig Sekunden klingelte sie erneut, und fast gleichzeitig wurde geöffnet.

Anne hörte vor Schreck auf zu atmen. Vor ihr stand eine Frau, deren Alter unmöglich zu schätzen war. Ihre schlohweißen Haare standen dicht und wild vom Kopf ab und ließen ihr schmales Gesicht noch schmaler und beinah durchsichtig erscheinen. Sie war barfuß und trug den Bademantel, den auch Anne an ihrem ersten Abend bei Kai angehabt hatte.

Eine Löwin, dachte Anne, eine weiße Löwin, der ich auf keinen Fall das Feld überlassen werde.

»Buonasera«, sagte Anne übertrieben höflich, »Kai c'è?« Sie wartete die Antwort nicht ab, sondern schob sich an der Löwin vorbei in den Flur.

»Allora«, sagte Allora und schloss hinter Anne die Tür.

Anne rief ein paarmal »Kai?«, öffnete Bad, Schlafzimmer und Wohnzimmer, aber da war niemand. Von Kai keine Spur. Dann ging sie in die Küche.

Auf dem Küchentisch stand eine große Schüssel mit Müsli. Offensichtlich war Allora gerade dabei zu frühstücken. Marmelade, Milch, eine Karaffe mit Wasser, Gläser, ein Haufen benutztes Besteck, eine Tüte Trockenbohnen und Schnipsgummis lagen herum.

»Was wird hier gespielt, verdammt noch mal?«, fragte Anne scharf. »Wo ist Kai, und wer bist du?«

»Allora«, erwiderte Allora und grinste. Anne sah, dass sie eine Wunde an der Stirn hatte. Jetzt stand sie lässig gegen die Spüle gelehnt und kratzte sich genüsslich den Schorf ab, bis ihr das Blut langsam über das Gesicht lief.

Anne wurde übel, so ekelte sie sich bei Alloras Anblick.

Um die Lebensmittel neben der Spüle abzustellen, machte Anne einen Schritt in Alloras Richtung, was Allora als Angriff interpretierte. Sie machte einen Satz vor und biss so schnell, dass Anne gar nicht merkte, wie ihr geschah, in Annes Unterarm.

Anne stöhnte auf, und Allora begann zu kreischen, sprang auf den Tisch, riss dabei Müslischale und die Milch um und trat mit ihren nackten Füßen in die Marmelade. Ohne mit dem Kreischen aufzuhören, blitzte sie Anne wütend an und drohte, sich vom Tisch auf sie zu stürzen.

Anne hob abwehrend die Hände. »Hör auf«, schrie sie. »Hör auf mit diesem Irrsinn, ich will doch nur mit dir reden!«

Aber Allora hörte nicht auf, sondern tobte unvermindert weiter.

Anne verließ fluchtartig die Wohnung. Noch auf der Straße hörte sie die Löwin brüllen, und es klang, als wären es die Schmerzensschreie eines verletzten Tieres.

75

Anne fuhr extrem langsam, weil sie sich nicht mehr auf den Verkehr konzentrieren konnte. Sie ertappte sich dabei, dass sie überlegte, ob die Kupplung rechts oder links, das Gas in der Mitte und die Bremse rechts war oder umgekehrt. Als vor ihr auf der Schnellstraße ein Lastwagen vor einer Baustelle abbremste, geriet sie in Panik, weil sie aufs Gas trat, als sie versuchte zu kuppeln und in ihrer Hektik die Bremse nicht fand. Als der Wagen schließlich stand, tropfte ihr der Schweiß von der Stirn in die Augen und verschleierte ihr den Blick.

Ich bin fertig, dachte sie, fix und fertig, ich muss dringend nach Hause. Mein Leben gerät immer mehr aus den Fugen. Ich muss mich hinlegen und versuchen zu sortieren, was noch in Ordnung ist. Ich muss irgendetwas finden, woran ich mich festhalten kann.

Von einer Sekunde auf die andere war ihre Sicherheit zusammengebrochen. In Kai hatte sie sich verliebt, sie hatte ihm vertraut, er hatte sie glücklich gemacht und aus ihrer Einsamkeit herausgeholt. Das war jetzt alles vorbei. Offensichtlich hatte sie eine harmlose Affäre viel ernster genommen als der Mann. Die Beziehung zu ihr war Kai also nie wirklich wichtig gewesen, er hatte andere Frauen gleichzeitig, er schlief mit einer wild gewordenen Löwin genauso wie mit ihr, er ließ dieses Ungeheuer in seine Wohnung, während er nicht da war, sie trug seine Sachen, schlief in dem Bett, in dem sie gelegen hatte, und diese Löwin hatte einen solchen Dachschaden, dass sie nicht einen einzigen zusammenhängenden Satz sagen konnte. So anspruchslos war er. Fürs Bett war ihm alles recht, er war ein Nymphoman, ein regelrechter Macho, und sie war total naiv auf ihn hereingefallen.

An der Ausfahrt nach Bucine fuhr sie vorbei. Sie musste einen Umweg von zwanzig Kilometern machen und hatte das Gefühl, nie mehr nach Hause zu finden.

Als sie endlich in Valle Coronata ankam, ging sie wieder langsam von Zimmer zu Zimmer und kontrollierte jedes Detail, um sicherzugehen, dass in ihrer Abwesenheit wirklich niemand im Haus gewesen war. Es war schon fast ein Ritual.

Dann legte sie sich in einen Liegestuhl unter den Nussbaum und lauschte dem Plätschern des Wassers, das über eine steinerne Stufe in den Naturpool floss. Sie hatte plötzlich das dringende Bedürfnis, Harald anzurufen. Es wäre sicher gut, wenn er für ein paar Tage käme. Harald war durch und durch Realist. Er würde das Tal mit ganz anderen, mit pragmatischen Augen sehen. Sie würde ihm alles erzählen, was vorgefallen war, und vielleicht schaffte es Harald, sie wieder auf den Boden der Tatsachen zurückzubringen. Es gab zwei Häuser in einem einsamen Tal. Weiter nichts. Kein Geheimnis und niemanden, der ihr ans Leben wollte. Und einen charmanten Makler, mit dem sie eine schöne Zeit gehabt hatte, der ihr aber weder die Treue geschworen hatte noch ihr in irgendeiner Weise verpflichtet war. Sie wollte Harald die Affäre mit Kai nicht verschweigen, denn Harald sah die Dinge immer genau so, wie sie waren, und nicht anders. Das brauchte sie jetzt.

Anne beschloss, nur einen Moment zu entspannen und dann den Berg zum Telefonieren hinaufzusteigen. Fünf Minuten später war sie fest eingeschlafen.

»Anne, wach auf«, sagte eine Stimme, und Anne schreckte hoch. Es war stockdunkel. Vor ihr stand ein Mann, der ihr mit einer Taschenlampe ins Gesicht leuchtete. Sie konnte nur den Umriss eines Körpers erkennen, aber die Stimme kam ihr bekannt vor.

»Ich bin's, Kai! Was zum Teufel machst du hier draußen?«

Langsam erinnerte sich Anne daran, was passiert war. Sie war im Liegestuhl eingeschlafen und hatte die Außenlaternen noch nicht eingeschaltet.

»Wie spät ist es?«, hauchte sie.

»Kurz vor elf. Warte, ich geh rein und mach erst mal Licht an.«

Anne setzte sich mühsam auf. Von dem ungewohnten Liegen im Liegestuhl taten ihr alle Knochen weh, und sie fröstelte. Sie trug nur ein T-Shirt, und die Nacht war kalt im Tal. In diesem Moment gingen die Außenlampen an und beleuchteten den kleinen Innenhof und einen Teil des Gartens bis fast hinunter zum Pool.

Sie stand auf, streckte sich und wollte gerade ins Haus gehen, um sich eine Jacke zu holen, als sie die Löwin im Halbschatten hinter der toscanischen Treppe stehen sah. Sie hatte sich hinter einen Oleanderbusch geduckt und wirkte völlig verängstigt.

Augenblicklich stieg die Wut in ihr hoch. »Was soll das?«, zischte sie leise zu Kai, der gerade wieder auf die Terrasse kam. »Warum schleppst du dieses asoziale Gespenst hierher? Was spielst du für ein Scheißspiel mit mir, Kai Gregori?«

»Das will ich dir ja gerade erklären.«

»Setz sie meinetwegen in dein Auto. Wenn überhaupt, dann will ich allein mit dir reden. Was du in deiner Wohnung machst, geht mich nichts an, aber ich glaube nicht, dass ich deine Verhältnisse auch noch in meinem Haus empfangen muss!« Ihr Ton war scharf, und sie verschränkte die Arme, weil sie anfing, vor Kälte zu zittern.

Kai lächelte. »Du bist doch wohl nicht eifersüchtig, nur weil so ein armes Geschöpf in meiner Wohnung ein Bad nimmt und was isst! Ich kenne da jemanden, der brauchte vor einiger Zeit auch unbedingt eine Dusche!«

»Ja. Und eben drum weiß ich auch, worauf so etwas hinausläuft.«

Anne verschwand im Haus. Kai folgte ihr langsam. Er lehnte mit verschränkten Armen an der Spüle und wartete, bis Anne wieder herunterkam.

»Ich verstehe ja, dass du sauer warst. Oder eifersüchtig. Aber ich verstehe nicht, warum du sie so zurichten musstest«, sagte Kai wütend. »Als ich nach Hause kam, sah sie aus wie ein Zombie. Ihr Gesicht war blutüberströmt!«

»Na und? Das ist doch nicht mein Problem! Ich hab sie nicht angerührt! Keine Angst, ich werde deine Verhältnisse schon am Leben lassen!«

»Die Küche war ein einziges Schlachtfeld, Anne. Müsli, Marmelade, Milch, alles auf der Erde! Allora verletzt und völlig verstört. Und als kleinen Gruß die Tüte mit deinen Lebensmitteln. Glaubst du, Allora hat sich selbst verletzt und die Küche verwüstet?«

»Ich finde es unglaublich, dass du mir so was zutraust!«, schrie Anne. »Ja, sie hat auf dem Tisch rumgetobt und alles runtergerissen, schlicht und einfach nur, weil sie verrückt ist! Ich hab ihr nichts getan, aber mich hat sie gebissen, deine tolle Freundin!«

»Ich glaub dir kein Wort! Sie flippt doch nicht ohne Grund einfach aus! Und wenn – dann muss sie schreckliche Angst vor dir gehabt haben!«

»Sag mal, bin ich jetzt hier die Angeklagte, oder was? Wieso glaubst du ihr mehr als mir? Ich habe nicht die geringste Lust, mir von dir diesen Schwachsinn und diese albernen Vorwürfe anzuhören. Warum bist du gekommen? Um mich anzumachen? Um mich anzuschreien? Das hättest du dir sparen können. Hau ab! Aber schnell, und nimm dieses Untier mit! Ich komme sehr gut allein zurecht!«

Anne war kurz davor, in Tränen auszubrechen.

In diesem Moment sagte eine heisere Stimme: »Allora!«

Allora stand in der Küchentür und schüttelte unentwegt den Kopf. Sie wedelte abwehrend mit den Armen und murmelte unentwegt »allora«, was so klang wie: »Aufhören, Schluss jetzt, hört auf, euch zu streiten!«

Kai und Anne starrten sie an, und Allora ließ ihre Stirn immer wieder gegen die imaginäre Küchentür sausen und deutete auf ihre Wunde, bis Kai endlich verstand und sagte: »Du warst es? Du hast mit deiner Stirn das Glas der Küchentür zerschlagen?« Allora nickte heftig.

»Aber warum? Was wolltest du denn hier im Haus?«

Allora zeigte auf die Stelle an der Wand, wo das Bild gehangen hatte.

»Du hast das Bild gestohlen?«

Allora nickte wieder heftig.

»Aber warum?«

Allora legte die Handflächen aneinander, als wolle sie beten, und seufzte.

»Hast du noch ein Bild von Felix?«, wandte sich Kai an Anne, und Anne nickte. »Dann hol es schnell.«

Anne rannte die Treppe hoch ins Schlafzimmer und kam nur Sekunden später mit einem kleinen Foto wieder, das Felix am Schreibtisch zeigte, während er Schularbeiten machte und an einem Bleistift kaute.

Kai zeigte Allora das Foto. »Kennst du den Jungen?«

Allora nickte. Anne lehnte sich an die Wand. Ihre Knie waren butterweich, sie konnte sich kaum noch auf den Beinen halten.

»Hast du ihn schon mal gesehen?«

Allora nickte.

»Noch mal, Allora. Warum hast du das Foto aus dem Haus geholt?«

Allora zog eine Grimasse, die ausdrückte, ich weiß es selbst nicht.

»Weil du ihn kanntest und dich an ihn erinnern wolltest?«

Allora nickte erneut und grinste gequält.

»Wo hast du denn den Jungen schon mal gesehen?«

Allora antwortete nicht, denn sie war abgelenkt und bemühte sich äußerst intensiv, eine Motte aus einem Wasserglas zu fischen, das halb voll auf der Arbeitsplatte stand, und dabei jaulte sie, weil sie Angst hatte, die Motte würde ertrinken.

»Langsam, ganz langsam. Man kann mit Allora reden, aber es ist nicht einfach.«

Anne verhielt sich ganz still. Die Spannung war fast unerträglich. Hier war jemand, der etwas wusste, sie konnte es kaum glauben.

Die Motte war gerettet. Aber jetzt kam hinter einem Lavendelbusch eine fette Kröte zum Vorschein, schleppte sich langsam und schwerfällig über den Kies und machte dabei Geräusche, als würde ein Mensch über den Kies gehen. Allora sprang auf die Kröte zu, nahm sie und kraulte ihr den Hals.

»Ist das furchtbar«, flüsterte Anne.

»Allora liebt Tiere. Sie liebt jede Kreatur. Sie tut keiner Fliege was zuleide. Sie macht zwischen sich und anderen Lebewesen keinen Unterschied.« Allora hockte sich hin und kraulte die Kröte weiter. Sie war völlig versunken und beachtete Kai und Anne nicht mehr.

»Sie heißt Allora«, flüsterte Kai, »weil sie nur dieses eine Wort sprechen kann. Sie wohnt in San Vincenti bei Fiamma. Fiamma hat sie vor vielen Jahren aus einem Heim geholt. Zuerst wohnte sie bei der alten Giulietta und hat der alten Frau geholfen, bis sie starb. Und weißt du, wo die alte Giulietta mit Allora wohnte?« Anne schüttelte den Kopf. »In Casa Mèria, Enricos Haus.«

Allora setzte die Kröte ins Blumenbeet und lächelte zufrieden.

»Allora, ist das lange her, seit du den Jungen gesehen hast?«, wandte sich Kai erneut an Allora.

Allora nickte.

»Aber du kannst dich trotzdem gut erinnern?«

Allora nickte.

»Was hat der Junge gemacht? Hat er gespielt?«

Allora sah einen Moment erstaunt auf. Dann schüttelte sie heftig den Kopf.

»Was hat er gemacht?«

Allora schüttelte immer weiter den Kopf.

»War der Junge allein?«

Allora schüttelte wieder den Kopf.

»Wer war bei ihm? Ein Mann?«

Allora schüttelte wieder den Kopf.

»Wer denn? Ein Tier?«

Allora schüttelte jetzt extrem heftig und energisch den Kopf.

»Eine Frau?«

Auch das verneinte Allora Kopf schüttelnd.

Kai sah Anne an. »Ja, was denn nun? Verstehst du das?«

»Moment.« Anne lief ins Haus und kam kurz darauf mit einem Block und einem Bleistift wieder und gab beides Allora.

»Allora«, sagte Kai, »kannst du uns aufmalen, wer bei dem kleinen Jungen war. Kannst du das?«

Allora nickte. Alle drei gingen zurück in die Küche und setzten sich. Allora hielt den Stift völlig verkrampft und malte extrem langsam, gab sich große Mühe und war nie zufrieden. Anne und Kai konnten nichts erkennen, denn bereits nach wenigen Strichen zerriss Allora jedes Mal das Blatt.

»Mal weiter, Allora«, versuchte Kai sie aufzumuntern. »Es muss nicht schön und nicht perfekt sein. Nur so, dass man ein bisschen was erkennt.«

»Allora«, sagte Allora und seufzte laut. Dann zeichnete sie weiter und zerriss das Blatt nicht mehr.

Als sie fertig war, hatte sie ein Gesicht gemalt, das Hörner auf dem Kopf hatte. An dem Gesicht klebte ein halsloser Körper. Die Figur hatte eine Hose an und hielt in der Hand eine Forke.

Kai betrachtete das Bild fassungslos. »Der Teufel«, sagte er. »Sie hat den Teufel gemalt.«

Allora nickte und lächelte. »Allora«, sagte sie stolz.

»So kommen wir nicht weiter«, stöhnte Anne.

»Doch doch. Wir brauchen nur ein bisschen Geduld.«

Allora sah Kai liebevoll an. Dann setzte sie sich auf Kais Schoß und küsste ihn heftig.

»Kannst du mir das auch erklären?«, fragte Anne genervt.

»Ja«, meinte Kai, »später«, und wischte sich mit dem Ärmel über den Mund, als Allora ihn wieder freigab und zurück auf ihren Stuhl rutschte. »Lass das jetzt mal, Allora, wir wollen doch noch viel mehr wissen über den kleinen Jungen. Es ist wichtig, weißt du ... Anne ist die Mutter von dem Jungen und macht sich große Sorgen. Sie weiß nämlich nicht, wo der Junge ist. Weißt du, wo der Junge ist?«

Allora nickte.

Annes Herz setzte einen Moment aus.

»Wo? Allora, wo?«

Allora stand auf und rannte aus der Küche. Sie lief mit ihren nackten Füßen so geschickt und leichtfüßig wie ein Reh über den Hof und hinter der Mühle vorbei. Einen Moment war sie hinter dem Haus verschwunden und nicht zu sehen. Aber dann tauchte sie wieder auf. Sie stand am Rand des Pools wie eine graue, unwirkliche Gestalt. Ihre weißen Haare leuchteten im Mondlicht, und sie zeigte mit dem Finger auf das tiefschwarze Wasser.

76

Toscana, 2004

Jetzt hatten sie es fast geschafft. In der Ausfahrt »Valdarno« nahm Bettina die Kurve viel zu schnell, sodass sie Schwierigkeiten hatte, den Wagen wieder unter Kontrolle zu bringen. Die Räder quietschten, und der rote Passat schleuderte leicht, bis Bettina abbremsen konnte.

»Spinnst du?«, fragte Mareike erschrocken.

»Ich kann nicht mehr«, murmelte Bettina. »Ich hab von der Fahrerei die Schnauze voll.«

»Dann lass uns tauschen!«

»Nicht auf den letzten Metern. Guck du lieber in die Karte, damit wir uns zu guter Letzt nicht auch noch verfahren.«

Bettina bezahlte beim Kassierer die Maut-Gebühr, murmelte ein müdes »Grazie, Buonasera«, bog rechts ab und fuhr durch das Industrieviertel von Montevarchi.

Sie waren am Freitagfrüh in Berlin gestartet und jetzt seit zwei Tagen unterwegs. Im bayerischen Holzkirchen, kurz vor der österreichischen Grenze, hatten sie im Hotel »Zur Alten Post« übernachtet. Edda und Jan hatten mit Begeisterung zum Abendbrot Sauerbraten mit Knödel gegessen, den Abend ansonsten allerdings »ätzend« gefunden, da es in dem kleinen Ort nichts zu sehen, nichts zu unternehmen und erst recht nichts zu erleben gab. Nach anderthalb Stunden gemeinsamen Doppelkopf-Spielens waren Edda und Jan erleichtert in ihrem Zimmer zum Fernsehen verschwunden, während Mareike und Bettina in der Gaststube noch ein Bier tranken.

Als sie die nötige Bettschwere hatten, gingen sie in ihr Zimmer, das direkt neben dem von Jan und Edda lag. Mareike horchte noch kurz an der Tür der beiden, aber als alles still war und sie nichts mehr hörte, war sie beruhigt.

Im Bett lag Mareike mit verschränkten Armen und starrte an die Decke. Offensichtlich war sie in Gedanken immer noch im Büro. Bettina schmiegte sich an sie und begann, zart an Mareikes Ohrläppchen zu knabbern. »Versuche nicht herauszufinden, was jetzt passiert. Du brauchst nicht zu ermitteln, ich sag es dir: Ich mache dir jetzt den Tätertyp B. Sanfte sexuelle Verführung von hilf- und wehrlosem Opfer.« Dann schob sie Mareikes Nachthemd hoch und fuhr langsam mit ihrer Zunge über den Körper der Freundin. Mareike musste kichern und atmete tief aus. Endlich drehte sie sich zu Bettina um und nahm sie in den Arm.

Eddas knappes Top endete unmittelbar oberhalb des Bauchnabel-piercings und des Taillen-Speckröllchens. Sie zog den Bauch ein, wie sie es sich angewöhnt hatte, und nahm gelangweilt den Kopf-hörer ihres Discman ab.

»Und in dieser Scheißgegend wollt ihr Urlaub machen? Ihr habt sie doch nicht alle!«

»Wart's ab!«, meinte Bettina. »Wir sind ja noch nicht da. Außer-dem wohnen wir nicht in einer Stadt, sondern auf einem Berg um-geben von Wald.«

»Cool«, sagte der zwölfjährige Jan und knipste hektisch auf sei-nem Gameboy herum. Edda steckte sich wieder die Ohrstöpsel ih-res Discmans in die Ohren und verdrehte die Augen.

»Halt dich links«, sagte Mareike. »Fahr nicht geradeaus nach Mon-tevarchi, sondern links Richtung Levane. Das ist eine Abkürzung.«

Die Brille steht ihr gut, dachte Mareike nach einem kurzen Sei-tenblick, sie sieht aus wie eine kleine, verschrobene Bibliothekarin. Gefällt mir.

Hinter Bucine wurde die Gegend ländlicher, und nachdem sie Ambra passiert hatten, fanden sie den Abzweig nach Montebeni-chi auf Anhieb.

Und plötzlich waren sie in der Toscana. Liebliche Hügel mit mit-telalterlichen Dörfern breiteten sich vor ihnen aus, Olivenhaine und Weinberge bestimmten die Landschaft. Ab und zu imposante, von Zypressen umgebene Natursteinhäuser, die alle durch ein Schild am Straßenrand auf ihren Agritourismus aufmerksam machten.

»Na, es wird doch langsam«, knurrte Bettina.

Der kleine Ort Montebenichi entsprach genau ihren Vorstellun-gen und Träumen.

»La Pecora« war bereits angezeigt, und Bettina fuhr an der Osteria »L'Orciaia« rechts ab auf eine Schotterstraße, die links von einer Mauer und rechts von einem Schwindel erregenden Ab-grund gesäumt war.

»Was mache ich, wenn mir jetzt einer entgegenkommt?«

»Dann fährst du rückwärts zurück bis zum Ort«, meinte Mareike und amüsierte sich über Bettinas entsetztes Gesicht.

Der Abzweig nach La Pecora war leicht zu finden. Bettina fuhr äußerst langsam, da die Straße eigentlich keine Straße war, sondern vielmehr ein Feldweg mit tiefen Löchern und breiten Furchen, die der Regen in die Erde gespült hatte.

Eleonore stand bereits vor dem Haus, als die vier ausstiegen.

»Herzlich willkommen auf La Pecora«, sagte sie. »Wie schön, dass Sie alle gesund und munter angekommen sind!«

Mareike und Bettina waren von der sehr ursprünglichen, verwinkelten Ferienwohnung mit schiefen Wänden, verwitterten Balken und alten Mattoni begeistert, und die große Terrasse mit dem atemberaubenden Blick über Täler und Berge entsprach genau Mareikes Vorstellungen.

»Na, junger Mann«, meinte Eleonore zu Jan, »gefällt es dir hier?« Jan nickte etwas verunsichert. »Du wirst sehen, hier kann man wandern und Rad fahren, im Wald herumstrolchen, am Bach spielen und im See schwimmen. Ein Paradies für einen Jungen wie dich.«

Jan strahlte. Das hörte sich gut an. Das war alles genau das, was er wollte. Er war sicher, dass es ein toller Urlaub werden würde, und beschloss, noch an diesem Abend zum Bach zu gehen, um die Gegend zu erkunden.

77

Kai blieb das ganze nächste Wochenende in Valle Coronata. Am Samstag erfuhren sie in der Bar von Ambra die Adresse von Filippo Torelli, der 1997 verschwunden war und in La Scatola mit seinen Eltern und zwei kleineren Geschwistern gewohnt hatte.

Raffaella Torelli hatte üppiges, graues Haar, das sie mit einer gewaltigen Schildpattspange im Nacken zusammenhielt. Sie war höchstens einen Meter fünfzig groß und hatte winzige Kinderhände, an denen ihr Ehering wirkte, als käme er geradewegs aus dem Kaugummiautomaten. Sie trug ein langes, schwarzes Kleid, und der einzige Farbfleck an ihr war ein greller lila Lidschatten, mit dem sie ihre Augen eingerahmt hatte.

Sie gab sich den beiden Deutschen gegenüber zurückhaltend und zugeknöpft, die etwas von Filippo und dem Umstand seines Verschwindens wissen wollten. Erst als sie hörte, dass die deutsche Frau selbst um ein nie wieder aufgetauchtes Kind trauerte, fasste sie Vertrauen.

Filippo war an einem warmen Sommermorgen, eine Woche vor den großen Ferien, wie jeden Tag um sieben von zu Hause losgelaufen. Er hatte ungefähr zwanzig Minuten Weg bis zur Schulbushaltestelle in Badia a Ruoti. Von dort fuhr er immer mit dem Schulbus bis zur Elementarschule in Ambra. Filippo war vergnügt und freute sich auf den Nachmittag, denn seine Maremma-Hündin Elisabetta hatte Junge geworfen, die jetzt vier Wochen alt waren und mit denen er bei diesem schönen Wetter auf der Wiese spielen wollte.

Filippo ging wie jeden Morgen auf der Schotterstraße an Feldern und Wiesen vorbei, auf denen Roberto, der Schäfer, seine Schafe weiden ließ. Die beiden Hunde des Schäfers überfielen ihn wie immer mit lautstarkem, freudigen Gekläffe. Filippo streichelte sie kurz und ging dann weiter. Die Besitzerin des Agritourismus-Hofes »Casa Emanuela«, Lisa, die immer um diese Zeit aufstand, erinnerte sich, auch an diesem Morgen das Gekläffe der beiden Schäferhunde gehört zu haben. Aber sie hatte nicht aus dem Fenster geschaut, sondern war stattdessen sofort ins Bad gegangen. Filippo hatte sie also nicht gesehen, aber sie vermutete, dass er wie jeden Tag um diese Zeit an ihrem Hof vorbeigekommen war.

Lisa konnte nicht mehr sagen, ob ein Auto um kurz nach sieben an ihrem Haus vorbeigefahren war. In diesem Sommer hatte Enrico oberhalb von Casa Emanuela Casa Lascone, eine Ruine in einem Olivenhain, ausgebaut. Mehrmals am Tag fuhr er mit seinem zerbeulten Bus, in dem er Baumaterialien transportierte, hin und her. Lisa hatte nicht darauf geachtet, sie meinte, sie hätte Besseres zu tun gehabt.

Filippo musste dann auf seinem Schulweg noch am Grundstück des Baustoffhändlers vorbei, aber das Haus war morgens um diese Zeit immer vollkommen verwaist, da die gesamte Familie im Geschäft arbeitete. Nur ein völlig verlauster Hund mit verfilztem Fell streifte unaufhörlich am Zaun entlang und bellte jedes Mal, wenn Filippo vorbeikam. Aber das Bellen dieses Hundes hatte niemand gehört. Kein Fußgänger, kein Autofahrer, niemand hatte Filippo von diesem Zeitpunkt an noch einmal gesehen.

Filippo hätte anschließend noch an einer Schweinekoppel und einer Ruine vorbeikommen und ein kleines Wäldchen durchqueren müssen, bevor er die Bushaltestelle am Ortsausgang von Badia a Ruoti erreichte.

An dieser Haltestelle war er nie angekommen, und bis heute gab es keine Spur und kein Lebenszeichen von ihm. Das war jetzt sieben Jahre her.

Raffaella bekreuzigte sich dreimal, bevor sie sagte, dass sie nicht glaube, dass ihr Sohn noch lebe.

Dann zeigte sie eine völlig überraschende vertrauliche Geste, indem sie Anne an der Hand nahm und mit ins Wohnzimmer zog. Auf dem Kaminsims stand ein schwarz eingerahmtes Bild. Ein Porträt von Filippo. Ein kleiner Junge, der den Kopf zurückgeworfen hatte und aus vollem Hals lachte, sodass man seine unregelmäßigen Zähne sah. Die Schneidezähne standen etwas übereinander. Seine Haare waren stoppelkurz geschnitten, er sah aus wie ein quietschfideler Spross der Simpson-Familie.

»Bello?«, fragte Raffaella mit Tränen in den Augen und streichelte das Bild.

»Molto bello«, flüsterte Anne. Dann sah sie Kai an, mit einem Blick, der sagte: Komm, lass uns gehen, ich halte das nicht aus, hier kommen wir sowieso nicht weiter.

Raffaella stellte das Bild zurück auf den Kamin und verließ hoch erhobenen Hauptes das Zimmer.

Es wäre unhöflich gewesen, den Kaffee, den Raffaella ihnen anbot, abzulehnen. Also nahmen sie noch in der Küche Platz.

»Filippos Geschwister waren noch zu klein, als Filippo verschwand«, sagte Raffaella. »Sie haben ihn vergessen. Mein Sohn Manuel ist jetzt elf. Genauso alt wie Filippo damals war. Jeden Morgen, wenn er in die Schule geht, durchlebe ich alles noch einmal und habe Angst, dass er nicht wiederkommt. Das ist die Hölle, sage ich Ihnen. Ich kann nichts tun. Ich bete und warte, bis ich höre, wie er über den Hof geht und unserer alten Emaillegießkanne einen Tritt gibt, sodass sie über den Kies scheppert. Ich lege sie jeden Tag an dieselbe Stelle, damit er ihr jeden Tag einen Tritt geben kann. Erst wenn ich dieses Geräusch höre, geht mein Leben weiter.«

Die Carabinieri hatten einen Monat lang gesucht, wie bei Felix waren Felder und Wälder durchkämmt und die Seen von Tauchern abgesucht worden, man hatte Freunde, Verwandte, Bekannte, Nachbarn befragt, mit Filippos Schulkameraden und Lehrern gesprochen, fast jeder Bewohner Badia a Ruotis war verhört worden – alles ohne Erfolg. Filippo war wie vom Erdboden verschluckt, noch nicht einmal seine Schultasche oder Teile seiner Kleidung tauchten auf, es gab nicht die geringste Spur.

Raffaella erzählte, dass drei Jahre später ein weiteres Kind verschwunden war. Der kleine Marco. Auch Marco wurde gesucht, vielleicht sogar am längsten und intensivsten, denn schließlich war er mittlerweile der dritte Junge, der innerhalb von sechs Jahren in dieser Gegend verschwunden war. Aber auch in Marcos Fall hatte niemand etwas gesehen oder gehört, die Polizei war völlig hilflos.

Marcos Mutter sprach seit dem Verschwinden ihres Kindes kein Wort mehr. Mit niemandem. Weder mit ihrem Mann noch mit Freunden oder Verwandten und mit der Polizei schon gar nicht. Daher glaubte Raffaella auch nicht, dass Marcos Mutter weiterhelfen könnte.

Für all die Informationen dankten Kai und Anne Raffaella herzlich und verabschiedeten sich.

»Das bringt alles nichts«, sagte Anne, als sie vor der Tür der Torellis standen. »Ich glaube, wir verschwenden unsere Zeit. Kinder verschwinden, niemand hat etwas gesehen, niemand weiß was. Es ist zum Verrücktwerden!«

»Komm«, meinte Kai. »Lass uns einen kleinen Spaziergang machen. Ich zeig dir Casa Lascone. Das Haus, das Enrico auch aufgebaut hat. Es ist sehr schön geworden.«

Anne zeigte auf ihre Sandalen. »Ich bin auf einen Gewaltmarsch überhaupt nicht eingerichtet!«

»Kein Problem, die Straße ist nicht schlecht, und wir laufen höchstens zehn Minuten. Es ist nicht weit von hier.«

Das Haus war beeindruckend. Groß und imposant stand es wie ein Monument inmitten von Olivenhainen direkt am Hang. An der Vorderfront gab es eine freie, von Säulen getragene Terrasse, von der aus man einen weiten Blick über das Ambratal hatte, eine zweite Terrasse hatte Enrico hinter dem Haus angelegt, etwas versteckt zwischen Obst- und Olivenbäumen, von der aus man einen wesentlich romantischeren Blick über den Wald und eine tiefe Schlucht bis hin zum gegenüberliegenden Berg mit dem kleinen Ort Rapale hatte. Unterhalb der Terrasse lag ein Natursteinpool, der zurzeit ohne Wasser war.

»Was ist denn hier passiert?« Anne trat näher an den Poolrand und sah hinunter. Auf dem Grund war mit roten Backsteinen das Wort CARLA in den Boden gemauert.

»Er wollte Carla ein Denkmal setzen oder ihr eine Liebeserklärung machen, was weiß ich …«

»Aber was für ein Blödsinn!«, meinte Anne. »Wieso schreibt man den Namen seiner Freundin in den Pool eines Hauses, in dem man nicht vorhat zu wohnen, weil man es auf jeden Fall verkaufen will? Was für ein Schwachsinn! Mich würde es stören, ein Haus zu kaufen, in dessen Pool der Name einer Frau steht, mit der ich nichts zu tun habe!«

Kai zuckte die Achseln. »Enrico macht manchmal merkwürdige Dinge, die kein Mensch versteht. Für mich war und ist er ein Spinner, aber ein liebenswerter. Man darf das, was er sagt, einfach nicht so ernst nehmen, außerdem leidet er an Selbstüberschätzung. Aber solche Menschen sind ja meist ganz interessant. Ich kann mich noch erinnern … Carla war gerade in Deutschland, und Enrico baute den Pool. Und dann hat er ihren Namen in den Grund gemauert, um sie zu überraschen. Aus einer Laune heraus, denke ich. Eine Schnapsidee. Vielleicht hatte er auch eine Flasche Wein zu viel getrunken.«

»Und warum ist jetzt kein Wasser drin?«

»Der Pool ist undicht. Der Belgier, der das Haus gekauft hat, ist im Moment nicht da. Wenn er im Herbst wiederkommt, will er die undichte Stelle suchen lassen. Zur Not muss er ihn aufhauen oder noch eine Schicht Beton aufschütten. Aber dann wird der Pool insgesamt immer flacher, und allzu tief ist er ohnehin nicht.«

»Stimmt. Eleonore hat von dem undichten Pool erzählt.«

Sie gingen langsam um das Haus herum. »Mit diesem Haus hat er sich wirklich Mühe gegeben«, meinte Kai. »Mehr als in Valle Coronata. Vielleicht hatte er inzwischen auch einfach schon ein bisschen mehr Erfahrung mit dem Bauen.«

»Ich habe eine undefinierbare Angst«, sagte Anne als sie zurückfuhren. »Aber ich weiß nicht, wovor. Das bezieht sich nicht nur auf Valle Coronata. Kennst du das Gefühl, wenn du bei Sonnenschein über eine blühende Wiese gehst, weit und breit kein

Mensch, es ist warm, Schmetterlinge fliegen durch die Luft, Grillen zirpen, du könntest eigentlich vollkommen glücklich sein, aber du hast die böse Ahnung, dass gleich etwas passiert? Die grüne Wiese wird auf einmal zur Bedrohung. Du suchst verzweifelt nach Fluchtmöglichkeiten oder nach irgendeinem Ort, an dem du dich verstecken kannst, aber da ist nichts. Kein Baum, kein Strauch, keine Hütte, nichts. Und augenblicklich bist du davon überzeugt, dass die Blumenwiese eine tödliche Falle ist, gefährlicher als ein leeres Treppenhaus mitten in der Nacht. Kennst du solche Gedanken?«

»Nein«, sagte Kai und sah Anne besorgt an. »Wirklich nicht. Du darfst jetzt nicht hysterisch werden, Anne. Niemand will dir etwas tun. Niemand bedroht dich. Du hast ein wunderschönes Haus gekauft, jetzt fang endlich an, es zu genießen!«

»Wie kann ich es genießen, wenn ich spüre, dass alles, was ich tue, alles, aber auch alles, was in diesem Haus passiert, dass jeder Windhauch, der mir in diesem Tal um die Nase weht, mit Felix zu tun hat?«

Kai sagte nichts mehr. Anne weinte leise vor sich hin, bis sie den Parkplatz erreichten, auf dem der kleine Fiat immer noch stand und mittlerweile von Unkraut und wilden Gräsern vollkommen zugewuchert war.

78

Sowohl Kai als auch Anne wussten ganz genau, dass Kai nicht ewig in Valle Coronata wohnen konnte, nur um Annes Ängste zu unterdrücken. Kai hatte herausgefunden, dass der unheimliche Mann mit dem Jeep Carlo gewesen war, ein Vorarbeiter Filottis, dem die Ländereien oberhalb des Tals gehörten. Das eingetragene Wegerecht gab es seit Menschengedenken, aber Filotti hatte nie Gebrauch davon gemacht. Außerdem hatte Enrico im Wald einen Weg gebaut, den Filotti benutzen konnte, um zu seinem Grundstück zu gelangen und nicht mehr über den Innenhof fahren zu müssen. Carlos Auftritt im Tal war also reine Schikane gewesen. Sollte das noch einmal vorkommen, müsse man mit Filotti reden, der ein sehr einsichtiger, freundlicher Mann war.

Anne war beruhigt und glaubte, sich das nächste Mal Carlo gegenüber besser verhalten zu können.

Als sie schließlich wieder allein war, übte sie, sich so normal wie möglich zu benehmen, als hätte sie nie Angst gehabt, als wäre in Valle Coronata nie etwas Ungewöhnliches geschehen. Sie kaufte einen Fernseher, eine Waschmaschine und eine Gefriertruhe. Wenn nun ihre Jeans, Blusen und Pullover vor der oberen Schlafzimmerterrasse auf der Leine im Wind flatterten, hatte sie wenigstens ein vages Gefühl von »zu Hause«. Den größten Teil ihrer täglich benötigten Lebensmittel fror sie jetzt in großen Mengen ein und war nun nicht mehr darauf angewiesen, das Tal zu verlassen, um ein Brot oder einen Pecorino zu kaufen. Aber am meisten liebte sie es, sich abends im Wohnzimmer in einen Sessel zu kuscheln und sich einen Film anzusehen. So holte sie sich ein Stückchen Heimat und Geborgenheit in ihr einsames Haus.

Es war genau eine Woche vergangen, seit Felix' Foto gestohlen worden war, und ein ungewöhnlich kühler Morgen, als sie ihr Schlafzimmerfenster öffnete und Allora wiedersah. Sie stand oberhalb des Pools in einem knöchellangen beigefarbenen Kleid, das in der Morgensonne orangefarben leuchtete. Ihre weißen Haare lagen ungewöhnlich eng am Kopf, den rechten Unterarm hielt sie vor den Augen, als würde sie der Sonnenaufgang blenden. Sie war eine schöne, unwirkliche, schmale Gestalt, fast wie eine Madonnenerscheinung.

Vielleicht war sie im Wasser, dachte Anne unwillkürlich, als sie Alloras Haare sah, vielleicht war sie wahrhaftig um diese Zeit schon in diese grüne, ekelhafte Brühe gestiegen.

Anne öffnete das Fenster. Allora registrierte das Geräusch des Fensterriegels sofort und sah in Annes Richtung. »Allora«, sagte sie statt einer Begrüßung und lächelte. Dabei sah Anne zum ersten Mal ihre fleckigen Zähne und wunderte sich, dass dieser unangenehme Anblick sie auf eine nicht zu erklärende Art rührte.

Allora stand wie eine Engelsstatue im Wald und bewegte sich nicht, auch nicht, als Anne den Tisch unter dem Nussbaum für zwei Personen deckte.

Als der Kaffee fertig war, rief sie: »Komm, Allora, komm und setz dich zu mir!«, und winkte in Alloras Richtung.

In diesem Moment löste sich Alloras Erstarrung. Langsam ging sie hinunter zum Pool. Jetzt erst sah Anne, was Allora in der Hand hielt. Es waren rote Buschrosen, die sie bisher hinter ihrem Rücken verborgen hatte, längere und kürzere, die allerdings zusammen keinen Strauß, sondern eher ein Rosendickicht ergaben.

Am Pool machte Allora halt und blieb einen Moment unbeweglich stehen. Dann pflückte sie die Blüten von den Rosen und warf sie einzeln ins Wasser.

Bewegt von dem hereinströmenden Quellwasser, tanzten die Blüten auf der dunkelgrünen Wasseroberfläche und stauten sich anschließend vor dem schmalen Abfluss.

»Allora«, murmelte Allora und ging langsam über den Weg hinter der Mühle zum Haupthaus. Vorsichtig und sehr unsicher setzte sie sich zu Anne an den Tisch.

»Nimm dir«, sagte Anne freundlich. »Was möchtest du? Kaffee? Milch? Brot? Marmelade? Frische Feigen?«

Allora trank hastig Milch direkt aus der Kanne und rülpste laut. Dann nahm sie einen Löffel und begann, langsam Honig aus einem Zweilitereimer zu löffeln. Dabei strahlte sie und schmatzte wohlig wie ein Bär, der einen Bienenstock ausräumt.

»Du kannst jederzeit herkommen, Allora«, sagte Anne. »Du bist immer willkommen. Verstehst du das?«

Allora nickte und schaufelte weiter den Honig in sich hinein, so-dass Anne vom bloßen Zusehen übel wurde.

»Iss, so viel du magst«, meinte Anne und ging ins Haus auf die Toilette. Ich werde sie nach Felix fragen, dachte sie, immer und immer wieder. Ganz sanft. Ohne Druck. Ich will verstehen, warum sie Rosen ins Wasser wirft und warum sie auf das Wasser gezeigt hat, als wir nach Felix fragten. Es ist einfach verhext, dass Allora nicht spricht! Will sie etwa andeuten, dass Felix im Pool ist? Das kann nicht sein! Enrico hat den Pool gebaut. Das kann wirklich nicht sein! Aber was will sie dann?

Als Anne zurück auf die Terrasse kam, war sie ganz sicher, dass sie auch der schweigenden Allora ihr Geheimnis entlocken konnte und hatte sich einen groben Plan zurechtgelegt, was sie Allora fragen wollte.

Aber Allora saß nicht mehr am Tisch. Allora war fort und mit ihr der Zweilitereimer Honig.

79

Kai und Anne waren allein im Büro. Monica war heute früher nach Hause gegangen, weil sie angeblich Kopfschmerzen hatte, aber Kai wusste, dass sie einen sizilianischen Frisör kennen gelernt hatte, dem sie die Stadt zeigen wollte. Kai hatte gestern schon gemerkt, dass irgendetwas nicht stimmte, weil sie sich die Haare blond gefärbt und wesentlich mehr Lidschatten aufgetragen hatte als gewöhnlich. Heute war sie den ganzen Tag unruhig und nervös gewesen und machte den Eindruck, keine zwei Minuten stillsitzen zu können. Da sie sich pausenlos vertippte, Akten falsch einsortierte und nur mit ihrer Maniküre beschäftigt war, war Kai regelrecht erleichtert, als sich die Tür hinter ihr schloss und sie endlich verschwunden war.

Während er eine Flasche Prosecco aus dem Kühlschrank nahm und zwei Gläser einschenkte, breitete Anne eine Landkarte auf dem Schreibtisch aus, auf der nicht nur fast jeder kleine Ort, sondern auch einzelne größere Anwesen eingezeichnet waren. Mit roten Stecknadeln markierte sie die Orte, wo die drei Jungen verschwunden waren, mit blauen, wo sie gewohnt hatten.

»Guck mal«, sagte sie zu Kai. »Filippo hat in La Scatola gewohnt und ist kurz vor Badia a Ruoti verschwunden. Das ist nicht mal einen Kilometer entfernt. Marco wohnte in Cennina, bis zum See waren es vielleicht zwei Kilometer. Felix verschwand unmittelbar vor La Pecora. Und jetzt sieh dir mal alle Orte an. La Pecora, Valle Coronata, La Scatola, Cennina, der See …, das ist im Grunde ein ganz kleines Gebiet. Der Mörder hat immer im Umkreis von zwanzig Kilometern gemordet. Das heißt, er sitzt hier wie eine Spinne im Nest, fühlt sich vollkommen sicher und wird wahrscheinlich wieder ein Kind umbringen. Hier in dieser Gegend. In unmittelbarer Nachbarschaft.«

»Das müsste der Polizei doch eigentlich bewusst sein!«

»Vielleicht, vielleicht auch nicht. Ich hab keine Ahnung, wie die hier arbeiten, aber ich bin ziemlich sicher, dass kein Polizist mehr einen Gedanken an Felix verschwendet. Und noch was, Kai. Felix verschwand 1994, Filippo 1997 und Marco 2000. Alle drei Jahre ein Junge. Mit schöner Regelmäßigkeit. Im letzten Jahr ist nichts passiert. Warum nicht? Ist der Mörder weggezogen, war er durch irgendwelche Umstände verhindert, oder steht der nächste Mord unmittelbar bevor?«

Kai zuckte die Achseln und hob sein Glas. »Trink erst mal einen Schluck, dann lässt sich's besser denken.«

Anne nippte nur an ihrem Prosecco und stellte das Glas sofort wieder auf den Beistelltisch. Sie wollte sich jetzt nicht aus dem Konzept bringen lassen. »Wir müssen einfach mal überlegen, ob und welche Verbindungen zwischen allen drei Orten bestehen. Welche Personen haben überall zu tun? Bei wem ist es am ehesten denkbar, dass er den Kindern dort auf seinem täglichen Weg begegnet ist? Vielleicht der Bäcker, der sowohl Montebenichi, Cennina und Badia a Ruoti täglich mit frischem Brot beliefert? Oder der Pfarrer, der sich um alle drei Gemeinden kümmert? Oder der Geometer, der für sämtliche Grundstücke dieser Gegend zuständig ist? Oder der Maresciallo di Forestale, der oft im Wald unterwegs ist, um zu sehen, ob irgendjemand schwarz baut?«

»Oder der Makler, der Häuser und Ruinen vermittelt und ständig in der Landschaft herumgondelt? Hör doch auf, Anne, da ist ja jeder verdächtig, der hier in dieser Umgebung wohnt, denn jeder, der hier lebt, fährt durch die Gegend, um jemanden zu besuchen oder Pilze zu sammeln oder was weiß ich. Das kannst du nicht eingrenzen, das ist völlig unmöglich.«

Anne ließ sich von ihrem Gedanken nicht abbringen. Sie war ernst und konzentriert, ihr Gesicht glühte vor Anspannung. »Wann hat Enrico eigentlich immer neue Häuser ausgebaut? Weißt du das?«

Kai seufzte. »Nee, so aus dem Hut kriege ich das nicht zusammmen, aber ich kann nachsehen, ich hab ihm sämtliche Ruinen vermittelt.«

»Tu das.«

»Jetzt?« Kai machte ein entsetztes Gesicht. »Ich dachte, wir gehen noch essen? Ich habe seit heute Morgen drei Flaschen Mineralwasser getrunken und noch nicht mal an einem Keks gekaut! Mir ist schon ganz komisch von dem Schlückchen Sekt!«

»Bitte, sieh nach. Jetzt.«

Kai fand schnell, was er suchte, aber blätterte relativ unwillig die Akten durch.

»Also«, meinte er und setzte eine schmale Lesebrille auf, »1992

hat er begonnen, Valle Coronata aufzubauen, 1996 hat er die Um-
bauten in La Pecora gemacht, 1996 hat er auch Casa Lascone gekauft und 1999 La Roccia. Den Rest weißt du.«

»Ja.« Anne dachte nach. »2000 verschwand Marco ... Weißt du
auch, wann er La Roccia wieder verkauft hat?«

Kai sah wieder in seinen Unterlagen nach. »Im Februar 2002.«

»Dann hat er sich wahrscheinlich mit seinen Finanzen etwas
verkalkuliert, sodass er jetzt, im Sommer 2004, sogar Valle Coronata verkaufen musste. Seine Heimat, wo er sonst ja immer gelebt
hat, während er irgendwo baute.«

»Kunststück«, schnaubte Kai verächtlich. »Er hat immer zu billig verkauft, hat sich nie an die allgemein üblichen Preise gehalten.
Ich war so sauer, hatte mir immer wieder geschworen, nie wieder
mit ihm Geschäfte zu machen, aber du weißt ja, wie das ist. Mit seinem völlig bescheuerten Sturkopf machte er eigentlich die Preise
hier in der Gegend kaputt. Er würde sicher mit seinem Geld auskommen, wenn er nicht so dämlich wäre.«

»Aber er ist doch nicht dämlich, Kai! Es muss einen anderen
Grund geben, warum er so billig verkauft. Hat er Angst, seine Häuser nicht loszuwerden?«

Kai schenkte sich Prosecco nach. »Wenn du versuchst, das zu
verstehen, was Enrico denkt und meint und tut, kommst du nie
weiter. Geschäftlich ist er ein Chaot. Und niemand kann in seinen
Kopf gucken.«

»Er hat immer in der Nähe gebaut, wo die Kinder verschwunden
sind. Und Carla war jedes Mal in Deutschland, wenn die Kinder
verschwunden sind.«

»Anne, hör auf. Fang jetzt nicht auch noch an zu spinnen. Enrico ist sonderbar, aber er ist ein hilfsbereiter, netter Mensch und
tut keiner Fliege was zuleide. Dichte jetzt nicht jedem Menschen,
dem du begegnest, einen Mord an den Hals, das macht dich vollkommen unglaubwürdig. Wir haben vorhin festgestellt, dass es
jeder gewesen sein kann. Und der Bäcker, der Pfarrer oder auch

ich als Makler sind dementsprechend genauso verdächtig wie Enrico.«

»Du hast ja Recht«, meinte Anne kleinlaut. »Ich hab ja auch nur laut gedacht. Enrico ist mein Freund und auch für mich der Letzte, dem ich so etwas zutrauen würde. Aber trotzdem …« Sie steckte jetzt gelbe Stecknadeln dorthin, wo Enrico in den letzten Jahren Häuser ausgebaut hatte. Sie blieben alle innerhalb des Radius von zwanzig Kilometern, den Anne gezogen hatte.

»Ich meine ja nur«, sagte sie.

80

Die Tagesthemen waren gerade zu Ende, und Anne überlegte, ob sie sich den amerikanischen Thriller, der um dreiundzwanzig Uhr begann, noch ansehen sollte, als es draußen auf dem Parkplatz hupte. Im ersten Moment bekam sie einen fürchterlichen Schreck, aber dann fiel ihr ein, dass niemand, der sie überfallen wollte, hupen würde und dass dies eine Angewohnheit von Enrico war, um sich anzukündigen.

Sie schaltete die Außenbeleuchtung an, trat vors Haus und beobachtete, wie er den Weg heraufkam. Es war jetzt dreiundzwanzig Uhr fünf, und es musste einen Grund geben, dass er um diese Zeit noch den beschwerlichen Weg durch den Wald auf sich genommen hatte.

»Hallo Enrico!«, sagte sie, als er fast vor der Küchentür war.

»Wie geht es dir?«, fragte er freundlich, als sei es das Selbstverständlichste auf der Welt, um diese Zeit in einer einsamen Hütte, in der eine Frau allein wohnte, zu erscheinen.

»Gut. Ist irgendetwas passiert?«

»Nein, nichts. Ich wollte dich sehen. Das ist alles.«

Anne stutzte kurz, aber sie reagierte nicht darauf. »Komm rein«, sagte sie. »Draußen ist es jetzt schon verdammt kühl.«

»Findest du? Ich sitze immer draußen. Wenn es sein muss, die ganze Nacht.«

Sie gingen ins Haus.

»Was ist mit Carla?«, fragte Anne.

»Sie schläft schon. Hat heute den ganzen Tag die Straße gepflastert und war sehr müde. Sie hat nicht bemerkt, dass ich weggefahren bin, aber ich musste unbedingt mal raus.«

Anne nickte. Es war eine komische Situation, aber sie versuchte, so normal wie möglich darauf zu reagieren. »Ein Glas Wein?«

»Gerne.«

Anne stellte den Wein auf den Tisch und setzte sich Enrico gegenüber. Noch vor einer Viertelstunde war sie todmüde gewesen, jetzt war sie hellwach.

»Hast du dich in Valle Coronata gut eingelebt?«, fragte er.

»Einigermaßen. Wenn das mit Felix' Foto nicht passiert wäre, wäre es mir leichter gefallen.«

Enrico nickte. »Es ist eine mysteriöse Sache. Bist du schon ein bisschen schlauer, wer es gewesen sein könnte?«

»Nein, gar nicht. Ich habe nicht die leiseste Idee. Wahrscheinlich werde ich mein Lebtag nicht herausfinden, was da los war. Genauso wenig, wie ich wahrscheinlich jemals erfahren werde, was mit Felix geschehen ist.« Anne wunderte sich über ihre eigenen Worte. Es wäre leicht gewesen, Enrico von Allora zu erzählen, aber aus irgendeinem Grunde, den sie selbst nicht kannte, tat sie es nicht. Es geschah ganz unbewusst.

»Ich denke oft an dich«, sagte Enrico leise. »Ich stelle mir vor, wie du hier lebst. Allein, schweigend, im Dunkeln. Besonders wenn ich arbeite, bist du mir immer gegenwärtig. Ich bewundere dich. Du bist eine starke Frau, Anne, die Wenigsten könnten das. Aber ich habe Angst, dass dir etwas passiert. Darum bin ich gekommen.

Manchmal überlege ich mitten in der Nacht, ob ich nicht losfahren und nachsehen sollte, ob alles in Ordnung ist.«

Anne lächelte. »Ich bin nicht mehr vierzehn. Ich weiß mir ganz gut zu helfen. Und außerdem ist Kai oft hier.« Zwar fühlte sich Anne durch Enricos Anteilnahme geschmeichelt, aber gleichzeitig keimte in ihr ein ungutes Gefühl, und sie versuchte zu erspüren, was er wirklich wollte.

»Wie schön, dass ihr euch gefunden habt. Ich mag Kai sehr, er ist ein netter Kerl.« Blablabla, dachte Anne, alles Plattitüden. In Wahrheit interessierte sich Enrico für Kai so viel wie für das Schwarze unter dem Nagel.

»Ich will den Pool sauber machen«, sagte Anne völlig unvermittelt und registrierte sehr wohl, dass Enrico unmerklich zusammenzuckte. Doch dann lächelte er.

»Wie kommst du denn darauf?«

»Es nervt mich, dass ich nicht sehen kann, was für Viehzeug darin herumschwimmt. Ich habe Angst hineinzugehen. Neulich hat Kai gebadet, und alles Mögliche hat ihn unter Wasser berührt. Das ist ein Horror. Sag mir doch mal bitte, wie man das Wasser ablassen kann? Ich habe nichts gefunden. Keinen Hahn, den man öffnen kann, kein Rohr, das nach außen führt, nichts.«

»Warte aufs Frühjahr. Jetzt kommt der Herbst, jetzt hat es doch keinen Zweck mehr. Es ist schon viel zu kühl zum Baden.«

»Trotzdem. Ich muss wissen, wie man das Wasser ablässt! Du musst für diesen Fall doch irgendetwas vorgesehen haben?«

»Wann fährst du zurück nach Deutschland?«

»Ich weiß es nicht.« Anne ließ ihre Blicke in der Küche umherwandern. »Manchmal wache ich auf und möchte meine Sachen packen und sofort abhauen. Manchmal denke ich, ich halte es noch ein paar Wochen aus. Und dann gibt es auch Tage, da möchte ich überhaupt nicht mehr zurück. Also, ich weiß es wirklich nicht.«

»Ich mach dir einen Vorschlag.« Enrico trank sein Glas in einem Zug aus, was Anne bei ihm noch nie gesehen hatte. »Vergiss den

Pool. Was meinst du, was das für eine Schweinearbeit ist, wenn du ihn sauber machen willst. Da stehst du tagelang im Schlamm und schaufelst Dreck aus dem Becken. Das ist Schwerstarbeit und furchtbar eklig, wenn du zwischen Schlangen, Kröten und Molchen stehst. Ich verspreche dir, den Pool für dich sauber zu machen, wenn du in Deutschland bist. Und wenn du zurückkommst, hast du ein sauberes Becken und klares Wasser.«

Anne überlegte. »Vielleicht werde ich bei der Gelegenheit ja auch gleich eine Umwälzpumpe einbauen und ihn ein bisschen vergrößern. Ich muss mal mit Harald sprechen, vielleicht kann er in Deutschland noch ein paar Euro lockermachen. Es ist einfach zu dumm, wenn ich dieses herrliche Naturschwimmbad nicht benutzen kann.«

»Um eine Umwälzpumpe einzubauen, musst du alles aufreißen und neu bauen. Dazu brauchst du eine Genehmigung, das dauert bestimmt ein Jahr. Dann hast du hier auf dem Grundstück eine riesige Baustelle und bezahlst ein Vermögen. Willst du das?«

»Vielleicht? Ich hab mir darüber noch keine Gedanken gemacht.«

»Aber bis es so weit ist, mache ich dir den Pool sauber. Einverstanden?«

»Du kannst nicht andauernd für mich arbeiten, Enrico, das geht nicht!«

»Doch, das geht.« Enrico nahm ihre Hand und spielte sanft mit ihrem kleinen Finger. Anne empfand das als intime Berührung, die es zwischen ihnen noch nie gegeben hatte, und war irritiert. Aber sie entzog ihm ihre Hand nicht.

»Das ist lieb von dir. Aber du hast doch bei dir in Casa Mèria genug zu tun.«

Enrico antwortete nicht, sondern lächelte nur.

»Gibt es überhaupt einen Abfluss?«

»Ja. Auf dem Grund. Irgendwo auf dem Boden im ersten Drittel vor dem Wasserfall. Man muss danach tauchen und im Modder wühlen, bis man ihn ertastet. Keine leichte Aufgabe. Und eine verdammt kalte Angelegenheit. Auf einem Rohr ist ein Deckel, den muss man mit viel Kraft aufschrauben. Ohne Hilfsmittel geht das gar nicht. Ich hab passendes Werkzeug dafür, aber wenn man sich nicht auskennt, ist das im schlammigen Wasser, in dem man nichts sieht, fast unmöglich.«

Anne verstummte. »Toll«, sagte sie nach einer Weile resigniert. »Da ist dir ja eine richtig praktische Lösung eingefallen. Der Pool ist wirklich irre leicht zu handeln.«

»Für mich war es mehr so etwas wie ein Teich. Ich wollte, dass sich Algen und Wasserpflanzen festsetzen und dass sich Tiere ansiedeln. Ich hatte eigentlich nicht vor, jemals das Wasser abzulassen oder das Becken sauber zu machen. Es war ein Zufall, dass ich überhaupt einen Abfluss gebaut habe, ursprünglich wollte ich das Ganze einfach zubetonieren.«

»Großartig.« Anne war frustriert. »Dann kann ich den Pool also vorerst vergessen.«

»Ich bring ihn dir in Ordnung. Das ist versprochen. Vielleicht überlege ich mir sogar eine praktischere Lösung, damit du selbst das Wasser ablassen kannst.«

Anne nickte. Sie ärgerte sich über dieses idiotische System und hatte plötzlich kein schlechtes Gewissen mehr, wenn Enrico diese ekelhafte Arbeit übernahm.

Sie schenkte die beiden Weingläser noch einmal voll und stellte die leere Flasche in den Ausguss. Enrico stand leise auf und trat hinter sie. Anne hatte ihn nicht gehört und bemerkte ihn erst, als er sie sanft an den Schultern fasste und langsam zu sich umdrehte.

»Ich hab es gespürt, als du das allererste Mal den Weg nach Valle Coronata heraufgekommen bist.«

»Was?«, hauchte Anne. Sie konnte sich nicht vorstellen, dass Enrico das wirklich wollte, und wusste nicht, was sie tun sollte.

»Dass zwischen uns etwas ganz Besonderes entstehen wird. Eine Seelenverwandtschaft, die mit keinem anderen Menschen möglich ist.« Er fuhr ihr mit den Fingerspitzen über die Augenbrauen, die Wangen und dann den Hals hinunter bis zur Brust. »Vielleicht bist du die Einzige, die jemals verstanden hat, warum ich in Valle Coronata gewohnt habe, und wahrscheinlich bin ich der Einzige, der genau weiß, warum du hier wohnen willst. Hier und nirgendwo anders.«

Anne entzog sich ihm und setzte sich wieder an den Tisch. Sie hatte nicht die geringste Lust, mit Enrico eine intime Situation zu erleben, und ärgerte sich auch über seine Dreistigkeit.

»Warum?«

Statt einer Antwort sagte er: »Hast du etwas dagegen, wenn ich heute Nacht hier in der Mühle übernachte?«

Diese Frage hatte sie befürchtet. Natürlich hatte sie etwas dagegen. Aber konnte sie überhaupt etwas dagegen haben? Schließlich hatte er sie wochenlang in der Mühle wohnen lassen, bis alle Verträge unter Dach und Fach waren.

Enrico spürte ihr Zögern. »Der Wein ist mir in den Kopf gestiegen. Ich habe keine große Lust mehr, jetzt noch durch den Wald zu fahren.«

Es wurde ja immer schlimmer. Anne brach der Schweiß aus. Warum konnte man sie hier in diesem Haus nicht einfach in Ruhe lassen?

»Natürlich kannst du in der Mühle schlafen«, sagte sie schleppend. »Aber ich habe die Matratze in den unteren Raum gebracht, weil ich sie im Moment nicht brauche.«

Enrico nickte. »Kein Problem.«

»Was sagt denn Carla, wenn du morgen früh nicht da bist?«

»Bis sie wach wird, bin ich längst wieder zu Hause. Wenn ich sie nicht wecke, schläft sie meist sehr lange. Manchmal sogar bis zum Mittag.«

Anne nickte und blies die Kerze aus.

»Es ist schwer, ein Haus zu verkaufen, das man selbst aufgebaut hat«, sagte Enrico plötzlich völlig unvermittelt. »Es ist, als wenn ein

Kind erwachsen wird und in ein anderes Land geht. Irgendwohin, wo es beinah unerreichbar ist. Vor dir waren schon drei Interessenten hier, die Valle Coronata kaufen wollten, aber ich hab es ihnen nicht gegeben.«

»Davon hat mir Kai gar nichts erzählt!«

»Diese Interessenten hatte er mir auch nicht vermittelt. Ich hatte im Lokalanzeiger von Ambra annonciert. Unter Chiffre.«

»Warum hast du Valle Coronata diesen Leuten nicht verkauft?«

Enrico zuckte die Achseln. »Keine Ahnung. Es war nur so ein diffuses Gefühl, dass es nicht die Richtigen sind. Dass sie Valle Coronata nicht zu schätzen wissen und – und das war das Wichtigste – dass sie nicht hierher gehören. Aber als du kamst …«, er machte eine bedeutungsvolle Pause und lächelte, »da wusste ich auf Anhieb, dass dieses Haus nur auf dich gewartet hat.«

»Es wäre schön, wenn du Recht hast«, sagte Anne leise.

»Es ist ein magischer Ort«, meinte Enrico.

»Das merke ich schon eine ganze Weile, eigentlich jeden Tag.« Also hatte Enrico es auch gespürt, dass Valle Coronata etwas Besonderes an sich hatte. Ein beinah beruhigender Gedanke.

»Man muss sensibel mit diesem Ort umgehen, Anne, man darf seine Magie nicht stören, sonst geht der Friede verloren, der über diesem Tal liegt.«

Enrico stand auf und nahm Anne in den Arm. »Schlaf gut. Und danke für das Nachtasyl!« Er lächelte, hauchte ihr einen Kuss auf die Wange und verließ die Küche. Anne sah noch, wie in der Mühle das Licht anging und die Gardine hinter der Glastür zugezogen wurde.

Wenig später im Bett grübelte sie darüber nach, was Enrico gesagt hatte. Wie konnte man den Frieden des Tals überhaupt stören? Indem man ein Fest veranstaltete? Oder indem man Bäume fällte oder den Pool umbaute?

Morgen früh frage ich ihn, wie er das gemeint hat, dachte sie noch, und dann war sie auch schon eingeschlafen.

Aber Anne kam nicht mehr dazu, ihn zu fragen. Als sie kurz nach Sonnenaufgang durch den Gesang der Vögel wach wurde, war Enrico nicht mehr da. Die Mühle sah genauso aus wie an den Tagen zuvor, die Matratze lehnte im unteren Raum vor der Badezimmertür. Anne konnte beim besten Willen nicht feststellen, ob Enrico in der Mühle übernachtet hatte oder nicht.

81

Während Bettina in diesem Urlaub vor Energie beinah zu explodieren schien, fiel Mareike in tiefe Lethargie und wünschte sich nur noch zu schlafen und tagsüber bewegungslos im Liegestuhl dahinzudämmern. An diesem Morgen war Bettina bereits um sieben aus dem Bett gesprungen, mit einer Schnelligkeit, die bei Mareike mit Sicherheit einen Kreislaufzusammenbruch zur Folge gehabt hätte. Bereits unter der Dusche sang Bettina aus vollem Hals schmalzige Lieder von Julio Iglesias. Mareike hörte es im Halbschlaf und überlegte, ob es die reine Lebensfreude ausdrücken oder die Kinder auf brutale Weise wecken sollte. Als der Geruch von heißem Kaffee durch die Ferienwohnung zog, stand Mareike auf. Sie wollte ihre Freundin nicht verärgern.

Es war ein ungewöhnlich warmer Oktobertag. Mareike erschien in Shorts und Sweatshirt auf der Terrasse, auf der Bettina bereits gedeckt hatte. Sie küsste Bettina auf die Wange, und Bettina strahlte.

»Mein Gott, was haben wir für ein Glück!«, sagte Mareike. »Im Oktober noch draußen frühstücken! Das ist fantastisch. In Deutschland ist absolutes Sauwetter!«

»Was hältst du davon, wenn wir heute Richtung Grosseto ans

Meer fahren? Ein bisschen am Strand spazieren gehen, in irgendeiner gemütlichen Kneipe Fisch essen …?«

»Wunderbar«, sagte Mareike, »doch wirklich, das ist eine tolle Idee. Aber lass mich zu Hause, ja? Es ist mir einfach zu viel, anderthalb Stunden hin und anderthalb Stunden zurück im Auto zu sitzen. Und dann sind mir da auch zu viele Leute.«

Bettina konnte ihre Enttäuschung nicht verbergen. Der ganze Elan für diesen sonnigen Tag schien verflogen.

»Ich habe nicht gewusst, wie kaputt ich bin«, erklärte Mareike, »wie erholungsbedürftig. Ich habe in Berlin offensichtlich weit über meine Kräfte gelebt. Ich will einfach nur noch meine Ruhe haben, sonst bringt mir der Urlaub nicht viel.«

Bettina nickte enttäuscht.

»Das verstehst du nicht, oder?«

»Doch, doch. Schon klar. Dann fahre ich eben allein mit den Kindern.« Überzeugt klang das nicht.

Eine Viertelstunde später erschien Edda, maulig und gelangweilt wie gewohnt. Sie hatte einzelne Haarsträhnen zu winzigen Zöpfen geflochten, die nun in alle Richtungen abstanden. Hinter ihr stolperte Jan auf die Terrasse, unentwegt auf seinem Gameboy herumtippend, sodass er nicht sehen konnte, wo er hintrat.

»Du lieber Himmel«, meinte Bettina mit Blick auf Eddas Kopf. »Wann hast du denn das gemacht? Das muss ja Stunden gedauert haben!«

»Gestern Abend. Ich konnte nicht schlafen.«

»Morgen, ihr beiden Hübschen. Nimm dir eine Scheibe Weißbrot, Jan. Willst du ein Ei, Edda?«

Edda schüttelte den Kopf. »Ich bin auf Diät.«

Mareike stöhnte auf, aber sagte nichts.

»Was haltet ihr davon, wenn wir heute ans Meer fahren?«, fragte Bettina.

»Geil«, sagte Jan.

»O Gott, wie ätzend«, meinte Edda. »Wahrscheinlich noch stundenlang am Strand spazieren gehen, das ist ja echt das Allernachletzte!«

»Ist gut für deine Figur!«, sagte Mareike grinsend.

Eine Stunde später war Mareike allein. Nachdem sie zehn Minuten gelesen hatte, ging sie ins Haus, um sich eine lange Hose anzuziehen. Wenn man so still und unbeweglich auf dem Liegestuhl lag, wurde es doch kühl. Nach weiteren zehn Minuten erschien Eleonore auf der Terrasse. Sie hatte Arbeitshandschuhe an und eine Rosenschere in der Hand, aber Mareike musste innerlich grinsen. Eleonore war einfach nur neugierig und suchte Kontakt, die Rosenschneiderei war sicher nur ein Vorwand.

»Guten Morgen«, sagte Eleonore. »Ich hoffe, es stört Sie nicht, wenn ich die Rosen beschneide. Jetzt im Herbst muss das gemacht werden, ich beeile mich auch.«

»Machen Sie nur«, meinte Mareike. »Es stört mich überhaupt nicht.«

Eleonore hielt es keine fünf Minuten aus, schweigend zu arbeiten.

»Ihre Freundin hat mir erzählt, dass Sie Kommissarin sind?«, fragte sie vorsichtig.

»Ja, das stimmt.«

»Ermitteln Sie in Mordfällen?«

»Ja.«

»Das stelle ich mir nicht einfach vor.«

»Nein. Das ist es auch nicht.«

»Wie lange brauchen Sie denn so im Allgemeinen, um einen Mordfall aufzuklären?«

Mareike stöhnte innerlich auf. Das war so eine Frage nur um der Frage willen. Ähnlich absurd wie die ständig wiederkehrende Frage von Journalisten an einen Schauspieler, wie er es fertig bringt, seinen Text auswendig zu lernen.

»Es kommt ganz darauf an«, sagte Mareike dennoch sehr freundlich. »Manchmal erwischen wir einen Täter sehr schnell und manchmal nie. Es ist ja nicht nur die Ermittlungsarbeit, es gehört auch ein bisschen Glück dazu.«

»Das glaub ich.«

Mareike klappte ihr Buch zu. Die Gelegenheit war günstig. »Sagen Sie, Eleonore«, sagte Mareike, »ich habe gehört, dass während der letzten zehn Jahre genau hier in dieser Gegend Kinder verschwunden sind. Wissen Sie etwas davon?«

Eleonore nickte, legte die Rosenschere weg und setzte sich. »Drei kleine Jungen werden seit Jahren vermisst. Sie sind beim Spielen oder auf dem Schulweg verschwunden und nie wieder aufgetaucht. Keiner weiß, was passiert ist. Man hat keine Spuren gefunden, es gibt keinen Verdächtigen, es ist unheimlich.«

»Und wo war das genau?«

»Hier in der Gegend. Ein Junge ist sogar hier vor diesem Haus verschwunden. Seine Eltern sind Deutsche, die hier Urlaub gemacht haben. Der Junge spielte da hinten am Bach, und plötzlich war er weg.«

»Und man hat nichts gehört? Keinen Schrei, nichts?«

»Nichts. Aber ich kenne die Geschichte ja nur vom Hörensagen. Die Mutter des Jungen hat vor kurzem hier ganz in der Nähe ein Haus gekauft. Weil sie es nicht aushält, nicht zu wissen, was ihm passiert ist. Weil sie herausfinden will, wo er ist und ob er vielleicht noch lebt.«

Mareike versuchte, ihre Erregung zu verbergen, und sagte so gelassen wie möglich: »Eigentlich hatte ich nicht vor, in diesem Urlaub irgendetwas zu tun, was nach Arbeit aussieht oder auch nur annähernd mit meiner Arbeit zu tun hat …, aber ich würde mich gern mal mit dieser Frau unterhalten.«

»Kein Problem. Wir können sie nicht anrufen, aber eigentlich ist sie fast immer zu Hause. Was halten Sie von einem kleinen Spaziergang? Oder wollen wir lieber mit dem Auto fahren?«

»Nein, nein, ein bisschen Bewegung tut mir gut.« Mareike stand auf. »Warten Sie, ich hole mir nur noch schnell eine Jacke.«

82

»Tut mir Leid, dass wir dich so überfallen«, schnaufte Eleonore, als sie – gefolgt von Mareike – ins Tal kam. »Aber ich möchte dir Frau Koswig vorstellen. Sie ist Gast bei mir und möchte dich gern kennen lernen.«

Deutlicher konnte man nicht mit der Tür ins Haus fallen und sein Vorhaben auf den Punkt bringen. Anne war ziemlich erschöpft und verschwitzt, sie hatte gerade das gesamte Haus einmal durchgewischt und den Scheuerlappen noch in der Hand. Gestern Nachmittag war sie ins Dorf gefahren und hatte bei der Gelegenheit ihre Mailbox abgehört. Harald hatte eine Nachricht hinterlassen und überraschend seinen Besuch angekündigt. Um siebzehn Uhr musste sie ihn bereits vom Flugplatz in Florenz abholen, und sie wollte ihm Valle Coronata von seiner bestmöglichen Seite präsentieren.

Eleonore sah aus, als könnte sie nur noch ein Eimer Wasser vor dem Kreislaufkollaps bewahren, während die Frau, die sich dezent im Hintergrund hielt, den Eindruck machte, als hätte sie der Marsch von La Pecora nach Valle Coronata nicht im Geringsten angestrengt. Sie hatte ein offenes, aber vollkommen unaufdringliches Lächeln und war Anne auf den ersten Blick sympathisch.

Anne umarmte Eleonore und reichte Mareike die Hand. »Setzt euch doch schon mal, ich hole uns was zu trinken.«

Als sie mit Gläsern, zwei Wasserflaschen, einmal ›frizzante‹ und einmal ›naturale‹ und einem Schälchen Limonen wiederkam, erklärte Eleonore gerade die Besonderheiten des Tals.

»Soll ich Sie kurz einmal herumführen und Ihnen alles zeigen?«, fragte Anne.

»Gern.« Das Tal faszinierte Mareike, und sie war neugierig, mehr davon zu sehen.

Als sie ihren Rundgang durch das Haus, am Bach entlang, am Pool, am Wasserfall vorbei und über den Parkplatz wieder zurück gemacht hatten, wusste Anne bereits, dass Mareike Kriminalhauptkommissarin war und mit ihrer Freundin und ihren beiden Kindern Urlaub in La Pecora machte.

Das kann nicht sein, dass so eine Frau hier bei mir einfach so hereinschneit. Vielleicht schickt sie der Himmel, aber auf alle Fälle wird sie dazu beitragen, dass alles in Bewegung bleibt. Anne hatte das Gefühl, einen winzigen Stein ins Rollen gebracht zu haben, und jetzt sah sie fassungslos zu, wie eine gewaltige Steinlawine daraus wurde, die alles niederwalzte, was sich ihr in den Weg stellte.

Anne erzählte Mareike, wie Felix vor zehn Jahren verschwand, was die Polizei unternommen hatte und dass zwei weitere Jungen in dieser Gegend seit Jahren unauffindbar waren. Sie gab zu, Valle Coronata nur gekauft zu haben, um der Spur ihres Sohnes in Ruhe nachgehen zu können, und sie verschwieg auch nicht den Einbruch, bei dem lediglich Felix' Bild gestohlen worden war. Allora, die immer wiederkam und Rosenblüten in den Pool warf, erwähnte sie nicht.

Mareike hörte aufmerksam zu und unterbrach Anne kein einziges Mal. Anne sah in Mareikes glasklare hellblaue Augen und war sich sicher, dass sie alles in sich aufnahm, abspeicherte und kein Wort davon vergessen würde. Obwohl Mareike noch keinerlei Reaktion zeigte, fühlte sie sich vollkommen verstanden.

»Habe ich noch eine Hoffnung?«, fragte Anne, als sie zu Ende berichtet hatte.

Mareike schüttelte den Kopf. »Es tut mir Leid, das zu sagen, aber ich glaube nicht. Nein.«

Anne nickte. »Mittlerweile bin ich auch fast so weit.«

Sie stand auf, ging ins Haus und kam Sekunden später mit Fotos von Felix und einer Karte wieder, die sie vor Mareike und Eleonore ausbreitete. Mareike erinnerte sich an die dichten räumlichen Zusammenhänge, die auch schon im Fernsehbericht erwähnt worden waren.

»Ich nehme an, dass er hier lebt«, sagte sie spontan. »Mitten unter euch. Wahrscheinlich ist er der nette Nachbar, den jeder kennt, obwohl er sicher nicht allzu viele Kontakte hat. Aber er ist vertrauenswürdig und gehört einfach zu dieser kleinen Gemeinde im Valdarno dazu. Und alle paar Jahre geht er auf Jagd. Vollkommen unbehelligt, weil er sich in der Gegend bestens auskennt. Ein großes, einsames Grundstück ist ja hier keine Seltenheit, also hat er auch keine Probleme, die Leichen in Ruhe zu vergraben oder zu beseitigen. Und da man ihm bisher nicht auf die Spur gekommen ist, ja ihn noch nicht einmal verdächtigt, kommt auch niemand auf die Idee, auf seinem Grundstück zu suchen. Und die Kinder werden nie gefunden.«

Eleonore warf Anne einen triumphierenden Blick zu, der so viel ausdrückte wie: Hör dir das an! Vielleicht kann sie dir ja wirklich helfen.

»Ich denke manchmal, wenn Felix in Deutschland verschwunden wäre, hätte man den Mörder oder den Entführer schon längst gefunden. Aber die Italiener unternehmen ja nichts! Ich hab nicht das Gefühl, dass sie sich Gedanken machen, dass sie ermitteln, nachforschen, was weiß ich. In den letzten zehn Jahren habe ich von der italienischen Polizei nicht einen einzigen Anruf bekommen, auch keinen Brief. Es passiert einfach nichts, und das macht mich ganz krank!«

Mareike nickte. »Ich denke schon, dass die Italiener ermitteln, davon bekommen Sie nur nichts mit, weil man Sie nicht auf dem Laufenden hält. Vielleicht ist das hier nicht üblich, keine Ahnung. Aber es ist auch deshalb so vertrackt, weil der Täter seine Opfer offenbar zufällig auswählt. Ich bin mir ziemlich sicher, dass sie ihm einfach über den Weg laufen. Zufällig. Und wo soll man da ansetzen? Wo soll man anfangen, ihn zu suchen, wenn er derartig behutsam vorgeht, dass er so gut wie keine Spuren hinterlässt? Wahrscheinlich kennt die Polizei noch nicht mal die Tatorte, falls die Kinder wirklich ermordet worden sind, also lässt sich auch kein DNA-Material sicherstellen.« Sie seufzte. »Triebtäter, die keine Beziehung zu ihrem Opfer haben, lassen sich nur ganz schwer ermitteln. In der Stadt hat man es manchmal leichter, weil der Täter oft gezwungen ist, die Leichen irgendwo liegen zu lassen, er kann sich ihrer selten unbemerkt entledigen – aber hier in der Wildnis? Ein ganz schwieriger Fall.«

Mareike atmete tief durch und sah Anne mitfühlend an. »Ich fürchte, ich kann da nicht viel helfen. Schon gar nicht in einem kurzen Urlaub.«

Anne nickte. »Ja, ja, natürlich. Das hab ich auch nicht erwartet.«

»Was meinen Sie«, schaltete sich Eleonore zum ersten Mal in das Gespräch ein, »wird wieder etwas passieren? Wird wieder ein Kind verschwinden?«

Mareike überlegte einen Moment. »Ich glaube schon. Natürlich hat auch ein Mörder nicht das ewige Leben gepachtet. Er kann bei einem Autounfall verunglücken, einen Herzinfarkt bekommen oder bei der Olivenernte vom Baum fallen. Möglich ist alles. Und dann ist mit der Mordserie Schluss. Aber wenn er noch lebt, wird er weitermorden. Er wartet nur auf den richtigen Moment. Wartet geduldig, bis ihm das Schicksal wieder ein Kind in die Arme treibt.«

»O Gott!« Anne stöhnte auf.

Eleonore trank bereits ihr viertes Zitronenwasser und hatte inzwischen wieder eine normale Gesichtsfarbe.

»Die Menschen hier in dieser Gegend sollten ein bisschen vorsichtig sein. Sollten ein Auge auf ihre Kinder haben, sie nicht allein im Wald oder am See spielen lassen. Und wenn sie einen weiten Schulweg durch unbewohntes Gelände haben, sollten sie sie lieber mit dem Auto hinbringen und auch wieder abholen.«

»Aber das weiß doch keiner! Die verschwundenen Kinder sind längst vergessen, und auf den Dreijahresrhythmus hat noch nie jemand aufmerksam gemacht!«

»Dann sollte man das schleunigst nachholen. Die ganze Geschichte in der Presse noch mal aufwärmen, obwohl ...« Mareike strich sich die Haare aus der Stirn. Sie war in ihren Gedanken hin und her gerissen. »Es gibt Tätertypen, die wären durch eine Pressekampagne erst recht motiviert. Es gibt ihnen den absoluten Kick, genau dann zuzuschlagen, wenn alle Welt darauf wartet und sich vor dem nächsten Mord fürchtet. Und wieder wird die Leiche nicht gefunden. Der Täter lacht sich ins Fäustchen und fühlt sich noch großartiger und unangreifbarer als bei den ersten drei Morden. Er genießt seine Macht, weil er der Polizei demonstrieren kann, wie ohnmächtig sie ist. Und wenn es ihm gefällt, wird er der ganzen Welt beweisen, wie allmächtig er ist, und wieder und wieder morden. In immer kürzeren Abständen. Er wird maßlos und gerät in einen regelrechten Mordrausch.« Mareike drehte ein Papiertaschentuch zu einer kleinen Rolle, während sie weiterredete.

»Ich kann mir gut vorstellen, dass wir es hier mit so einem Tätertyp zu tun haben. Er ist kurz davor, größenwahnsinnig zu werden, weil ihm keiner auf die Spur kommt. Er lebt in unmittelbarer Nähe der Tatorte, und keiner verdächtigt ihn. Das ist sensationell. Und der Täter ist davon überzeugt, dass er das gute Gelingen seiner Taten nur seiner fantastischen Intelligenz zu verdanken hat, die er mittlerweile für weit überdurchschnittlich hält.« Sie zündete sich eine Zigarette an und blies den Rauch senkrecht in die Luft. »Nein, ich glaube, das Beste ist, man geht nicht an die Presse. Je unbeachteter der Täter sich fühlt, umso besser. Sonst macht man ihn nur noch wichtiger, und er hält sich wahrscheinlich auch so schon für den wichtigsten Menschen überhaupt.«

»Das leuchtet mir alles ein«, sagte Anne. »Demnach können wir nichts, aber auch gar nichts tun?«

»Man kann nur hoffen, dass der Täter nicht weitermordet oder beim nächsten Mal einen Fehler macht. Vielleicht wird er ja doch mal irgendwo von jemandem beobachtet, ich weiß es nicht.«

Anne wirkte sehr nachdenklich. In die entstandene Pause fragte Mareike: »Dürfte ich vielleicht mal Ihre Toilette benutzen?«

»Natürlich.« Anne zeigte ihr das Bad, und Mareike verschwand hinterm Haus.

»Sie ist großartig, findest du nicht auch?«, fragte Eleonore.

»Ja. Es wäre zu schön, wenn sie sich um den Fall kümmern könnte, aber ich verstehe, dass sie Urlaub haben will.«

»Ich ermittle in Deutschland auch in Sachen Kindermord«, sagte Mareike, als sie zurückkam und sich wieder an den Tisch setzte. »Aber unser Mörder ist etwas anders gestrickt als der Täter hier in der Toscana. Der deutsche Mörder hat zwar auch kleine Jungs umgebracht, die etwa in demselben Alter sind wie die vermissten Kinder hier, aber er hat bundesweit gemordet. Die Tatorte liegen hunderte von Kilometern auseinander. Und dann lässt er die Leichen nicht verschwinden, sondern präsentiert sie der Polizei geradezu auf einem goldenen Tablett, indem er kleine Szenen aufbaut, in die er die Leiche setzt, als wäre sie noch lebendig. Obwohl er uns jede Menge Anhaltspunkte gegeben hat, kommen wir ihm seit 1983 einfach nicht auf die Spur. Es ist für mich unerträglich zu wissen, dass der Kerl immer noch frei herumläuft und sich über die Polizei totlacht, die nicht in der Lage ist, ihn zu fassen.«

»Ich hab da gar nichts von gehört«, murmelte Anne.

»Der letzte Mord liegt jetzt auch bereits fünfzehn Jahre zurück. Aus irgendeinem Grund hat er aufgehört. Vielleicht lebt er nicht mehr. Das wäre das Beste, ich wüsste es nur gern. Wir haben auch seine DNA, aber das hilft uns nicht weiter. Er ist nirgends registriert, nirgends auffällig geworden, nicht vorbestraft. Was merkwürdig ist bei einem Triebtäter.«

»In welchem Zeitabstand mordete er denn in Deutschland?«

»Auch alle drei Jahre.«

»Scheint eine beliebte Zeitspanne zu sein«, meinte Eleonore und grinste.

»Möchtet ihr ein Glas Wein?«, fragte Anne.

»Für mich nicht!« Eleonore stöhnte. »Sonst überlebe ich den Rückmarsch nicht.«

In der folgenden Viertelstunde redeten sie über das italienische Klima, das Essen, den Wein und die Italiener, und dann brachen Eleonore und Mareike wieder auf. Mareike bat Anne, ein Foto von Felix behalten zu dürfen, nur so für alle Fälle. Anne überließ ihr gern eines und versprach, in der nächsten Woche einmal in La Pecora vorbeizukommen. Mareike bat Anne noch, ihrer Freundin Bettina nichts von dem Verschwinden der Kinder zu erzählen. Bettina war mittlerweile allergisch gegen Mordfälle und vor allem gegen Mordfälle im Urlaub. Wenn sie erfahren würde, dass Mareike sich mit dem Fall – zumindest gedanklich – beschäftigte, würde sie ihr den Kopf abreißen.

Anne versprach es und winkte noch, bis die beiden hinter der nächsten Bergkuppe verschwunden waren.

Sie wird also zumindest darüber nachdenken, dachte Anne, sie kann einfach nicht anders. Vielleicht kommen wir ja doch noch ein kleines, ein winziges Stück weiter.

Als Anne auf die Uhr sah, bekam sie einen Schreck. Es war kurz vor drei. Sie musste sich beeilen, wenn sie Harald pünktlich vom Flughafen abholen wollte. In Windeseile verstaute sie Wischeimer, Schrubber und Scheuerlappen, räumte die Gläser vom Tisch, fuhr sich mit einer Bürste durch die Haare, schloss das Haus sorgfältig ab und lief im Laufschritt zum Parkplatz, wo wie immer ihr Wagen geparkt war.

83

Die Maschine sollte um siebzehn Uhr fünf landen. Um siebzehn Uhr sechs kam Anne vollkommen abgehetzt in der Ankunftshalle auf dem Vespucci-Flughafen in Florenz an und war erleichtert, als sie auf der Anzeigetafel sah, dass der Flieger dreißig Minuten Verspätung hatte. So trank sie in der kleinen Bar noch einen Espresso und setzte sich dann mit einem Buch auf einen der Stühle in der kleinen Vorhalle und wartete.

Die Ankunftshalle war ungewöhnlich klein, in keiner Weise schön und entsprach sicher nicht den Erwartungen, die man hatte, wenn man in Florenz landete. Sie passte eher zu einem unbedeutenden Wüstenstaat als zu einer der wichtigsten Städte Italiens.

Einige Italiener unterhielten sich laut, es war ihnen völlig egal, dass jeder mithören konnte, eine kleine, schwarzhaarige Italienerin trug ein riesiges Schild vor sich her, auf dem »Frau Küppersberg« stand. Anne musste lächeln. Kein Italiener würde diesen Namen jemals lesen oder aussprechen können, sie brachen sich ja schon bei einfachen Worten wie »Küken« oder »Kuchen« die Zunge.

Auf dem kleinen Bildschirm unterhalb der Decke erschien in winziger Schrift hinter dem Lufthansa-Flug aus München das Zeichen »arrivato«, und kurz darauf kam Harald durch die sich automatischen öffnende Schiebetür.

Er sieht klasse aus, dachte Anne, viel besser als früher. Es hat ihm gut getan, dass ich mal ein paar Wochen nicht für ihn gekocht habe.

Harald grinste wie ein kleiner Junge, als er Anne unter den Wartenden entdeckte.

»Hallo«, sagte er, als er auf sie zukam, und »hallo«, erwiderte auch Anne. Beide sahen sich etwas verlegen an und wussten nicht, was sie sonst noch sagen sollten. Dann zog Harald Anne fest an sich und küsste sie auf die Wange.

»Schön, dass du da bist«, stammelte sie und nahm seine Hand. »Komm, mein Wagen steht im Parkverbot direkt vor der Abflughalle. Ich kann es kaum erwarten, dein Gesicht zu sehen, wenn du das Tal zum ersten Mal siehst.«

Harald war ähnlich beeindruckt wie Anne, als sie Valle Coronata zum ersten Mal gesehen hatte. »Mein Gott, ist das romantisch«, sagte er, als sie gemeinsam den Weg zum Haus hinuntergingen. »Fantastisch. So habe ich mir das nicht vorgestellt. Jetzt verstehe ich sogar, dass du dich Hals über Kopf in dieses Fleckchen Erde verliebt hast.«

Dann stellte er seine Reisetasche unter dem Nussbaum ab und betrat das Haus. Langsam ging er von Raum zu Raum, befühlte hier eine Wand, da eine Tür oder strich mit der Hand über den Fußboden. Er prüfte die Fenster und das Schließen der Türen und sagte nichts.

»Ist das Dach dicht?«, fragte er, als er seinen Rundgang beendet hatte.

»Ich denke schon, noch hat es aber nicht viel geregnet.«

»Es ist nicht perfekt«, meinte Harald schließlich. »Die Türen und Fenster sind ziemlich dilettantisch gebaut, aber es ist schön. Es hat Atmosphäre, ich glaube, ich sollte dich zu deinem Tal beglückwünschen.« Er sagte »dein« und nicht »unser«.

Dann nahm er Anne in den Arm, und sie lehnte sich schwer und entspannt an ihn. Die Zustimmung ihres Mannes tat ihr ungeheuer gut, und erst jetzt merkte sie, wie sehr sie das vermisst hatte.

Anne hatte einen Thunfisch-Bohnen-Salat vorbereitet und kochte dazu noch Penne all'arrabbiata, weil sie wusste, dass Harald scharfe Chili-Tomaten-Soße liebte.

Harald redete fast den ganzen Abend, weil Anne alle Neuigkeiten aus Friesland wissen wollte. Sie fragte auch nach Pamela, aber Harald sagte, er habe sie schon wochenlang nicht mehr gesehen, vielleicht sei sie gar nicht im Dorf, er wisse es nicht. Anne glaubte es ihm sogar.

Während Harald erzählte, spürte Anne, dass so etwas wie Heimweh nach Friesland in ihr aufstieg, und sie beschloss, spätestens in einem Monat nach Hause zurückzukehren. Auf keinen Fall wollte sie den Winter allein im Tal verbringen.

Anne hatte eigentlich nicht vor, Harald gleich am ersten Abend zu erzählen, was sie erlebt hatte, aber nachdem sie zwei Flaschen Wein getrunken hatten, konnte sie nicht anders. Als Harald die beinah belanglose Frage stellte: »Und? Hast du irgendetwas über Felix in Erfahrung gebracht?«, erzählte Anne die ganze Geschichte. Sie verschwieg nichts. Nicht die Affäre mit Kai, nicht die merkwürdige Allora und auch nicht die Kommissarin, die erst vor wenigen Stunden da gewesen war. Und natürlich erzählte sie auch wieder von dem Foto und allen Spekulationen, die es darüber gab.

Ebenso wie Mareike hörte Harald schweigend zu, und Anne bemerkte, dass sich tiefe Falten von seinen Nasenflügeln bis zu den Mundwinkeln gebildet hatten, die ihr früher nie aufgefallen waren. Sein Gesichtsausdruck war nicht nur ernst, sondern streng, und das beunruhigte sie.

Als sie fertig war, überlegte er eine Weile, knetete seine Fingerknöchel und kaute auf seiner Oberlippe herum. Dann sagte er: »Du willst mir doch nicht im Ernst weismachen, dass du hier dieses Tal gekauft hast, einfach so, weil es dir gefiel, und jetzt soll es just der Ort sein, wo sich der Mörder herumtreibt oder Felix eventuell sogar begraben ist? Obendrein noch im Pool? Das ist ja die allergrößte Schnapsidee. Du fantasierst dir da was zurecht, nur weil eine Verrückte oder eine Schwachsinnige, die nicht lesen, nicht schreiben und nicht sprechen kann, ab und zu Rosen ins Wasser wirft? Das alles versuchst du, mir zu erzählen? Willst du wissen, was ich darüber denke?«

Anne nickte.

»Dass du verrückt geworden bist, meine Liebe. Dass du nicht mehr ganz richtig tickst. Es soll durchaus vorkommen, dass Menschen sonderbar werden, wenn sie sich in der Einsamkeit verkriechen, in der Nacht nur noch auf den schwarzen Wald starren und das Käuzchen schreien hören. Plötzlich tanzen die bösen Hexen, die Teufel und die Gespenster um den Pool. Ich finde es wunderschön hier, aber komm mir bitte nicht mit diesem Blödsinn.«

»Du hast nichts, aber auch gar nichts verstanden!« Anne hatte einen Kloß im Hals und konnte kaum sprechen.

»Ich habe sehr wohl alles verstanden. Aber ich bin Realist, Anne, und du bist hysterisch. Das ist alles. Wenn du im Wald spazieren gehst und einen Blätterhaufen siehst, fängst du an zu buddeln, weil du glaubst, darunter liegt eine Leiche. Du siehst nur noch Leichen. Überall. Und das ist nicht ganz gesund, meine Liebe.«

Anne hatte sich über die Lockerheit, die Ruhe und Harmonie gefreut, die zwischen ihr und Harald seit seiner Ankunft geherrscht hatten, und jetzt war alles vorbei. Er hatte alles zerstört. Sie wollte nur noch allein sein, fürchtete sich davor, mit ihm in einem Bett zu schlafen. Er kam aus einer anderen Welt, er würde ihre Welt niemals verstehen. Es war vorbei. Da gab es keine Verbindung mehr, das ließ sich nicht mehr kitten.

»Du weißt ja, wo Bad und Schlafzimmer sind«, sagte sie und ging die Treppe hinauf. Sie wollte sich nicht mehr abschminken und nicht mehr die Zähne putzen, sondern einfach nur schlafen und nicht mehr darüber nachdenken, warum ihr Mann nicht begreifen konnte, dass sie kurz davor war, dem Geheimnis um Felix' Verschwinden auf die Spur zu kommen und ihr gemeinsames Problem zu lösen. Für ihn war sie einfach nur eine Frau, die den Verstand verloren hatte.

Als Harald eine halbe Stunde später ins Schlafzimmer kam, sah er, dass ihr Kopfkissen nass war und sie sich in den Schlaf geweint hatte.

Leise und vorsichtig kroch er unter die Bettdecke und löschte das Licht. Dann küsste er sie aufs Haar und flüsterte: »Morgen früh sieht alles anders aus, morgen früh denken wir noch mal über alles nach, mach dir keine Sorgen.«

Aber das hörte sie nicht mehr.

Als Anne am nächsten Morgen erwachte, war die Bettseite neben ihr leer. Aber sie war benutzt und die Decke war in der Art zurückgeschlagen, wie Harald es immer tat. Er rollte sie zusammen und ließ sie als Bettwurst am Fußende liegen.

Anne stand auf und sah aus dem Fenster. Harald stand in seinen Boxershorts am Rand des Pools und starrte nachdenklich ins Wasser. Sie zog sich schnell einen Bademantel über und rannte nach draußen. Harald lächelte, als sie kam.

»Das ist ja eine widerliche Brühe«, sagte er. »Da kann man nur reingehen, wenn man scharf darauf ist, dass einem die Blutegel den letzten Blutstropfen aussaugen. Wo hat dieser Enrico gesagt ist der Abfluss?«

»Irgendwo da im vorderen Drittel. Genau konnte er mir das auch nicht erklären. Er sagte, man muss tauchen, den Deckel im Schlamm ertasten und ihn dann mit ganz viel Kraft, am besten mit irgendeinem Werkzeug, aufdrehen. Wahrscheinlich hat er sich so festgefressen, dass er sich kaum noch bewegen lässt.«

»Einen Knall hat der liebe Enrico«, sagte Harald geringschätzig. »Wie kann man nur so einen unpraktischen Blödsinn bauen. Das ist ja eine Zumutung. Koch mal einen starken Kaffee, Anne, ich finde schon einen Weg. Jedenfalls mach ich dir deinen Pool sauber.«

»Willst du da rein und tauchen?« Anne konnte es gar nicht glauben und sah ihren Mann entsetzt an, der mit seinen dünnen blassen Beinen in seinen Shorts irgendwie verletzlich aussah.

»Den Teufel werd ich tun. Keine zehn Pferde kriegen mich in dieses Modderloch. Wo hast du denn ein bisschen Werkzeug?«

Anne zeigte ihm den kleinen Verschlag neben der Badezimmertür und die Stellen, wo Steine, Bauschutt, Holzbalken, Eisengitter und Ähnliches zu Haufen aufgeschichtet herumlagen. Enrico hatte nach dem Bauen entweder keine Lust mehr gehabt, alles wegzuräumen, oder er hatte geglaubt, das eine oder andere noch mal gebrauchen zu können.

Während Anne das Frühstück machte, kramte Harald in den Bauresten herum.

Als sie das Tablett hinaustrug, sah sie, dass er eine Eisenstange gefunden hatte und damit auf dem Boden des Pools herumstocherte. Sie rief ihn zum Frühstück, aber er winkte ab und stocherte konzentriert weiter. Auf einmal ging ein Ruck durch seinen Körper, offenbar hatte er etwas gefunden und spürte einen Widerstand.

Mit aller Kraft rammte er die Eisenstange wieder und wieder in den Pool und fluchte dabei.

Anne beobachtete ihn vom Nussbaum aus. Vielleicht tut es ihm Leid, was er gestern Abend gesagt hat, dachte sie, sonst würde er dies jetzt nicht machen. Es ist schwer, mit ihm zu reden, aber manchmal kommt er zum Glück von allein zur Besinnung.

Sie schmierte sich gerade ein Marmeladenbrot, als Harald einen Jubelschrei ausstieß. Gleichzeitig schoss ein dicker Wasserstrahl aus einem Rohr unterhalb der Mauer, die den Pool abstützte.

Harald grinste befriedigt und kam zum Haus herauf. »Ich wasch mir nur schnell die Hände und zieh mir was über«, sagte er, »dann frühstücken wir in Ruhe bis das Ding leer ist, und anschließend können wir es sauber machen. Manchmal hilft eben nur rohe Gewalt. Weißt du einen Laden, wo wir einen neuen Abflussdeckel kaufen können?«

Anne nickte, und Harald verschwand im Haus.

Allora stand in ihrem Versteck und hatte alles beobachtet. Schon wieder war da ein Mann, den sie nicht kannte, deshalb traute sie sich auch nicht in Annes Nähe. Und auch dieser Mann machte merkwürdige Sachen am Pool. Und wieder lief alles Wasser aus dem Pool, wie damals, als der Teufel, der Diavolo, mit dem Kind auf dem Arm aus dem Haus kam.

Allora hatte Angst. Eine eisige Gänsehaut kroch ihr den Rücken hinauf und über den ganzen Körper. Sie fing an zu zittern und hockte sich ins Gras. Die Rosen, die sie mitgebracht hatte, zerrieb sie zwischen ihren Fingern. Sie konnte nichts tun als abzuwarten und aufzupassen, was weiter geschah.

Vier Stunden lag sie auf der Lauer. Dann hörten Anne und dieser Mann endlich auf, im Pool herumzuschrubben. Sie kletterten aus dem Becken, verstauten Besen, Schrubber, Gartenschlauch, Handfeger, Müllschippe und diverse Bürsten in dem kleinen Verschlag neben dem Bad und gingen ins Haus. Allora musste gar nicht lange warten, bis beide wieder auf den Hof kamen. Anne hatte eine Jeans und einen Pullover, der Mann eine bräunliche Cordhose und eine Lederjacke angezogen. Sie verschlossen das Haus sorgfältig, gingen zum Parkplatz und fuhren davon.

Allora hatte noch gehört, wie Anne zu dem Mann sagte: »Wir versuchen es erst mal in Ambra, und wenn wir dort keinen Deckel kriegen, versuchen wir es in Montevarchi. Da kenne ich mehrere Geschäfte.«

Die Sonne stand hoch über dem Tal. Allora hockte am Rand des Pools und wartete geduldig, bis der Boden durch die Wärme getrocknet war. Dann machte sie sich an die Arbeit.

84

Um Viertel nach zwei rief Carla an und sagte, dass sie gut in Hamburg angekommen sei und dass sie jetzt ins Krankenhaus fahren wolle, um ihren Vater noch einmal zu sehen.

»Gut«, meinte Enrico. »Sei tapfer und melde dich morgen Abend wieder, ja?«

»Ja, natürlich, das mach ich«, flüsterte Carla. »Und bitte vergiss nicht, dass ich dich liebe.« Dann legte sie auf.

Enrico schaltete das Handy aus. Jetzt hatte er wieder anderthalb Tage Ruhe bis zum nächsten Telefonat.

Es war alles völlig überraschend gekommen. Gestern Mittag stand plötzlich Fiamma vor der Tür. Hatte sie ihre Drohung von einem Besuch also doch wahr gemacht, die alte Schlampe, dachte Enrico und lächelte freundlich.

»Fiamma! Wie schön, dass Sie mal vorbeikommen«, sagte er charmant. »Was darf ich Ihnen anbieten?«

Fiamma sah sich aufmerksam um, während sie langsam näher tänzelte. Es gab für sie nichts Interessanteres als fremde Häuser. Wie ein Schwamm sog sie jedes Detail in sich auf und machte sich ein Bild von dem Menschen, der da lebte. Sie hatte es gar nicht abwarten können zu sehen, wie dieser gut aussehende Halbitaliener wohnte, aber ihr war keine Ausrede eingefallen, um einfach so vorbeizuschneien und ihre Neugier zu befriedigen. Heute Morgen war ihr dann der Zufall in Form des Postboten aus Ambra zu Hilfe gekommen, der ein Telegramm in der Hand hatte und nicht wusste, wie man nach Casa Mèria kam. Enrico und Carla hatten bisher ihre Post immer direkt im Postamt abgeholt.

Fiamma nahm das Telegramm und flötete, in Casa Mèria wohnten Freunde von ihr, sie werde sofort hinfahren und das Telegramm abgeben. Der Postbote war äußerst zufrieden, fuhr zurück nach Ambra, und Fiamma ging ins Haus, um neues Make-up aufzutragen und sich etwas Besonderes anzuziehen.

Fiamma und Enrico setzten sich unter den Feigenbaum. »Sie sehen fantastisch aus«, log Enrico, und Fiamma war entzückt. Dieser Mann gefiel ihr von Mal zu Mal besser.

Carla brachte Pfirsichsaft und Wasser zum Verdünnen.

»Wunderschön haben Sie es hier«, meinte Fiamma. »Es ist unbeschreiblich, was Sie aus diesem Haus, oder besser aus dieser Ruine gemacht haben. Ich kann das beurteilen, ich weiß noch sehr genau, wie es hier aussah, als die alte Giulietta mit Allora hier wohnte.«

»Allora, Allora …«, sinnierte Enrico. »Ich glaube nicht, dass ich sie kenne.«

»Das kann sein«, erwiderte Fiamma, »aber gesehen haben Sie sie bestimmt schon mal. Sie ist sehr mager, wirkt wesentlich jünger als sie in Wirklichkeit ist, hat strohiges weißes Haar und kann nur ein einziges Wort, nämlich ›Allora‹ sprechen.«

Jetzt war Enrico alles klar. Allora war also die Hexe, die ihn beim Arbeiten beobachtet und die er beinah mit der Forke aufgespießt hatte. Aber jetzt, da er wusste, dass sie hier einmal gewohnt hatte, konnte er sogar verstehen, dass sie in ihrem Versteck gesessen und ihm zugeschaut hatte.

»Herrliches Wetter haben wir im Moment, einen Herbst … fast schöner als der Sommer! Man sollte jede Sekunde im Freien genießen!«

»Völlig richtig, aber wir haben noch viel zu tun. Bis zum Winter will Enrico das Haus fertig haben«, meinte Carla. Fiamma war ihr herzlich unsympathisch, und das strahlte sie auch aus.

»Ach«, Fiamma lächelte zuckersüß in Enricos Richtung, »es ist so wunderbar hier bei Ihnen, dass ich beinah vergessen hätte, warum ich überhaupt gekommen bin. Hier …, der Postbote hat mir ein Telegramm mitgegeben … Carla Rhode …«, las sie betont langsam. »Sind Sie das?«

»Ja.« Carla nahm Fiamma das Telegramm aus der Hand und riss es auf. Sie überflog es mit einem Blick.

»Es ist von meiner Schwester«, sagte sie tonlos zu Enrico. »Papa ist tot. Ich muss nach Deutschland.« Dann lief sie ins Haus.

Enrico übersetzte Fiamma, was Carla gesagt hatte.

»O Gott, wie entsetzlich! Das tut mir aber Leid!« Fiamma stand auf, wenig begeistert, dass ihr Besuch so schnell und so abrupt endete.

»Wenn Sie das nächste Mal kommen, zeige ich Ihnen das Haus«, meinte Enrico. »Vielleicht im Frühling, dann ist es wenigstens fertig.«

Fiamma nickte und stolzierte zu ihrem Auto. Was für eine dumme, vertane Chance, dachte sie, aber verabschiedete sich überschwänglich und herzlich von Enrico. »Grüßen Sie Ihre reizende Freundin«, grunzte sie noch, bevor sie in ihr Auto stieg und davonfuhr.

Carla war sehr still. Sie sagte nicht viel und packte in Windeseile.

»Wie lange willst du wegbleiben?«, fragte Enrico.

Carla zuckte die Achseln. »So lange es nötig ist. Meine Mutter braucht mich jetzt. Wir müssen mal sehen, ob sie überhaupt allein im Haus wohnen bleiben kann. Ich weiß es nicht, Enrico, ich weiß es wirklich nicht. Aber drei, vier Wochen bestimmt.«

»Ich baue dir einen Pool«, sagte er. »Wenn du wiederkommst, ist er fertig, und dann kannst du schon im Frühjahr baden.«

»Mach doch erst mal das Haus fertig«, erwiderte Carla trocken. »Ich finde es wichtiger, ein funktionierendes Bad und eine schöne Küche zu haben. Den Pool kannst du im nächsten Jahr immer noch bauen.«

»Ich dachte, du freust dich!« Er machte bewusst ein enttäuschtes Gesicht.

»Ich freu mich ja auch!«

»Na also.«

Die Diskussion war beendet. Er würde den Pool bauen, die Gelegenheit war günstig.

Carla erreichte in Montevarchi noch den Abendzug, mit dem sie die Nacht durch über Florenz ohne umzusteigen bis nach München durchfahren konnte. Eine weitere Verbindung nach Hamburg war von dort dann kein Problem.

Enrico winkte dem Zug nach, bis er Carlas zurückwinkenden Arm nicht mehr erkennen konnte, und dann war er endlich wieder allein.

Enrico schlenderte ums Haus und suchte nach einer geeigneten Stelle für den Pool. Er prüfte den Sonnenstand, beachtete, ob Eichen in der Nähe waren, deren Laub ständig in den Pool wehen würde, und untersuchte die Festigkeit des Bodens. Es bestand immer die Gefahr, dass ein Pool am Hang im Lauf der Zeit und nach starken Regenfällen abrutschen könnte.

Schließlich hatte er einen Platz gefunden, der nicht allzu weit vom Haus entfernt lag und seinen Ansprüchen genügte. Er begann, mit Stöcken und Bandmaß die Umrisse des Pools abzustecken, als er Stimmen hörte, die immer näher kamen. Wenn das so weiterging, musste er seine Pläne ändern. In Casa Mèria ging es ja zu wie im Taubenschlag. So viel Besuch wie hier in den letzten Tagen hatte er in Valle Coronata in zehn Jahren nicht gehabt.

Er stützte sich auf seinen Spaten und sah denen, die da kamen, wenig erfreut entgegen.

85

Es lässt sich im Nachhinein schwer sagen, ob vielleicht nicht doch alles noch ganz anders gekommen wäre und einen glücklicheren Ausgang genommen hätte, wenn Mareike an diesem Morgen auf dem Weg ins Bad nicht gestolpert wäre. Vom winzigen Schlafzimmer im ersten Stock führte eine schmale, gewundene Treppe hinunter zum Bad, deren Stufen alle unterschiedlich hoch und tief waren.

Mareike trug Badesandalen, war noch schlaftrunken und unaufmerksam, stolperte auf der vorletzten Stufe, fiel unglücklich und verletzte sich den linken Knöchel.

Bereits beim Frühstück schwoll der Knöchel zu einer dicken Wurst an, die von Viertelstunde zu Viertelstunde immer ballförmiger wurde.

Eleonore bot sich sofort an, Mareike nach Ambra zur Dottoressa zu fahren, die entscheiden würde, was mit dem Fuß weiter geschehen solle, und Bettina beschloss, mit den Kindern eine größere Wanderung zu unternehmen. Da sie an diesem Tag eigentlich vorgehabt hatten, alle gemeinsam nach Siena zu fahren, um sich den Dom, die Piazza del Campo und eventuell noch die eine oder andere Kirche anzusehen, im schlimmsten Fall auch noch ein Museum zu besuchen, waren Jan und Edda von der Planungsänderung direkt angenehm überrascht.

Gegen halb zehn hüpfte Mareike, auf Eleonore gestützt, zum Auto, um zur Ärztin zu fahren, und ungefähr zur gleichen Zeit startete auch Bettina mit Jan und Edda. Alle drei hatten in ihren Rucksäcken Wasserflaschen und genügend Proviant, denn die

Wanderung, die sie vorhatten, sollte mehrere Stunden in Anspruch nehmen.

Sie hatten eine detailgenaue Wanderkarte dabei. Bettina plante, über Montebenichi Richtung San Vincenti zu laufen, dann quer durch das Tal zum Monte di Rota aufzusteigen und über Casa Cinghale zurück nach La Pecora zu kommen.

Eleonore und Mareike saßen zwei Stunden im Wartezimmer der Dottoressa. Als sie endlich an der Reihe waren, warf die Dottoressa einen kurzen Blick auf den Fuß und schickte die beiden direkt weiter zur Ersten Hilfe, zum Pronto Soccorso, ins Krankenhaus nach Montevarchi. Sie meinte, der Fuß müsse dringend geröntgt und dann dementsprechend behandelt werden.

Nach drei Stunden verließ Mareike auf Krücken humpelnd das Krankenhaus. Auf der Röntgenaufnahme hatte man keinen Bruch feststellen können, man hatte das Bein fest bandagiert und sie mit dem guten Ratschlag, das Bein hochzulegen und möglichst zu schonen, entlassen.

»Na, wenigstens ist nichts gebrochen«, meinte Eleonore auf der Rückfahrt.

»Aber es ist doch komisch, dass ich das Gefühl habe, keinen Schritt laufen zu können«, überlegte Mareike. »Und das ist das Allerletzte, was ich in meinem Beruf gebrauchen kann.«

Bis San Vincenti war die Wanderung ohne alle Zwischenfälle verlaufen, auch Jan und Edda waren ungewöhnlich willig und maulten weniger als gewöhnlich. Edda hatte anscheinend Quasselwasser getrunken und erzählte ohne Pause von den Vorzügen ihres Freundes Mike, der schon in der Zwölften war und Informatiker werden wollte. Mike hatte eine schwere Akne, war einsfünfundneunzig groß und hatte noch keinen Weg gefunden, seine Gliedmaßen koordiniert zu bewegen. Wenn man ihn ansprach, wurde er flammend rot und schämte sich dafür, dass er auf der Welt war. Aber dies alles störte Edda in ihrem Verliebtsein nicht im Geringsten, sie schaffte es, zweieinhalb Stunden von einem Jungen zu schwärmen, der den Mund nicht aufkriegte. Weder zu einem vernünftigen Gespräch noch zum Küssen.

Bettina fand es rührend, was Edda ihr da alles erzählte, sie wusste den Vertrauensbeweis zu schätzen. Als sie selbst in Eddas Alter war, war sie unsterblich in ihre Chemielehrerin verliebt gewesen und hatte vor lauter Verzweiflung angefangen zu lispeln und zu stottern. Insofern war Edda wesentlich besser dran. Sie legten drei Pausen ein, weil Eddas Handy klingelte und »Miki« (was sie »Maiki« aussprach) anrief. Dann rannte Edda ins Gebüsch und flüsterte zehn Minuten, um schließlich mit hochrotem Kopf wieder zu erscheinen. Was an Selbstgesprächen derart aufregend sein sollte, konnte sich Bettina gar nicht vorstellen.

Hinter Montebenichi unterhalb einer Pferdekoppel fand Jan eine kleine Schildkröte. Er streichelte ihren Panzer und kraulte sie unter dem Kopf, den die Schildkröte ihm willig entgegenstreckte, weil sie es genoss. Jan war selig, und als Bettina ihm erlaubte, die Schildkröte zu behalten, konnte er sein Glück gar nicht fassen. In seine Hosentaschen stopfte er so viel Grünzeug für ihr Abendbrot, wie hineinpasste, und trug sie vorsichtig wie ein rohes Ei in seinen Händen. Mit Bettina diskutierte er, wie er die Schildkröte nennen sollte, wenn Edda mal Luft holte und eine kurze Miki-Sendepause einlegte.

So durchquerten sie San Vincenti. Bettina war bereits leicht erschöpft, aber weder Jan noch Edda spürten den Gewaltmarsch, zu sehr waren sie mit ihren Lieblingen beschäftigt.

Unmittelbar am Ortsausgang schlug Bettina einen Weg ein, von dem sie annahm, er könnte in die richtige Richtung führen. In der Karte war zwar ein anderer Weg eingezeichnet, der von der Ortsmitte ausgehen sollte, aber den hatte sie nirgends entdecken können.

Nach einer guten halben Stunde kamen sie plötzlich zu einem Haus, das versteckt hinter einem kleinen Hügel lag. Bettina hatte an diesem Ort überhaupt kein Haus erwartet, da es vom Weg aus auch bisher nicht zu sehen gewesen war. Sie hatte auf einmal das beklemmende Gefühl, sich auf einem fremden Grundstück zu befinden. Jan und Edda schnatterten ohne Punkt und Komma, während sich Bettina umsah, ob irgendjemand in der Nähe war, bei dem sie sich für die Störung entschuldigen konnte.

»Seid mal nicht so laut«, sagte sie, als sie direkt am Haus vorbeigingen.

Enrico saß mit übereinander geschlagenen Beinen unter dem Feigenbaum und lächelte freundlich.

»Hallo!«, sagte er. »Was für ein netter Besuch! Normalerweise verirrt sich kaum jemand hierher. Ihr seht aus, als ob ihr Durst habt!«

Bettina war über den herzlichen Empfang vollkommen überrascht, auch dass sie gleich deutsch angesprochen wurde, wunderte sie.

»Woher wissen Sie, dass wir Deutsche sind?«, fragte sie als Erstes.

»Das sieht man«, meinte Enrico lächelnd. »Aber nicht nur das, ich habe auch ein paar Brocken von Ihrer Unterhaltung aufgeschnappt. Aber bitte setzen Sie sich doch einen Moment.«

»Danke.« Bettina nahm die Einladung gerne an und setzte sich. Jan und Edda ebenfalls. Enrico holte Wasser, Fruchtsäfte und italienisches Salzgebäck, das er immer im Haus hatte, falls das Brot zu Ende ging.

Was nun folgte, war eine angenehme, lockere Konversation, an der sich sogar Jan und Edda streckenweise beteiligten. Enrico war allen dreien auf Anhieb sympathisch. Bettina erzählte, dass sie in einer schönen Ferienwohnung in La Pecora wohnten, und Enrico meinte, was für ein netter Zufall, La Pecora kenne er gut, das sei schließlich eins der Häuser, die er gebaut beziehungsweise umgebaut habe.

Bettina erfuhr, dass er ein Architekt und Aussteiger aus Deutschland war, leider im Moment Strohwitwer, da seine Frau für einige

Tage zu ihren Eltern gefahren war. Er sprach über sein einfaches Leben in der Einsamkeit und von seinem Wunsch, sein früheres Business-Leben weit hinter sich zu lassen und mit nur wenig Besitz und möglichst ohne Errungenschaften der Zivilisation, wie Radio, Fernsehen, Computer, ja bis hin zum Verzicht auf Strom, auszukommen.

Jan und Edda sahen sich an, als wären sie einem Außerirdischen begegnet. Du lieber Himmel, ein Leben ohne Fernseher und Computer! Was für ein Irrsinn! So ein Leben erschien ihnen völlig unmöglich, aber Bettina war von diesem Mann fasziniert.

Jan ließ »Harry«, so hatte er seine Schildkröte getauft, im hohen Gras hinter dem Haus laufen, aber er ließ sie keine Sekunde aus den Augen, da sie schnell rennen konnte und er Angst hatte, sie zu verlieren. Enrico zeigte ihm, wie Löwenzahn aussah, den Schildkröten besonders gerne fraßen, und schnitt einen Apfel in dünne Scheiben, die Harry mit Heißhunger verschlang.

»Komm mich doch in den nächsten Tagen noch mal besuchen«, sagte Enrico zu Jan. »Dann baue ich dir ein Gehege für deine Schildkröte, damit sie in La Pecora frei herumlaufen kann und du nicht unentwegt auf sie aufpassen musst. Es ist ja schrecklich, wenn du ständig Angst hast, dass sie wegläuft!«

»Echt?«, fragte Jan. Er konnte es kaum glauben, dass dieser wildfremde Mann so etwas für ihn tun wollte.

»Echt«, sagte Enrico und fuhr ihm freundschaftlich mit der Hand durchs Haar.

Als Bettina irgendwann auf die Uhr sah, erschrak sie. Sie hatten drei Stunden geredet und völlig die Zeit vergessen. Für den Rückweg brauchten sie mindestens noch einmal so lange. Bettina war völlig erschöpft. Sie hatte das Gefühl, jetzt nach dieser langen Ruhepause keinen Schritt mehr laufen zu können.

Enrico bot sich an, sie zurück nach La Pecora zu fahren. Bettina war das fast unangenehm, aber Enrico machte den Eindruck, es wirklich gerne zu tun, sodass sie das Angebot annahm.

Auf der Rückfahrt sagte Enrico: »Ich würde mich freuen, wenn ihr mich noch einmal besucht, bevor ihr wieder nach Hause fahrt. Der Nachmittag mit euch hat mir sehr gefallen!« Er sah durch den Rückspiegel Jan auf der Rückbank an und zwinkerte ihm zu. Jan grinste. Edda war eingeschlafen.

»Wir kommen gern noch mal vorbei«, meinte Bettina. »Ich werde mit Mareike sprechen.«

»Also, wie gesagt, ihr stört nie.«

Im Laufe des Nachmittags hatten sie wie selbstverständlich angefangen, sich zu duzen. Bettina hatte sowieso nicht das Gefühl, einem Fremden, sondern einem langjährigen Freund gegenüberzusitzen.

Enrico fuhr nicht direkt bis zum Haus, sondern hielt am Abzweig nach La Pecora.

»Seid mir nicht böse, dass ich euch nicht direkt bis vor die Tür bringe, aber ich habe Eleonore lange nicht gesehen. Sie ist ein lieber Mensch, ich mag sie sehr, aber wenn sie mich entdeckt, muss ich den ganzen Abend bleiben, und das ist mir jetzt zu viel. Ich habe heute Abend noch zu lesen.«

»Kein Problem«, meinte Bettina. »Das versteh ich doch, wir finden es ganz toll, dass du uns überhaupt gebracht hast. Danke, tausend Dank. Hoffentlich können wir uns irgendwann mal revanchieren.«

»Bestimmt«, sagte Enrico und lächelte. Dann drehte er um und brauste davon.

Am Abend saßen Bettina und Mareike noch lange auf der Terrasse. Mareike hatte ihr Bein hochgelegt und war ungewöhnlich schweigsam. Die Windlichter flackerten im aufkommenden Wind. Bettina erzählte von Enrico. Mareike hatte noch nie erlebt, dass Bettina von einem Mann derart angetan war.

»Du musst ihn unbedingt kennen lernen«, schwärmte Bettina. »Er ist ein außergewöhnlich spannender Mann, und ich bin sicher, er wird dir gefallen. Ist es nicht wunderbar, dass man hier in der Einsamkeit der Berge derart interessanten Menschen begegnen kann?«

86

Es war noch hell, als Anne und Harald nach Valle Coronata zurückkehrten. Sie hatten mehrere Baumärkte abgeklappert, und schließlich kaufte Harald zwei Deckel, von denen er meinte, dass sie passen könnten.

»Obwohl dieses System natürlich grundsätzlich kalter Kaffee ist«, meinte er, als er die Deckel im Auto auf den Rücksitz warf. »Wir können ja nicht jedes Jahr die Deckel kaputtschlagen, nur um den Pool sauber zu machen. Der große Meister der Baukunst, der dieses Haus gebaut hat, denkt ziemlich eingleisig und kurzfristig. Hauptsache, der Pool ist dicht und fertig. Was in einem Jahr passiert, interessiert ihn nicht.«

»Du hast dich irgendwie auf ihn eingeschossen.«

»Nun, ich kenne ihn nicht. Vielleicht ist er ganz nett, kann ja sein, aber wenn ich ihn nur nach seinen Werken beurteile, bin ich nicht so begeistert.«

Anne und Harald hatten dann noch in Bucine eine Pizza gegessen, die einen Durchmesser von fünfzig Zentimetern hatte, hauchdünn und äußerst sparsam belegt war, aber dennoch hervorragend schmeckte.

»Jetzt freue ich mich auf ein kaltes Bier«, sagte Harald, als sie den Weg ins Tal hinunterrollten. »Hast du eins im Kühlschrank?«

Anne schüttelte den Kopf. »Tut mir Leid, ich habe vergessen, dir welches zu besorgen.«

»Erzähl mir von diesem Kai«, sagte Harald plötzlich völlig unvermittelt. »Was ist er für ein Typ?«

»Jetzt nicht«, sagte Anne, »bitte nicht. Er ist ein prima Kerl. Locker und fröhlich und ich glaube, ein guter Kumpel. Aber ich will jetzt nicht darüber reden.«

Anne stieg aus dem Wagen und ging geradewegs zum Pool. Harald nahm Annes Handtasche, die Deckel und das Gemüse, das sie unterwegs gekauft hatten, und folgte ihr langsam.

Anne stand am Rand des Pools und starrte unbeweglich in die Tiefe. Bewegungslos, wie hypnotisiert.

»Anne«, rief Harald. »Was ist los?« Aber sie reagierte nicht. Er rief noch ein paarmal, jedes Mal lauter, aber sie sah noch nicht einmal auf. Sie stand wie versteinert, als habe sie der Schlag getroffen.

Harald ließ alles, was er in der Hand hatte, fallen und rannte zu ihr.

Er legte den Arm um Annes Schulter, als er in den Pool sah. Der Betonboden war jetzt getrocknet und hatte eine hellgraue Farbe. Darauf war die Zeichnung eines Jungen in Lebensgröße. Aus unterschiedlichen Steinresten, Blütenstaub und Erde war ein Bild entstanden, das gut zu erkennen war. Der Junge trug kurze Hosen und ein T-Shirt und hatte blonde Haare. Viel gelber Blütenstaub war um sein Gesicht aufgetragen worden, um dies zu verdeutlichen.

»Glaubst du jetzt immer noch, dass ich spinne und hysterisch bin?« Annes Nasenflügel waren so weiß, als würde sie jeden Moment in Ohnmacht fallen.

»Nein. Komm hier weg.« Er hielt sie fest im Arm und führte sie langsam zum Haus. Sie ließ alles widerstandslos mit sich geschehen. Harald setzte sie an den Küchentisch und gab ihr ein Glas Wasser. »Trink einen Schluck. Du bist weiß wie die Wand.«

Dann setzte er sich zu ihr und nahm ihre Hand. Sie war eiskalt. »Lass uns nachdenken. Ganz langsam. Stück für Stück. Keine Angst, ich halte dich nicht mehr für hysterisch, ich sehe ja selbst, dass hier irgendwas nicht stimmt. Kannst du dir erklären, was das zu bedeuten hat?«

Anne schüttelte den Kopf.

»Kann es sein, dass diese merkwürdige Frau wieder hier war, die nicht sprechen kann und die auch das Bild gestohlen hat?«

»Natürlich kann das sein. Sie kommt ab und zu. Ich hab dir ja erzählt, dass sie ein paarmal Rosen ins Wasser geworfen hat.«

»Weißt du, was ich denke?«

»Ich denke dasselbe.«

»Ich will es aber nicht glauben.«

»Ich auch nicht. Aber was hat das alles denn sonst zu bedeuten? Wir müssen den Boden vom Pool aufhauen, Harald, sonst kriegen wir keine Ruhe. Ich will jetzt wirklich wissen, ob da was ist oder nicht.«

»Wie stellst du dir das vor?«

»Weiß ich nicht!« Anne wurde wütend. »Aber so ein verdammter Pool wird doch wohl aufzuhauen sein! Der ist ja nicht für die Ewigkeit gebaut!«

Harald überlegte. »Mit der Spitzhacke ist das unmöglich. Da hacke ich vier Wochen drauf rum, wenn das man reicht. Wir brauchen einen Bagger. Das ist die einzige Möglichkeit.«

»Dann holen wir eben einen Bagger.«

»Du musst dir bewusst sein, dass du dann den ganzen nächsten Sommer nicht baden kannst.«

»Das ist mir egal.«

»Denn wenn wir jetzt alles aufreißen, musst du einen Antrag stellen, einen neuen und dann auch gleich einen vernünftigen Pool bauen zu dürfen. Das dauert bestimmt Monate, wenn nicht sogar ein bis zwei Jahre. Dann müssen wir uns überlegen, welche Bank wir überfallen, um das Geld für den Pool aufzutreiben, und dann fängt die Bauerei an. Wahrscheinlich hast du sogar zwei oder drei Jahre keinen Pool.«

»Das ist mir egal. Ich kann sowieso nicht in einen Pool gehen, wenn ich immer denke, dass da … also …«, sie suchte nach Worten, wollte das Schreckliche nicht aussprechen, das in ihren Gedanken herumgeisterte, »also, wenn ich mir immer vorstellen muss, dass da was ist.«

»Okay. Kennst du einen Baggerfahrer?«

»Nein. Aber wenn du nichts dagegen hast, dann steige ich jetzt, solange es noch hell ist, den Berg rauf und rufe Kai an. Er macht auch Baubetreuung und kann mir sofort einen besorgen, da bin ich ganz sicher.«

»Die richtigen Freunde muss man haben, dann gelingt einem alles im Leben«, meinte Harald und grinste. »Ja, mach das. Ruf ihn an. Damit der Spuk hier in diesem Tal endlich ein Ende hat.«

87

Mareike konnte vor Schmerzen die ganze Nacht nicht schlafen. Gegen vier Uhr früh weckte sie Bettina, da sie dringend eine Schmerztablette brauchte. Bettina holte ihr die Tablette und ein Glas Wasser und schlief sofort wieder ein.

Mareike lag wach und grübelte. Dieses Monster, das hier in der Gegend sein Unwesen trieb, war entweder derartig arrogant und von sich selbst überzeugt, dass es überhaupt nicht daran dachte zu fliehen oder zumindest den Tatort zu wechseln, oder der Täter hatte Familie und war an diesen Ort gebunden. Da es bisher keine verwertbaren Spuren gab, wenn man dem glauben konnte, was Eleonore und Anne erzählten, sprach viel dafür, dass der Mörder die Kinder bei sich zu Hause umbrachte und in seiner unmittelbaren Umgebung verschwinden ließ. Er hatte Zeit, war unbeobachtet und fühlte sich absolut sicher. In diesem Fall war eine Familie eher unwahrscheinlich.

Ein italienischer Familienvater, der kleine Kinder umbrachte, erschien Mareike auch abwegig, ein arroganter Single, der in einem einsamen Haus lebte und dort völlig unbehelligt Leichen verschwinden lassen konnte, klang wesentlich plausibler.

Wenn ich hier mit meinen Kindern wohnen würde, hätte ich keine ruhige Minute mehr, dachte Mareike. Sie lag still auf dem Rücken, versuchte, sich zu entspannen und ruhig zu atmen, aber einschlafen konnte sie dennoch nicht.

Um sieben robbte Mareike in ihrem Bademantel auf dem Hintern die Treppe hinunter und hüpfte auf die Terrasse. Die Sonne ging gerade auf. Mareike atmete tief durch und verscheuchte die Gespenster der Nacht aus ihren Gedanken. Es war alles wunderbar. In ihrer Familie waren alle gesund und munter, sie machten Urlaub an diesem wunderschönen Ort, und ihr Fuß würde auch wieder werden. Zur Not war sie eben mal eine Weile krankgeschrieben. So etwas war in ihrer langjährigen Dienstzeit noch nie vorgekommen, aber es würde ihr sicher mal gut tun.

Um acht stand Bettina auf und machte Frühstück.

»Ich muss noch mal ins Krankenhaus«, sagte Mareike. »Irgendetwas stimmt nicht mit dem Fuß, die müssen mein Bein unbedingt noch mal untersuchen. Vielleicht haben sie was übersehen. Aber mit Schonhaltung, kalten Umschlägen und gutem Glauben komme ich da nicht weiter.«

»Okay«, meinte Bettina, »kein Problem, ich fahr dich hin.«

»Nein, lass mal, ich glaube, ich fahre lieber mit Eleonore. Sie kennt sich in diesem fürchterlichen Krankenhaus aus, das ungefähr so groß ist wie ein Atomkraftwerk, die Bundesagentur für Angestellte und die Frankfurter Börse zusammen. Außerdem kann sie ein bisschen Italienisch und kommt ganz gut durch. Wir beiden Hübschen werden da irre.«

»Gut«, Bettina grinste, »aber ich bleibe heute hier. Ich sitze hier auf dieser Terrasse, ruhe mich aus und warte auf dich.«

»Und Jan und Edda? Was machen sie?«

»Keine Ahnung. Wir werden sie fragen.«

Beim Frühstück waren Jan und Edda noch völlig verpennt, schlecht gelaunt und hatten zur Gestaltung des Tages überhaupt keine Meinung.

Um neun fuhr Mareike mit Eleonore nach Montevarchi, und Bettina las den Schmöker, den sie sich extra für den Urlaub mitgenommen hatte: »Die Säulen der Erde«. Bereits nach den ersten hundert Seiten war sie in Tränen aufgelöst.

Edda saß in der Küche und schrieb einen ellenlangen Brief an Miki, Jan hockte auf der Terrasse, spielte mit Harry, der unentwegt versuchte abzuhauen, und langweilte sich.

»Darf ich Fahrrad fahren?«, fragte er nach einer Weile.

Bettina sah von ihrem Buch auf und nahm ihre Lesebrille ab. »Fahrrad fahren? Wie kommst du denn auf die Idee?«

»Eleonore hat ein Mountainbike. Es steht neben ihrer Küchentür hinterm Haus. Sie hat gesagt, ich darf damit fahren, wenn ich will.«

Bettina tat es Leid, dass Jan sich langweilte. »Na ja, aber wo willst du denn hinfahren? Einfach nur so durch die Gegend?«

»Ich könnte zu Enrico fahren. Er hat gesagt, wenn ich ihn noch mal besuche, baut er mir ein Gehege für Harry. Ich kann das doch mit ihm zusammen bauen, und nachher holst du mich da ab.«

Bettina überlegte. Die Idee war gar nicht so schlecht. Jan war bei Enrico gut aufgehoben, hatte eine sinnvolle Beschäftigung, und wenn Mareike aus dem Krankenhaus kam, würden sie gemeinsam hinfahren. Dann könnte Mareike Enrico auch gleich kennen lernen.

»Findest du denn da hin?«

»Na klar!« Jan war fast beleidigt über die Frage. »Geht doch fast immer geradeaus. Nach Montebenichi, dann nach San Vincenti und gleich hinter San Vincenti rechts ab. Wie soll man sich denn da verfahren?«

»Na gut.« Bettina seufzte. »Meinetwegen fahr hin. Aber fahr

vorsichtig, hörst du? Nicht wie so'n Irrer. Und pass vor allem in den Kurven auf, auf dem Schotter rutscht man leicht aus!«

»Na klar!« Jan war begeistert, sprang auf und drückte Bettina einen Kuss auf die Wange. »Klasse! Passt du unterdessen auf Harry auf?«

Bettina nickte. Jan setzte Harry wieder zurück in die Waschschüssel, in der die Schildkröte zusammen mit einem Haufen Löwenzahn auch die Nacht verbracht hatte, und rannte ums Haus, um das Fahrrad zu holen.

Sekunden später war er wieder da.

»Tschüss!« Jan winkte und schwang sich aufs Rad.

»Spätestens heute Nachmittag kommen wir und holen dich, okay?«

»Okay!«

»Und grüß Enrico von mir!«

»Mach ich!« Jan trat in die Pedale und strampelte den ansteigenden Weg hinter dem Haus hinauf.

Bettina schloss die Augen und genoss die warmen, herbstlichen Sonnenstrahlen auf ihrer Haut. Noch hatte sie nicht bemerkt, dass Jans Handy neben der Waschschüssel mit der Schildkröte auf der Erde lag.

88

Der Bagger rumpelte so gegen zehn den Weg hinunter nach Valle Coronata. Kai folgte ihm mit seinem Wagen. Als sich Harald und Kai die Hand reichten, sahen sie sich einen Moment mit einem Blick an, der besagte, ›ich weiß von dir, und du weißt von mir, aber wir werden uns jetzt nicht gegenseitig die Zähne ausschlagen‹.

Anne war ein bisschen verunsichert, aber sie überspielte dies durch hektische Betriebsamkeit, indem sie Kaffee kochte und zwischen Küche und dem Tisch unterm Nussbaum viel öfter hin- und herlief als nötig.

Kai erklärte dem Baggerfahrer, was zu tun war, und der Bagger begann mit der Arbeit. Mit seiner Schaufelkralle schlug er den Zement auf und brach Stück für Stück aus der Betonplatte.

Anne, Harald und Kai standen stumm am Rand des Pools und beobachteten, wie der Bagger den Boden des Pools immer weiter abräumte.

Das Erste, was Anne sah, war ein winziges Stück des Eiffelturms. Sie stieß einen Schrei aus und krallte sich an Haralds Pullover fest, als habe sie Angst, vornüberzufallen.

»Das T-Shirt aus Paris, das da ist Felix' T-Shirt, das wir ihm in Paris gekauft haben. Er hatte es an dem Karfreitag an«, stammelte sie mühsam und zeigte auf den Boden des Pools.

Harald schob Anne in Kais Arme. »Halt sie fest!«, sagte er.

Der Baggerfahrer arbeitete ungerührt weiter. Er hatte auf Grund seiner Ohrenschützer und durch den Krach, den der Bagger machte, weder Annes Schrei gehört, noch die Aufregung bemerkt, die entstanden war.

»Hören Sie auf!«, brüllte Harald, aber der Baggerfahrer bekam nichts mit und arbeitete stoisch weiter. Daraufhin rannte Harald auf die dem Bagger gegenüberliegende Seite des Pools und wedelte mit den Armen, wie ein Lotse, der ein Flugzeug zum Abbremsen bewegen will.

Der Baggerfahrer stoppte die Maschine und nahm die Ohrenschützer ab.

»Kleinen Moment Pause«, sagte Kai auf Italienisch. Der Baggerfahrer zuckte die Achseln und kletterte vom Bock. Er hatte noch nicht bemerkt, was im Pool zum Vorschein kam.

Der Baggerfahrer zündete sich eine Zigarette an und sah zu, wie sich Harald ins Becken schwang. Vorsichtig hob er jetzt mit der

Spitzhacke Stück für Stück aus der gebrochenen Betonplatte, und allmählich kamen das T-Shirt, die kurze Hose und schließlich der ganze kleine Körper zum Vorschein. Der Zement hatte die Leiche gut konserviert. Es gab keinen Zweifel mehr. Sie hatten Felix gefunden.

Anne weinte nicht. Sie verschränkte die Arme vor der Brust, starrte in den Pool und atmete kaum. Kai hatte einen Arm um ihre Schulter gelegt und hielt sie fest. Harald stützte sich mit einer Hand an die Poolwand und versuchte zu begreifen, dass sein toter Sohn vor seinen Füßen lag. Der Baggerfahrer raufte sich die Haare und flüsterte kaum hörbar: »O dio!«

Anne setzte sich auf die Erde. Alle Kraft wich aus ihrem Körper, sie sackte regelrecht in sich zusammen. Und dann hob sie ihren Kopf und sah Kai an. Ihr Gesicht war bleich und wächsern. »Enrico hat ihn umgebracht«, sagte sie tonlos. »Und wir sind die ganze Zeit auf ihn reingefallen.«

Der Baggerfahrer zerrieb seine Zigarette zwischen Daumen und Zeigefinger, und dann rannte er plötzlich los. Direkt hinter dem Pool einen schmalen Trampelpfad den Berg hinauf. Niemand beachtete ihn.

Anne, Harald und Kai schwiegen minutenlang und versuchten zu begreifen, dass Felix tatsächlich in diesem Pool einbetoniert worden war.

Annes Erstarrung löste sich als Erste. Sie kletterte in das Becken und berührte vorsichtig die Leiche. Und erst in diesem Moment begann sie zu weinen.

Harald wischte sich mit dem Jackenärmel übers Gesicht, legte behutsam eine Hand auf Annes Schulter und sagte: »Lass uns hinfahren. Zeig mir, wo er wohnt. Ich will ihm noch einmal ins Gesicht sehen, und dann mach ich ihn fertig.«

Harald kletterte aus dem Pool. Der Baggerfahrer kam atemlos den Berg heruntergelaufen und sagte, »Ho telefonato. Vengono. I carabinieri vengono.«

Anne starrte ihn fassungslos an, als habe sie nicht verstanden, was er gesagt hatte, Kai nickte, und Harald explodierte. »Was hast du gemacht, du dummes Arschloch? Die Polizei gerufen? Was geht das dich an?« Sein Gesicht war flammend rot. »Hier liegt unser toter Sohn«, schrie er weiter. »Wir haben ihn zehn Jahre lang gesucht, und du rufst einfach die Carabinieri? Das ist mein Problem, nicht deins, du Schwachkopf!« Haralds Stimme überschlug sich fast. »Ich gehe jetzt hin und schneide dem Mörder von diesem kleinen Jungen die Eier ab. Und dann rufe *ich* die Carabinieri. *Ich* tue das, verstehst du! Und zwar wann *ich* es will. Vielleicht in einer halben Stunde, vielleicht in einer Stunde oder erst morgen früh. Ich mach das, wenn *ich* es für richtig halte, du italienischer Volltrottel!«

Anne hatte Harald noch nie derartig schreien hören. Er stürmte auf den Baggerfahrer zu, der kein Wort verstanden hatte, und packte ihn an der Jacke, als wolle er ihn verprügeln. Aber Kai ging dazwischen.

»Hör auf«, sagte er warnend. »Der Mann kann nichts dafür. Er hat getan, was er für richtig hielt. Und ich glaube, es ist wirklich richtig. Die Polizei muss kommen. Und dann sehen wir weiter. Dass du Enrico den Hals umdrehen willst, kann ich gut verstehen. Und ich werde dir dabei nicht im Weg stehen.«

Harald starrte Kai an, als wäre er ein Gespenst. Schließlich nickte er. »Okay. Okay, okay, okay, okay.« Und dann brach er zusammen.

89

Gegen vierzehn Uhr kamen Eleonore und Mareike nach La Pecora zurück. Mareikes Fuß war eingegipst, beim Ultraschall hatte man nun doch festgestellt, dass die Achillessehne angerissen war. Mareike war guter Dinge, jetzt wusste sie wenigstens, woran sie war und wie sie sich verhalten musste. Die drei Wochen im Gehgips würden schnell vergehen.

Mareike wunderte sich, dass Jan bei ihrer Rückkehr nicht wie üblich auf sie losstürmte, und Bettina erklärte, Mareike müsse sich keine Sorgen machen, Jan sei mit dem Fahrrad zu Enrico, ihrer gestrigen neuen Bekanntschaft, gefahren, um mit ihm zusammen ein Gehege für Harry zu bauen. Er warte darauf, am Nachmittag von ihnen abgeholt zu werden.

»Was?«, schrie Mareike. »Du lässt ihn hier allein durch die Gegend fahren zu einem wildfremden Mann, den du gestern vielleicht mal eine Stunde gesprochen hast? Bist du völlig verrückt geworden?«

Bettina war vollkommen konsterniert über Mareikes Ausbruch. »Ich weiß gar nicht, was du hast und warum du mich hier dermaßen anbrüllst? Er fährt Fahrrad. Na und? Er ist alt genug zum Fahrradfahren, und hier sind überall Wald- und Wanderwege. In Berlin fährt er auch mit dem Fahrrad zum Fußball, und da tickst du nicht aus. Dabei ist das in Berlin tausendmal gefährlicher. Und er fährt zu einem Mann, den ich kenne und den ich sehr nett finde. Wo ist das Problem, Mareike?« Bettina war jetzt wütend.

Mareike setzte sich langsam auf einen Liegestuhl und legte das eingegipste Bein hoch, das unter dem Gips heftig pulsierte. »Das Problem ist«, sagte sie leise, »dass hier in dieser Gegend, genau hier, in einem Umkreis von zwanzig Kilometern, wahrscheinlich ein Kindermörder sein Unwesen treibt. Drei kleine Jungen in Jans Alter sind spurlos verschwunden. Eleonore hat es mir erzählt, und dann hab ich mit der Mutter eines vermissten Kindes gesprochen. Ich hab dir nichts davon gesagt, damit du nicht wieder sauer wirst, wenn ich mich im Urlaub mit diesen Dingen beschäftige.«

»Hättest du es mir mal gesagt«, zischte Bettina. »Dann hätte ich ihn nicht fahren lassen.«

Edda stand in der offenen Küchentür und hatte das Gespräch

zwischen Bettina und Mareike mitgehört. »Ich bin übrigens derselben Meinung wie Bettina«, sagte sie, »ich glaube auch, dass Enrico okay ist.« Dann sah sie Mareike an. »Meinst du nicht, dass du maßlos übertreibst? Dass du allmählich hinter jedem Baum einen Mörder siehst? Ich finde das langsam krankhaft!«

»Hoffentlich hast du Recht. Hoffentlich übertreibe ich maßlos und bilde mir das alles nur ein. Habt ihr die Nummer von Enrico? Es würde mich sehr beruhigen, wenn ich wüsste, dass er dort gut angekommen ist.«

»Enrico hat kein Telefon«, sagte Bettina, »nur ein Handy, aber das schaltet er nur im absoluten Notfall ein. Er ist nicht zu erreichen, weil er seine Ruhe haben will. Vielleicht hat er auch 'ne Telefonphobie.«

»Ruf mal Jan an. Hat er sein Handy dabei?«

Bettina schüttelte den Kopf. »Ich hab es vorhin auf der Erde gefunden. Er hatte es neben Harrys Schüssel liegen lassen.«

»Verdammt!« Mareike schlug vor Wut auf den Liegestuhl. Die Gedanken der Nacht schossen ihr wieder durch den Kopf. Telefonphobie! Der arrogante Single, der nicht gestört werden will. Gut, Bettina hatte erzählt, seine Frau wäre gerade in Deutschland bei ihren Eltern, aber das musste ja nicht stimmen. Man konnte viel erzählen, wenn der Tag lang war.

»Lass uns hinfahren!«, sagte Mareike. »Bitte!«

»Jetzt schon?« Bettina sah auf die Uhr. »Es ist erst zwei! Ich habe Jan gesagt, wir kommen nachmittags. Er wird sauer sein …«

»Es mag sein, dass ich auf Grund meines Berufes überempfindlich bin und hinter jedem Baum einen Mörder sehe, aber ich möchte jetzt unbedingt und zwar sofort hinfahren, Bettina!« Ihr Ton war äußerst scharf.

»Na gut. Meinetwegen. Ich hol nur meine Sachen.« Sie ging ins Haus.

Edda setzte sich ihren pinkfarbenen Rucksack auf den Rücken. »Ich komme mit.«

»Nein«, sagte Mareike, »du bleibst hier. Nicht böse sein, aber ich möchte, dass jemand hier ist, falls Jan doch noch nach Hause kommt.«

Edda nickte und legte ihren Rucksack wieder ab. Die Traurigkeit, die sie ausstrahlte, als sie sich auf einen Stein setzte und über die bewaldeten Hügel blickte, brach Mareike fast das Herz.

90

Bettina hupte zweimal, als sie auf Casa Mèria zurollten. »Damit die beiden sich nicht erschrecken. Schließlich kommt hier ja sonst niemand vorbei.«

Sie hielt direkt neben dem Haus und stieg aus. »Enrico! Jan!«, rief sie, aber bekam keine Antwort.

Mareike brauchte etwas länger, um aus dem Auto zu steigen und mit ihren Krücken vors Haus zu humpeln.

»Keiner da«, sagte Bettina. »Enricos Auto ist auch weg. Das ist ja komisch.«

Mareike spürte, wie die Panik in ihr aufstieg. Ganz ruhig, sagte sie sich, reagiere jetzt nicht als Mutter, sondern als Kommissarin. Du weißt doch, was zu tun ist. »Lass uns einmal ums Haus gehen«, sagte sie zu Bettina. »Sieh dich genau um. Sag mir, wenn dir irgendetwas auffällt, wenn irgendetwas anders ist als gestern.«

Bettina ging vor, Mareike humpelte hinterher. »Nichts«, sagte Bettina. »Mir fällt kein Unterschied auf. Aber ich hab gestern natürlich auch nicht so genau hingeschaut. Ich konnte ja nicht ahnen ...«

»Schon gut«, sagte Mareike knapp, als sie sah, dass Bettina schluckte. Dann ging sie zur erstbesten Tür und drückte die Klinke herunter. Sie war offen. »Bleib draußen und sag mir, wenn jemand kommt. Ich sehe mich drinnen ein bisschen um.«

Damit verschwand Mareike im Haus, und Bettina ging vor dem Haus so auf und ab, dass sie gleichzeitig den Anfahrtsweg gut im Blick hatte.

Mareike zitterte am ganzen Körper, aber sie zwang sich, das Haus schnell und so konzentriert zu durchsuchen, wie sie es in anderen Häusern schon x-mal getan hatte. Die Krücken behinderten sie bei der Suche nur wenig, aber sie hoffte inständig, nicht fliehen zu müssen, das war mit Krücken schlicht unmöglich.

Sie begann mit der Küche. Es gab nur einen Schrank mit erschreckend wenigen Vorräten, noch nicht einmal das Nötigste war vorhanden. Ein Geschirrschrank, unter der Spüle ein einziger Lappen und ein Spülmittel. Eine Schublade mit Besteck, eine mit Kerzen, das war alles. Auf dem Tisch ein paar Konstruktionszeichnungen. Kein Geld, keine Zeitschriften, keine herumliegenden Bücher, noch nicht einmal eine Kiste zum Kramen. Mareike hatte nicht das Gefühl, dass in dieser Küche ein Mensch aß und trank und lebte.

Im noch nicht fertig ausgebauten zukünftigen Wohnzimmer fand sie eine Kiste mit Bettwäsche und Handtüchern und eine Hand voll Bücher. Dostojewskis »Schuld und Sühne«, James Joyces »Ulysses«, Robert Schneiders »Schlafes Bruder« und »Der Graf von Monte Christo« von Alexandre Dumas. Ansonsten war der Raum leer, der Kamin noch unbenutzt.

Im angrenzenden Zimmer sah sie sofort, dass sich hier eine Frau aufgehalten hatte. Auf einem Tisch, der als Schreibtisch diente, stand eine Vase mit einer noch nicht verwelkten Buschwindrose. Die Frau war also noch nicht lange fort. Zwei Füllfederhalter, einige Kugelschreiber und Bleistifte steckten in einem schön geformten Kristallglas, in der Mitte des Tisches lag Briefpapier. Daneben ein Stapel mit Zeitschriften, Papieren und einigen Klemmordnern. Als Mareike den Stapel durchblätterte, zuckte sie plötzlich zusammen. Sie erkannte den Jungen auf dem Foto sofort wieder. Es war ein Bild von Felix. Er stand am Strand und ließ scherzhaft seine winzigen Muskeln spielen.

Also doch, dachte Mareike. Er ist in Valle Coronata eingebrochen, hat das Foto gestohlen und es dann zwischen den Sachen seiner Frau versteckt.

Während sie die Kisten durchwühlte, die in Carlas Zimmer noch unausgepackt auf der Erde standen, dachte sie weiter nach.

Hatte Enrico das Foto zu ihren Sachen gelegt, weil er nicht wusste, wohin damit? Falls seine Frau nicht existieren sollte, war dies sowieso sein Schreibtisch. Ein sehr femininer Schreibtisch. Also ein Homosexueller, der kleine Jungen umbrachte und wahrscheinlich auch missbrauchte. Das passte für Mareike noch besser ins Bild.

Mareike brach der Schweiß aus. Was ging hier vor? Und wo waren Jan und Enrico?

Im Schlafzimmer lag eine Matratze auf der Erde, darauf eine Jacke und eine Hose von Enrico. Ansonsten gab es keinen Ort, an dem Enrico persönliche Dinge aufbewahrte.

Als Letztes nahm sich Mareike Enricos Werkstatt vor, die im Gegensatz zu der spärlichen Einrichtung des Hauses erstaunlich gut bestückt war. Es war eine mühevolle Arbeit, aber sie zwang sich, jede kleine Dose mit den unterschiedlichsten Schrauben, Dübeln und Nägeln zu öffnen, so wie sie es vor Jahrzehnten auf der Polizeischule gelernt hatte. Wo versteckte man am besten einen außergewöhnlichen Diamanten? Unter Diamanten.

Wo sind sie bloß hingefahren?, dachte Bettina. Vielleicht nur in ein Geschäft, um ein paar Schrauben und Materialien für das Gehege zu kaufen. Das wäre denkbar. Aber warum war dann Jans Fahrrad nicht hier? Das nahm man doch nicht mit, nur um ein paar Erledigungen zu machen? Und wenn sie einen kurzen Spaziergang oder eine gemeinsame Radtour machten, warum fehlte dann Enricos Auto?

Oder war Jan am Ende hier überhaupt nicht angekommen, und es war Zufall, dass Enrico nicht zu Hause war?

Sie begann so flehentlich zu beten, wie sie es seit ihrer Kindheit nicht mehr getan hatte.

Bettina konnte später nicht mehr sagen, ob eine halbe Stunde oder nur wenige Minuten vergangen waren, bis ihre Freundin aus dem Haus kam. In der Hand hielt sie eine kleine Schachtel. Bettina würde den Gesichtsausdruck Mareikes nie mehr aus ihrer Erinnerung löschen können, denn in diesem Moment, als Mareike auf sie zuhumpelte und sie schweigend ansah, wusste sie, dass etwas Schreckliches geschehen war. Eine Katastrophe, die mit Jan zu tun hatte.

»Letztendlich kann ich es erst hundertprozentig beweisen, wenn das, was ich gefunden habe, im Labor untersucht worden ist«, sagte Mareike. »Aber glaub mir, Bettina, hier wohnt der Kindermörder, der in Deutschland drei und in Italien mindestens auch drei kleine Jungen umgebracht hat. Und wenn nicht ein Wunder geschieht, ist Jan sein nächstes Opfer.« Sie öffnete die Schachtel. »Schau genau hin, Bettina. Das sind seine Trophäen. Sechs Eckzähne auf einem Stückchen Samt. Ich bin sicher, es sind die Zähne von Daniel, Benjamin, Florian, Felix, Filippo und Marco.«

91

Das Haus, das Enrico ihm zeigte, hatte zugemauerte Fenster und Türen. Es sah irgendwie schrecklich tot und düster aus, fand Jan, aber es war auch spannend und gruslig zugleich, durch ein kleines Loch, das aus einem der zugemauerten Fenster herausgebrochen war, hineinzuklettern.

Drinnen war es dunkel und feucht. Es roch muffig und ein bisschen säuerlich, so wie es zu Hause in der Speisekammer gerochen hatte, als hinter dem Regal mit Konservendosen einmal eine tote Maus langsam in Verwesung übergegangen war.

»Warte einen Moment«, sagte Enrico zu Jan. »Ich hole nur noch was aus dem Auto. Ich bin gleich zurück.«

Enrico kletterte aus dem Fenster, Jan hockte sich auf den Fußboden. Sehen konnte er nicht viel. Der Boden war lehmig, er konnte nicht fühlen, ob er feucht oder nur kühl war. Langsam tastete er sich an der Wand entlang. Sein Gesicht geriet in ein Spinnennetz, und er schüttelte sich vor Ekel. Mühsam versuchte er, die Fäden aus seinen Haaren zu entfernen, die an seinen Fingern klebten wie Zuckerwatte zwischen den Zähnen. Nur dass Zuckerwatte süß und überhaupt nicht eklig war. Gerade als er überlegte, ob er nicht auch lieber wieder aus dem Fenster klettern sollte, kam Enrico zurück. Er zündete eine Kerze an, und Jan konnte sehen, was er noch mitgebracht hatte. Eine Decke, Geschirrhandtücher, eine Wasserflasche, eine Flasche Grappa, Seile und eine Zange.

Enrico lächelte im Licht der Kerze. »Du musst leise sein«, flüsterte er. »Niemand darf wissen, dass wir hier sind. Das ist ein geheimer Ort mit magischen Kräften. Man muss eine Nacht hier bleiben, und dann darf man sich etwas wünschen. Und dieser eine Wunsch geht in Erfüllung.«

Jan erschrak. »Ich kann nicht hier bleiben! Bettina kommt mich abholen!«

»Wo?«

»Bei deinem Haus!«

»Wann wollte sie kommen?«

»Heute Nachmittag. Ich weiß nicht genau. Vielleicht um drei oder vier.«

»Wieso hast du mir nichts davon gesagt?«

»Es ging vorhin alles so schnell, und du hast gesagt, wir sind gleich zurück. Kann ich nicht ein andermal wiederkommen?«

»Nein.«

»Aber ich kann nicht hier bleiben!« Jan fing an zu zittern. Er wusste, wie schnell sich Bettina und Mareike Sorgen machten. Einmal hatte er Bettina weinen sehen, das war schrecklich, und er wollte so etwas nie wieder erleben. Edda war zu einer Freundin gegangen, um dort zu übernachten, aber als Mareike um elf bei der Freundin anrief, ging niemand ans Telefon. Um zwölf auch nicht und nicht um eins und nicht um zwei. Mareike telefonierte sich die Finger wund, und Bettina saß im Wohnzimmer auf dem Teppich und weinte. Im Arm hatte sie Eddas Lieblingselefanten. Um halb drei bat Mareike ein paar Kollegen um Hilfe und fuhr los, um Edda zu suchen. Jan blieb bei Bettina, die sich überhaupt nicht mehr beruhigte. Bis dahin hatte er gar nicht gewusst, dass ein Mensch derart verzweifelt und traurig sein konnte.

Um fünf Uhr früh kam Mareike mit Edda zurück. Sie hatte sie mit ihrer Freundin in einer Disco gefunden. Die beiden hatten nicht im Traum daran gedacht, dass ihr geheimer Discobesuch rauskommen könnte.

Mareike sagte keinen Ton mehr an diesem Abend. Sie ging wortlos ins Bett. Als Bettina Edda in den Arm nahm, weinte sie erst richtig. Es war unerträglich. Jan schwor sich insgeheim, dass er nie etwas machen würde, was Bettina noch einmal derartig zum Weinen bringen würde.

»Es geht nicht«, flüsterte er. »Es geht wirklich nicht. Aber morgen vielleicht. Bettina erlaubt mir bestimmt, hier zu übernachten. Und dann bringe ich auch einen Schlafsack mit.«

»Du redest zu viel«, sagte Enrico. »Kinder, die reden, gehen mir auf die Nerven.«

Jan verstummte. Diesen Ton hatte er bei dem netten Enrico nicht erwartet.

»Leg dich da auf die Decke!«, befahl Enrico. »Und zwar auf den Bauch.«

»Warum?« Allmählich wurde Jan die ganze Sache unheimlich.

Die Angst kroch wie eine eisige Hand langsam seinen Rücken hinauf.

»Tu, was ich dir sage!«

Jan legte sich auf die Decke. Sein Herz klopfte bis zum Hals.

Enrico nahm Jans Hände und begann, sie mit geübten Handgriffen auf dem Rücken zu fesseln. Jan versuchte sich zu wehren. »Hör auf damit«, zischte Enrico. »Sonst tue ich dir fürchterlich weh!«

Als Jan an Händen und Füßen gefesselt und außerdem mit einem der Geschirrhandtücher geknebelt auf dem Boden lag, zog Enrico ein Messer aus der Tasche und schnitt ihm die Kleidung vom Leib.

›Mama‹, flehte Jan in Gedanken, ›hol mich hier raus. Bitte komm und hilf mir! Du weißt doch sonst auch immer, wer die Mörder sind und wo sie sind. Und du hast eine Pistole! Mareike! Bettina! Edda! Bitte!‹ Und dann dachte er an Harry, der in seiner Waschschüssel genauso gefangen war wie er. ›Ich lass dich frei‹, schwor er sich, ›wenn ich hier wieder rauskomme, lass ich dich frei. Dann musst du nicht mitkommen nach Deutschland.‹

Er versuchte, mit seinem Schicksal zu handeln, und ein größerer Verzicht fiel ihm nicht ein.

Enrico beugte sich über ihn. Jan sah im Licht der Kerze seine kalten Augen. Warum sieht er mich nicht an?, dachte Jan. Warum guckt er so komisch?

Und in diesem Moment begriff er, dass er aus diesem dunklen Haus nicht wieder lebend herauskommen würde.

92

Mareike zog ihr Handy aus der Tasche und wollte gerade die Polizei anrufen, als sie sah, dass zwei Wagen den Weg herunterkamen. Ein Privatwagen und die Carabinieri.

Im Privatwagen saßen Kai und Harald. Anne war in Valle Coronata geblieben. Mareike und Bettina erfuhren, dass in Valle Coronata die Leiche des vermissten Felix gefunden worden war. Kai übersetzte, und Mareike erklärte den italienischen Kollegen in knappen Sätzen, wer sie war und dass ihr Sohn in der Gewalt des mutmaßlichen Mörders und höchstwahrscheinlich in großer Gefahr sei.

Kurz darauf begann die größte polizeiliche Suchaktion, die es zwischen Florenz, Arezzo und Siena jemals gegeben hatte. Hubschrauber kreisten über dem Gebiet zwischen Valle Coronata und Casa Mèria auf der Suche nach Enricos Wagen. Aber der stand neben dem Haus, in dem er sich mit Jan versteckt hatte, in einem verfallenen Unterstand und war aus der Luft nicht zu sehen. Bereits anderthalb Stunden später traf eine Hundertschaft der Polizei aus Florenz ein und durchkämmte das Gelände, das Militär aus Pienza erreichte gegen achtzehn Uhr Ambra und unterstützte ebenfalls die Polizei bei der Suche. Straßensperren an den Ausfallstraßen in Richtung Rom und Mailand und Kontrollen an den Mautstellen der Autobahn wurden eingerichtet, die Fahndung nach Enrico wurde halbstündlich im Radio wiederholt, die Fernsehsender Rai Uno, Rai Due und Rai Tre baten die Bevölkerung um Mithilfe.

Es war ein Wettlauf mit der Zeit.

93

Jan rührte sich nicht. Enrico hatte die Grappaflasche beinah zur Hälfte geleert und beobachtete ihn im Licht der Kerze. Er war noch lange nicht fertig mit ihm.

Jan lag so still und bewegungslos da, dass Enrico einen Moment Angst bekam, er könnte tot sein. Einfach so weggestorben, vollkommen unbemerkt.

Enrico wurde wütend. Diese kleine Kröte würde ihm nicht alles kaputtmachen und ihn um den schönsten Augenblick betrügen. Den Moment, wo vor ihm nur noch ein Körper lag, dessen Wille gebrochen war und der aufgehört hatte zu kämpfen. Der sich in sein Schicksal fügte und widerstandslos in den Tod hinüberglitt. Er – Enrico – wollte bestimmen, wann es so weit war. Es waren meist nur Sekunden, aber die waren orgiastischer als alles, was ein Mensch erleben konnte. Von einer Intensität, die ihn noch Monate danach erfüllte und ihn ganz leicht und glücklich werden ließ. Göttlich eben.

Er ließ sein Bein vorschnellen und trat dem kleinen Jungen in die Nieren. Jan bäumte sich auf. Er lebte also noch.

Enrico lehnte sich zurück und griff sich beinah brutal in die Hose, um sich zu zügeln. Langsam. Ganz langsam. Jan brauchte jetzt eine Ruhepause, sonst würde er das, was er noch mit ihm vorhatte, nicht überleben. Und das wäre schade.

Der Grappa hatte ihn ohnehin müde gemacht. Im Grunde konnte er es wagen, ein paar Stunden zu schlafen.

Natürlich würden sie Jan suchen. Aber wahrscheinlich erst gegen Abend bei Einbruch der Dunkelheit. Bettina vertraute ihm.

Auch wenn sie Casa Mèria verlassen vorfanden, würden sie erst mal keinen Verdacht schöpfen. Bei Enrico wähnte Bettina ihren Jan in Sicherheit. Enrico lächelte. Bettina war so freundlich, so arglos, eine selten dumme Kuh. Und in der Dunkelheit war eine Suche sinnlos. Also würden sie frühestens morgen früh damit beginnen. Er konnte es wirklich wagen, ein paar Stunden zu schlafen. Um Mitternacht würde er weitermachen, und bis zum Tagesanbruch war viel Zeit. Wunderbar.

Er löschte die Kerze und dachte gar nichts mehr. Er schlief sofort ein.

94

Albano Lorenzo, der Maresciallo der Carabinieri, leitete die umfangreiche Suchaktion, die mit anbrechendem Tageslicht bei Sonnenaufgang fortgesetzt wurde. Vier Suchtrupps wurden eingeteilt. Der erste durchstreifte wie schon am Tag zuvor das Gebiet um Enricos Haus Casa Mèria und über San Vincenti bis hinauf nach Montebenichi und La Pecora; der zweite hatte die Gegend um La Roccia, Solata und Cennina im Visier; der dritte Casa Lascone, Badia a Ruoti bis zum kleinen Dorf Rapale, und der vierte Suchtrupp durchkämmte die Wälder um Valle Coronata und Duddova bis hinunter nach Ambra. Es waren die Umgebungen der Häuser, die Enrico restauriert und gänzlich neu aufgebaut hatte. Valle Coronata, La Pecora, Casa Lascone, La Roccia und zuletzt Casa Mèria.

Fast die ganze Nacht hatte Mareike zusammen mit Anne im Ufficio des Maresciallo verbracht. Kai war ebenfalls dabei gewesen und hatte so gut es ging gedolmetscht. Inzwischen war der Capo der Carabinieri umfassend über Enrico informiert. Mareike zeigte ihm Enricos Trophäen, die Eckzähne, die sie in seinem Haus gefunden hatte, und erläuterte ihre Vermutungen, dass der deutsche Kindermörder eventuell mit dem italienischen identisch sein könnte.

Um drei Uhr früh kamen die ersten Ergebnisse der Pathologie in Florenz, wohin man Felix' Leiche noch am Abend gebracht hatte. Zumindest eines stand zu diesem Zeitpunkt bereits fest: Auch Felix war der vordere Eckzahn post mortem herausgebrochen worden. Ob einer der gefundenen Zähne nun definitiv Felix gehörte, konnte man zu diesem Zeitpunkt noch nicht zweifelsfrei feststellen.

Noch in dieser Nacht wurden die wichtigsten Ermittlungsergebnisse aus Deutschland von Karsten Schwiers per E-Mail nach Italien geschickt. Für die komplizierten Übersetzungen der Kriminaltechnik und Forensik bestellte Lorenzo die Dolmetscherin und Expertin Marisa Forelli aus Arezzo, die bereits eine Stunde später in der Polizeistation eintraf und sofort simultan übersetzte, was bedeutete, dass sie dem Maresciallo quasi auf Italienisch vorlas, was auf Deutsch in den Akten geschrieben stand.

Am frühen Morgen war Lorenzo ausreichend informiert, daher schickte er auch die Suchtrupps in die Umgebung von Enricos früheren Wirkungsstätten. Außerdem ordnete er an, sofort die Fundamente der Pools von Casa Lascone und La Roccia aufzuschlagen.

Giancarlo Ponticini hatte diese Nacht viel zu kurz und schlecht geschlafen und war dementsprechend mies gelaunt. Er leitete den Suchtrupp vier und fand es überflüssig, die Gegend um Valle Coronata, Casa Vigna, Il Nido und den See noch einmal abzusuchen, da sie gestern bereits jeden Grashalm am Seeufer von vorn und hinten begutachtet hatten, wie sich Giancarlo despektierlich äußerte. Il Nido war außerdem ein Haus, dessen Fenster und Türen seit Jahren zugemauert waren, dorthin verirrte sich noch nicht mal ein Marder oder ein Fuchs. Giancarlo war Jäger und kannte die Gegend. Er war sich absolut sicher, dass er bereits gestern Ungewöhnliches bemerkt hätte, falls da etwas gewesen wäre.

Giancarlo, der mit dem Maresciallo auf Kriegsfuß stand und daher ohnehin jede Entscheidung seines Vorgesetzten kritisierte und missbilligte, plädierte dafür, die Gegend um San Pancrazio abzusuchen. Der Wald war dort wesentlich dichter und viel besser für Verstecke geeignet. Zumal sie dort vor einigen Jahren ein Liebespaar in einem Wagen gefunden hatten, das gemeinsam Selbstmord begangen hatte. Die Leichen wurden erst nach zehn Tagen gefunden, so gut war der Wagen in einer Erdmulde hinter dichtem Gestrüpp verborgen. Giancarlo hatte sich die Stelle genau gemerkt, für ihn gab es keinen perfekteren Platz, sich mit einem Kind zu verstecken oder eine Leiche zu beseitigen.

Als Giancarlo den Maresciallo über sein Handy anrief und ihm erklärte, dass er die Suche am See und Umgebung für sinnlos halte, man solle sich doch lieber mal der Gegend um San Pancrazio zuwenden, flippte der ebenfalls übermüdete Maresciallo völlig aus. Mit hoher Fistelstimme schrie er Giancarlo an, er möge gefälligst seine Befehle ausführen, und zwar so gründlich wie möglich, ansonsten würde er, der Maresciallo, eigenhändig dafür sorgen, dass Giancarlo nach Palermo versetzt werde. Er habe seine Gründe, warum am See noch einmal gesucht werden solle, und basta.

Giancarlo fügte sich in sein Schicksal. Er wusste, welch umfangreiche Beziehungen Lorenzo hatte, und Palermo war das Allerletzte, wo er hinwollte. Auf seine alten Tage hatte er keine Lust, sich auch noch mit der Mafia auseinander setzen zu müssen.

Giancarlos Leute durchsuchten also Casa Vigna, ein halb verfallenes und verlassenes Haus, das nur noch einmal im Jahr während der Olivenernte genutzt wurde. Außer Olivenresten auf dem Fußboden und eingetrockneter Peperoncinicreme, steinhartem Brot und einer halben Flasche Wein, der mittlerweile zu Essig geworden war, fanden sie nichts, was darauf hinweisen könnte, dass sich in den letzten Wochen ein Mensch in diesem Haus aufgehalten hatte.

Hunde durchschnüffelten Wege und Gebüsch am steil ansteigenden Hang hinter Casa Vigna, bis fast zum Abzweig nach Casa Cinghale, einem vollständig eingezäunten und von Hunden bewachten Anwesen, wo es völlig unmöglich war, unbemerkt unterzutauchen.

Dann wandte sich die Männerstaffel nach links und arbeitete sich langsam ins Tal und zum See vor.

Giancarlo nahm sein Handy und rief seine Frau an. »Koch was Schönes«, sagte er. »Ich bin gestresst. Die sinnlose Sucherei geht mir auf die Nerven.«

Dann folgte er seinen Männern und den Hunden, die sich allmählich Il Nido näherten.

95

Jan versuchte in seinem Traum, seine Finger durch die Gitterstäbe zu stecken, die böse Hexe kaute auf seinem Zeigefinger herum, rotzte ihm ins Gesicht und schrie: »Du widerliches Miststück, du bist immer noch viel zu dünn und noch lange nicht fett genug!«

Wie viele Wochen und Monate sollte er noch hier liegen und darauf warten, dass die Hexe ihn fraß? Er wollte alles tun, was die Hexe befahl, er wollte alles essen und trinken, aber da war nichts. Nur Kälte und Dunkelheit, sodass er noch nicht einmal seine Finger zählen konnte. Wie sollte er da fett werden?

Als er aufwachte, sah er im Halbdunkel, dass der Mann schlief. Er wagte kaum zu atmen, um ihn nicht zu wecken. Sein Magen krampfte sich zusammen, und ihm wurde übel. Er wusste nicht, ob ihm schwindlig war oder nicht, weil er oben und unten nicht mehr unterscheiden konnte.

Mareike und Bettina. Seine beiden Mamis, es gab sie nicht mehr, sie waren tot, sonst hätten sie ihn längst geholt und aus seinem Gefängnis befreit. Er lebte noch, aber er war allein, und das war schlimmer als Totsein.

Er versuchte sich aufzurichten, aber es ging nicht. Er konnte weder seine Arme noch seine Beine bewegen, und jetzt fiel ihm wieder ein, warum. Der Mann, der ein Arzt war, hatte ihn festgebunden und operiert, weil eine Schlange in seinen Po gekrochen und sich in seinem Bauch festgefressen hatte.

»Es tut so weh«, schrie er und bäumte sich auf. Und dann wurde er wieder ohnmächtig.

Enrico schreckte hoch. Blitzschnell war er auf den Beinen und sah durch den Mauerspalt nach draußen. Es war schon hell, er hatte die kostbare Zeit, die er gehabt hatte, verschlafen. Wütend schlug er seinen Kopf gegen die Wand und sah zu Jan hinüber, der direkt an der feuchten Mauer auf dem Rücken lag. Sein Hals war überstreckt, der Mund leicht geöffnet, die Finger zu Krallen gekrümmt. Seine Lider flackerten, und er atmete flach.

Enrico spürte instinktiv, dass er nicht mehr viel Zeit hatte, und überlegte fieberhaft, was er tun sollte. Fliehen? Jan zurücklassen? Versuchen, mit Jan zu fliehen? Aber wohin? Wenn sie das Kind suchten, suchten sie überall. Da war er nirgendwo mehr sicher.

Sie kriegen mich nicht, dachte er und beruhigte sich selbst, sie haben mich all die anderen Male nicht erwischt, sie werden es auch diesmal nicht schaffen.

Plötzlich versteifte er sich und verharrte bewegungslos, um besser hören zu können. In der Ferne waren Stimmen zu hören, die langsam, sehr, sehr langsam näher kamen. Hunde bellten, und ab und zu ertönte ein kurzer Pfiff.

Enrico nickte und lächelte. Zum Fliehen war es jetzt eindeutig zu spät. Sie würden ihn erschießen, und wenn er etwas in diesem Leben auf alle Fälle selbst bestimmen wollte, dann war es sein eigener Tod. Wenn ihn kein völlig unvorhersehbarer Unfall erwischte, wollte er sich noch nicht einmal von einer tödlichen Krankheit die Entscheidung über den Zeitpunkt und die Art und Weise seines Sterbens aus der Hand nehmen lassen, und von wild gewordenen Carabinieri, die danach lechzten, einmal im Leben ihre Waffe zu benutzen, schon gar nicht. Und er würde ihnen auch Jan nicht überlassen. Jan, der jetzt ihm gehörte, wie all die andern bis zu ihrem Tod nur ihm ganz allein gehört hatten. Jan sollte nicht in einem Krankenhaus an Maschinen angeschlossen und gewaltsam ins Leben zurückgeholt werden, Jan sollte gehen. Vor seinen Augen. Vielleicht ein wenig schneller als die andern. Er würde ihm seinen Frieden schenken, er würde ihn erlösen.

Jan spürte nicht mehr, wie sich eine Hand beinahe zärtlich um seinen Hals legte und zudrückte. Und den Griff wieder lockerte, um erneut zuzudrücken. Er hatte keine Chance mehr, zum lieben Gott zu beten, nach seinen Müttern zu rufen oder seine Schwester wegen vieler kleiner Streitereien um Verzeihung zu bitten. Er konnte nicht weinen und keinen Widerstand leisten, er empfand keinen Schmerz und keine Angst. Er war vollkommen in der Gewalt seines Mörders.

96

Man könnte es beinah als Ironie des Schicksals bezeichnen, dass es Giancarlo war, der am Casa Il Nido hinter einer Brombeerhecke das Loch im Mauerwerk als Erster entdeckte. Giancarlo gab den Kollegen ein Zeichen, sich zurückzuhalten, entsicherte seine Waffe und ließ den Hunden den Vortritt, die sofort ins dunkle Innere des Hauses sprangen.

Giancarlo zählte innerlich – einundzwanzig, zweiundzwanzig, dreiundzwanzig – und wollte gerade seine Waffe zurück in den Halfter schieben, als ein ohrenbetäubendes und herzzerreißendes Hundegeheul einsetzte, das schließlich in aufgeregtes Bellen überging.

Giancarlo zwängte sich, gefolgt von zwei Kollegen, durch den Mauerspalt. Sein Herz raste, er bekam kaum Luft. Im grellen Licht der Stablampen, die die Kollegen in der Hand hatten, hockte Enrico über einen kleinen Körper gebeugt und reagierte überhaupt nicht auf das, was um ihn herum geschah. Die Hunde saßen knurrend neben ihm, aber bellten nicht mehr. Ohne zu überlegen warf sich Giancarlo auf Enrico und riss ihn nach hinten. Dieser rollte weich über den Rücken ab und ließ sich sogar noch ein paarmal hin und her wippen, als wolle er die Polizisten damit provozieren. Dann ging alles sehr schnell. Mit geübtem Griff bekam Giancarlo Enricos Handgelenke zu fassen und ließ die Handschellen zuschnappen.

Einer der Polizeibeamten kümmerte sich um Jan. »Schnell, holt einen Arzt!«, schrie er. »Der Junge hat – glaub ich – noch einen ganz leichten Puls. Verdammt noch mal, er lebt noch!«

»Oh«, meinte Enrico leise, »das wollte ich nicht.« Und seine kühle Arroganz verwandelte sich in echte Bestürzung.

97

Bettina und Edda saßen bewegungslos wie zwei Gipsfiguren auf der Terrasse, als Mareike nach Hause kam. Mareike sagte nichts, und Bettina fragte nicht, denn in ihrem Gesicht stand geschrieben, dass sie Jan nicht gefunden hatten. Keine Nachricht, keine Spur. Enrico und Jan blieben unauffindbar.

Mareike setzte sich, und Bettina goss ihr mit zitternden Händen eine Tasse lauwarmen Kaffee ein.

»Im Moment können wir nichts tun«, sagte Mareike. »Gar nichts. Nur warten und hoffen, dass sie ihn finden. Dass sie ihn vielleicht noch lebend finden.« Sie umfasste die Tasse mit beiden Händen, als wolle sie sich an dem fast kalten Kaffee wärmen. »Darum hat er seit so vielen Jahren in Deutschland nicht mehr gemordet. Weil er hier in Italien weitergemacht hat. Weil er sich hier in den Bergen verborgen und den großen Künstler und Einsiedler gespielt hat. Hier war er völlig unbehelligt, bis er einen gewaltigen Fehler gemacht hat.«

»Welchen?«

»Er hätte niemals das Haus, in dem er gemordet und die Leiche vergraben hat, an die Mutter des Opfers verkaufen dürfen.«

»Warum Jan? Warum Jan auch noch?« Bettina stand auf und fiel Mareike um den Hals. »Halt mich fest«, flüsterte sie. »Ich halte das alles nicht länger aus.«

»Noch haben wir nicht verloren«, murmelte Mareike und hielt ihre Freundin sekundenlang umarmt, was beiden wie eine Ewigkeit vorkam.

Ein Handy klingelte. Bettina und Mareike zuckten gleichzeitig zusammen. Edda nahm das Gespräch an. »Nein, Miki«, sagte sie, »wir können jetzt nicht telefonieren, die Leitung muss frei bleiben, mein kleiner Bruder ist verschwunden, und die Polizei sucht ihn. – Ja, ich meld mich sofort bei dir, wenn sie ihn gefunden haben und wenn wir wieder reden können. – Na klar. – Bis dann. Tschüss.«

Sie knipste das Gespräch weg und legte das Handy zurück auf den Tisch.

Mareike setzt sich zu ihr und legte ihr den Arm um die Schultern. »Hoffentlich kannst du bald wieder mit Miki telefonieren«, sagte sie.

Um neun kamen Anne, Harald und Kai nach La Pecora. Sie hielten es in Valle Coronata nicht aus, da sie dort telefonisch nicht erreichbar und von allem, was geschah, völlig abgeschnitten waren.

Eleonore nahm zwei Herztabletten und übernahm es, die ganze Gruppe der Wartenden mit frischem, heißen Kaffee und aufgebackenen Wurst- und Käse-Panini zu versorgen. Das Verschwinden Jans und die mittlerweile fast hundertprozentige Gewissheit, dass der nette und immer hilfsbereite Enrico ein vielfacher Kindermörder war, gingen über ihre Kräfte und verursachten ihr Herzrasen.

Anne war sehr schweigsam, aber sie machte einen ruhigen und gefassten Eindruck. Die Ungewissheit hatte ein Ende. Ihr Sohn war tot, er hatte schrecklich gelitten, aber das war vorbei. Jetzt konnte sie ihm nicht mehr helfen, sie wünschte sich für ihn nur noch ein würdiges Grab, wo sie bei ihm sein konnte. Allein und ungestört. Dort würde er in ihren Gedanken weiterleben, und sie würde ihn vor sich sehen, wie er bis zu jenem Karfreitag 1994 gewesen war.

Harald konnte kaum stillsitzen. Er, der den hippokratischen Eid zur Maxime seines Handelns gemacht hatte, war die ganze Nacht von seinen Gewaltfantasien beherrscht worden. Zum ersten Mal in seinem Leben wünschte er sich, einen anderen zu töten. Die Konsequenzen waren ihm egal. Wenn er Enrico zu fassen bekäme, würde er es tun.

Die Sonne stieg höher, fast die gesamte Terrasse lag jetzt in der Sonne, der Tag schien wieder so warm zu werden wie ein Hochsommertag in Hamburg.

Es war elf Uhr dreiundzwanzig, als Mareikes Handy klingelte. Der Maresciallo war am Apparat. Mareike gab das Handy wortlos an Kai weiter. Sie hatte Angst, irgendetwas falsch oder überhaupt nicht zu verstehen, was der Maresciallo ihr zu sagen hatte. Zusätzlich spürte sie, wie ihr Magen sich vor Angst zusammenkrampfte.

Sie war nicht in der Lage, die Nachricht – welche auch immer – entgegenzunehmen.

Kai hörte zu. Ab und zu, sagte er »va bene« oder »subito« und »sicuro«, aber meist atmete er nur, fuhr sich mit der Hand durch die Haare und nickte stumm ins Telefon. Keiner der Übrigen bewegte sich. Die Zeit stand still. Selbst der Wind wehte nicht mehr. Für einen Moment hörte die Welt auf, sich zu drehen.

Als Kai das Handy endlich ausschaltete und Mareike und Bettina ansah, waren seine Augen gerötet, als hätte er drei durchsoffene Nächte hinter sich.

»Sie haben sie gefunden«, sagte er leise. »In einem unbewohnten Haus, das seit Jahren leer steht. Nicht weit von Valle Coronata.«

»Und Jan? Lebt er?« Bettina erstickte fast an diesen wenigen Worten.

»Ja, er lebt.« Kai nickte. »Aber es geht ihm sehr, sehr schlecht. Noch liegt er im Koma. Es ist nicht sicher, ob er durchkommt. Die Ambulanza ist mit ihm gerade auf dem Weg nach Montevarchi.«

Edda schlug die Hände vors Gesicht und begann laut zu schluchzen.

»Ich fahr euch hin«, sagte Eleonore und stand auf. Bettina und Edda rannten zum Auto, Mareike humpelte mit ihren Krücken so schnell es ging hinterher.

»Wo ist das Schwein?«, fragte Harald.

Kai zuckte mit den Schultern. »Ich nehme an, dass sie ihn ins Untersuchungsgefängnis nach Arezzo bringen. Aber genau weiß ich es nicht.«

Harald schlug mit der Handkante auf den Tisch und ging auf der Terrasse auf und ab wie ein Tiger im Käfig.

»Jan lebt«, flüsterte Anne. »Das ist im Moment das Wichtigste. Wenigstens einer hat es geschafft.«

EPILOG

Seit sechs Jahren lebte er nun schon in Moabit. Hinterhof, Parterre, achtunddreißig Quadratmeter. Er teilte sich seine Behausung mit jeder Menge Kakerlaken, Küchenschaben und Ratten, die seine Küchenabfälle fraßen, sich aber ansonsten sehr zurückhaltend verhielten, offenbar waren sie daran interessiert, die behagliche Wohngemeinschaft nicht zu gefährden. Nur nachts hörte er die Ratten ab und zu fiepen, wenn sie sich über Essensreste hermachten und sich darum stritten. Er hörte dieses Fiepen ganz gern, empfand es als Trost, wenigstens nicht ganz allein zu sein.

Seit er hier in Moabit wohnte, hatte er noch nie sauber gemacht oder aufgeräumt, ausgelesene Zeitungen weggeschmissen, leere Bierflaschen in den Container geworfen oder alte Pizzaverpackungen zum Müll gebracht. Mittlerweile war das Chaos unbeherrschbar geworden, es war ihm im wahrsten Sinne des Wortes über den Kopf gewachsen, er konnte nichts mehr daran ändern. Einen halben Meter hoch waren Müll und seine Sachen schon auf dem Boden der gesamten Wohnung verteilt, er konnte nur noch versuchen, sich wenigstens die Stellen zu merken, wo die allerwichtigsten Dinge vergraben waren.

Er hatte ein Dach über dem Kopf. Mehr nicht. Und manchmal reichte dieser Gedanke schon zu einem kleinen Anflug von Zufriedenheit.

Wenn er aus dem Haus ging, grüßte er stets freundlich und wurde ebenso freundlich zurückgegrüßt. Aber er sprach mit niemandem, und daher kannte ihn auch niemand. Niemand wusste etwas über seine Vergangenheit, über sein Schicksal. Er war der ruhige, angenehme Mieter mit dem dünnen, weißen Haar, der aussah wie ein Siebzigjähriger, in Wahrheit aber erst vierundfünfzig war. Man respektierte ihn im Haus, weil er keine Feste feierte, niemals laute Musik hörte und die Mülltonnen nicht verstopfte.

Er legte Wert darauf, seine Vorhänge stets geschlossen zu halten. Niemand sollte sehen, wo der Müll blieb, den er der Hausgemeinschaft ersparte.

Wenn er etwas auf dieser Welt wirklich liebte, dann war es seine Arbeit. Seit drei Jahren putzte er im Landgericht, und er war der sauberste, ordentlichste, gründlichste und zuverlässigste unter seinen Kollegen.

Es war ihm eine Lust, durch die hohe Eingangshalle zu gehen, in der es immer angenehm kühl war, und er genoss den Klang seiner Schritte, früh am Morgen, wenn außer der Putzkolonne noch niemand im Gericht war. Dieser gewaltige Raum mit den hohen Säulen, die Galerie, auf der es ihn schwindelte, wenn er hinunter in den Eingangsbereich sah, die breite Treppe mit den ungewöhnlich flachen Stufen, die man im Laufschritt nehmen konnte …, er hatte das Gefühl, an heiliger Stätte arbeiten zu dürfen, was ihm das Gefühl von Freiheit gab.

Er liebte ebenso die langen Flure, deren Fußböden nach Bohnerwachs rochen und seine Gummisohlen bei jedem Schritt quietschen ließen. Er konnte sich keine schönere Arbeit vorstellen, als mit einem feuchten Lappen über die blank polierten Tische in den Verhandlungssälen zu fahren, und ein regelrechter Glücksfall war es für ihn, wenn er irgendwo doch noch eine staubige Ecke fand. Peinlich genau kontrollierte er jeden Sitzplatz, jedes Pult und gab jede vergessene Akte, jeden Kugelschreiber, jedes Feuerzeug, sogar Tempotaschentücher und halb leere Zigarettenschachteln gewissenhaft beim Pförtner ab.

Und solange er im Gericht war und den Geruch von Putzmitteln regelrecht in sich aufsog, vergaß er seine stinkende, zugemüllte

Wohnung, in der er nichts weiter tun konnte, als vor sich hin zu dämmern und auf den nächsten Arbeitstag zu warten.

Er nannte sich Pit. Auf Pit konnte man sich immer hundertprozentig verlassen. Er war ein guter Kumpel, der aber nie mit den Kollegen nach Feierabend einen trinken ging. Und auch von seinen Kollegen im Gericht wusste niemand, wo er wohnte, hatte niemand auch nur die leiseste Ahnung, wer er wirklich war.

An diesem Morgen war alles anders. Die Ratten verschwanden erschrocken und fluchtartig hinter einem Kissenberg, als er sich bereits um vier Uhr früh vom Sofa rollte, um in Ruhe sein weißes Hemd zu suchen. Er wusste ganz genau, dass er noch eins besaß, unbenutzt und in Plastikfolie. Es war ein Weihnachtsgeschenk seiner Frau, die vor achtzehn Jahren gestorben war. Seine Figur hatte sich kaum verändert, er war eher magerer geworden, seit er weniger trank, weil zu mehr Bierkonsum das Geld einfach nicht reichte. In all den Jahren hatte es keinen Anlass für ein weißes Hemd gegeben, aber heute musste er es tragen. Unbedingt.

Er fand es um halb sechs auf dem Boden eines Regals, deren obere Fächer bereits vor langer Zeit zusammengebrochen waren. Es war schwierig und umständlich, das Regal auszuräumen, um an das unterste Fach heranzukommen, und erhöhte den Müllberg hinter dem Sofa um fast einen Meter, aber es gelang.

Als er das fabrikneue Hemd anzog, fühlte er eine Energie in sich aufsteigen, die wie ein warmer Fluss in seine müden Knochen strömte. Etwas derartig Beflügelndes hatte er schon Jahre nicht mehr gespürt.

Er konnte es gar nicht erwarten, zur Arbeit zu gehen. Wenn alles gut ging, war heute der wichtigste Tag in seinem erbärmlichen Leben.

Kriminalgericht

Mareike zitterte vor Nervosität am ersten Prozesstag gegen Alfred Fischer, geborener Heinrich, alias Enrico Pescatore, den Mörder ihres Adoptivsohns Jan. Jan war nach seiner Rettung aus dem zugemauerten Haus nicht mehr aus dem Koma erwacht und fünf Tage später im Krankenhaus von Montevarchi gestorben.

Mareike hatte danach versucht, ihren Schmerz in Arbeit zu ersticken, und unterstützte so gut sie konnte die anschließenden Ermittlungen der italienischen Kollegen. In Casa Lascone und auch in La Roccia wurden die Pools geöffnet und die Leichen von Filippo und Marco gefunden.

In allen sieben Mordfällen wurden DNA-Spuren mit der DNA von Enrico, alias Alfred Fischer, verglichen. Es gab keinen Zweifel mehr, dass er der Mörder der Kinder war. Auch die Eckzähne konnten allen Opfern zugeordnet werden.

Während Mareike mit ihrer noch verbleibenden Kraft auf den Prozess hinarbeitete, versank Bettina in tiefe Depression, betäubte ihre Verzweiflung mit immer stärkeren Medikamenten und war seit Monaten arbeitsunfähig. Und obwohl sie zusammen mit Mareike vor Gericht als Nebenklägerin auftrat, war sie psychisch derart instabil, dass es ihr unmöglich war, dem Prozess beizuwohnen.

Mehrmals am Tag telefonierte Mareike mit Bettina, da sie in ständiger Angst lebte, Bettina könnte irgendwann dem inneren Druck nachgeben und etwas Unüberlegtes tun.

An diesem Morgen, wenige Minuten vor Prozessbeginn, ging Mareike auf dem Gerichtsflur auf und ab, drückte ihr Handy fest ans Ohr und versuchte, ihrer Freundin Mut zu machen. Alfred würde seine gerechte Strafe bekommen, erklärte sie ihr zum tausendsten Male, das war vollkommen sicher. Die Beweiskette war lückenlos, und Alfred war geständig, wenn auch ohne jede Reue. Zwar machte eine Bestrafung Alfreds keines der Kinder wieder lebendig, aber zumindest konnte man sicher sein, dass er keinem weiteren Kind noch einmal etwas würde antun können.

Bis der Saal geöffnet wurde, waren es noch zwanzig Minuten. Aber bereits jetzt strömten immer mehr Menschen in den Flur und warteten vor der noch geschlossenen Tür.

Daher schenkte Mareike auch dem Putzmann, der einen grünen Kittel trug und mit gesenktem Haupt und langsamen geübten Schwüngen den Wischmopp über den Linoleumboden gleiten ließ, keine große Beachtung. Sie fragte sich zwar einen Augenblick lang, ob es nicht unsinnig sei zu wischen, während derartig viele Menschen über den Flur liefen, vergaß den Gedanken dann aber sofort wieder.

Pit sah auf die Uhr. Er verstaute sein Putzzeug in einem kleinen, dafür vorgesehenen Raum, zog den Kittel aus und ging zur Eingangstür des Gerichtssaales.

Vor der Tür stand der Sicherheitsbeamte Kober, den Pit seit Jahren kannte. Pit grüßte Kober freundlich.

»Was ist denn mit dir los?«, fragte Kober und deutete auf Pits außergewöhnlich festliche Kleidung. »Hast du Geburtstag?«

»Nee«, Pit grinste, »aber ich hab Feierabend, und der Fall interessiert mich. Kann mich da ja nich im Kittel reinsetzen.«

»Wenn de Recht hast, haste Recht«, meine Kober. »Aber 'n Moment musste dich noch gedulden. Zehn Minuten, dann mach ick uff.«

Allmählich trafen auch Presse und Fernsehen vor dem Gerichtssaal ein. Anne Golombek, Daniel Dolls Vater und Kommissar Karsten Schwiers gaben SAT 1 und RTL Kurzinterviews, nur Mareike zog sich unbemerkt und von der Presse unbehelligt ans Ende des Flurs zurück, um ungestört weiter mit Bettina telefonieren zu können, die gar nicht mehr aufhörte zu weinen.

Wenige Minuten später schloss Kober die Saaltür auf. Pit war der Erste, der vom Sicherheitspersonal durchsucht und außerdem mit einem Metalldetektor abgetastet wurde. Dann betrat er den

Saal und setzte sich ganz rechts ans Fenster, direkt neben Heizkörper und Feuerlöscher.

Als Mareike das Telefonat unverrichteter Dinge beendete, weil Bettina immer noch weinte, war sie eine der Letzten, die den Gerichtssaal betraten. Sie setzte sich ebenfalls auf die rechte Seite des Saales, auf die Bank neben Anwalt Märtens, der für die Nebenklagen zuständig war.

Sitzungssaal 17 A

Mareike nickte Anne Golombek kurz und freundlich zu, als sie Platz nahm. Anne war ebenfalls Nebenklägerin und saß drei Plätze weiter. Der Kontakt zwischen ihr und Anne war in den vergangenen Monaten nicht abgerissen. Anne war zu ihrem Mann Harald nach Schleswig-Holstein zurückgekehrt und versuchte seit geraumer Zeit, Valle Coronata zu verkaufen. Aber selbst ein geschickter Makler wie Kai schaffte es nicht, dazu war die Erinnerung an das Geschehene noch zu frisch. Niemand wollte ein Haus kaufen, in dem ein Kind getötet worden war. Mareike wusste auch, dass Anne wieder schwanger war und sich auf das Kind freute.

Als der Angeklagte hereingeführt wurde, wurde es still im Saal. Alfred ging hoch erhobenen Hauptes, er versuchte sein Gesicht nicht zu verstecken, sondern genoss die Aufmerksamkeit sichtlich. Aber er sah blass aus. Durch die lange Untersuchungshaft hatte er seine gesunde Bräune verloren und wirkte älter. Nur sein Selbstbewusstsein schien ungebrochen.

Als seine Personalien geklärt waren und die Staatsanwaltschaft begann, die seitenlange Anklageschrift zu verlesen, lehnte er sich entspannt in seinem Stuhl zurück.

Mareike starrte in seine kalten blauen Augen und hielt es aus, wenn er ihren Blick mit einem beinah süffisanten Lächeln erwiderte. Dieser Prozess, die Verurteilung dieses Massenmörders, hätte der größte Triumph ihrer gesamten Karriere als Kommissarin sein können, aber jetzt sprach man hier vor Gericht über ihre größte private Niederlage. Letztendlich hatte er gesiegt, indem er auch ihren Sohn getötet hatte.

In der letzten Zuschauerreihe saß Carla. Sie trug ein weites Wollcape und hatte außerdem einen Wollschal mehrmals um ihren Hals und ihr Gesicht geschlungen, sodass nur noch ihre Augen zu sehen waren. Niemand hatte hier im Gericht mit ihr gesprochen, und sie war sicher, dass auch Alfred nicht ahnte, dass sie hier war.

Sie wusste, dass das, was der Staatsanwalt sagte, wahr war, aber sie konnte es dennoch nicht glauben. Er war einmal ihr Alfred gewesen, für den sie alles aufgegeben und mit dem sie vierzehn Jahre lang zusammengelebt hatte. Der Mann mit der sanften Stimme, der die Natur liebte und respektierte, der sich über das Leuchten der Glühwürmchen freuen und stundenlang in den Himmel schauen konnte, um in den Wolkentürmen wechselnde Figuren zu erkennen und Geschichten zu erträumen.

Mareike konnte der Anklageverlesung kaum zuhören. Sie kannte die Details, hunderte Male hatte sich das Leid der Kinder und das grausame Sterben auch ihres kleinen Jan in ihrer Vorstellung wiederholt, sie versuchte, nicht hinzuhören und an etwas anderes zu denken. Wenn sie das alles noch einmal minutiös durchleben sollte, würde sie diesen Prozess nicht durchstehen.

Sie ließ ihren Blick wandern und sah sich im Zuschauerraum um. Viele Gesichter waren ihr bekannt. Daniel Dolls Vater wirkte hochkonzentriert, er vermied es, Alfred anzusehen, und las die ganze Zeit in einer Akte. Annes Miene war unbeweglich und undurchdringlich, auch sie würdigte Alfred keines Blickes und drehte nur ab und zu den Ehering an ihrer rechten Hand hin und her. Von Florian Hartwig waren beide Eltern erschienen, die sich die ganze Zeit an den Händen hielten.

Neben der Heizung saß ein Mann, der ihr ebenfalls bekannt

vorkam, aber sie konnte ihn beim besten Willen nicht einordnen. Er hatte die Beine übereinander geschlagen und seinen Kopf so auf die Hand gestützt, dass sie sein Gesicht nicht erkennen konnte.

Immer wieder sah Mareike zu diesem Mann, und als der Staatsanwalt über Benjamin Wagner sprach, löste er für einen Moment seine starre Haltung und fixierte den Angeklagten. Und in diesem Moment erkannte sie ihn. Es war Peter Wagner, Benjamins Vater.

Als der Staatsanwalt über Felix Golombek sprach, beobachtete Mareike, wie Peter Wagners Hand hinter den Feuerlöscher glitt, etwas hervorzog und blitzschnell in seiner Jackettasche verschwinden ließ. Mareike hielt den Atem an. Sie wusste, was Peter jetzt in der Jackentasche hatte, sie ahnte es nicht nur, sie war sich fast hundertprozentig sicher. Aber sie tat nichts. Sie blieb still auf ihrem Platz sitzen und ließ Peter Wagner nicht mehr aus den Augen.

Für den Bruchteil einer Sekunde begegneten sich ihre Blicke, als sich Peter im Saal umsah, abschätzend, ob auch wirklich niemand etwas bemerkt hatte.

Peter Wagner erkannte die Kommissarin Mareike Koswig. Ihr durchdringender, intensiver Blick machte ihn nervös. Er überlegte, ob sie ihn schon die ganze Zeit so fixiert hatte. Aber dann glitt ein Anflug, nur der Hauch eines Lächelns über ihre Lippen. Peter Wagner entspannte sich und lächelte kurz zurück. Wenn sie etwas bemerkt haben sollte, hätte sie sicher schon längst etwas unternommen.

Peter Wagner konzentrierte sich wieder auf Alfred.

Er wartete noch zwei Minuten. Dann stand er auf und ging langsam in Richtung Ausgang. Mareike stand der eiskalte Schweiß auf der Stirn. Peter war auf ihrer Höhe, fast genau neben ihr. Es wäre ein Leichtes gewesen, sein Vorhaben zu verhindern. Für den hundertsten Bruchteil einer Sekunde dachte sie sogar daran, aber sie tat es nicht.

Peter Wagner ging an der Anklagebank vorbei, dann drehte er sich um, in der Hand hielt er jetzt eine Pistole. Blitzschnell machte er zwei Schritte auf Alfred zu und sah in die glasklaren, blassblauen Augen, die das, was sie sahen, nicht glauben wollten, während er zielte.

Er traf Alfred mitten in die Stirn.

SABINE THIESLER

Hexenkind

Roman

HEYNE

Das Buch

In einem einsam gelegenen alten Bauernhaus in der Toskana ent-deckt ein Pilzesammler eine schrecklich zugerichtete Leiche. Sarah, der deutschen Frau des Trattoriabesitzers Romano, wurde die Kehle durchgeschnitten.

Dieser brutale Mord ist aber noch lange nicht das Ende eines Unheils, das bereits vor zwanzig Jahren begann:

Sarah flieht zusammen mit Romano und ihrer kleinen, hochbegab-ten Tochter Elsa aus Berlin und aus einer Beziehung mit einem genialen, aber gewalttätigen Musiker. In Romanos Heimat, der Tos-kana, fangen sie ein neues Leben an und eröffnen eine Trattoria. Aber ihr Glück währt nur kurz, denn der gemeinsame Sohn Edi ist nach einem Unfall geistig behindert. Sarah kompensiert ihr Un-glück, indem sie Beziehungen zu verschiedenen Männern hat. Sie lebt ein gefährliches Leben und ahnt nicht, dass sie längst von der Vergangenheit eingeholt wird.

Das Verhängnis, das damals in Berlin begann, steigert sich wie in einer klassischen griechischen Tragödie auch über Sarahs Tod hinaus bis zu einem bitterbösen Ende.

Die Autorin

Sabine Thiesler, geboren und aufgewachsen in Berlin, studierte Germanistik und Theaterwissenschaften. Sie arbeitete einige Jahre als Schauspielerin im Fernsehen und auf der Bühne und war Ensemblemitglied der Berliner »Stachelschweine«. Außerdem schrieb sie erfolgreich Theaterstücke und zahlreiche Drehbücher fürs Fernsehen (u.a. »Das Haus am Watt«, »Der Mörder und sein Kind« und mehrere Folgen für die Reihen »Tatort« und »Polizeiruf 110«). Mit ihrem ersten Roman *Der Kindersammler* feierte sie gleich einen Sensationserfolg und stand monatelang auf der Best-sellerliste. *Hexenkind* ist ihr zweiter Roman.

Lieferbare Titel
Der Kindersammler

ERSTER TEIL

IL DELITTO –
DAS VERBRECHEN

Toskana, 21. Oktober 2005

1 Noch nie in seinem Leben hatte er so viel Blut gesehen. Er lehnte sich an den Türrahmen und beobachtete sich dabei, wie er atmete. Ein – aus – ein – aus. Bloß nicht aufhören, jetzt bloß nicht schwindlig werden. Er blinzelte, drückte die Augen ganz fest zu und machte sie dann langsam wieder auf. Sein Blick war klar, mit den Augen hatte es nichts zu tun und auch nicht mit seinem Verstand. Was er sah, war eindeutig Blut, obwohl er es nicht begreifen konnte.

Er war an diesem Morgen bereits im Dunkeln aufgebrochen, hatte seinen Wagen in Solata unter der Kastanie in der Ortsmitte stehen lassen und war dann – begleitet vom wütenden Gekläff mehrerer Hunde – losgewandert. Jetzt war es zwanzig nach sieben, und die Sonne ging auf. In einer Viertelstunde würde sie hinter Volpaio auftauchen, aber noch war es ziemlich dunkel im dichten Wald, in dem das Haus Sarah Simonettis stand. Sie hatte den Wald nie lichten lassen, obwohl die meisten Baumstämme meterhoch, aber nicht dicker waren als ein Kinderarm. Sarah liebte die Dunkelheit und die Stille, als brauche sie ein Versteck.

Marcello ging langsam. Seit seinem Herzinfarkt vor über zwei Jahren machte er regelmäßig lange ruhige Spaziergänge, die jetzt im Herbst besonders lohnend waren, da er Pilze suchen konnte. In der linken Hand trug er den Korb, den er sorgsam mit Blättern ausgelegt hatte, und in der rechten hielt er den Stock, mit dem er den Waldboden absuchte, indem er Erika, Unterholz und Gestrüpp zur Seite schob. Bisher hatte er lediglich zwei winzige Pfifferlinge und einen mittelgroßen Steinpilz gefunden, aber der Vormittag war noch lang, und er wusste, dass erst jetzt das Gebiet begann, wo die meisten Steinpilze wuchsen.

Sarah suchte nie Pilze. »Für ein Pilzgericht, das mir noch nicht einmal besonders gut schmeckt, setze ich nicht mein Leben aufs Spiel«, hatte sie häufig gesagt. Obwohl er ihr schon im vergangenen Jahr angeboten hatte, die Pilze auf ihre Genießbarkeit hin zu prüfen, hatte sie abgelehnt. »Viel Spaß beim Suchen«, sagte sie. »Und guten Appetit. Ich halte mich da raus.«

Er wusste also, dass er sie nicht störte, wenn er das terrassenförmig angelegte Gebiet ums Haus herum abging, aber er bemühte sich dennoch, so leise wie möglich zu sein, um sie nicht zu erschrecken.

An diesem Morgen war irgendetwas anders. Das spürte er, als er zwischen den Bäumen und dem meterhohen Weißdorn hinunter auf das Dach ihres Hauses sah, das sich an den Berg schmiegte, ja beinah darin verschwand.

Er blieb stehen und horchte. Es war ungewöhnlich still. Kein Windhauch rauschte in den Blättern der Eichen, er strengte sich an und konzentrierte sich, aber es war noch nicht mal der Gesang oder das Rufen eines Vogels zu hören.

Er war schon Monate nicht mehr hierher gekommen. Hatte es nicht gewagt, hatte immer noch Angst. Aber in den letzten Tagen hatte er mehrmals von Sarah geträumt, und die Sehnsucht, die er jetzt zweieinhalb Jahre erfolgreich bekämpft hatte, war wieder da. Er wollte nur einmal an ihrem Haus vorbeigehen. Mehr nicht. Immerhin hatte er durch das Pilzesammeln einen Grund und eine Ausrede, falls sie sich wundern sollte. Er wusste, dass sie immer sehr früh aufstand, und wollte sie nur einmal kurz sehen. Vielleicht lud sie ihn sogar auf einen Espresso ein. Nichts weiter. Nur ein Espresso auf der kleinen Terrasse vor der Küche. Er würde auch nicht mit ihr ins Haus gehen. Es würde nichts geschehen. Nicht am frühen Morgen und nicht nach zweieinhalb Jahren, in denen er gelernt hatte, alles zu vergessen.

Vorsichtig, um nicht auszurutschen, kletterte er den steilen Hang hinunter. Sarah wird wahrscheinlich gar nicht da sein, dachte er sich, schließlich kommt sie nur ein- bis zweimal in der Woche hierher.

Die Stille machte ihn nervös. Er fröstelte und zog den Reißverschluss seiner Jacke hoch bis unters Kinn. Als er um die Hausecke mehr schlich als ging und sich dabei an einer knorrigen Eiche festhielt, sah er die Haustür sperrangelweit offen stehen.

»Sarah!«, rief er erst leise und dann mehrmals wesentlich lauter. »Signora Simonetti!«

Nichts regte sich. Es blieb so still wie zuvor. Er konnte sich nur schwer vorstellen, dass Sarah weggegangen und die Tür offen gelassen hatte, noch weniger konnte er sich vorstellen, dass sie bei offen stehender Tür schlief.

Marcello spürte, wie die Angst sein Herz langsam zusammenschnürte, und er überlegte, ob er einfach davonlaufen und irgendwo anders Pilze suchen sollte, aber die Sorge um Sarah hinderte ihn daran.

Er kannte das Haus. Er hatte es sich genau angesehen, um die Versicherungssumme festzusetzen, und Sarah hatte außerdem noch Fotos von jedem Zimmer nachgereicht. Sie hatte das Haus lediglich gegen Feuer versichert, alle anderen Versicherungen hatte sie abgelehnt. »Wozu?«, fragte sie. »Hier kommt niemand in den Wald, um mich oder einen alten Stuhl oder meine dicke Jacke zu klauen. Dieses Haus findet überhaupt niemand, der es nicht kennt.« Ihre Unerschrockenheit und ihr fester Glaube, dass ihr nie etwas geschehen würde, hatten ihn fasziniert. Seiner Frau und seinen Töchtern war es unmöglich, auch nur für einen kurzen Spaziergang allein in den Wald zu gehen, aber Sarah lebte hier mit einer Sorglosigkeit, die im Dorf kaum jemand verstand.

Jetzt rief er nicht mehr, sondern betrat, leise »Permesso« murmelnd, die Küche. Ihm wurde bewusst, dass er den Atem anhielt, als er sich umsah. In der Küche war nichts Ungewöhnliches. Sie

7

war sauber und ordentlich, einige Teller und Tassen stapelten sich gespült zum Abtropfen auf einem Tablett, auf dem Tisch stand ein kleiner Strauß Buschrosen, und auf dem Herd gab es keinen einzigen noch so winzigen Fettspritzer. Das Einzigartige in der Küche war die der Tür gegenüberliegende Felswand des Berges, die eine ganze Küchenwand ausmachte und die Sarah völlig naturbelassen hatte.

Neben der Küche war ein kleiner Magazinraum, wo Sarah Haushaltsgegenstände und einige Vorräte aufbewahrte, aber auch das Magazin machte einen ähnlich ordentlichen Eindruck wie die Küche.

Marcello stellte seinen Pilzkorb neben die Spüle und stieg die leicht gewundene Treppe hoch ins obere Stockwerk. Den Stock behielt er in der Hand. Das winzige Wohnzimmer mit dem kleinen Kamin war dunkel und leer, Sarah hatte die Fensterläden geschlossen. Auf ihrem Schreibtisch lag die angefangene Zeichnung von miteinander tanzenden Bäumen im Wald. Marcello wusste, dass Sarah Kinderbücher illustrierte. Die Schreibtischlampe brannte und beleuchtete den Raum notdürftig. An der Wand lehnten weitere Blätter mit Zeichnungen in verschiedenen Formaten, die alle vermenschlichte Pflanzen und Tiere zeigten, die zusammen Feste feierten, aßen, tranken oder von paradiesischen Zuständen träumten.

Marcello hörte das Blut in seinen Ohren rauschen, wie das herannahende Grollen eines schweren Sturms. Seine Hand zitterte, als er unendlich langsam die Türklinke zum Schlafzimmer niederdrückte. »Sarah«, flüsterte er, bekam aber keine Antwort.

Sarah hatte auch die Wände ihres Schlafzimmers, die aus schweren Natursteinen gemauert waren, unverputzt gelassen. Zusammen mit den alten, von Holzwürmern zerfressenen Deckenbalken gaben sie dem Raum eine fast grottenhafte Atmosphäre. Allerdings hatte sich Sarah in einem florentinischen Möbelgeschäft als Kontrast zu dem rustikalen Flair ein filigranes, golden wirkendes Messingbett bestellt, über dem stets eine weiße Spitzendecke lag. Ansonsten gab es in diesem Zimmer nur einen Sessel am Fenster, goldene Kerzenhalter und einen venezianischen Spiegel mit goldverziertem pompösem Rahmen, dem Bett genau gegenüber.

Und in ihrem goldenen Bett lag Sarah nun mit durchgeschnittener Kehle. Ihr Kopf war leicht zur Seite gekippt, und Marcello konnte erkennen, wie tief der Schnitt ging, der Sarahs Kopf beinah vollständig vom Rumpf abgetrennt hatte. Die kostbare Decke und ihr seidener, fliederfarbener Morgenmantel waren von dunkelrotem Blut durchtränkt. Der leichte Mantel klaffte weit auseinander und offenbarte ihre Nacktheit bis zum Bauchnabel. Auf dem Mattonifußboden hatte sich eine bräunlich rote Pfütze gebildet. Sarahs Blut war sogar gegen die Wand gespritzt und hatte ein faszinierendes unregelmäßiges Muster auf den buckligen, rauen Steinen hinterlassen.

Marcello ging langsam wenige Schritte ins Zimmer hinein, und erst jetzt sah er, was außerdem noch in einer Blutlache auf dem Boden lag. Die Augen von Caro, dem weißen Terrier, starrten trübe an die Decke und waren weit aus ihren Höhlen getreten. Er sah aus, als habe er in seinem letzten Moment immer noch nicht glauben können, was da gerade mit ihm geschah. Caro, der den ganzen Tag geherzt, geküsst, gestreichelt, gekrault, durch die Gegend getragen und fast rund um die Uhr mit Leckereien gefüttert wurde, erlebte zum ersten und letzten Mal eine Hand, die ihm nichts Gutes tat, sondern genau wie Frauchen die Kehle durchschnitt.

Irgendein Irrer musste in das einsame Haus im Wald eingedrungen sein und hatte Sarah und ihren Hund regelrecht abgeschlachtet.

Sarahs langes blondes Haar lag wirr auf dem Kissen und wirkte fettig. Sie sah so fremd aus, so verwahrlost. Sie wird anfangen zu riechen, dachte Marcello, oh mein Gott, bald werden die ersten Fliegen kommen und in ihre Augen und Nasenlöcher kriechen, um ihre Eier abzulegen.

Marcello spürte, wie ihm übel wurde. Fast schon automatisch überprüfte er seinen Puls. Sein Herz raste. Ich muss mich setzen, dachte er, sonst bekomme ich den nächsten Infarkt vor ihrer Leiche.

Um nicht umzufallen, tastete er sich an der Wand entlang zu dem kleinen Sessel am Fenster. Er öffnete es und atmete tief durch. Ein leichter Wind war aufgekommen, und nun konnte er auch das leise Rauschen der Blätter hören.

Marcello zitterte. Die Situation überforderte ihn. Er überlegte fieberhaft, was er jetzt als Nächstes tun sollte, und begann vor Nervosität an den Fingernägeln zu knabbern.

Er zwang sich, ruhig zu atmen, blieb ein paar Minuten sitzen und schloss hin und wieder die Augen, um Sarah nicht unentwegt ansehen zu müssen.

Als er sicher war, dass sein Herz sich beruhigt hatte, stand er auf und schloss das Fenster. Er warf einen letzten Blick auf die tote Sarah und begriff erst in diesem Moment, dass er sie nie wiedersehen würde. Schnell verließ er den Raum, ging die Treppe hinunter, nahm seinen Korb und trat aus dem Haus. Einen Moment überlegte er noch, ob er die Haustür schließen sollte, aber dann ließ er sie offen.

Marcello machte sich zügig auf den Rückweg. Er ging schneller als gewohnt, aber es machte ihm nichts aus. Sein Verstand arbeitete auf Hochtouren. Er war ein anständiger Mensch, der sich noch nie etwas hatte zuschulden kommen lassen. Er war immer pünktlich und korrekt. Bei ihm gab es keine Unordnung und keine Unsauberkeit. Er fluchte nicht und war höflich zu jedem Menschen, dem er begegnete. Seine Schrift sah aus wie gedruckt, da war kein Buchstabe undeutlich, und seine geschriebenen Zeilen waren so gerade, als habe er die Worte auf eine unsichtbare Linie gesetzt. Auf Marcello konnte man sich verlassen. Wenn er ein prallgefülltes Portemonnaie fand, brachte er es zur Polizei, ohne ihm auch nur einen einzigen Euro zu entnehmen. Auch seine Kunden trickste er nicht aus, sondern bezahlte ohne zu zögern jede Versicherungssumme, die ihnen zustand. Marcello war ein durch und durch rechtschaffener Mensch.

Es gab nur eine Ausnahme, einen Ausrutscher in seinem Leben, von dem niemand je etwas erfahren durfte. Ein Geheimnis, das er unbedingt mit ins Grab nehmen wollte. Sarah.

Und aus diesem Grund entschied er an diesem Herbstmorgen, etwas zu tun, von dem er wusste, dass es falsch war. Er fühlte, dass er weder in der Lage war, weiter Pilze zu suchen, noch geradewegs nach Hause zu gehen. Also beschloss er, auf dem Markt ein paar Porcini, Steinpilze, die Pia ganz besonders liebte, zu kaufen, anschließend in einer Bar einen doppelten Grappa zu trinken und dann niemandem auch nur ein Sterbenswörtchen davon zu erzählen, was er gesehen hatte. Den Carabinieri nicht und schon gar nicht seiner Frau.

Er lief zügig und mit klopfendem Herzen durch den Wald und betete dabei, dass ihm niemand begegnen und ihn niemand sehen möge.

Es war zwei Minuten vor neun, an diesem Freitag, dem 21. Oktober 2005.

11

2 Am Abend zuvor waren die letzten Gäste in Romanos Trattoria »La Luna« erst um halb eins verschwunden. Um zwölf hatte Romano ihnen demonstrativ einen Grappa vom Haus kredenzt und die Rechnung fertig gemacht, indem er die Registrierkasse schnarren und rechnen ließ. Aber das junge Paar nippte den Grappa nur in winzigen Schlucken. Sie hatten die Hände auf dem Tisch ineinander verknotet, sahen sich unverwandt in die Augen und flüsterten sich leise Liebesschwüre zu. So viel konnte Romano mitbekommen. In den Jahren seiner Beziehung mit Sarah hatte er fließend Deutsch sprechen gelernt und war in der Lage, alles zu verstehen, was seine Gäste sagten.

Seine Mutter Teresa hatte sich bereits um elf verabschiedet, nachdem sie die Küche so weit es ging aufgeräumt und geputzt hatte. »Ist alles in Ordnung?«, fragte sie wie jeden Abend, und Romano nickte wie immer. »Wenn irgendetwas passiert wäre, hätte ich es dir gesagt.«

Es kam oft vor, dass Sarah abends nicht in der Trattoria war um zu bedienen, sondern den Abend und die Nacht im Casa della Strega, ihrem »Hexenhaus«, wie sie es nannte, verbrachte. Sie zog sich ab und zu zurück, um zu entspannen oder ungestört an ihren Bildern zu arbeiten.

»Ich kann einfach nicht den ganzen Tag zusehen, wie Teresa ihren Rosenkranz betet«, hatte sie zu Romano gesagt. »Das macht mich verrückt. Und wenn sie nicht betet, erzählt sie dummes Zeug oder macht mir Vorhaltungen. Ich brauche irgendwo einen Ort, wo ich ungestört und allein sein kann. Das verstehst du doch, oder?«

Romano hatte nur genickt und sah todunglücklich aus dabei.

Vor allem in der Vor- und Nachsaison, wenn die Plätze der Trattoria abends nicht voll ausgelastet waren, blieb Sarah oft weg. So machten sich auch an diesem Abend weder Romano noch seine Mutter Teresa Sorgen.

Als das junge Paar endlich eng umschlungen das Lokal verließ, schlug Romano noch die Kasse ab. Er hatte über fünfhundert Euro Umsatz gemacht und war zufrieden. Für einen Donnerstagabend Ende Oktober war das erstaunlich.

Er löschte das Licht, schloss die Trattoria ab und trat auf die Straße. Um diese Zeit war in dem kleinen Ort niemand mehr unterwegs. In der Ferne hörte er, wie ein Wagen gestartet wurde. Wahrscheinlich das junge Paar, das nach Hause fuhr. Nur in wenigen vereinzelten Fenstern war noch Licht. Vorwiegend alte Leute, die nicht schlafen konnten und die halbe Nacht vor dem Fernseher verbrachten.

Die Straßenbeleuchtung tauchte die engen Gassen in ein warmes gelbliches Licht, und Romano war in diesem Moment wieder einmal froh, dass er hier leben und arbeiten konnte. Obwohl er sich eine Bar herbeisehnte, in der er jetzt noch jemanden treffen und in Gesellschaft einen Wein trinken konnte.

Direkt über der Trattoria wohnten seine Mutter Teresa und sein Stiefvater Enzo, den sie vor zwanzig Jahren geheiratet hatte. Romanos leiblicher Vater war fünfunddreißig Jahre älter als Teresa gewesen und an Altersschwäche gestorben, als Romano zwanzig war. Aber auch mit ihrem zweiten Mann Enzo hatte Teresa wenig Glück. Er war zwar nur fünf Jahre älter als Teresa, hatte aber seit einigen Jahren chronisches Rheuma und konnte sich fast gar nicht mehr und wenn, dann nur unter großen Schmerzen bewegen. Die meiste Zeit saß er am Fenster und starrte auf die Dorfstraße, auf der sich auch tagsüber nur wenig abspielte. Wenn er Gesellschaft brauchte, rief er nicht nach Teresa oder Romano, sondern nach Sarah. War sie in der Nähe und hatte Zeit, ging sie sofort zu ihm.

Romano hatte keine Ahnung, worüber die beiden sich stundenlang unterhielten. Aber Romano wusste, dass es nur Sarah war, die
Enzo die Kraft gab, die ungeheuren Schmerzen zu ertragen und
den Lebenswillen nicht zu verlieren.

Über Teresa und Enzo wohnten Romano und Sarah mit
Eduardo, ihrem gemeinsamen Sohn. Sarahs uneheliche Tochter
Elsa, die bereits drei Jahre alt war, als sie Romano kennenlernte,
studierte in Siena und teilte sich dort eine kleine Wohnung mit
ihrer Freundin. Seit einem Zerwürfnis mit ihrer Mutter kam sie
nur noch selten nach Hause.

Romano ging langsam die Treppe hinauf und schloss die
Wohnungstür auf. In der Wohnung war es still. Wahrscheinlich schlief Eduardo längst. Im Wohnzimmer schaltete er den
Fernseher an, aber stellte den Ton so leise, dass er die Worte gerade noch verstehen, oder besser ihren Sinn »erahnen« konnte,
um Edi, wie jeder in der Familie und auch jeder im Dorf Eduardo
nannte, nicht zu wecken. Dazu öffnete er eine Flasche Rotwein
und setzte sich in den Sessel direkt vor dem Fernseher. Er hatte
Zeit. Wie jede Nacht, denn vor vier Uhr konnte er nur selten einschlafen.

Um halb zwei – er sah gerade den amerikanischen Thriller »The
Game« mit Michael Douglas – stellte er den Ton des Fernsehers aus
und rief sie an. Sie hob erst nach einer Weile ab, und ihre Stimme
klang verschlafen.

»Sarah«, sagte er. »Ich hoffe, ich habe dich nicht geweckt. Ist
alles in Ordnung bei dir?«

»Ja«, meinte sie knapp und klang gereizt. »Entschuldige, aber
ich will jetzt nicht telefonieren.«

»Hast du Besuch?« Er fühlte sich so erbärmlich bei dieser Frage,
aber er musste sie stellen, er konnte nichts dagegen tun.

»Nein«, sagte sie. »Aber ich bin müde.«

»Wann kommst du?«

»Morgen Früh«, hauchte sie. »Morgen Früh um neun. Du

brauchst nicht aufzustehen, ich mache Edi Frühstück.« Dann legte
sie auf.

Romano behielt den Hörer in der Hand und spielte unschlüssig
damit herum. Er glaubte ihr kein Wort. So kurz angebunden war
sie nur, wenn sie nicht allein war. Also doch. Also schon wieder.

Er legte den Hörer auf die Gabel und trank sein Glas Wein in
einem Zug leer.

Lesen Sie weiter:
Hexenkind
von
Sabine Thiesler
ISBN 978-3-453-43274-1

HEYNE <

Martina Cole

Englands Nummer Eins auf der Bestsellerliste

»Martina Coles Figuren sind bereits Legende.
Sie sind böse, gewalttätig, unvergesslich.« **Mirror**

978-3-453-43143-0

978-3-453-43028-0

978-3-453-43169-0